# 唐诗宋词元曲鉴赏

宋　涛　主编

## 第一卷

辽海出版社

**图书在版编目（CIP）数据**

唐诗宋词元曲鉴赏/宋涛主编－沈阳:辽海出版社,2010.11
ISBN 978－7－5451－1020－3

Ⅰ.①唐… Ⅱ.①宋… Ⅲ.①唐诗－文学欣赏②宋词－文学欣赏③元曲－文学欣赏
Ⅳ.①I207.2

中国版本图书馆 CIP 数据核字（2010）第 200987 号

责任编辑:柳海松
责任校对:顾　季
封面设计:顾　季

出　版　者:辽海出版社
社　　　址:沈阳市和平区十一纬路 25 号
邮政编码:110003
电　　　话:024－23284469
E－mail:dyh550912@163.com
印　刷　者:三河市众誉天成印务有限公司
发　行　者:辽海出版社

幅面尺寸:170mm×250mm
印　　　张:80
字　　　数:1840 千字

出版时间:2010 年 12 月第 1 版
印刷时间:2019 年 11 月第 4 次印刷
定　　　价:696.00 元（全四卷）

# 前　　言

中国是一个诗乐的国度，有"大乐与天地同和"的思想。在中国人思想中，文明的进程、朝代的更替是宇宙节奏的一种呈现，作为人类社会的文化活动也是一种有节奏的运动。中国的诗经、楚辞、汉赋到唐诗、宋词、元曲就表达了中国文化史一种有节奏的美的运动。中国的诗经、楚辞、汉赋到唐诗、宋词、元曲的创作在广义上讲都与音乐有关，在文字上都追求适合吟咏或歌唱的韵律，在内容上体现天地节奏和人类心音。中国从诗经、楚辞、汉赋到唐诗、宋词、元曲，从内容和形式上既有传承又有自我独立，形成了一部中华文化美的乐章，其中"唐诗、宋词、元曲"就是这部乐章中最美妙的音符。唐诗中运转不息的生命之力和千姿百态的生命节奏；宋词里轻巧尖新的意境美学和缠绵绮靡的人生情感；元曲苍茫寥廓的宇宙意象和风流偶傥的浪子情怀。构成中国文化史中美的旋律。

《唐诗宋词元曲鉴赏》一书依照中国古代最权威的三种选本，精选了唐诗、宋词、元曲。内容上，既安排了对字、词、句的注释，又有对整篇作品的风格、手法及意境进行评介的"赏析"。鉴于中国古代文化除了文学以外，还有丰富多彩、成就斐然的绘画艺术与诗、词、曲相映生辉，我们特意选取了最能表达这些文学作品主题、意境的历代绘画名作，使读者能够同时领略祖国伟大的文化艺术遗产的博大精深。

唐诗，大气；宋词，婉转；元曲，明丽。唐诗是大唐的精神圣殿，或清新俊爽，或丰腴明丽，或雄浑沉厚，或淡静雅致，都是有声有色的韵律演绎。依据被尊为唐诗最佳选本的清代蘅塘退士选本，千古绝唱俯拾皆是。宋词是两宋繁华绮丽的结晶，婉约派典雅温丽、曲尽情态；豪放词优游放怀、慷慨激昂。依据被尊为宋词最佳选本的清代上疆村民选本，名篇佳句尽收无遗。元曲是元代市井现实的生动写照，杂剧语言鲜活，形象丰满，抨击时弊；散曲合乐，独具特色。

中国古代诗人们破解了汉语四声八音的密码，在舞乐中酬唱痛饮，在醺醉中喷薄才思，其心灵华章浸润着无数后世国人。

编 者

# 目　　录

唐诗宋词元曲鉴赏

目　录

## 卷二　宋词鉴赏

# 卷三　元曲鉴赏

# 卷一　唐诗鉴赏

## 蝉

虞世南

　　垂绥①饮清露，流响出疏桐。
　　居高声自远，非是藉②秋风。

**【注释】**

①垂绥：本意是古代官帽打结下垂的带子，此处指蝉的细嘴。②藉：凭借。

**【赏析】**

　　唐代咏蝉诗颇多，其中以骆宾王的《在狱咏蝉》最为出名。虞世南的《咏蝉》一诗问世较早，以"居高声自远，非是藉秋风"一句见称于世。

　　古人好以蝉来比喻品行的高洁。因为蝉餐风饮露，不畏寒暑，不畏孤零，如同洁身自好的君子，虽然两袖清风，依然遗世而独立。《唐诗别裁》说："咏蝉者每咏其声，此独尊其品格。"意思是，蝉在高枝上，不食人间烟火，身心清净，清高自傲，这与君子之风正相合。所以古人常将之引入诗中，或者干脆大咏大赞一番，来表现自己不与世俗同流合污的性情。虞世南此诗也未能脱其窠臼。

　　然而，本诗也是不可多得的佳作。清施补华《岘佣说诗》云："三百篇比兴为多，唐人犹得此意。同一咏蝉，虞世南

虞世南《蝉诗》

'居高声自远，非是藉秋风'，是清华人语；骆宾王'露重飞难进，风多响易沉'，是患难人语；李商隐'本以高难饱，徒劳恨费声'，是牢骚人语。比兴不同如此。"这段话的意思是，本诗与骆宾王、李商隐的咏蝉诗各有千秋，虽然诗人的遭遇不同，但咏蝉的意旨相同，其中的意趣难得，所以被誉为"咏蝉诗三绝"之一，亦是对此诗的最高评价。

　　该诗妙处在于，诗中处处只写蝉，而不是直抒胸臆。四句诗里，将蝉的形体、声音和习性描写得惟妙惟肖，虽为写蝉，实则诉说人的情怀。

　　第一句"垂绥饮清露"，"垂"二字用来形容蝉的细嘴，是指蝉头部下面伸出的触

须，用以吮吸清露、维持生命的部位。据说它的触须跟古代官帽上下垂的带子很像，""就是古人结在额下的帽带下垂部分，以防止帽子掉下来。蝉用细嘴把自己固定在树木上，宁可千方百计穿破树皮吸食琼浆，也不愿意落到地面吸食泥淖积水。所以用来比喻那些不肯盘剥百姓、贪污腐败的官员，宁可清贫，也不为恶百姓。

第二句"流响出疏桐"，意思就是：蝉栖息在挺拔清癯的梧桐树上，不像蚊蝇在烂泥里纵横，才能发出清脆明丽的叫声。这就好比那些清廉的官员，因为身家清白，因而行得正、坐得直，即便"居高"，亦能"声自远"，不凭借任何势力和钱财，亦可声名远播。后两句"居高声自远，非是藉秋风"一语双关，隐喻做官之人应该立身高处，德行高洁，才不被人诟病。

诗中字字句句虽然不离蝉，实则把蝉进行了人性化地揣摩，令其成了人格的代表。而在开篇，诗人就已经借"垂"表明自己的身份，称自己有官职在身。虞世南本为隋朝的官员，隋炀帝时期被任命为起居舍人，后来又入唐做官。他因自幼体弱多病而从文，对文学、书法等造诣甚高，其德行高尚，远近闻名。在唐朝为官时，其人清廉自守。唐太宗曾盛赞他德行、忠直、博学、文词、书翰为"五绝"，实乃"当代名臣，人伦准的"。可以说，《咏蝉》是他的自喻自勉作品，暗示自己的志趣所在，物我互释，深层用意是希望自己能继续保持洁身自好的品性。

这首诗暗示了一则真理：一个人能得到人格高尚的美誉，不在于其权势、地位和财富，这些只是外在的凭依，换来的不过是虚名；只有发自内在清廉自守，才能得到世人的肯定，流芳百世。正如曹丕在《典论·论文》中所说："不假良史之辞，不托飞驰之势，而声名自传于后。"正是虞世南这首诗的意义所在。

# 赋得临池竹应制

虞世南

葱翠梢云质，垂彩映清池。波泛含风影，流摇防露枝。龙鳞漾巉谷①，凤翅拂涟漪。欲识凌冬性，唯有岁寒知。

**【注释】**

①巉谷：昆仑山北谷名。

**【赏析】**

《赋得临池竹》原诗出自于唐太宗之手，因为诗中的一些引用和比喻并不恰当，而当时虞世南在太宗身边，察觉到了此中错处，因而吟出本诗来予以纠正。

唐太宗原诗为："贞条障曲砌，翠叶贯寒霜。拂牖分龙影，临池待凤翔。"这是一首咏物诗。太宗在作此诗时，因为处于盛夏，他见窗外竹美，有感而发，将竹子的物性和姿态夸奖一番，还效仿古人常用典，称竹影形似龙。古诗中常将竹子与龙相联系，所以唐太宗也用了这个典故，在诗中隐隐显露了自得之意。结果此诗的第二句却犯了错误，因为太宗写了翠竹耐寒的品性，而在盛夏用这种比喻实在不妥，虞世南不便直说，只有应制一首，暗示太宗比喻用错。

《赋得临池竹应制》第一联"葱翠梢云质，垂彩映清池"，"云质"意为品质，这句话的意思是，翠竹的品性清高，如同云一般洁白，映照在清池当中。第二联"波泛含风影，流摇防露枝"是讲，一阵风吹来，吹皱了一池春水，竹子在风中婆娑的样子于水中呈出倒影。这两联一讲高处——竹梢如云，一讲低处——水影荡漾。一高一低相映成趣。

在第三联"龙鳞漾巇谷，凤翅拂涟漪"中，虞世南也像唐太宗一样，引用了龙的意象，描写龙鳞和凤翅激起谷中深水的涟漪，通过涟漪再与第二联竹影涟漪相联系，巧妙地把龙和竹影两种意象的关系建立起来。在这一联当中，虞世南是在向唐太宗展示龙、凤、竹影该如何适当过渡。直到最后一联"欲识凌冬性，唯有岁寒知"中，他说，想要知道竹子的耐寒性，只有等到寒冬腊月经过考验才能知道，而不应该像太宗那样，在夏天就赞竹子的坚韧耐苦。

竹本为温热地区的植物，枝干挺拔，身形修长，四季青翠，可凌霜傲雪，备受古人喜爱，今人也多有喜竹者。在古代，竹与梅、松并称为"岁寒三友"，因能耐寒的植物多有坚韧的含义而受人青睐。

古今庭园中几乎无园不竹，竹影婆娑的姿态更是被古人极尽赞美，入诗入画，显其清秀绝伦，唐太宗因此一时兴起，作《赋得临池竹》。而虞世南这首应制诗是站在老师的角度纠正唐太宗，虽然用意是好的，用词亦比较隐晦，但是已经露出些许得意色。如果唐太宗稍有微词，虞世南的乌纱恐会受到动摇。但同时也说明，虞世南才情可嘉，受到唐太宗的喜爱，所以才敢肆言。

# 秋夜喜遇王处士

王绩

北场芸藿罢，东皋刈黍归。
相逢秋月满，更值夜萤飞。

## 【赏析】

王绩少富才学，15岁时游历京都长安拜见权倾朝野的大臣杨素，被在座的公卿称为"神童仙子"。受到如此高的评价，注定王绩会有孤芳自赏的性格，所以在朝为官郁不得志之后，一度选择归隐。本诗就是在他归隐的时候所作，反映的正是隐士田园生活，颇有陶渊明"不为五斗米折腰"的意味。

本诗一、二句讲作者经过了一天的农耕劳作之后，于傍晚归家，途中遇到了王处士。这里的"王处士"为代称，指品德高尚却不得志的人，或指隐居在民间的有道之人。其中，"芸藿"、"刈黍"分别指给豆苗除草和割谷子等农活。而"东皋"则是引用了陶渊明《归去来辞》中"登东皋以舒啸"的诗句，点明了作者隐者的身份。

这两句诗充满了作者对田园生活的欢喜，无论是除草还是丰收，都满含野趣，使人在大自然当中充分感受天人合一的妙趣。不仅如此，诗人白天耕作劳动，晚上回家又能与志同道合的人相逢，彼此谈天说地，互诉志趣，自然是欢心愉悦。虽然两句诗中并没有用华丽辞藻和典故堆砌，只是平淡叙述田园生活的主要内容，但却充分凸显了隐居生活的自由和悠然之处。

第三、四句"相逢秋月满，更值夜萤飞"，描写与好友相遇时周围的自然景物。这是一个阴历十五之夜，秋高气爽，月色撩人，圆月如同白玉盘高悬苍穹，皎洁的月光铺洒下来，照亮了乡间小路。田野间流萤飞舞，萦绕在诗人与处士的周身，好似无数盏小灯笼，照亮了前程。这一画面充分凸显了山村秋夜的宁静和闲适，令本来写实的画面产生了朦胧美，冲淡了秋夜的孤寂和冷清，只剩下诗人与友人相见甚欢的感觉。虽然全诗都是对于农事和自然风光的描绘，没有直抒作者的胸臆，但是诗中营造的山村秋夜画面已经浮现在读者面前，"相逢"、"更值"等词更是把作者内心的情绪表现无疑。

历来隐居者多为仕途不顺或被逼隐居，所以度日颇为清贫。但王绩因家境富裕，生活环境较佳，因此他的隐居诗并没有过多对于清贫生活的描写，劳动反而成了对生活的点缀，而非生活来源。因而诗中充满了对自然、田野的欢喜之情，劳作也是作者用来保持和谐心境的方式。

本诗为典型的借景抒情诗，以情驭景，以景托情，通过描绘"北场"、"东皋"、"秋月"、"夜萤"四种情境，将作者农耕和逢友的愉悦心情融入田园风光里，令整首诗充满着欢快的气氛。虽然诗中并未着一"喜"字，但喜悦之情已经跃然纸上。

王绩受老庄思想影响很深，他的诸多诗篇都有遗世独立、孤芳自赏之嫌，因此总是流露出消极厌世的感想。而本诗却一扫倾颓之气，难得单纯写隐居生活，充满率真、不着雕饰的意味，朴素自然，意境深远。

# 过酒家（其二）

王绩

此日长昏饮，非关养性灵。
眼看人尽醉，何忍独为醒！

**【赏析】**

唐代人对酒文化很有心得，因此酒业非常发达，据载长安、洛阳等大都市酒楼林立，名酒肆层出不穷。当时的诗文化也似乎受到了酒气熏染，有不少关于酒的诗流传于世。

王绩性情旷达，嗜酒如命，崇尚魏晋名士阮籍、刘伶等人的风范，被时人称为"斗酒学士"。贞观初期，王绩请调去太乐署做掌判寺事。太乐署的焦革善于酿酒，后来焦氏夫妇死后，王绩因喝不到好酒，干脆辞官回乡（东皋）。但他对酒的热爱并没有泯灭，甚至把焦革的酿酒方法记载下来，写成《酒经》一卷。不但如此，他还将杜康等著名酿酒者的经验汇集成《酒谱》。他的一生也写了不少关于酒的诗文，对酒文化的传承起了重要作用，有"酒家之南董"的美誉。本诗便是王绩的《过酒家》五首中的第二首，也是这五首当中最有名的一首。

　　诗的上联就交代了作者嗜酒成迷，"此日长昏饮，非关养性灵"，终日饮酒不断，长醉不醒，但却并不会因为酒而迷失了本性，因为饮酒与性灵方面的追求毫无关系。

　　诗的下联，作者道出了沉迷酒的原因："眼看人尽醉，何忍独为醒！"他之所以长醉不醒，只是要随波逐流，因为不忍醒来面对这浑浊的世事。下联中反用了屈原在《楚辞·渔父》当中的"举世皆浊我独清，举世皆醉我独醒"。

　　全诗虽然表面上描写的都是醉酒的场面和心境，但作者要表达的意思却是恰恰相反。以醉人醉语强烈地控诉世事的浑浊，"何忍"一词以反问的语气，更强调了作者对现实的不满。

　　王绩在写这首诗时，身在隋末动荡之际，目睹朝廷腐败、豺狼当道、民不聊生的场景，满心是"我为涸辙鱼"的忧患，所以毅然弃官还乡。他的《过酒家》五首几乎都是在写"宁可醉生梦死，也不愿面对浊世"的情怀。

　　元代文人辛元房在《唐才子传·王绩》中写道，王绩"高情胜气，独步当时"。可见王绩本人性格清高自傲，与当时的社会格格不入。所以他在隋末所作诗文多少都有点愤世和厌世的意思，特别是酒诗当中尤其多见。这首诗更是明显的愤世诗，虽然寥寥二十字，语调短促，却将苦闷心思直抒出来，更显得情真意切。

# 野　望

王绩

　　东皋薄暮望，徙倚欲何依。树树皆秋色，山山唯落晖。牧人驱犊返，猎马带禽归。相顾无相识，长歌怀采薇。

**【赏析】**

　　王绩除了对酒有心得外，在琴艺、曲艺、卜算等方面都颇有造诣。但是他最大的成就在于诗歌，他的《王无功文集》五卷本行世，扭转了齐梁诗风不限句数、不拘平仄、不拘对称的绮靡浮艳风格，开唐律诗先河，被称为五言律诗的奠基人。

　　《野望》是一首严整的五言律诗，为王绩的代表作之一。该诗描绘的是秋天山景，用词造句清新自然，洗尽铅华，寓情于景，在闲情雅致中流露出了丝丝苦闷和犹豫，读来文法流畅，情真意切。

　　第一联"东皋薄暮望，徙倚欲何依"中，"东皋"是王绩的家乡绛州龙门的一个地方，此处有北山、东皋等小山供赏玩。这里也是引用了陶渊明《归去来辞》中"东皋"的含义，来表明自己的隐者身份。第二联写作者的所见所闻，用此来依托情感。

　　傍晚时分，诗人于东皋之地举目四望，见山间秋色在夕阳的余晖中显得那样苍凉和萧瑟，不禁有感而发，产生找不到可以依靠的孤寂感和落寞感。"欲何依"化用曹操《短歌行》中"绕树三匝，何枝可依"的诗句，它不是说作者没有依靠的意思，而是找不到可靠之人来投奔，也没有作者想要投奔的人。在隋末之际，王绩其实迫于无奈才隐居，虽然政治上也想一展抱负，但是归宿难觅，所以才有感而发。

　　第三联也是作者在薄暮中所见景物："牧人驱犊返，猎马带禽归。"秋色当中，还有牧人赶着牛羊禽畜回家的场景，一派田园牧歌的景象。第二联和第三联属于景物描写，先写静态景物，再写动态景物，光影结合，静动相宜，勾勒出一幅美轮美奂的秋天画面，然而这其中却有着作者深深的悲凉。所以在第四联当中，作者便将这种情感倾诉出来，"相顾无相识，长歌怀采薇"，虽然现实中难觅知音，孤独无依，只能放声高歌，回想古代隐士结伴采野菜的场景，追溯伯夷和叔齐那样的至交情感，来聊表自己的艳羡之情。

本诗的首尾两联是抒情言事，中间两联只是写景，通过景来托情，达到借景抒情的目的，并将内心的情感层层深化，充分写出了诗人的彷徨之意。由于王绩身处隋末唐初的战乱时期，作为前朝遗臣，他的仕途想来不会顺利，所以在诗中他才流露出孤苦无依的复杂情感。

这首《野望》风格清新，意境开阔，以朴素疏淡的诗风打破局面，一扫齐梁诗风的靡靡做派，格律工整，为唐五言格律的早期典范。所以清代训诂大家王尧衢称此诗可以作为压卷之作，为"律中起承转合"的重要作品。而在《四库全书总目提要·东皋子集》中也讲："其诗唯《野望》一首为世传诵，然如《石竹咏》，意境高古，《薛记室收过庄见寻》诗二十四韵，气格遒健，皆能涤初唐俳偶板滞之习，置之开元、天宝间，弗能别也。"这句话肯定了《野望》在文学史上的地位，同时也说出了王绩五言律诗对唐诗的重要影响。

# 在京思故园见乡人问

王绩

旅泊多年岁，老去不知回。忽逢门前客，道发故乡来。敛眉俱握手，破涕共衔杯。殷勤访朋旧，屈曲问童孩。衰宗多弟侄，若个赏池台。旧园今在否，新树也应栽。柳行疏密布，茅斋宽窄栽。经移何处竹，别种几株梅。渠当无绝水，石计总生苔。院果谁先熟，林花那后开。羁心只欲问，为报不须猜。行当驱下泽，去剪故园菜。

## 【赏析】

这首诗是写王绩在他乡遇到故人，内容虽然质朴平淡，但是意境隽永。开篇便营造了一种意境，将读者带入诗人寄居的大都当中。根据后人考证，此处所说的旅泊多年的城市应当是长安城，城里车水马龙、房屋鳞次的繁华留住了诗人的脚步，所以诗人才有感而发，到老了仍然没有想着回家。

第一、二句虽然表面上是说诗人乐不思蜀，但实际上却是对家乡魂牵梦萦，这在后面的几句当中就流露了出来。在他家的门口"忽逢"当年的乡人，诗人便急忙上前招呼。他们多年未见，激动得握着彼此的手，泪眼相对，又悲又喜。诗人更是急切地一问再问，想要知道家乡故园变成了什么样子：老朋友们是否安好，孩童们是否长大，家里可曾添丁，老园健在与否，那些树木花草和斋房水渠怎么样了，爱生青苔的石头是否依旧，院子里的果树百花依然是那样长得热闹吗？

这一连串的发问是从诗人的内心流淌出来的思念，它灌注着诗人的深情，虽然言浅，却是情真，无须雕刻而自然天成。诗人旅居在外，茕茕孑立，形单影只，遇到了故人之时，绵绵的思念情感根本抑制不住，又怎能不想了解深埋在记忆当中的人、事、物究竟发生了何种变化呢？

诗中此处所用的连续提问法是很有艺术特色的，这类诗文形式复原了先秦以及秦汉文学诗歌常用的形式，例如《诗经》的《行露》当中，虽然只有十五句，却连用九个问句，以增强文字语气，强调人物情感。本诗也用了类似的连续提问法，虽然跟古诗文用途不同，但是却充分强调了作者悲喜交集、惆怅与激动共存的情绪。

不过，诗人虽然情绪激动，满心渴望了解家乡一草一木的变化，但是他却在最后四句当中诉说了自己的意愿。虽然羁旅在外只能问故人家乡如何，但他的目的并不是要得到答案，而是期盼着不久就回到家乡，亲自去走访曾经去过的地方，游戏于田野故园当中，以解多年思乡之苦。

全诗质朴自然，并无雕砌的痕迹，平淡中见真味，含蓄中有深情，言浅而韵味无穷，一扫初唐诗坛的迤逦浮华的靡靡风气，正是王绩诗歌最主要的特色之一。王维的《杂诗》——"君自故乡来，应知故乡事，来日绮窗前，寒梅著花未"显然是受了王绩此诗的影响。特别是前两句和最后一句，与王绩的《在京思故园见乡人问》意思几近相同，末句同样采用提问法。但是，王维的《杂诗》所表达的乡情寄托在"寒梅"之上，而王绩的这首诗寄托情感的意象却比较多。

王绩的思想虽然受老庄影响颇深，不少诗作都流露出对封建礼教的不满和渴望自由遗世的意思，这首诗亦有些许逃避的意思。然而，诗中的画面和真情却打动人心，充满了对人情事理的热爱和依恋，显然并非牢骚之作，实则读来娓娓动人，余韵不绝。

# 醉　后

王绩

阮籍醒时少，陶潜醉日多。
百年何足度，乘兴且长歌。

**【赏析】**

题为"醉后"，这首诗是王绩酒意盎然后抒发的人生感慨，前两句用典，后两句议论，诗人把酒醉当成逃避人生失意之感的途径，并表达了人生短暂、及时行乐的观点，在这层表意之下，又别有深蕴。

中国历史上，属魏晋人士好酒如命，竹林七贤的诗歌多有提到饮酒的事迹，陶渊明也是酒中常客，以《饮酒》为题名的诗有 20 首，可见当时人对酒的喜好。王绩的这首诗开篇就将阮籍和陶渊明点出，"阮籍醒时少，陶潜醉日多"，这两人一个"醒时少"，一个"醉日多"，极言其沉湎于饮酒的情状。表面看来，诗人似乎只是直言叙述阮籍和陶潜对酒的喜好，但联系古人身世，不难明白王绩的话中之话。

阮籍生活于三国时魏国末年，当时司马昭父子把持朝政，蓄谋篡位，为此，他们积极网罗人才，不肯为其效劳者则被施以重罚，甚至下狱。阮籍违心接受了司马氏的官职，既不想为其效力，又不敢明目张胆地反抗，遂每日饮酒，醉醺醺、晕沉沉地糊涂度日。

陶渊明是东晋末期人，有兼济天下的抱负，却只做了享有"五斗米"的小官。他不满于当时混乱不堪的局势，挂冠归隐，回乡后终日饮酒赋诗、耕田垦地，过着"携酒去，载诗归"的诗酒人生。

王绩的多首诗中都曾大肆赞美阮籍和陶潜，他们一个是蔑视世俗的行者，一个是自由清高的隐士，其言行思想都是郁郁不得志的王绩的标杆。王绩醉后赋诗仍不忘前者，足见他对这二人的身世有感同身受、同病相怜之叹。

"百年何足度"，应该怎样度过自己的一生呢？诗人自问自答："乘兴且长歌。"还是乘着酒兴，赋诗作文，来自寻快乐吧！在王绩看来，饮酒以至大醉，既能帮人纾解现实的烦恼，又能催生文思，开启诗兴，何乐而不为呢？

虽然诗人流露出人生苦短要及时行乐的思想，但这与他济世安邦的初衷毕竟背道而驰，这是他仕途不遇后的无奈选择。虽然他做出了归隐山林的决定，"回归到了精神贵族的行列"，但还是难以完全摆脱失意的困扰。所以，诗酒"乘兴"中未必没有仕途"败兴"。

王绩的诗淳朴直率，措辞朴素，鲜作修饰，脱离了六朝习气，又摆脱了当时宫廷诗的"精英"氛围，真挚而疏放，大有魏晋高风。

# 梵志翻著袜

王梵志

梵志翻著袜，人皆道是错。
乍可①刺你眼，不可隐②我脚。

**【注释】**

①乍可：宁可。②隐：伤害。

**【赏析】**

王梵志被称为"白话诗僧"，他的诗"不受经典，皆陈俗语"（《王梵志诗集》），他常以俗语、口语、俚语、方言入诗，在语言上来说，显得"通俗"，但放诸当时的诗文环境下，又显"骇俗"。唐代皎然的《诗式》以"跌宕格，骇俗品"六字评价王梵志的诗，而宋人则称其诗"翻著袜法"，都证明了王梵志诗作的别具一格。

他的诗不仅语言通俗，内容也多取材于日常生活中常人看来微不足道的琐事。可贵的是，王梵志往往能从中得出禅理式的哲思，以通俗、幽默、戏谑、机巧的方式堪破，既显妙趣又道至理。此诗即可视为他这一特点的代表作。

古人的袜子经手工缝制，正面光滑美观，内层则粗糙丑陋。大多数人都会把光滑的一面露在外面，即使内侧硌脚也不会反穿，但王梵志偏偏"翻着袜"，也就是把袜子翻过来再穿，或是粗心所致，或是刻意而为，最终他就这样反穿着袜子出门。但凡看到这一幕的人，有的好心提醒，有的恶意嘲弄，"人皆道是错"。

面对别人的指正，王梵志却说："乍可刺你眼，不可隐我脚。"宁可让别人看在眼中感觉不舒服，也不能让自己的脚受委屈。言外之意是说，他并不认为自己是错误的，正误并非绝对，有时候取决于自己的标准，在王梵志看来，让自己的肌肤少受罪才是应有之道，那些把袜子的光滑一面外露的人，反而有些贪慕虚荣，只求表面光彩忽略了实际效果。

宋代黄庭坚对这首诗极为推崇，他说："王梵志诗云'梵志翻著袜，人皆道是错。乍可刺你眼，不可隐我脚'。一切众生颠倒，类皆如此。乃知梵志是太修行人也。"

这首诗遣词自然，造句质朴，不过是述说琐细小事，却能以小见大、自成一说。不管是王梵志其人，还是其诗，都洋溢着一种"毁誉由人，特立独行"的个性精神。

# 他人骑大马

王梵志

他人骑大马，我独跨驴子。
回顾担柴汉，心下较些子①。

**【注释】**

①较些子：较好一些，是唐人口语。

**【赏析】**

王梵志的诗绝大部分表达的是劝善戒恶的主旨，具有说教意味，大大降低了其文学价值，但不乏一些犀利风趣的幽默小品，从芸芸众生里选择了具有象征意义的人物，从世相百态里提炼出具有典型意义情节，让人读来会心一笑，却又能自我反省。这首选自南宋费衮编撰的《梁谿漫志》中的小诗，就有这种妙趣。

该诗采用了第一人称的口吻，诗中有三个人物：骑马者、跨驴者（即"我"）、担柴汉，通过三人行路的状态，诗人巧妙地表现出了三个人不同的生活境遇：骑马者居于社会上层，担柴汉生活在社会底层，而"我"则处于前两者之中。与"骑大马"的人相比，"跨驴子"的"我"未免显得有些寒酸，一个"独"字写出了骑驴者自惭形秽又心怀不满的复杂心态；但是，回头看到那个肩挑柴火、负重步行的汉子，"心下较些子"，"我"又觉得自己胜过他很多，于是变得心安理得，之前的微妙的尴尬心理瞬间释然。

这幅"三人行"的画面并不鲜见，但王梵志却将其提炼出来，先以平列的方式勾勒出三个人物的形象，又在结句一针见血地点破了居中者比上不足、比下有余的心态。若单纯把这首诗视为一首劝喻世人安于现状、知足常乐的作品，显得有些肤浅；如果将其视为对中庸者的揶揄、讽刺，则更有滋味。

关于王梵志写作此诗的初衷，不管作何解释都是后人的揣测。这首诗妙就妙在没有用议论说理的方式做枯燥说教，而是从日常生活中截取了具有戏剧效果的一幕，虽然人物之间并无冲突，但诗人却挖掘到了其中一个人物的矛盾心理，并用巧妙的方式把他的情感流动形象化、具体化，无形的情感反而成了有形的线索，把本无关系的人物连缀成互相关联的整体，借以表意或作讽，更加发人深省。语言明白如话，逻辑清晰可循，情节微妙有趣，增强了全诗的可读性和耐读性。

# 吾富有钱时

王梵志

　　吾富有钱时，妇儿看我好。吾若脱衣裳，与吾叠袍袄。吾出经求①去，送吾即上道。将钱入舍来，见吾满面笑。绕吾白鸽旋，恰似鹦鹉鸟。邂逅②暂时贫，看吾即貌哨③。人有七贫时，七富还相报。图财不顾人，且看来时道。

**【注释】**

　　①经求：外出经商求财。②邂逅：指不期而至。③貌哨：形容脸色难看的样子，是唐人口语。

**【赏析】**

　　这首诗依内容可分为三段：前十句是第一段，写出了"吾富有钱时"，妻子儿女围绕身边，殷勤相侍、逢迎谄媚的样子；"邂逅"两句是第二段，写出了"邂逅暂时贫"，妻儿竞相以冷言冷语相对；后四句是第三段，借叙事主人公的口吻，表达了诗人对这种人情冷暖、世态炎凉的慨叹和批判。

　　"吾富有钱时，妇儿看我好。"开篇两句总写妻子儿女对坐拥钱财的一家之主纷纷示好，具体表现为其后八句：他如果要脱衣服，妻儿就会随侍身旁，及时地把换下的袍袄叠放整齐；他如果要离家外出，妻儿会左右簇拥着送他上路，皆是依依不舍的神态；每次把赚得的金钱带回来，他们都会满脸堆笑地在门口迎接；终日里，妻儿就像温顺的白鸽一样，环绕在周围，又像聪明的鹦鹉似的，不停说着甜言蜜语。

　　如果只看妻儿的表现，会让人觉得他们乖巧温顺、聪明伶俐，对"吾"照顾周全且行事稳妥，但诗人在这十句中两次提到"钱"字，意在揭露这温馨融洽的家庭生活是建立在"有钱"的基础之上，而这个基础又是不牢固、不可靠的。本段中最后一句，诗人用白鸽与鹦鹉比喻妻儿，暗含讽刺，指斥他们嫌贫爱富、谄媚逢迎的丑态。

　　诗人用了过半的篇幅描写主人公"富"时享受到的种种优厚待遇，正是为了与第二段"贫"时的遭遇形成鲜明的对比。

　　"邂逅暂时贫，看吾即貌哨。"钱财的基础一旦崩塌，妻儿的反应陡然生变。诗人没有用浓重的笔墨具体描摹，只用"看吾即貌哨"一句作了概括，与全文的铺陈渲染构成巨大的反差，诗有急转直下、一落千丈之势，这种势头恰好正称主人公的遭遇。"貌哨"二字以唐朝人日常生活的口语，写出了妻儿冷眼相向、不顾人情的嘴脸，道出世情之险薄。其中一个"暂"字暗藏玄机，让人不禁产生联想：假如不久之后"吾"又转富，妻儿又该作何反应呢？

　　诗人先用对比的手法指明妻室儿女对"吾"的态度转变完全取决于"钱"字，继而又毫不掩饰地表达了对这种现象的愤怒："人有七贫时，七富还相报。图财不顾人，且看来时道。"每个人都有贫穷的时候，也有时来运转、由穷转富的机会，如果一个人只贪图钱财而枉顾人情，迟早有一天会遭到报应！这既可以视为诗中主人公的心声，亦可看做诗人的控诉，激愤之情溢于言表。

全诗并无警句，亦缺诗意，但诗人将白话、口语信手拈来，付诸"直说"，就写成了这首发人深省的佳作。他选择的都是日常生活中的画面，但具有典型化的意义，让人既不会产生陌生感，又能领悟到深刻的意蕴。

# 城中蛾眉女

寒山

城中蛾眉女，珠佩何珊珊①。鹦鹉花前弄，琵琶月下弹。长歌三月响，短舞万人看。未必长如此，芙蓉不耐寒！

**【注释】**

①珊珊：形容珠宝等配饰互相碰撞发出的声音。

**【赏析】**

通俗质朴、生动清丽是寒山诗歌最突出的艺术特点之一。除此之外，不同题材的诗又各具特色，如寓言诗富于理趣，山水诗自然清新，佛道诗飘逸冲和，讽喻诗直白悲慨。这首《城中蛾眉女》以浅语写至理，表达了哀乐并存、万事皆空的禅理，体现了高度的艺术概括和提炼能力。

诗中的主人公是一个容貌秀美、高贵典雅、能歌善舞的妙龄女子，诗人着重表现了她富贵闲适的生活。"城中蛾眉女，珠佩何珊珊"，开篇就描写了这个女子的容貌和配饰，表现出她风华正茂、高贵端庄，甫一出场，就无比惊艳。"蛾眉"即娥眉，唐代女性画眉时，会将眉毛全部拔去，再用眉笔在靠近额中的地方描出两条短眉，当时称为"时世妆"，亦称"蛾眉妆"。以"蛾眉"指代人物，能表明其貌美。她身上还佩戴着珍珠、玉佩，走起路来，配饰相互碰击，发出清脆的声音。

"鹦鹉花前弄，琵琶月下弹。"这两句写的是主人公一天从早到晚的生活。白天，她在花前与鹦鹉玩耍逗趣；晚上，她在月下抚弄琵琶。这表现出她具有良好的修养，也说明她没有衣食之忧，生活富足闲适。

"长歌三月响，短舞万人看。"这两句写的是女子能歌善舞、受人欢迎的样子。"长歌"对"短舞"，"三月"对"万人"，"响"对"看"，这两句对仗工整，音律和谐，读来琅琅上口。所谓"万人"自然是夸张的写法，诗人之所以用此手法，是为了表现女子让人陶醉、令人倾心的样子。

诗人在前六句中集中笔墨描写女子幸福美好的生活，她拥有美丽的姿色、富裕的生活、良好的修养、动人的魅力。层层铺垫，步步引导，令人不由得对她心生羡慕。但是，这一切铺陈都是为了掀起最后的高潮："未必长如此，芙蓉不耐寒！"意思是：一切美好的现象都不会永远保持，就像难以耐寒的荷花，不管夏天开得多么绚烂，只要寒风一起，还是会凋残枯萎，香消玉殒。即是道出这样的主旨：不管是青春年华、动人容貌，抑或名利地位、富贵荣华，皆如浮云，因为世间一切都逃不开生死轮回的规律，都要经历盛衰兴替的过程。

寒山用通俗浅显的语言表现了深刻的道理，有劝人警世的作用，又不失禅门机趣。宋代朱熹十分喜爱寒山诗，曾"偶诵寒山数诗"，并认为如"城中娥眉女"这类诗"煞有好处，诗人未易到此"（《朱子语类》），评价甚高。

# 杳杳寒山道

寒山

杳杳寒山道，落落冷涧滨。啾啾常有鸟，寂寂更无人。淅淅风吹面，纷纷雪积身。朝朝不见日，岁岁不知春。

**【赏析】**

寒山在天台山寒岩居住了 70 余年，在此参禅悟道、修身养性，日日都见寒岩山水，并常借其表达禅悟、隐趣和心情。这是其山水诗的代表作，也是颇具特色的一首作品。八句诗皆起于叠字，工整而富有技巧，描绘出一幅"岁岁不知春"的寒岩风景图，幽静清冷、寂寥空灵，有冰冷遁世的味道，又有放达任性的情怀。

起首两句先写寒岩山水的总体特点：寒山道"杳杳"，冷涧滨"落落"。山道蜿蜒盘旋，又有深林密树夹在两旁，"杳杳"二字写出了山道之难行，即体现出寒山山峦的深幽遥远；山中多溪泉山涧，流水冰凉，两岸寂寥，"落落"写出了涧水冷落的样子。前两首写的是远景、全景，营造出凄凉冷寂的氛围，把人引入森冷而奇特的山中世界。

"啾啾常有鸟，寂寂更无人。"三、四句以响写哑，以动衬静。"啾啾"言有声，形容鸟雀叽喳不停的声音，"寂寂"言无声，形容山中不闻人语、清静沉寂。诗人以有声衬无声，唯见鸟鸣，不见人行，山色之清、山境之空更加显著，颇有南朝王籍"蝉噪林逾静，鸟鸣山更幽"（《入若耶溪》）的风采。

前四句侧重写静，五、六句则转为动态描写。"淅淅风吹面，纷纷雪积身"，冷风不停地吹着，扑面而来，令人生了寒意；又有纷纷扬扬的大雪飘下，落在人身上而不化。这两句诗虽是在写景、写气候，但又把人物引入了诗中，他虽然没有正面出场，但其顶风冒雪而行的形象却又被塑造得非常鲜明，瞬间打破了前文营造出来的"无人"境界，使整个画面充满动感，充满生机。

"朝朝不见日，岁岁不知春。"七、八句既是写景，形容寒岩之上山石林立、树木幽深，终年不见天日，春意难以抵达的景象；也是抒情，表达了诗人长期独处深山，既感寂寞清冷，又能超然物外的心情。一方面能与前文的自然风景融为一体，继续渲染景物之清寂，另一方面又可独立成行，展现诗人情怀，与《桃花源记》中"乃不知有汉，无论魏晋"似有相仿之处，故而，结尾两句既能说是景中寓情，又可视为情中寓景，两种手法巧妙结合，更见妙处。

除了写景、抒情方面表现出的特色，叠字的运用是这首诗最为人称道之处。句句皆以叠字领起，本就十分新奇，叠字又富于变化，有物态有人情，有音响有形貌，即使都形容时间，也有长短之分。虽然句式略显单调，但全诗仍然不失动感，充满灵性。叠字烘托了氛围，强化了感情，并使全诗节奏鲜明，具有音乐的美感。从修辞学来看，本诗可视为叠字应用的范本。

# 于易水①送人

骆宾王

此地别燕丹②，壮士③发冲冠。
昔时人④已没⑤，今日水犹寒。

## 【注释】

①易水：也称易河，河流名，位于河北省西部的易县境内，分南易水、中易水、北易水，为战国时燕国的南界。②燕丹：指燕太子丹。③壮士：指荆轲，战国时著名的刺客。④人：一种说法为单指荆轲，另一种说法为当时在场的人。⑤没：死，即"殁"字。

## 【赏析】

虽然题为"送人"，但此诗不像一般的送别诗描写离别时的愁苦景色，也没有表达不舍或思念之情，甚至连送别的对象都没提到。本诗大概作于唐高宗调露元年（公元679年）秋骆宾王出狱并奔赴北方边塞从军之后，又在次年他出任临海县丞之前。在此期间，骆宾王在易水送别友人，由送别之地想到古人荆轲，遂借古慨今、抒怀咏志，颂昔日之英雄，更是发今人之忧思，表达了诗人壮志难酬、怀才不遇的愤慨。

"此地别燕丹，壮士发冲冠。"前两句咏史，写的是荆轲刺秦王的悲壮旧事。

战国末年，荆轲为了报答燕太子丹的知遇之恩，决心以身犯险去刺杀秦王。临行前，太子丹、高渐离等人到易水河畔为荆轲送行。《战国策》记载："……至易水上，既祖，取道。高渐离击筑，荆轲和而歌，为变徵之声，士皆垂泪涕泣。又前而为歌曰：'风萧萧兮易水寒，壮士一去兮不复还！'"

骆宾王诗中的"此地"即是易水，照应诗题。诗人没有写自己与友人作别的场景，而写荆轲辞别送行众人后，视死如归地踏上了刺杀秦王的征途。"冲冠"二字在此描写的是荆轲大义凛然的英雄豪气。这两句营造出了悲壮萧瑟的气氛。

"昔时人已没，今日水犹寒。"后两句寓情于写实，表达了诗人怀才不遇的抑郁之情。从第二句到第三句转得极为突兀，诗人没有写荆轲刺秦失败而惨死的悲惨遭遇，直接跳转到了现实中：古代的英雄豪杰早已不在，眼前只有冰凉刺骨的易水依旧静静地流淌着。一个"寒"字，既写易水冰凉的特点，又言世道艰险，也道出了诗人有志难酬的愁闷心境，可谓一石三鸟。此诗一气挥洒，重点就在"水犹寒"三字。

近人俞陛云在《诗境浅说》中解读后两句为："一见人虽没，而英风壮采，凛烈如生，一见易水寒声，至今日犹闻呜咽。怀古苍凉，劲气直达，高格也。"

诗人巧妙地把叙事、描写和抒情融于一炉，用典自然，不着痕迹。后两句中尤把叙事、用典嵌入工整的对仗句里，更显构思巧妙、诗艺精工。

# 咏　蝉

骆宾王

西陆①蝉声唱，南冠②客思深。不堪玄鬓③影，来对白头吟④。露重飞难进，风多响易沉。无人信高洁，谁为表予心？

**【注释】**

①西陆：指秋天。②南冠：楚冠，这里是囚徒的意思。③玄鬓：蝉的黑色翅膀。④白头吟：乐府曲名，《乐府诗集》解题说是鲍照、张正见、虞世南所作。

**【赏析】**

大凡咏物诗，或见物兴感，或借物自况，或借物寓意，皆不会拘泥于原物的迹象，吟咏中都寄托着题外之味，这便是《诗经》"赋比兴"三法中的"比"。

唐诗之中，借自然造化之物，用比兴手法，抒发喜乐哀怨的诗作屡见不鲜，如骆宾王的《咏蝉》，就是一首典型的借秋蝉寄托愤慨之佳作。诗人技法高超，譬喻精妙，达到了人蝉合一的境界。

骆宾王在狱中听到蝉鸣，有感而作此诗。当时是唐高宗仪凤三年（公元 678 年），骆宾王任侍御史一职。他多次上疏讽谏武后，不久即遭弹劾，并被人陷害，以莫须有的贪赃罪名下狱。这期间他写过一首《幽絷书情通简知己》，其中有"一命沦骄饵，三缄慎祸胎"之语，当是他对自己因言招祸的遭遇的陈诉。

"西陆蝉声唱，南冠客思深。"起句逗起客思，开篇即言狱中闻蝉，这是题之本位。秋蝉马上就到生命尽头，正在唱着最后的挽歌，诗人则从庙堂之上坠入了囹圄之中。两句分别从蝉和自己两方入手，把原本没有关系的两物联系起来，句法上对偶工整，写法上感物起兴，表达了人世无常、沧桑变幻之感。

"不堪玄鬓影，来对白头吟。"三、四句由蝉说到己身、层次井然。诗人仿佛正在对蝉倾诉衷肠：命运已经十分悲惨，让人不堪忍受，我却又在狱中看到你，并且还要忍受你凄惨的鸣叫声。表面看来这是在写蝉之可怜，实际上是诗人自况。"玄鬓影"、"白头吟"都有年老之意，表达了诗人老来无成的遗憾。

"白头吟"三字含有典故。相传西汉的卓文君曾以此为题，是给负心的司马相如的，也有自伤之意；到南朝时候，鲍照等诗人也曾用此题，表达信而见疑、忠而被谤的哀怨之情。骆宾王用此典故的初衷与前人相仿，流露出自己的忠心被统治者辜负后的怨尤。

五、六句中，蝉与诗人的形象进一步融合，难分彼此。"五句言蝉因露重而沾翅难飞，犹己之以谗深而含冤莫白；六句言蝉因风多而响易沉，犹己之以毁积而辞不达。"（俞陛云《诗境浅说》）"露重"和"风多"既说明蝉生活的环境非常恶劣，也说明诗人置身的朝廷混乱而动荡；"飞难进"和"响易沉"既写出蝉在这种环境中身不由己的形象，也表明诗人仕途受阻、心迹难明的遭遇。

"无人信高洁，谁为表予心？"全诗收于反诘，慨然说明借蝉喻己的用意。前句先言明自己志本高洁却锒铛入狱，说尽世事的荒唐；后句表达希望有人替自己辩白洗冤，有呼天抢地、愤懑难平之势。"无人"与"谁为"是互文手法，说明无人相信自己的清白，也没有人会帮自己昭雪。诗人之所以发出这声哀叹，既因为自己的不幸，更出于对统治者不辨忠奸、任奸佞横行的愤怒。

全诗咏蝉自喻，将物我统一起来，且语多双关，用典自然。清代学者方东树说："咏物诗不待分明说尽，只仿佛形容，自然已到。"这首诗就是这样一篇佳作。

# 上吏部侍郎帝京篇

骆宾王

山河千里国，城阙九重门。不睹皇居壮，安知天子尊。皇居帝里崤函谷[①]，鹑野[②]龙山[③]侯甸服[④]。五纬连影集星躔，八水分流横地轴。秦塞重关一百二，汉家离宫三十六。桂殿[⑤]嵚岑对玉楼，椒房[⑥]窈窕连金屋。三条九陌[⑦]丽城隈，万户千门平旦开。复道[⑧]斜通鳷鹊观[⑨]，交衢直指凤凰台。剑履南宫入，簪缨[⑩]北阙来。声明冠寰宇，文物[⑪]象昭回。钩陈肃兰扈，璧沼浮槐市。铜羽应风回，金茎承露起。校文天禄阁，习战昆明水。朱邸[⑫]抗平台，黄扉[⑬]通戚里[⑭]。平台戚里带崇墉[⑮]，炊金馔玉待鸣钟。小堂绮帐三千户，大道青楼十二重。宝盖雕鞍金络[⑯]马，兰窗绣柱玉盘龙。绣柱璇题[⑰]粉壁映，锵金鸣玉王侯盛。王侯贵人多近臣，朝游北里暮南邻。陆贾分金将宴喜，陈遵投辖正留宾。赵李经过密，萧朱交结亲。丹凤朱城白[⑱]日暮，青牛绀幰红尘度。侠客珠弹垂杨道，倡[⑲]妇银钩采桑路。倡家桃李自芳菲，京华游侠盛轻肥。延年女弟双凤入，罗敷使君千骑归。同心结缕带，连理织成衣。春朝桂尊[⑳]尊百味，秋夜兰灯灯九微。翠幌珠帘不独映，清歌宝瑟自相依。且论三万六千是，宁知四十九年非。古来荣利若浮云，人生倚伏信难分。始见田窦相移夺，俄闻卫霍有功勋。未厌金陵气，先开石椁文。朱门无复张公子，灞亭谁畏李将军。相顾百龄皆有待，居然万化[㉑]咸应改。桂枝芳气已销亡，柏梁高宴今何在？春去春来苦自驰，争名争利徒尔为。久留郎署终难遇，空扫相门谁见知。莫矜一旦擅繁华，自言千载长骄奢。倏忽抟风生羽翼，须臾失浪委泥沙。黄雀徒巢桂，青门遂种瓜。黄金销铄素丝变，一贵一贱交情见。红颜宿昔白头新，脱粟[㉒]布衣轻故人。

故人有湮沦，新知无意气。灰死韩安国，罗伤翟廷尉。已矣哉，归去来！马卿辞蜀多文藻，扬雄仕汉乏良媒。三冬自矜诚足用，十年不调几遭回。汲黯薪愈积，孙弘阁未开。谁惜长沙傅，独负洛阳才。

**【注释】**

①崤（xiáo）函谷：崤山和函谷关。②鹑野：星宿鹑首的分野。指秦地。③龙山：即龙首山，在今陕西西安市北。④侯甸服：泛指京郊地区。⑤桂殿：汉宫殿名。⑥椒房：汉殿名，后妃居所。⑦三条九陌：指长安街道纵横交错。⑧复道：连结楼阁，分为上下两层的空中走廊。⑨鹓鶵观：汉宫观名，在长安甘泉宫。⑩簪缨（zān yīng）：古代达官贵人的冠饰，也借以指代高官显宦。⑪文物：指礼乐典章制度。⑫朱邸：汉代诸侯王室的府邸宅门以朱红漆之，故称朱邸。⑬黄扉：黄门，即禁门。⑭戚里：帝王外戚聚居的地方。⑮崇墉：高墙壁，高城。⑯金络：用黄金装饰的马笼头。⑰璇题：玉饰的椽头。⑱丹凤朱城：指长安。⑲倡：通"娼"。⑳尊：通"樽"，酒樽。㉑万化：万物的变化。㉒脱粟：糙米。

**【赏析】**

唐高宗上元三年（公元 676 年），骆宾王在武功县主簿的职位上已将近一年。适逢朝廷选拔人才，吏部侍郎裴行俭欣赏骆宾王的才华，让他提供一篇诗文作为考核依据，以借机提拔。这就是骆宾王创作此诗的背景。

唐太宗是唐代第一个使用"帝京篇"这个题目的人，骆宾王沿用此题，以宏观视角展现了京师的繁华生活，又突破了原题一味歌功颂德的弊端，以现实主义手法加入了诗人对世态炎凉的感慨，还有理想与现实相互重叠又相互分离给诗人带来的巨大痛苦。

全诗可以分为三段：第一段从首句到"黄扉通戚里"，集中笔墨描写了帝京长安的繁华景象；第二段从"平台戚里带崇墉"到"宁知四十九年非"，通过对上流社会与市井阶层日常生活的描写，展现出整个社会耽于享乐、世风颓靡的面貌；第三段从"古来荣利若浮云"到结句，眼前乐景触及诗人的悲思，他借西汉时期帝王将相、外戚宦官等互相倾轧的残酷斗争，揭示了富贵若浮云、福祸两相倚的道理，并通过列举怀才不遇的古代贤能，暗讽当朝统治者不能识别、重用人才，抒发了包括自己在内的下层文人有志难酬、报国无门的郁郁。

第一段中，诗人先以五言开篇，以"千里"、"九重"突出帝都的气势磅礴，前四句统摄全诗，如大幕缓缓拉开，为其后的长篇铺叙奠定了大气壮观的基调。其后通过对京都险要地势的描写，把长安的远景铺展开来，描写了"山河千里国"的具体景象，展示出宏伟、壮丽、广博的大国风貌。

"桂殿嵚岑对玉楼"之后，是对长安城里具体景观的细致描画：有亭台楼阁、宫殿苑囿、复道交衢、万户千门，布满皇城内外，这是物景；又有文武百官、文人士子，齐聚天子脚下，这是人情。

第二段紧承上文的"朱邸抗平台，黄扉通戚里"，先写了"平台戚里"的皇亲国戚们骄奢淫逸的生活。他们沉溺于纸醉金迷、声色犬马的物欲生活，如"炊金馔玉"、"宝盖雕鞍金络马，兰窗绣柱玉盘龙。绣柱璇题粉壁映，锵金鸣玉王侯盛"等诗句，用极其华丽的辞藻描述出了他们住宅的富丽堂皇及生活的奢侈。

接下来，诗人的视线又从金碧辉煌的宫殿里转移到"垂杨道"、"采桑路"上，描写了以"侠客"和"倡妇"为代表的下层人士生活。受到上流社会享乐风气的影响，这些生活本应清苦的百姓，也纵情享乐，"倡家桃李自芳菲，京华游侠盛轻肥"，"翠幌珠帘不独映，清歌宝瑟自相依"，这都是对他们优游宴乐生活图景的刻画。

前两段中，帝都风景浩大壮观，雄伟非常，人情风貌喧哗鼎沸，热闹至极，诗人吸收了汉赋铺张扬厉的手法，极尽描写之能事。但是，诗人之所以把场面描写得如此浩大而喧闹，正是为了以乐景写哀情，反衬下文中愤慨与悲凉的情绪。

这繁华盛世终引发了诗人对好景易逝、盛世难常的深思，继而发出"古来荣利若浮云，人生倚伏信难分"的感慨。第三段中，诗人主要采用借古讽今的艺术手法，用西汉的历史事件和人物故事寄托自己对现实的感慨。"始见"到结尾，几乎句句用典，或概括事件，或具体写人，或多句叙一人，或一句含数事，写出西汉朝廷内部争权夺利的残酷历史，也道出耿直的贤才良士不能被统治者接纳的事实。诗人明喻暗示，把矛头指向当朝统治者，他们为夺权利钩心斗角、罗织罪名陷害忠臣、以个人好恶选择朝臣，对这种种黑暗的现实，诗人进行无情地揭露和嘲讽。

"已矣哉，归去来！"诗人自比有司马相如和扬雄的冠世之才，无奈不被重用，只能像贬死长沙的贾谊一样，落寞地度过余生。"谁惜"与"独负"二字，表达了诗人极端的苦闷和愤慨。篇末几句采用的是与汉赋"劝百讽一"相仿的艺术手法，但不同于汉赋极尽颂扬的铺叙，这首诗里的铺陈部分也是夹叙夹议地表达了揭露、谴责之意，故而诗至尾声之时，批判意味也就显得更加强烈。

这首诗借古讽今，敷陈时事，虽然是投赠之作，却毫无低眉顺眼的吹捧逢迎之媚态。清代陈熙晋在《骆临海集笺注》里说："此诗为上吏部而作，借汉家之故事，喻身世于本朝，本在抒情，非关应制。国风比兴，岂尚敷陈……篇末自述遭回，毫无所请之意，露于言表。显以贾生自负，想见卓荦不可一世之概。"恰是对此诗，亦是对诗人品性的极佳诠释。

全诗构思精巧，先写鼎盛之景，再写悲愤之情。前面描写帝京风貌时采用的是宏观视角，但又有点面结合的手法，用来表现具体的人事；后文连用典故，是用线性结构把丰富的内容串在了一起。

综观整首诗，作者采用歌行体的形式，又进行了赋化处理，五言、七言相间成篇，又有三言这一不规则句式的插入，使全诗显得错落有致，变化无穷。现代学者张采民曾说："五言节奏较快，长于抒情；七言节奏舒缓，长于叙述、描写；歌行体中五、七言相杂，参差显示的章法特征，同时具有声情摇曳的美感。"骆宾王的《帝京赋》就具有这样的美感。

明代王世贞在《艺苑卮言》中曾说："宾王长歌，虽极浮靡，亦有微瑕，而缀锦贯珠，滔滔洪远，故是千秋绝艺。"本诗正是骆宾王歌行体诗的代表作，也是初唐七言歌行中最耀眼的篇章，初完成时即引领风骚，独步一时，令时人"以为绝唱"。

# 送郑少府入辽共赋侠客远从戎

骆宾王

边烽警榆塞，侠客度桑干。柳叶开银镝，桃花照玉鞍。满月临弓影，连星入剑端。不学燕丹客，空歌易水寒。

## 【赏析】

据《新唐书》记载，上元三年（公元 676 年）徙辽东郡故城（今辽宁省辽阳市），仪凤二年（公元 677 年）又徙新城（今辽宁省抚顺市东北）。东北辽阳一带是唐朝的东北边陲，高宗时期时常遭到契丹族的侵犯，朝廷多次派兵戍守。这位郑少府即将远赴辽阳边塞，骆宾王作为好友来为他送行，写了这首送友赴边的名篇。

开篇即言"边烽警榆塞"，边疆的烽火已经点燃，直言战事紧张。"榆塞"二字典出于秦朝大将蒙恬的经历。蒙恬曾率军击退匈奴人的进犯，收复失地，并"以河为界，累石为城，树榆为塞，匈奴不敢饮马于河，置烽燧，然后敢牧马"。起首化用此典，是为了证明唐王朝发动的是一场抗击外族侵略的正义战争。"警"字含有警示之意，既是提醒边疆战士积极备战，也是提醒统治者要重视边事。

从长安到辽东地区，必须渡过桑干河。"侠客度桑干"，烽烟刚起，侠客已经上路，正在急渡桑干河。"边烽起"与"侠客行"是隔着千山万水又同时进行的两个场景，高度赞扬了侠客即主人公郑少府的爱国热情。

前两句紧扣诗题，交代了地点、人物、事件。"少府"本是唐代官职，但诗人却用"侠客"来称呼友人，充分显示对方侠气干云、雷厉风行的豪爽性格。

中间四句生动传神地写出了郑少府高超的武功："柳叶开银镝，桃花照玉鞍。满月临弓影，连星入剑端。"他手握弯弓，银色的箭头能够射穿柳叶，策马疾驰，马鞍上的饰物被照得闪闪发光。他可以把弓拉得像十五的月亮一样，又能把剑舞得像闪烁的星辰。"柳叶"一句采用了倒装的写法，"桃花"一句中的"照"字把骏马飞驰的姿态描摹得栩栩如生；"满月"二句没有直抒其意，而是故意反说，言满月临摹弓影，流星飞入剑鞘，构思新颖，独出机杼。

"不学燕丹客，空歌易水寒。"结尾二句引入荆轲刺秦王的典故并不突兀，因为易水在桑干河以南，用当地的事典，恰切合题。诗人希望郑少府不要像战国时的荆轲一样无功而返，也就是说他希望友人能够在边疆建功立业，报效国家。

这首诗格调高昂，韵律和谐，而且构思新颖，富有浪漫主义的色彩，唐代边塞诗中的"盛唐气象"已经初见端倪。

# 长安古意①

卢照邻

　　长安大道连狭斜②，青牛③白马七香车④。玉辇⑤纵横过主第，金鞭络绎向侯家。龙衔宝盖承朝日，凤吐流苏带晚霞。百丈游丝争绕树，一群娇鸟共啼花。游蜂戏蝶千门侧，碧树银台万种色。复道交窗作合欢⑥，双阙连甍⑦垂凤翼。梁家画阁⑧中天起，汉帝金茎⑨云外直。楼前相望不相知，陌上相逢讵相识？借问吹箫向紫烟⑩，曾经学舞度芳年。得成比目何辞死，愿作鸳鸯不羡仙。比目鸳鸯真可羡，双去双来君不见。生憎帐额绣孤鸾，好取门帘帖双燕。双燕双飞绕画梁，罗帷翠被郁金香。片片行云着蝉翼，纤纤初月上鸦黄。鸦黄粉白车中出，含娇含态情非一。妖童⑪宝马铁连钱，娼妇盘龙金屈膝。御史府中乌夜啼，廷尉门前雀欲栖。隐隐朱城临玉道，遥遥翠憾⑫没金堤。挟弹飞鹰杜陵北，探丸⑬借客渭桥西。俱邀侠客芙蓉剑，共宿娼家桃李蹊。娼家日暮紫罗裙，清歌一啭口氛氲。北堂夜夜人如月，南陌朝朝骑似云。南陌北堂连北里，五剧三条控三市。弱柳青槐拂地垂，佳气红尘暗天起。汉代金吾⑭千骑来，翡翠屠苏⑮鹦鹉杯。罗襦宝带为君解，燕歌赵舞为君开。别有豪华称将相，转日回天不相让。意气由来排灌夫⑯，专权判不容萧相。专权意气本豪雄，青虬紫燕⑰坐春风。自言歌舞长千载，自谓骄奢凌五公⑱。节物风光不相待，桑田碧海须臾改。昔时金阶白玉堂，即今惟见青松在。寂寂寥寥扬子⑲居，年年岁岁一床书。独有南山桂花发，飞来飞去袭人裾⑳。

**【注释】**

　　①古意：六朝以来诗歌中常见此类标题，以示拟古之意。②狭斜：狭窄的小巷。③"青牛"句：古代驾车，牛马并用。《拾遗记》载，魏文帝曾以青牛为挽的文车迎接美人薛灵芸。④七香车：用七种香木制成的车辆，通常是贵妇人乘坐的。⑤玉辇：帝王的车舆，此诗中泛指上流社会中人乘坐的车辆。⑥复道：楼阁间的通道。交窗：木条交错成格的窗。合欢：本是花木名，这里用来指窗上的雕纹。⑦甍（méng）：屋脊。⑧梁家画阁：东汉时的外戚梁冀曾在洛阳修建豪宅，其上有雕梁画栋，十分华丽。此诗中指代长安的豪贵之家。⑨金茎：指铜柱。汉武帝时，建章宫内有铜柱，高达二十一丈，上置掌托承露盘的铜仙人。⑩吹箫：春秋时，秦穆公的女儿弄玉嫁给了萧史，萧史擅吹箫，秦穆公为他们搭建凤台居住，后来他们随凤凰飞走了。⑪妖童：装扮得非常妖艳的随侍歌儿舞女的少年。⑫翠憾（xin）：用翠羽装饰的车帏，指代装饰华丽的车辆。⑬探丸：探取弹丸。《汉书·尹赏传》载，长安少年有专门谋杀官吏的组织，行动前，将赤、黑、白三色弹丸混在一起，探得赤丸者杀武官，探得黑丸者杀文官，探得白丸者为行动中死去的同伙办丧事。⑭金吾：古代执金吾者统率禁军，负责巡防京师。此泛指禁军军官。⑮屠苏：美酒名。⑯灌夫：据《史记》记载，他是汉武帝时期的一位将军，因与丞相武安侯田蚡不和而最终被陷害，诛族。⑰青虬、紫燕：骏马名。⑱五公：指张汤、杜周、萧望之、冯奉世、史丹五人，都是西汉的著名权贵。⑲扬子：即西汉末年的扬雄。他仕

途坎坷，官职一直低微，后闭门著书，以辞赋名世。⑳裾：衣襟。

**【赏析】**

卢照邻与骆宾王共同开创了初唐近体歌行，并在初唐诗歌题材的开拓与主题的升华方面取得了突出的成就。卢照邻的七言歌行《长安古意》，其内容的丰富性、思想的深刻性、艺术的卓越性不仅远远超越唐太宗首写的《帝京篇》，就是与骆宾王的《帝京篇》相比，都有过之而无不及。

闻一多先生在《宫体诗的自赎》中给了这首诗极高的评价："在窒息的阴霾中，四面是细弱的虫吟，虚空而疲倦，忽然一声霹雳，接着的是狂风暴雨！虫吟听不见了，这样便是卢照邻《长安古意》的出现。"

《长安古意》是卢照邻的代表作。作者实际上是借汉代人物来写初唐现实，展现了不同阶层的生活情态，其中包含人情冷暖、世态炎凉，有深寓讽喻的意味，并陈述个人哀痛，有寂寥，有牢骚，还有深深的无奈。

按照描写的内容，全诗可以分为四个部分：从首句到"娼妇盘龙金屈膝"，描写了长安城里繁荣富丽的景象以及上流社会豪华奢侈的生活；从"御史府中乌夜啼"到"燕歌赵舞为君开"是第二部分，浓墨重彩地描写了长安城里的夜生活。第三部分从"别有豪华称将相"到"即今惟见青松在"，写统治集团内部明争暗斗、互相倾轧的黑暗现实；结尾四句是第四部分，诗人以扬雄自况，抒发个人的身世感慨。

"长安大道连狭斜，青牛白马七香车。"起首两句在第一部分中发挥着提纲挈领的作用，像是把一幅长安的整体平面图徐徐铺展在了读者面前，长安城的磅礴气势、贵族风范尽在眼前，纵横交织的小街小巷，穿梭流动的宝马香车把各种各样的风景、人物连缀在了一起。接下来，诗人具体描画了这幅"平面图"上的风景：玉辇、金鞭、宝盖、流苏、游丝绕树、娇鸟啼花、游蜂戏蝶、碧树银台、复道交窗、双阙连甍、画阁金茎……建筑华美、春光灿烂，直令人眼花缭乱。闻一多先生说，这段文字的节奏如"生龙活虎般腾踔"，简直让人心花怒放。其中有亭台楼阁，有蜂蝶花鸟，也有"纵横"、"络绎"地"过主第"、"向侯家"的各色人物。

长安城里的人多到什么程度？"楼前相望不相知，陌上相逢讵相识？"人物多到无法辨识，自然无法一一付诸笔端，于是诗人首先把豪门贵族家中的歌儿舞女请上了长安城这座无比华丽的大舞台。从"得成"一句开始，诗人集中笔墨描写了她们虽置身金笼，却对爱情和自由充满渴望，其中"愿作鸳鸯不羡仙"一句情感真挚，热情洋溢，得到了后世无数人的共鸣和响应。

第二部分中，围绕"娼门"这个特殊的群体，诗人描写了长安城里极致喧闹也极致冷落的夜景。那些"挟弹飞鹰"的王孙公子，"探丸借客"的莽撞少年，还有持"芙蓉剑"的英雄"侠客"，从"杜陵北"到"渭桥西"、从"南陌"到"北里"，通过"五剧三条"的"弱柳青槐"，最后"共宿娼家桃李蹊"。这一派"颠狂中有战栗，堕落中有灵性"（闻一多语）的画面，诉尽了夜幕笼罩下长安城里的癫狂和放荡。

然而，在描画这胜景之前，诗人已把门庭冷落、无人探访的御史府和廷尉府拉入读者的视线，这清冷府衙是热闹前景后不可忽视的幕景。"御史府中乌夜啼，廷尉门前雀欲栖。"不管是掌弹劾的御史，还是掌刑法的廷尉，都是喧腾夜景的寂寞陪衬，各类或身世显赫或出身市井的人都在忙着欣赏"燕歌赵舞"，连禁卫军的官兵们也成群而来（"汉家金吾千骑来"），与政事军务相关的府邸却悄寂无声。诗人的讽刺意味在表达方式上显得含蓄，但其旨不失犀利。

第三部分，诗人进一步刻画了掌权者的形象，他们不仅沉溺于腐朽的享乐生活里，还热衷于追名逐利，互相排挤打压，真是丑态毕露。权臣得意骄纵，"自言歌舞长千载"，自以为能够荣华常在、风光永存，但荣华富贵却"桑田碧海须臾改"。诗人以"昔时金阶白玉堂，即今惟见青松在"一句，形象地说明了豪华将相们"转日回天"的能力终究改变不了无常世事。

既然名利富贵都不能长久，诗人在结尾感叹道："寂寂寥寥扬子居，年年岁岁一床书。""扬子"即西汉扬雄，诗人以扬雄自况，希望能像他一样致力于读书著述。"独有南山桂花发，飞来飞去袭人裾"为诗人自我剖白：我宁愿远离尘世，独在南山与桂树为伴，自由来去而不与世俗同流。事实上，卢照邻也有经世致用的愿望，但他的仕途非常坎坷，不能得到统治者的赏识和重用，甚至曾因祸下狱。难免会在诗中流露出怀才不遇的愤慨，但因无可奈何只好作自我宽解。

在宫体诗中作讽刺与怨愤语，于初唐时期并不多见。这幅巨大的长安风情画，张扬恣肆地描写了长安风貌与贵族生活，但对其豪华和富贵没有表现出任何钦羡之意，也未作歌颂之辞，反而表达出辛辣的嘲讽，使歌行体诗歌具有了现实主义的意义。

这首诗一扫自南北朝后诗坛的虚无、萎靡的诗风，给诗坛注入了刚猛和生机，扩大了歌行体诗歌的题材范围。

全诗采用了赋的手法，既有铺陈描写，也有特写镜头的引入，点面结合，回环相应，结尾又能"劝百讽一"，颇具兴义。明代胡应麟《诗薮》说："垂拱四子，一变而精华浏亮，抑扬起伏，悉协宫商，开合转换，咸中肯綮。七言长体，极于此矣！"

# 咏史四首（其一）

卢照邻

季生昔未达，身辱功不成。髡钳①为台隶，灌园变姓名。幸逢滕将军②，兼遇曹丘生③。汉祖广招纳，一朝拜公卿。百金孰云重，一诺良匪轻。廷议斩樊哙，群公寂无声。处身孤且直，遭时坦而平。丈夫当如此，唯唯④何足荣。

**【注释】**

①髡钳（kūn qián）：古代刑罚，指剃去头发，用铁圈束颈。②滕将军：即夏侯婴，西汉的开国功臣。③曹丘生：西汉官吏，古代著名的辩士。④唯唯：恭敬的应答声，这里用其贬义，指一个人因屈于权贵而一味附和、恭敬顺从的样子。

**【赏析】**

这是卢照邻《咏史四首》中的第一首，赞颂了西汉大将季布为人仗义、不畏强权的品质，表达诗人自己的政治理想，讽刺了初唐时百官为迎合皇帝好大喜功的心态和竞相谄媚的丑态。

前八句为一层，用高度凝练的笔墨交代了季布从"未达"的失败境遇到官拜"公卿"的过程。

"季生昔未达，身辱功不成。"季布本来是西楚霸王项羽麾下的五大将之一，曾帮助项羽数次围困刘邦，项羽兵败自杀后，刘邦悬赏千金捉拿季布。首句写项羽的势力灭亡后，未能建立功业的季布四处藏身，其处境危险而窘迫。

季布最初藏身在一位姓周的朋友家里。为了躲避朝廷的缉捕，周氏给他出了一个主意，让他"髡钳布，衣褐"（西汉司马迁《史记》），也就是剃掉头发，用铁箍束颈，再穿上粗布衣服，装成奴隶。能屈能伸的季布同意了周氏的建议，于是和周家的另外几十个奴仆一起被卖给了鲁地的朱家，做些耕田浇园的差事。这便是"髡钳为台隶，灌园变姓名"两句讲述的内容。

"幸逢滕将军，兼遇曹丘生。汉祖广招纳，一朝拜公卿。"朱家其实知道季布的真实身份，却佯装不知，实际上是在保护季布。后来，朱家拜访夏侯婴，即"滕将军"，以"臣各为其主用，职耳"的道理说服夏侯婴为季布洗冤。赏识季布才华的夏侯婴果然向刘邦推举了他，季布不仅被赦免，还被任命为郎中，后来又有曹丘生等有名望的人四处宣传季布的德行，于是季布的名声越来越响亮。这两句表面是写季布能够飞黄腾达得益于夏侯婴和曹丘生的帮助，其实赞美了季布逆境中能忍辱不羞、伺机而起，也赞美了刘邦不记私仇，任人唯贤。

"百金孰云重，一诺良匪轻。廷议斩樊哙，群公寂无声。"这四句是全诗的第二层，说的是季布不仅一诺千金，还勇于当众斥责哗众取宠、取宠谄媚的樊哙。

汉惠帝时，匈奴王单于修书羞辱吕后。吕后大怒，召集众将议事，上将军樊哙当即请兵，欲率军攻打匈奴，百官纷纷附和，只有季布坚决反对，他一边陈述不能出兵的理由，一边斥责樊哙的阿谀之态，甚至疾呼"樊哙可斩"！以归顺之身尚且敢于犯颜直谏，足见季布的耿直，他与"寂无声"的"群公"，形成了鲜明的对比。

"处身孤且直，遭时坦而平。丈夫当如此，唯唯何足荣。"结尾四句是全诗的第三层，以议论为主，赞美了季布刚柔相济、能屈能伸的性格，并对他的耿介忠勇大为褒扬。在诗人看来，做人理应像季布一样做个伟丈夫，那些在朝堂上唯唯诺诺、只知逢迎奉承的人，又有什么值得荣耀呢？

这首诗还流露出诗人渴望建功立业的心理，对于季布由奴隶而"一朝拜公卿"的经历，诗人是羡慕的，但终其一生，也一直郁郁不得志。

# 昭君怨

卢照邻

合殿①恩中绝，交河使渐稀。肝肠辞玉辇，形影向金微②。汉地草应绿，胡庭沙正飞。愿逐三秋雁，年年一度归。

**【注释】**

①合殿：合欢殿，汉代宫殿名称。②金微：古山名，即今天的阿尔泰山。唐贞观年间，以铁勒卜骨部地置金微都督府，乃以此山得名。这首诗里用来指代匈奴统治的地方。

**【赏析】**

作者写的是王昭君的身世经历，抒发的却是自己仕途失意的感慨。

"合殿恩中绝，交河使渐稀。"意思是：皇上的恩德很久没有传到自己在宫中的居所了，刚刚入宫时，还常常有侍臣前来探望，后来日渐稀疏，到现在竟然像是断绝了。

据传，汉元帝根据呈上来的画像挑选嫔妃，后宫佳丽争相贿赂画师，只有王昭君因自恃貌美，不肯贿赂画师毛延寿，于是毛延寿将其丑化，使她入宫多年都没能见到汉元帝，更不可能得到宠幸。所以前两句中的"恩绝"、"使稀"既是因为奸佞阻隔，也是因为皇帝偏听偏信。

得不到皇帝宠幸的后宫女子，命运十分悲惨，寂寥冷落而无所依靠。恰逢匈奴请求与汉室和亲，王昭君于是自请出塞。"肝肠辞玉辇，形影向金微。"这句话写出了她离开汉室皇宫的情形：她肝肠寸断地向汉元帝告别，离开了汉室宫廷，形单影只地朝匈奴人居住的塞外而去。"肝肠"二字，既含有背井离乡、独赴塞外的辛酸，更有久居深宫而不得宠幸的怨愤。

"汉地草应绿，胡庭沙正飞。"这个时节，汉朝的土地上应该正是草色青翠、风和日暖的景色吧，但自己所在的胡廷却飞沙走石，尘土飞扬。从"应"字可知，汉庭草绿并非昭君眼前实景，而是她根据时间做出的推测，说明乡情时刻萦绕在她的心间；"正"字隐隐流露出厌恶之意，说明昭君对胡地的气候、生活并不适应。两相对比，道出了昭君内心的凄恻彷徨。

"愿逐三秋雁，年年一度归。"面对着眼前肆虐的黄沙，想到故土盎然的春色，昭君不由得将自己的心声直抒出来：多希望自己能像春回秋去的大雁，起码每年都有一次机会回到故国！这是直抒胸臆的写法，感情充沛而强烈。

全诗有一个清晰的时间脉络：昭君入宫，辞别汉帝，初抵塞外，怀念故国。每一联对仗工整，风格别具，句句都在写昭君的情怀，亦是诗人自己情绪和意志的写照，韵味隽永而醇厚。

# 春晚山庄率题二首（其一）

卢照邻

顾步三春晚，田园四望通。游丝横惹树，戏蝶乱依丛。竹懒偏宜水，花狂不待风。唯余诗酒意，当了一生中。

**【赏析】**

"顾步三春晚，田园四望通。"春季共有三个月，包括正月孟春，二月仲春以及三月季春，首句中的"三春"指春天的第三个月，也是暮春，扣紧题目中的"春晚"二字，次句中的"田园"扣紧题中的"山庄"。诗人正在一座郊外的山庄里，他徐行其间，尽情欣赏着暮春的美景，放眼望去，只见乡野间阡陌纵横，田埂交织。"顾步"一方面写出了诗人步伐缓慢、不时环视四周的样子，另一方面表达了他心情的闲适舒畅。

"游丝横惹树，戏蝶乱依丛。竹懒偏宜水，花狂不待风。"前两句总写山庄风景，这两句面中选点，着重描写最能体现山野风情的细节：春风和煦，日光温暖，蜘蛛等小昆虫早已出来活动，它们吐出了细细的丝线，纵横交错地搭在树枝之间，蝴蝶在姹紫嫣红的花园里追逐嬉戏，搅乱了花丛，更搅乱了春光。修长碧绿的竹子傍水而生，不断拔节，就像在舒展腰肢，一副慵懒闲散的样子，百花争先恐后地怒放，就像一阵春风就能把它们全部催开似的。

诗人先写动物，后写植物，选择了最能代表暮春特色的意象，并用拟人的手法赋予其十足的灵性。在卢照邻的笔下，蛛丝缠树是为"惹"，蝴蝶绕花是为"戏"，翠竹傍水尽显"懒"，百花争妍尽显"狂"，自然界里的生物仿佛都有了人的性格，用自己独特的方式迎接着生机勃勃的春天。这四句亦可视为对"顾步"的补充，正因为春景如此姿态万千惹人喜爱，诗人才久久不肯离去。

面对着春风荡漾、百花曼妙的风景，诗人却突然发出了与景物相悖的感叹："唯余诗酒意，当了一生中。"一生之中，只剩下诗与酒，能陪我度过余下的日子吧！尾句中落寞的情感和前六句描绘出的画面是相互冲突的，春景的欢快与明亮，反衬出了诗人内心的黯然和凄楚。

卢照邻一生经历坎坷，不仅在政治上毫无建树，还屡屡遭受谗言、诽谤，到了暮年，他眼见自然万物都逍遥自在、各有所属，而自己还是一事无成，难免要借眼前之景自伤迟暮、倾诉隐衷，但他没有直抒胸臆，而是以丽景写悲情，以绮语寄感慨，更加耐人寻味。


# 和晋陵陆丞早春游望

杜审言

独有宦游人，偏惊物候新。云霞出海曙，梅柳渡江春。淑气催黄鸟，晴光转绿蘋。忽闻歌古调，归思欲沾巾。

## 【赏析】

永昌元年（公元 689 年），杜审言任职于江阴，其友人、时任晋陵县丞的陆丞作《早春游望》一诗，诗人以此诗和之。诗人与陆丞是同郡邻县的僚友，经常游玩唱和。原本游览风景是赏心乐事，然而诗人不禁想起自己的坎坷人生，这首诗即抒发了诗人宦游江南时的感慨和归思以及二十余年仕途失意的愁思。

首联"独有宦游人，偏惊物候新"，抒发了诗人宦游在外的思乡之情。诗人远离家乡，在外从仕，也只有这样在外宦游的人，才会对异乡物候更新感到新奇。"独有"、"偏惊"二词表达出诗人心中对游仕在外的无限感慨。同时这句话也极有韵味，因为如果诗人身在家乡，或者就是当地人，也许并不会为物候更新这样的事感到大惊小怪。

领联"云霞出海曙，梅柳渡江春"，承接上句的"惊新"二字，描写了江南云水相依、花红柳绿的无限春光。江南的新春是与太阳一起从东方的大海升临人间的，像曙光一样映照着满天云霞。梅柳渡过江来，江南完全是花发木荣的春天。诗人选取了江南新春具有物候变化特点的景物，作此安排实则是用来与家乡的景物作对比，突出"惊新"一词。全诗看似处处新，却饱含着诗人对故乡春天的深切思念。

颈联"淑气催黄鸟，晴光转绿蘋"，"淑气"谓春天温暖气候。"黄鸟"即黄莺，又名仓庚。"淑气"一句诗化用了西晋诗人陆机《悲哉行》里的"蕙草饶淑气，时鸟多好音"，将江南春鸟愉悦欢鸣的姿态描写得惟妙惟肖。"晴光"，即春光。"绿蘋"，指的是浮萍。这句诗化用了梁代诗人江淹《咏美人春游》中的"江南二月春，东风转绿蘋"，暗示了江南二月的物候，比中原三月的暮春，早了一个月左右的时间。

尾联"忽闻歌古调，归思欲沾巾"，"古调"指的是陆丞的原唱。诗人忽然听闻陆丞的唱曲，心中思乡之痛无意中被勾起，不觉思乡情切，泪湿衣襟。此联同首联相呼应，点明诗人思乡之旨。

作为一首酬和之作，此诗的主要特点是以优美景色来反衬诗人寡淡、哀伤的情感，尤其中间两联独特的景物描写，更使全诗丰满精妙。


# 渡湘江

杜审言

迟日园林悲昔游，今春花鸟作边愁。

独怜京国人南窜，不似湘江水北流。

**【赏析】**

唐中宗时，杜审言因与张易之兄弟交往，被流放峰州（今越南越池东南），途中写下此诗。诗人在渡湘江南下时，正值春临大地、鸟语花香之时，看着江水滔滔，不禁联想到自己被贬他乡的遭遇，追思昔游，怀念京都，悲思愁绪一触即发。

首句"迟日园林悲昔游"，眼前的春光使诗人回忆了往昔的春游：那一年春日，于锦绣园林中，游目骋怀，身心舒爽。本来是美好的回忆，可诗人却用"悲"来追忆"昔游"时的"乐"，通过昔日的游乐更反衬出当前可悲的处境，正如吴乔在《围炉诗话》中说："情能移境，境亦能移情。"

"今春花鸟作边愁"，从回忆昔日的旧游写到今日的愁绪。鸟儿啼叫、春花绽放本应该是赏心悦目的景象，可却使诗人增添了流放边疆的愁绪。诗人缘情写景，采用反衬的手法，以"花鸟"衬托出诗人的"边愁"。与这句诗相似的有杜甫在《春望》诗中的"感时花溅泪，恨别鸟惊心"一联，有人认为实乃杜甫从其祖父杜审言这一诗句中化出。。

"独怜京国人南窜"，这一句突出了整首诗的中心思想，起到承上启下的作用。上两句回忆昔日春游时候的悲情，看到花鸟却只作边愁的伤感，以及下一句望湘水北流发出的感叹，皆因诗人远离"京国"，正在"南窜"的途中。

最后一句"不似湘江水北流"，点破诗题，起了画龙点睛的作用，以"水北流"来烘托"人南窜"，也是用反衬手法突出诗的中心思想。

在整首诗中，诗人通篇运用了反衬、对比的手法突出中心，强化主旨。前两句通过今与昔、哀与乐的对比，突写愁绪；后两句是人与物、南与北的对比，京都与贬谪的边地对照，江水北流与诗人南窜相衬，突出了诗人见春日花鸟而生"边愁"的深刻原因。

胡应麟在《诗薮·内编》中说，初唐七绝"初变梁、陈，音律未谐，韵度尚乏。惟杜审言《渡湘江》、《赠苏绾》二首，结皆作对，而工致天然，风味可掬"。可见这首诗对于七言绝句的定型、成熟、发展作出了一定的贡献，或说它标志着七言绝句开始走向成熟。

# 滕王阁①诗

王勃

滕王高阁临江渚，佩玉鸣鸾②罢歌舞。画栋朝飞南浦云，珠帘暮卷西山雨。闲云潭影日悠悠，物换星移几度秋。阁中帝子③今何在？槛外长江空自流。

【注释】

①滕王阁：故址在今江西南昌赣江，江南三大名楼之一。②佩玉鸣鸾：身上的玉佩、响铃等饰物。③帝子：指滕王。

【赏析】

王勃少年才名即著，约20岁时远道去交趾探望父亲，归途经过洪州（今南昌），州都督阎伯屿在滕王阁上宴请宾客，他参加宴会并即席写出著名的《滕王阁序》。这首诗是《滕王阁序》末所附的诗，却因写得瑰丽工整而被传诵。明人胡应麟在《诗薮》中说："初唐短歌，子安《滕王阁》为冠。"

滕王阁是唐高祖子滕王李元婴任洪州都督时建造的，矗立赣江岸边，号称江南第一阁。首句"滕王高阁临江渚"，点出了滕王阁高耸巍峨的形态，描述了高阁踞江望远与江屿对应的地势。次句"佩玉鸣鸾罢歌舞"，是遥想当年滕王建阁后坐着鸾铃马车挂着琳琅的玉佩去阁上宴歌行乐，过后竟都一切成虚。句中"罢"字指当年建阁的滕王已经死去，昔日的豪奢早已不在，叹息之意颇深。诗的第一联就点画出世事兴衰的变幻无常。

接下来的两句"画栋朝飞南浦云，珠帘暮卷西山雨"，是写滕王阁接空揽云的气势及瑰秀华丽。阁的画栋上在朝霞的映照中飞进了南浦的云，珠帘在暮色晚照里卷进了西山的雨。"画栋"、"珠帘"是阁中的美，朝云染彩、暮雨披虹是天光的美，高高的阁亭与天光云影接融，当然美不胜收。诗人形象地让云和雨飞入阁中，既描绘了阁的气势，又渲染了它的美丽。然而"朝飞"与"暮卷"又在暗喻时光朝朝暮暮的无情飞度。

"闲云潭影日悠悠，物换星移几度秋。"云朵自由自在地在天空中漂游，映在地上的潭水里隐约浮动更显悠闲，时光却在这悠悠中很快流逝；世事交替，星移斗转，季节年华在不知不觉中变换。诗人以大自然的景象物候比喻人生的短暂，富有哲理，引出人的无尽遐思。

"阁中帝子今何在？槛外长江空自流。"最后一联可以看作是一声长长的慨叹。当年建造这雄伟秀丽高阁的滕王如今在哪呢？展望眼前栏杆以外，长长的江水兀自默默向东流去。"今何在"意为显然今已不在，"阁中"句是反问自明。掷重苍老的诗句，悼古韵味无穷。末联与首联呼应，慨叹盛衰变换的世事。

这首诗把阁、江、栋、云、雨、山、浦、潭、日、物、星、秋等诸多物、事、景糅和在一起，构成了行云流水一样的句子和诗韵；意境美和韵律美适宜结合，如悠扬苍远的行歌。诗人以弱冠之年，竟写出如此苍古美韵的诗章，堪称诗史上的奇例。

# 送杜少府之<sup>①</sup>任蜀川<sup>②</sup>

王勃

城阙<sup>③</sup>辅<sup>④</sup>三秦，风烟望五津<sup>⑤</sup>。与君离别意，同是宦游人。海内存知己，天涯若比邻。无为在歧路，儿女共沾巾。

**【注释】**

①之：到，往。②蜀川：即今天的四川崇州，有的诗集版本中也作"蜀州"。③城阙（què）：皇宫门前的望楼，指唐都长安。④辅：拱卫。⑤五津：指岷江上的五个渡口，这里泛指蜀川一带。

**【赏析】**

少府在古代是官职名，管理山海地泽收入及手工制造，唐时县尉也称少府。这首诗是王勃初仕于长安时为送友人杜少府所作。诗的情感浓厚，格调高扬，送别郁事却充满活力，成为后人喜闻乐读的名篇。

首联"城阙辅三秦，风烟望五津"很有气势。"三秦"指三秦之地，"五津"指蜀地岷江白华津、万里津等五大渡口。这两句的意思是，国都长安城被辽阔的三秦之地所辅卫着，尽显雄浑，友人将前往的蜀川路途遥遥、烟波笼罩、一派浩渺，却一眼能够望透。一边是"辅三秦"，一边是"望五津"，点出送别的地点和友人赴任的地方，将长安和蜀川牵连在一起，一下子把遥远的前去之地拉近，造成宏远辽阔、天下一体的意境，铺陈了一种特殊的送别氛围。

"与君离别意，同是宦游人。"意为：与你这分别应属于怎样一种情境？你我都是宦游他乡出来博取功名的人。古时在外求仕，往往身不由己随着差遣四处漂泊，多年不能归乡。这两句带有劝勉之意，是说既然走进仕途就不要过于在意离别，人人皆是一样，都要看开一些。于此处，诗人同时还表达了对这种宦游生涯的无奈。

在微露伤感之后，诗人横挥一笔"海内存知己，天涯若比邻"，气势顿时高昂：即使是海角那样渺茫也有知心好友，就算在天涯路的遥远也如相邻而居。人生自古伤离别，文人雅士更愿在别时遣抒伤感，但诗人此时豁达对待别离：千里万里我们的情意都在，知音者心心相印何必咫尺，真正的友情永远不破。此两句立意深远，高度概括，气度雄浑，余韵悠长，成就了千古名句。

末尾"无为在歧路，儿女共沾巾"，"无为"指不要为；"歧路"是岔路口，指送别之地。诗人劝慰友人，不要为了道别在此如小儿女般哭哭啼啼让人难为情，言外之意是指长远的目标才是最终的追求。"共沾巾"三字既有表明双方情谊深厚之意，又在规劝友人莫以离别伤怀。这两句紧扣送别之题。

好诗皆情、境、艺三佳。情即感情，是诗的灵魂；境即境界，是诗的骨架；艺即表达的方式技巧，是诗的血脉。该诗送别友人的情感极为浓郁，天涯咫尺的坦荡友谊尽显境界高远，精警洗练的语句又引人喜爱，自是一篇脍炙人口且为后人所师法的杰作。

# 别薛华

王勃

送送多穷路，遑遑独问津。悲凉千里道，凄断百年身。心事同漂泊，生涯共苦辛。无论去与住，俱是梦中人。

**【赏析】**

王勃少年奇才，十七岁进入沛王府任修撰。可好景不长，因戏写带有讽意的斗鸡文触怒唐高宗，被逐出王府，时年仅二十岁。寥落失意的王勃游历于汉州、绵州、益州、梓州等地。

诗人仕途遭创，思想感情发生很大变化，同为送别之作，这首与《送杜少府之任蜀川》大相径庭，前首激扬勇进，本首悲凉哀伤。诗歌表现的喜怒哀乐直接反映了作者的主观情感，而且此时王勃年在青少，思想情绪波动更大。《王子安集》中有一篇《秋夜于绵州群官席别薛升华序》，可能就是这首诗的序。从序言推断，诗人与薛华友谊深厚，这次在绵州相逢，很快又分手，故写此诗以送别。

"送送多穷路，遑遑独问津。"崎岖复杂的路送了又送，还是不忍分别，远行的人终将独自行旅独探路径。开头就把人带进了凄凉之境，"送送"、"遑遑"、"多"、"独"把送别之情咏唱得凄苦异常。"问津"而"穷路"有"守死善道，滞涸穷路"之意：汉代李固"守死善道"，屡次上疏针砭外戚、宦官擅权，后招杀身之祸；晋代阮籍假醉躲避迫害，时常独自信道而行，路绝就"穷途而哭"发泄不满。诗人因讽喻遭遭，此处是发泄不满。

"悲凉千里道，凄断百年身。"千里送行，极言其远，百年身世，极言时久。意为别后路途遥遥，且时间久远，不知何地何时能够再见。"悲凉"、"凄断"，又极写此地此时的悲与凄。诗人由人推己，友人一别千里，自己不也同样离乡在外。眼前道路崎岖，未来前程暗淡，令人肝肠寸断，内心情绪低落到极点。

"心事同漂泊，生涯共苦辛。"这两句是说，你我都是为了建功立业获取功名出来游宦，同样东奔西忙又受到挫折，心中的志向和漂泊的生涯相同，都需要看开一些。王勃《春思赋·序》曾道："咸亨二年，余春秋二十有二，旅居巴蜀，浮游岁序，殷忧明时，坎壈圣代……此仆所以抚穷贱而惜光阴，怀功名而悲岁月也。"可见他是因建功立业而"心事漂泊"、"生涯苦心"。

最后"不论去与住，俱是梦中人"，意为"不论我留此或是你别去，将来还是心灵相通，梦中都会相见"。诗中带有调侃安慰之意。诗人以诙谐结笔，不会留给友人过于凄苦之感。尾句也说明诗人并没有彻底灰颓，对前途仍然心存美好的憧憬。

# 铜雀妓① （其二）

王勃

妾本深宫妓，层城闭九重。君王欢爱尽，歌舞为谁容。锦衾不复襞②，罗衣谁再缝。高台西北望，流涕向青松。

**【注释】**

①铜雀妓：乐府平调曲名，又名"铜雀台"。②襞（bì）：折叠衣裙。

**【赏析】**

铜雀台是建安十五年（公元 210 年）曹操在邺城（今河北省临漳县）建造的，台上铸有铜质大雀。建成后，曹操召集比武大会，并命诸子登台吟诗作赋。曹操三子曹植落笔成章写出留名千古的《铜雀台赋》，其中有一句"揽二乔于东南兮，乐朝夕之与共"。根据此诗句，世间即传曹操要灭掉东吴，欲取孙策、周瑜妻大乔、小乔两大美女蓄于台供自己享乐。唐杜牧因而有"东风不与周郎便，铜雀春深锁二乔"的诗句，意为没有东风助周瑜火攻败曹，美女大乔、小乔就将成为战利品收在铜雀台了。

据《邺都故事》，曹操遗命自己葬在邺城西岗，姬妓都住铜雀台上早晚设食朝西祭奠，每月十五辄向帐前作妓乐；几个儿子也常登台朝西拜祭。"铜雀妓"是乐府诗题，一般用于吊古或咏史。王勃的《铜雀妓》则是以乐府韵律成五言诗，描写的是歌伎的命运。

"妾本深宫妓，层城闭九重"，妾本来是深宫里的歌伎，被重叠的城墙关闭在九重的宫殿里。诗人以歌伎的口气叙说她们自己的命运，情感真切动人。她们年轻时被征召为歌伎，学好技艺是为了更好地生存，最终却被锁在深宫里失去了自由。

"君王欢爱尽，歌舞为谁容"，君王已经不再玩乐了，歌唱和舞蹈又给谁欣赏娱乐？这一联深入描写歌伎的悲剧。歌伎以姿色和技艺取悦主人，可是曹操已经死了，仍然要按他的遗命每月按时歌舞，岂非空耗时间和生命？

"锦衾不复襞，罗衣谁再缝"，丝锦做的被褥不再去折叠，看到再好的绫罗也无心去缝制衣裙。被幽禁在这种不见天日的环境里，哪里还有心思收拾打扮呢？这两句写出了歌伎在漫长的孤寂日子里逐渐心如止水、形容憔悴的情态。

"高台西北望，流涕向青松"，从高台上向西北望向曹操的陵墓，只能对着墓地上的苍松绿柏默默流泪。诗人在尾联痛声控诉，表达了歌伎们生存的痛苦与绝望。

《铜雀妓》没有实写曹操的奢华无道，事实上曹操遗命幽禁姬妓仅是后人所传，并无确切的史料依据。王勃针对的当是本朝幽闭的宫廷生活，他借古讽今，是在替被终身幽禁在深宫里遭受摧残的歌伎们鸣唱不平。

# 山　中

王勃

长江悲已①滞，万里念将归②。
况属高风③晚，山山黄叶飞。

【注释】

①已：太，过。②念将归：动了归思。③高风：秋风。

【赏析】

长江被人的悲凄所感，流动得非常缓慢，遥遥万里，诗人心念家乡急欲归去。何况日落天晚寒意浓浓的秋风吹来，更是平添愁绪，霜临天下，无边的落叶纷乱飘零。

这首诗字面上人悲已极，但文里行间却气势不凡。一般来说，当内心伤痛到极点，人们大抵会哀哀细语诉说心曲，故而这首诗显得极为特别，后人对此诗赏析品评时也多有分道。

第一，无所考证确切的写作时间。有人认为此诗为虚拟景物随想之作，不可能也不必要考证确认写作时间；有人认为必是诗人旅蜀后期的作品，诗人《入蜀纪行诗序》里有云："五月癸卯，余自长安观景物于蜀，遂出褒斜之隘道，抵岷峨之绝经。"在《游山庙序》里也云："吾之有生，二十载矣，雅厌城阙，酷嗜江海。"由此推断诗人入蜀后到处游览山水，此诗既题为"山中"，在蜀山之作无疑。

第二，是怀乡之作还是另有寄情。诗人于总章二年（公元 669 年）因戏文涉讽被高宗废斥逐出沛王府，然后数年流连巴蜀，游山玩水，吟诗为文。从他此间的诗和一些序文来看，离开长安他表面心态洒脱，但内心是委屈的。诗人少年入朝为官，志向远大，被贬后郁结胸中，借蜀地山水消解积愤，但鸿鹄之志并未泯灭。另一方面，长时间飘零在蜀地的峻山湍水间，此处物候易添愁思，诗人不免滋生乡愁。有人据诗中"万里念将归"句，认为这首诗是思乡之作；有人则认为诗人少年才俊，虽受挫但仍胸怀远大，此诗气魄宏远，显然并非思乡，诗人是借此抒发仍存"万里"之志，"念将归"是回归朝廷以建功业，"悲已滞"是抒发志不得展。

第三，对首句"长江悲已滞"的解释不一。应理解为"人因长期滞留在长江边上而悲叹"，还是解释为"长江被人的悲凄所感已经停滞"？有人根据王勃《别人四首》中的"雾色笼江际"、"何为久滞留"诸句推之，认为诗人是以大江东去对照自己的长期滞留，但更多人则认为这是借景抒情的写法，以长江之滞表内心之殇。诗人所想固难以考究，读者又各有所思，观点自然莫衷一是。

这首诗起句不同凡响，二句紧承首句具体抒发心境，三句转写物候，结句写深秋的景象。句句洗练，字字珠玑，又丝毫无雕琢之感，寥寥数语而意象十分丰富，让人玩味不已。

# 采莲曲①

王勃

采莲归，绿水芙蓉衣。秋风起浪凫②雁飞。桂櫂兰桡下长浦，罗裙玉腕轻摇橹。叶屿花潭极望平，江讴越吹相思苦。相思苦，佳期不可驻；塞外征夫犹未还，江南采莲今已暮。今已暮，采莲花，渠今那必尽娼家。官道城南把③桑叶，何如江上采莲花。莲花复莲花，花叶何稠叠。叶翠本羞眉，花红强如颊。佳人不在兹，怅望别离时。牵花怜共蒂④，折藕爱连丝。故情无处所，新物从华滋。不惜西津交佩解，还羞北海雁书迟。采莲歌有节，采莲夜未歇。正逢浩荡江上风，又值裴回⑤江上月。裴回莲浦夜相逢，吴姬越女何丰茸⑥。共问寒江千里外，征客关山路几重。

**【注释】**

①采莲曲：乐府《清商曲》名。②凫：野鸭。③把：攀，采。④共蒂：并蒂莲。⑤裴回：徘徊。⑥丰茸：风姿美好。

**【赏析】**

这首《采莲曲》是上元二年（公元 675 年）诗人南行探父路上所写，通过对采莲女的形象塑造和心理刻画，表现出她对征夫的深切思念和无限幽怨。

诗的开头是"采莲归，绿水芙蓉衣"。采莲即将结束，荷花绿水旁，穿着彩衣的女子们准备收工了。诗人先写了一幕红莲、绿水、芙蓉衣交织成的美丽画面，表达了收获的喜悦。本诗采取倒叙手法，下句才开始写采莲场景。

"秋风起浪凫雁飞。桂櫂兰桡下长浦，罗裙玉腕轻摇橹。"秋风吹起，莲子成熟，罗裙玉腕的采莲女驾着小舟驶进莲塘，野鸭大雁受惊飞起。诗人把采莲的开始描绘得如此诱人。

下文才直切主题："叶屿花潭极望平，江讴越吹相思苦。相思苦，佳期不可驻；塞外征夫犹未还，江南采莲今已暮。"采莲女子极目望去，绿叶红花仍是那样无边无际，莲塘里飘来的歌曲声仍是那样动听，但美景清歌却解不得采莲女的寂寞与伤感，她的心中想念着离别的丈夫。"塞外征夫犹未还"，"犹"字分量甚重，重的是无尽的怨尤。"江南采莲今已暮"，字表是今天将暮，实则是描述采莲女天天盼到天黑却天天至暮不见丈夫的苦情。

"今已暮，采莲花，渠今那必尽娼家。官道城南把桑叶，何如江上采莲花。"这几句是写采莲女子守望丈夫的决心。虽然男人不在家，她也要用劳动撑起家庭，不会学娼妇去卖身，即便有人纠缠也会如秦罗敷那样断然拒绝引诱。接着写采莲女的心思："莲花复莲花，花叶何稠叠。叶翠本羞眉，花红强如颊。"采莲女子春心仍动，将自己与花相比。荷花有并蒂莲相伴，自己却是形单影只。自己的秀眉美貌堪比莲花，但没有丈夫在身旁，只能是自我欣赏。

"佳人不在兹，怅望别离时。牵花怜共蒂，折藕爱连丝。故情无处所，新物从华滋。不惜西津交佩解，还羞北海雁书迟。"这段是写采莲女回顾与丈夫团聚的日子，更牵想念丈夫的情思。这段中的"牵花怜共蒂，折藕爱连丝"两句细腻传神。女主人公想起与丈夫离别前的生活，他们一起挖莲花怕牵断并蒂的另一根莲，折莲藕又怕藕断丝连惹人疼，对相爱相守的事物百般怜爱呵护，可两个善良的人却不能相亲相守，反倒被无情地拆散。本段的"不惜西津交佩解"，是借用郑交甫遇仙女的典故，说明对爱无悔；"北海雁书迟"，是用苏武北海牧羊的故事作比，叹恨丈夫音书不通。

诗歌的结尾部分："采莲歌有节，采莲夜未歇。正逢浩荡江上风，又值裴回江上月。裴回莲浦夜相逢，吴姬越女何丰茸。共问寒江千里外，征客关山路几重。"前四句描写夜间采莲轻风拂水、明月当空、歌声阵阵的景象；最后四句写游客与一群打扮漂亮的采莲女相遇，听着她们互相询问对方征夫的情况。"共问寒江千里外，征客关山路几重。"结尾两句是诗的要旨，特别"共问"两字，表达了一群采莲女的丈夫大都是在外从军，互相安慰遭受离别的痛苦。结句中，诗人写出了战争和戍边给这些美丽、勤劳、忠贞的江南女子所带来的痛苦。

# 从军行

杨炯

烽火照西京，心中自不平。牙璋①辞凤阙，铁骑绕龙城。雪暗凋②旗画，风多杂鼓声。宁为百夫长，胜作一书生。

**【注释】**

①牙璋：古代的一种兵符，作用同于虎符。②凋：指色彩脱落。③百夫长：军中统领百名士兵的低级军官。

**【赏析】**

王勃、杨炯、卢照邻、骆宾王并称为"初唐四杰"，他们曾致力于改变当时婉丽绮靡的诗风，有意在诗歌内容和形式上进行开拓。杨炯这首诗以读书人投笔从戎为设境，描写了边塞战争的场景情况和书生在边疆的心理活动。诗风慷慨激昂、雄劲刚健，是杨炯边塞诗的代表作。

"烽火照西京，心中自不平。"边塞烽火已经映耀到京城，点燃了诗人心中的满腔怒火。一个"照"字把边疆和京城紧密相连，也渲染出了战争的紧张气氛。事实上，边塞的烽火燃得再旺，也不可能照到京城，诗人以夸张的手法描绘了边关战事的紧迫。初唐时，突厥等少数民族不断侵扰边境，严重威胁着西北边陲的安全。烽火传报战情点燃诗人心中之火，在国家安全受到威胁之际，即便是一介书生也愤然而起，欲投笔从戎。突厥犯边激起诗人大义陈词，这是他发自内心的"不平"之气。

"牙璋辞凤阙"，"牙璋"是皇帝调兵的兵符印信，凸凹两块，分别掌握在皇帝和领军主将手中，"凤阙"代指皇宫。第三句是说大将受命于皇帝已经率领大军出发。"铁骑绕龙城"，"铁骑"指强大精锐的征伐军队，"龙城"是匈奴的城堡，这里泛指敌人的城堡或营地。第四句渲染了战事吃紧的气氛，描绘出唐军威武雄壮、所向无敌的气势。一个"绕"字形象地说明唐军快速奔袭，将敌军紧紧包围起来，描绘了战争的势态。据《旧唐书·高宗纪》载，永隆二年（公元 681 年）突厥侵犯原庆等州（今甘肃省固原、庆阳一带），朝廷派遣礼部尚书裴行俭率师讨伐突厥的部落。第三、四句描述的应是此次大军的出师。

"雪暗凋旗画，风多杂鼓声。"这两句描绘了壮阔而激烈的战争场面。大雪飞卷，战意弥漫，连军旗上的彩图都黯然失色，烈风乱卷，掺杂着战鼓声声，显得更加急促惨烈。诗人没有直接写战斗过程，而是以"雪暗凋旗"和"风杂鼓声"勾勒出疆场鏖战的蓝图。一方面以渲染酷寒描述战场艰苦，另一方面用长风急雪象征战斗的激烈，把旌旗漫卷和急迫鼓声中战士们奋勇杀敌的情景刻画出来。

"宁为百夫长，胜作一书生。"尾联两句是诗人的呐喊：宁可做一个低级军官冒死报国，也不要做一个弄墨书生苟且偷安。这是诗人杀敌报国雄心的真实写照。

本诗笔力虬劲，气势雄浑，一扫婉丽浮靡诗风，有大气磅礴之象；对仗工整，节奏明快，一气呵成，并且跌宕有致，充满韵律美；诗的情绪充沛，昂扬向上，激越的报国之情有鼓舞人心的艺术效果。

# 战城南

杨炯

塞北途辽远，城南战苦辛。幡旗如鸟翼，甲胄似鱼鳞。冻水寒伤马，悲风愁杀人。寸心明白日，千里暗黄尘。

## 【赏析】

初唐时期，江山虽已一统，结束了开疆覆国的战乱，但西北边塞少数民族侵扰不断，加之皇家固边拓土的战略，边防经常发生战事。文学创作受到现实生活的影响，诗坛形成了以描写边塞征战和将士生活为主的流派。这首《战城南》借用汉乐府旧题，以战士的口吻讲述了一场战争的过程。诗的格调浑厚朴茂，昂扬激越，写出了战争的激烈场面，赞扬了战士的无畏精神。

"塞北途辽远，城南战苦辛。"首联交代了战争的地点是在辽远的塞北，次句引出了战场的状况。"城南战"紧切《战城南》的诗题。汉乐府《战城南》是《汉鼓吹铙歌十八曲》之一，乐府诗仅存的一首《战城南》写阵战之事，到处都是流血和死亡的战争场面，以哀悼阵亡士卒。

"幡旗如鸟翼，甲胄似鱼鳞。"颔联描绘战场的景象，战旗纷翻如鸟翼一样飞卷；战士的甲胄像鱼鳞似的光灿。寥寥十字将战场描绘得气势恢宏，虽没有金铁交击，断臂穿胸，但却写出了文字以外的画面：两方兵士列阵以战，队形庞大，人数众多，盔明甲亮，一场大战争如火如荼地进行着。同时，"旗如翼展"、"甲似鳞闪"的动感描绘，显示着战斗异常激烈，刀光剑影隐约可见。

颈联笔意已转，"冻水寒伤马，悲风愁杀人"写的是战场外的情形。塞外苦寒，水冷如冰，战马经受不住被冻伤，凛冽北风悲嘶凄歌，引发无法承受的浓愁。这两句写的是战斗结束后的场面和战后余生者的悲凄。

诗以写景作结，更显余味深长。本诗尾联堪称情景交融。"寸心明白日"，战士以报效国家为天职，这种忠贞天地可鉴是不会改变的。诗人表达了自己对战士的认识。"千里暗黄尘"，塞外黄沙暗掩千里，诗人或是要描绘边塞气候的恶劣，或是要渲染战意的浓烈，或是要抒写战争的惨烈，或是多种目的并存，此正所谓余味深长。

与《从军行》"宁为百夫长，胜作一书生"对比看，写作《战城南》时诗人对战争的观点已经转变。如"冰水寒伤马"句化用了"饮马长城窟，水寒伤马骨，往谓长城吏：'慎莫稽留太原卒！'"（陈琳《饮马长城窟行》）诗句，表面写马，实则写人，表达了对边塞战士的深切同情。再如"悲风愁杀人"句，寒意悲凄至此，说明诗人对战争厌倦已极。

# 晚　春

## 刘希夷

佳人眠洞房，回首见垂杨。寒尽鸳鸯被，春生玳瑁床。庭阴暮青霭，帘影散红芳。寄语同心伴，迎春且薄妆。

## 【赏析】

刘希夷素以"苦篇咏，特善闺帏之作"（《唐才子传》）著称，这首《晚春》就是苦吟闺中少妇思夫的愁情。

年少新婚，丈夫远行，最是伤情。诗的首联交代了少妇思人的情态："佳人眠洞房，回首见垂杨。""洞房"指新房，可见"佳人"是新婚少妇。春深季节，生机活现，草舒树茂，景象更新。闺中少妇却因思念丈夫整日懒在洞房中怏怏愁思，忘记春日早已来过。此时，一声鸟鸣传进房内，她蓦然回头，只见窗外杨柳依依，枝长叶茂，一树芳翠。少妇不觉更加伤情，春来没有使她快乐，反勾起她心中的怨尤。也许是想到丈夫也在这垂杨绿盛的时节离家，触景伤情难以忍受；也许她是怪春来了而人不在，没有人伴她度春日。

少妇睹物思人，春风送暖内心反生寒意。"寒尽鸳鸯被，春生玳瑁床。"三、四句是说她的鸳鸯被子因冬去春深已经没了一丝寒凉，拥着它柔软而温暖，用玳瑁装饰的睡床也已在晚春的季节显得温润，然而她并没有领略这融融暖意，象征两不分离的鸳鸯被反引动她深一层的怨艾，华贵的玳瑁在她眼里仍是光凉生寒。丈夫远行不归，鸳鸯被、玳瑁床能给她什么呢？徒增然孤独、无聊、冷寒而已。

房内满是相思事物，对房外的景致她又感觉怎样呢？"庭阴暮青霭，帘影散红芳。"房外已至晚天，庭院树影幢幢，光影云气幽暗；窗帘摇动中，日的余晖中春花显得芳艳。暖春傍晚，天光云影共徘徊，园花芬芳映晚霞的景致是最美的，然而在少妇的眼中却引起伤感：春天那么短促，拥着被子还没起床却又已来到傍晚，且红粉春花今晚隐入夜幕明晨是否就会凋谢？春天的暮色给少妇增加的是人生苦短的愁思。

末尾两句转了坚决："寄语同心伴，迎春且薄妆。"少妇春愁益加浓郁，无以承载，为发泄郁结，她几乎是大声呼出："我那远行的丈夫，还是劝我在春天里淡淡梳妆吧！"丈夫远行无音，春暖景明对她有什么意义呢？梳妆打扮又给谁欣赏呢？此时少妇的愁情已至最为浓烈。

古人写闺怨的诗不少，但如这首写得如泣如诉的不多。诗由洞房写到户外，由家中物写到远行人，把美人被思情折磨得身心俱瘁描述得惟妙惟肖。

# 代悲白头翁

刘希夷

洛阳城东桃李花，飞来飞去落谁家？洛阳女儿惜颜色，行逢落花长叹息。今年花落颜色改，明年花开复谁在？已见松柏摧为薪，更闻桑田变成海。古人无复洛城东，今人还对落花风。年年岁岁花相似，岁岁年年人不同。寄言全盛红颜子，应怜半死白头翁。此翁白头真可怜，伊昔红颜美少年。公子王孙芳树下，清歌妙舞落花前。光禄池台文锦绣，将军楼阁画神仙。一朝卧病无相识，三春行乐在谁边？宛转蛾眉能几时？须臾鹤发乱如丝。但看古来歌舞地，惟有黄昏鸟雀悲。

## 【赏析】

《白头吟》是乐府《楚调曲》的调名，古辞是写女子向厌弃她的情人做出决绝表示。这首《代悲白头翁》是拟用《白头吟》古乐府名，内容富有新意，文辞韵律甚美，堪称佳作。

"洛阳城东桃李花，飞来飞去落谁家？"开头两句写的是洛阳城东桃李花谢的情景。洛阳是花的城市，古有"洛阳牡丹甲天下"的赞语。唐代的洛阳人口稠密、景象繁华，春日里更是繁花似锦，生机勃勃。然而诗人意不在此，他以兴起步，要写的是桃李花谢，飞落飘零，以衬下文的人生易老，白头转瞬。

"洛阳女儿惜颜色"以下十句，写美丽的洛阳女儿面对四处飞落的桃李芳华所发的无限感慨。

"行逢落花长叹息"，给出了一幅伤感的图画：一名美丽的少女坐于街旁，凝望满树的繁花被风摧落飘零，潸然泪下。洛阳女儿所伤感的是："今年花落颜色改，明年花开复谁在？"她慨叹的是春光的易逝、春花的易衰，忧虑的是红颜的易老、青春的难驻。

"已见松柏摧为薪，更闻桑田变成海。"这两句仍是怨艾生命的短暂。"松柏摧为薪"引自《古诗十九首·去者日以疏》"古墓犁为田，松柏摧为薪"的原句；"桑田变成海"典出《神仙传·麻姑》。这两句以松柏被砍作柴、桑田会变成海来比喻世事变化的迅速巨大。"古人无复洛城东，今人还对落花风"揭示的是人逝不返、自然不变的定律。

"年年岁岁花相似，岁岁年年人不同"两句堪称经典。诗句工整、流畅、优美，意境深邃、宏阔、悠远，内中哲理深蕴，深刻揭示了青春易老、世事变换的规律，因引发无限的共鸣而广为传诵。

  "寄言全盛红颜子"以下十句，概述白头翁一生经历，扣"代悲白头翁"主题。"告诉那盛旺的年轻人，莫要瞧不起这白头人。白头老翁真可怜，当年他可是美少年。"这几句直白地告知：人都将要老去，谁都不能抗拒。"公子王孙芳树下，清歌妙舞落花前。光禄池台文锦绣，将军楼阁画神仙"是说从前白头翁与公子王孙一同树下花前歌舞游乐，也曾在"光禄池台"舞文弄墨，在"将军楼阁"谈论武功。白头翁曾经历过荣华富贵，然而"一朝卧病无相识，三春行乐在谁边"，他一朝老病就无人理睬，三春行乐也就再也没有他的份了。

  结尾四句点明诗旨。"宛转蛾眉能几时？须臾鹤发乱如丝"两句是在点论即使美丽异常的少女也不免被岁月磨蚀很快变成白发老妇。"但看古来歌舞地，惟有黄昏鸟雀悲"的结尾两句发出了深深的感叹。古往今来多少载歌载舞的欢乐场所都更替衰败，常常是那里只剩几只鸟雀在黄昏的凄迷中哀叫。到这里，我们仿佛看到作者正噙着眼泪。

  诗人以盛年写这首《代悲白头翁》，写出了同情，写出了悲伤，很好地诠释了红颜易老、人生短暂的普世大律。

# 黄瓜台辞

李贤

  初，武后杀太子弘，立贤为太子。后贤疑隙渐开，不能保全。无由敢言，乃作是辞。命乐工歌之，冀后闻而感悟。

  种瓜黄台下，瓜熟子离离。一摘使瓜好，再摘使瓜稀。三摘犹自可，摘绝抱蔓归。

**【赏析】**

  文学史上，曹植七步成诗的典故几乎家喻户晓，他的目的是劝谏兄长不要为争权力而兄弟相残。数百年后，又有唐代李贤作《黄瓜台辞》，规劝生母武后切勿为实现政治企图而不择手段，甚至残害骨肉。两首诗都是咏物托意的讽喻诗，比喻贴切，明白如话，展现出诗人自身的危险处境，表达了沉郁悲愤的心情，也反映了统治阶级内部斗争的残酷。

  《全唐诗》中这首《黄瓜台辞》诗题下有注："初，武后杀太子弘，立贤为太子。后贤疑隙渐开，不能保全。无由敢言，乃作是辞。命乐工歌之，冀后闻而感悟。"唐高宗共有八个儿子，其中四子都出于武则天，李贤正是其中之一。生于皇家，诗人几乎没有享受过普通人家的父母之爱，甚至母亲武后为满足自己的政治欲望不惜残杀亲生骨肉。兄长李弘暴卒之事是新太子李贤心中的阴影，面对武后多次无端指责，李贤既担心自己步了兄长后尘，又因母亲的无情而愤怒，于是写成此诗，并令人谱曲传唱，希望武后听到之后，多少有所收敛。

  全诗纯以比兴手法出之，托物言意，语言浅显而寓意鲜明。

  "种瓜黄台下，瓜熟子离离。"前两句总写黄台下枝繁叶茂、果实丰硕的丰收之象。"离离"二字通过写间距之小形容瓜果茂密的样子。这两句背后的含义是指父皇李治子孙兴旺。起首言"离离"，尾句言"摘绝"，有强烈的对比之意。

"一摘使瓜好，再摘使瓜稀。三摘犹自可"，表面看来，这三句形容的是植物生长的自然过程：瓜熟之后当摘则摘，这样能够让其他未熟的瓜果吸收养分，长势更"好"，再摘之后瓜果就显得稀少了些，第三次摘还是不会出什么大问题。在武后把持朝政的情况下，李贤心有悲愤也不敢明言，只能以植物作比，"一摘"、"二摘"既可以理解为瓜熟蒂落的自然规律，也可以认为是对武则天先后谋害李忠与李弘的罪行的揭露，但以李贤之谨慎，作前解的可能性更大。

"三摘"之后，一个"犹"字已流露出勉强之意，便于引出"摘绝抱蔓归"，这是李贤作此诗的用意所在。他想通过诗来提醒并劝谏武后，希望她停止杀戮，不要对骨肉至亲赶尽杀绝，否则最后只能落得抱蔓而归的凄凉、孤独的下场。

以摘瓜为喻，言语质朴，形象鲜明，又辅以民歌形式，《黄瓜台辞》寄托着李贤内心的沉痛与无奈，但又饱含期许。诗人取譬精妙，用语工巧，达到了生动感人、发人深省的艺术效果。

# 题大庾岭北驿

宋之问

阳月南飞雁，传闻至此回。我行殊未已，何日复归来？江静潮初落，林昏瘴不开。明朝望乡处，应见陇头梅。

## 【赏析】

大庾岭在今江西大庾，岭上多生梅花，故又名梅岭。古人认为大庾岭是南北的分界线，传说十月北雁南飞至此而回，不再过岭。这首五言律诗是宋之问流放途中经大庾岭时在岭北驿馆写成的。诗人被贬谪到岭南，越岭跋涉，内心不禁悲凉凄苦，感慨万千而作此诗，表达其流放途中孤寂凄凉的心境以及对故乡无限的思念之情。

前两联"阳月南飞雁，传闻至此回。我行殊未已，何日复归来"先写北雁南飞至此回的传闻，再将自身的遭遇与南飞的大雁相对比，抒发人不如雁的感慨。"阳月"指农历十月，"殊未已"，更没有停止。传说农历十月，南飞的大雁，到这里就停止了前行，等待明年春天返回，可是诗人南行至此却不能停滞，他还要翻山越岭到岭南去，不知道哪一天才能回来。

这里将大雁可至此停留反衬自身南行未已，将大雁北归有期反衬自身北归无期，由雁及人的比兴手法以及雁与人的鲜明对比，将诗人内心的幽怨、思乡等复杂情感表现得委婉曲折而又淋漓尽致。

颈联"江静潮初落，林昏瘴不开"描写眼前大庾岭的景色，融情于景，借景抒怀。"瘴"即瘴气，南方湿热，山林间容易产生致病的瘴气。这一联的意思是黄昏时分，江潮落定，江面平静异常；山林昏暗，致病的瘴气缭绕不散。这里描绘了瘴气如烟、寂静冷清的森林图景，刻画了一个昏暗迷离的世界，以景衬情，强烈而细腻地反映了诗人内心的凄凉孤寂与迷茫痛苦。

南朝时期刘宋盛弘之《荆州记》中载有陆凯一诗："折梅逢驿使，寄与陇头人。江南何所有，聊赠一枝春。"尾联"明朝望乡处，应见陇头梅"化用此诗，表达对故乡亲人的思念之情。

明晨踏上岭头，在行路上回首北望故乡，见到的应该是这岭头上盛开的梅花。看到岭头红梅朵朵，诗人多么希望能像陆凯一样"折梅寄故人"，寄一枝梅，去抚慰家乡的父老乡亲。全诗以此虚景收尾，含而不露，令人回味无穷。

《旧唐书·宋之问传》称："之问被窜谪，经途江、岭，所有篇咏，传布远近。"这首诗内容切实，情感凄婉延绵，是宋之问贬谪时期所作的蕴含真情实感的名篇，也是唐诗中的思乡佳作。

# 早发始兴江口至虚氏村作

宋之问

候晓逾闽嶂，乘春望越台。宿云鹏际落，残月蚌中开。薜荔摇青气，桄榔翳碧苔。桂香多露裹，石响细泉回。抱叶玄猿啸，衔花翡翠来。南中虽可悦，北思日悠哉。鬓发俄成素，丹心已作灰。何当首归路，行剪故园莱。

**【赏析】**

在诗歌从律诗化的过程中，诗人宋之问和沈佺期起着十分关键的作用。其中，宋之问曾被两度流放，他的诗作多有怀才不遇、感悲时政之情。此诗即系他流放贬谪途中所作。"始兴"，地名，在今天广东韶关以东一带。"虚氏村"，是当地的一个村庄。

诗的前二句"候晓逾闽嶂，乘春望越台"总起全诗。"越台"，即越王台，在广东越秀山上，曾为赵佗所筑，故名。这句诗中，诗人在早晨翻越了闽嶂山，只为在春色盎然的时节到越王台去看一看，感受一下过往一代王者的气度风范和命运遭际。

"宿云鹏际落，残月蚌中开。"此句点明了诗人出发登高望台的时间，是"宿云"之时，也即云开月落之际，彼时天空已经微亮，诗人是早起登高的。"蚌中开"，形容残月。

接下来六句具体描绘途中景色。"薜荔摇青气，桄榔翳碧苔。""薜荔"，常绿灌木；"桄榔"，常绿乔木。这两句诗写的是：在诗人行进的道路上，到处可见绿树氤氲的气息，萦绕在前进的道路两旁；草木青青，青苔碧绿，正是春意浓厚时。

"桂香多露裹，石响细泉回。"丹桂飘香，盈溢在嗅觉周围，仿佛使人感觉到桂花的香气被早晨的露水包围，十分清新；泉水叮咚作响，响声自石头丛中传递出来，有种莫名的距离感。

"抱叶玄猿啸，衔花翡翠来。"树上的猿猴高高地悬挂在那里，怀里抱着粗硕绿叶，发出绵长的呼叫；翡翠的口中叼着鲜花纷至沓来，又为这幅充满春意的图景增添了几分活泼的气息。这六句主要从微观的角度描绘了始兴一代的风物景色，视角独特，诗句对仗工整，用语平朴精洁，很有韵味。

最后六句抒发诗人的内心感受。"南中虽可悦，北思日悠哉"意思是：南国的景色虽然秀美，但我对故乡的思念之情也与日俱增啊！"鬓发俄成素，丹心已作灰。"南国的风景如歌如画，让人欢喜，可这些景色终究未曾属于我这流放之人。对于诗人而言，心中还是满怀着对故乡家园的深切思念之情。"鬓发"，指黑发。这几句表明，流放带来的痛苦是如此沉重，以至于诗人的头发都已经花白，那片对朝廷的赤诚丹心也逐渐被磨灭殆尽。结尾两句："何当首归路，行剪故园莱。"宋之问极力倾诉心中思乡之情，他十分念及故乡，怅然遥相望，总是在想自己什么时候才能够回去，回到自己想念的故乡莱园。

以上六句诗，诗人着力抒发了被谴谪、流放途中突显出来的落寞情怀，沉痛的心情和鲜艳的自然风景构成了对比，更加突显了心中的悲苦。

这首诗结构清晰，层次明晰。诗人先景后情，动静结合，以景衬情，情景交融，恰到好处。

# 渡汉江

宋之问

岭外音书断，经冬复历春。
近乡情更怯，不敢问来人。

**【赏析】**

此诗是宋之问从泷州贬所逃归，途经汉江时写成的。全诗用浅近晓畅的语言，淋漓尽致地刻画了一个长年漂泊在外，即将回到家乡的游子矛盾复杂的心情。"汉江"，指汉水中游的襄河，这是诗人返归洛阳必经之路。

首二句"岭外音书断，经冬复历春"叙述诗人贬谪岭南的寓居生活，反映出他孤寂悲苦的心情以及对故乡和亲人的无限思念之情。"岭外"，指大庾岭以南，即岭南；"经冬"经过冬天；"历春"度过春天。这两句诗的意思是：我远居岭南的一些日子里，家乡的音信断绝，得不到一点消息，就这样在异乡经冬历春，年复一年地度过了那漫长的贬谪生活。

在这里，诗人将与故乡的空间隔绝、与亲人的音信断绝以及贬谪生活的漫长悠久依次逐层展现出来，"断"、"复"二字，将宋之问内心的孤独和苦闷表达出来，他独居岭南，内心本已悲苦不已，加上音信全无，与世隔绝，失去了最起码的精神支撑，悲伤凄苦，度日如年。这两句为引出下文写自己即将归家时的复杂情绪奠定了基础。

尾二句"近乡情更怯，不敢问来人"写宋之问即将到家内心激动不已，急切地想知道家里的情况，又不敢询问路人的矛盾心情。久别家乡，如今即将到家，本应"近乡情更切，急欲问来人"，但诗人却一反常情——"近乡情更怯，不敢问来人"。

多年寓居岭南失去家乡的消息，这些年头家乡发生什么事情宋之问全然不知，他对家乡亲人朝思暮想，可是又唯恐得知家中发生不幸的消息，如今"近乡"，怎么不使人紧张？故而"情更怯"，又因为"情更怯"，才"不敢问来人"，文脉清晰流畅，将宋之问内心的激动和惶恐全然真切地演绎出来了。

久别故乡的人想必都可以从这首诗中获得共鸣。宋之问在简短的诗句里，以真挚浓烈的情感、自然蕴藉的语言，将归途游子的复杂矛盾心情深切地展现出来，具有很强的艺术感染力。

# 古　意

沈佺期

卢家少妇郁金堂，海燕双栖玳瑁梁。九月寒砧催木叶，十年征戍忆辽阳。白狼河北音书断，丹凤城南秋夜长。谁为含愁独不见，更教明月照流黄。

## 【赏析】

《古意》又做《独不见》，是乐府《杂曲歌辞》的旧题，一般是托古咏今的拟古作品，内容多写离别及闺怨。这首《古意》是沈佺期的代表作之一，写的是一名少妇凄苦思念久戍边塞的丈夫。

"卢家少妇郁金堂，海燕双栖玳瑁梁。"南朝民歌《河中之水歌》讲述了美女莫愁嫁于卢家，虽高贵已极却因未得真爱而忧伤。本诗首句以比兴起，借《河中之水歌》意境，以莫愁女的故事巧妙地交代了女主人公家境殷富却凄清怨苦的处境。次句意思是，双双栖息在玳瑁画梁上的燕子，从来都是相亲相爱永不分离。此句妙在不言夫妻之离，而更见离别之苦——梁上的燕鸟尚且相亲相聚，梁下的女主角却人不如鸟。羡慕燕鸟之聚，少妇将更增愁思。

"九月寒砧催木叶，十年征戍忆辽阳。"三、四句由首联的比兴进入实写相思的痛苦。深秋季节天寒袭人，捣衣砧声咚咚连绵作响，林中的树木被凄寒的砧声催逼纷纷叶落。九月是换衣的季节，捣衣砧响是人们给边塞的征人赶制冬衣，闻砧声如闻战鼓声声令人心碎，加上秋叶纷纷凋落，更增悲伤。寒砧声无情地将树叶催落，多情的少妇听着纷乱的砧声，痛苦难捱。"十年征戍忆辽阳"句明确揭示出诗的主旨，丈夫在边塞征战守戍十年，少妇居家思念之痛可想而知。

下面两句交叉承接上一联，进一步抒发思情。第五句"白狼河北音书断"承前"征战"句，是加叙征夫方面的状况；第六句"丹凤城南秋夜长"承前"寒砧"句，是补写思妇方面的愁情。这两句深化了题旨，把愁情推入更加凄惨的境地。十年征战戍边，时间很久，再加上音讯皆无，生死不知。她已非一般的思夫盼归，还时时伴有不祥的猜想，恐怕是漫漫秋夜，夜夜断肠。

"谁为含愁独不见，更教明月照流黄。""流黄"指黄褐色的绢。结尾两句意思是：为什么要我一个人苦苦地思念，你却如把我忘记般不回一音？偏要为你赶制黄绢的征衣，托明月传递我的相思之意。她常年苦思丈夫，却盼不来一点音信，因而内心"嗔怪"。但又明知怪不得丈夫，痛苦之余又连夜赶制征衣。但是征人无消息，征衣自然无处可寄，即便是寄不出，还是要趁月赶制。她是在以劳累排遣痛苦，以制衣寄托思念。

本诗题引《古意》，行文用韵也落下乐府诗的痕迹，但基本脱开了乐府，致成完整的七律。诗的蕴涵婉转，音韵和谐，情致真切，是闺怨诗中的名篇。明朝学者胡应麟在《诗数》中评价这首诗"体格丰神，良称独步"，将其视为唐七律的奠基作之一。

# 杂诗三首（其三）

沈佺期

闻道黄龙戍①，频年不解兵②。可怜闺里月，长在汉家营。少妇今春意，良人昨夜情。谁能将③旗鼓，一为取龙城。

**【注释】**

①黄龙戍：即黄龙冈，在今辽宁开原市西北，唐时在此戍兵。②解兵：撤兵，罢兵。③将：率领。

**【赏析】**

"杂诗"类似于"无题"诗，沈佺期写有《杂诗》三首，这篇是第三首。此诗抒写了边塞战争给百姓带来的灾难，表达了怨战之情。这首诗思想积极，艺术上臻至较高境界，是一首诗苑名篇。

诗的首联"闻道黄龙戍，频年不解兵"，甫一开篇就交代了边塞战事不息是致征人远戍、家人分离的原因，表达了深深的怨战情绪。诗人将"频年"、"不解"在一句中连用，重笔揭示了边塞连年战火不断的现状，可以想见战争给黎民百姓带来的深重灾难。这两句不但为下文设下伏笔，也让读者对当年边战不息的历史产生了深刻印象。

颔联"可怜闺里月，长在汉家营"借明月普照于世，形象地描绘了思妇对征夫的深切思念。诗句的意思是：让人痛心的是天上的明月啊，你原本总是眷顾夫妻恩爱的香闺，如今却舍弃这里长照在边疆战地的营盘。表面看来，抒情主人公是怨怼此地的月怎么舍弃自己去了别处，深层的含义则是说少妇自己的心已随着明月飞去了远方边塞，正与丈夫相依偎，她此时已是人在此处而心魂离窍长绕丈夫身边，大有倩女离魂之意。从明月广照大地普施恩惠的角度，还可以理解为两人两地夜夜望月，千里相隔共享婵娟。

今夜闺中人和营中人同在这一轮明月的照耀下两地对月相思。此时，在征夫眼里天上的明月是代表着妻子来看望自己，望月想家；在少妇眼里明月显得暗淡无光，想着营里望月的丈夫，更增思见之情。这一联明是写月，实是写情，通过月的离此顾彼将闺中人对丈夫的思念表达得绵远深长，形象感人。

"少妇今春意，良人昨夜情。"颈联重点写两地相思。诗意是少妇现在的思念之意，皆是源于从前夫妻如胶似漆的恩爱之情。这里的"昨夜情"可以理解为"夜夜情"或以往夫妻间的深情。诗以"今春意"对"昨夜情"，夫妻间的两两相思即如两人对面相视而悲，仿佛一幅千里归一的画卷。诗人是借喻"今春"、"昨夜"，表明丈夫频年在外，妻子日日回想"昨夜情"，长期遭受着痛苦的折磨，由此既表达了感情之深，又体现了思念之切。春天是情人怀恋的季节，诗人把相思的环境放到春天里，更增思念之愁切。

尾联"谁能将旗鼓，一为取龙城"是抒写少妇的愿望。夫妻分离的原因是边塞战争，少妇的心里盼望着频年不解的战争尽快结束，只有如此，才有望夫妻早日团聚，结束长期分离的痛苦。诗以问句的形式，倍增感慨意味，把诗人内心的慨怨表达得更加淋漓。边塞长期征战不能休止，既伤国力，又增民苦，说明是战略错误。诗人盼望国有良将，一举把边疆战事平息下来，以使国泰民安。

这首诗的构思精巧别致，特别是把"闺里月"与"汉家营"、"今春意"与"昨夜情"相对去写，彷佛夫妻两人在相对倾诉相思之苦，流动的画面感极强。末尾一句寄望，全诗戛然而止，留下深长余味。诗的运笔纯熟，转换流畅，情与景、意与境的融合自然老到，体现出斯人恋苦又不致人随之而悲的艺术况味。

# 喜　赦

沈佺期

去岁投荒①客，今春肆眚②归。律通幽谷暖，盆举③太阳辉。喜气迎冤气，青衣④报白衣。还将合浦⑤叶，俱向洛城飞。

**【注释】**

①投荒：指神龙元年（705 年）诗人被流放驩州之事。②肆眚（sì shěng）：宽赦罪人。③盆举：揭开覆盆。④青衣：指报赦的官吏。唐代八、九品官员服青色。⑤合浦：汉郡名，西汉治所在广东海康县，东汉治所在广西合浦县。

**【赏析】**

武则天于载初元年（公元 690 年）改唐为周，正式称帝，期间对张易之兄弟十分宠幸。杜审言、崔融、阎朝隐、宋之问等一批文人与张氏兄弟诗文唱和，摊了阿附之嫌。神龙元年（公元 705 年），张柬之、桓彦范等人发动政变，杀死两张，很多文人皆受株连。沈佺期于是年春被流放驩州崇山（今广西省崇左市），第二年春遇赦，当即写了这首《喜赦》。

起句的"去岁投荒客"点明了诗人是去年被流放的。"客"指诗人自己，"投荒"指被投到荒远之地流放。次句"今春肆眚归"，点明遇赦的时间和原因。"肆"在这里应是陈情或极力陈辩的意思，"眚"指过错或灾难。首联虽是叙事交代，但字里行间饱含着经历辛酸和遇到赦免的悲喜交加的情感。

三句"律通幽谷暖"中"律通"指法律得通，即得以按律甄别冤假。此句意为能够按照法律平反错案使寒凉幽深的谷底都感到温暖。四句"盆举太阳辉"中"盆举"指举盆以承接雨露。这句是说举起盆来接纳天上的雨露，太阳的光辉洒满头顶，给人带来了光明。颔联直抒胸臆，表明世间有公正的存在，法律尚没有废止，自己应该得到平反。自己举盆（其间诗人一再写诗为文加以申辩）想要得到一点儿雨露，竟然迎来太阳灿烂的光辉。他在岭南期间非常绝望，忽收赦书的喜悦让他感到乌云尽散的豁亮。诗人运用"律通"、"盆举"两词，铿锵有力、生动形象地表达了遇赦之时的兴奋之情。

"喜气迎冤气，青衣报白衣。"这两句描述诗人自己的复杂心情。"喜气迎冤气"是赦免的大喜之气将冤屈不伸的郁气替换消除，此处仍流露着对蒙冤的愤愤不平。"青衣报白衣"是指穿青衣的人向穿白衣的人报喜。古时青衣是卑贱者的衣服，没官职的读书人称白衣。此句中"白衣"是诗人自指，"青衣"指报讯的人。这次报喜不是考中进士时的报喜，虽也是大喜，但他这个流放之人得讯于一个青衣，心中多少有些悲凉。

末两句"还将合浦叶，俱向洛城飞"，表现了诗人即要回乡的急切心情。古时传说合浦县有一种大树叶，人坐其上能随风一夜飞渡到洛阳。诗人在这里要借用传说中神奇的合浦叶一夜间就飞回洛阳，既有归心似箭之意，又有喜悦万分之情。

在诸多叙事抒怀的诗作中，此篇有其特别意味。不仅因为诗人矫健优美、意境旷远的表达手法，其痛苦无望中突遇大喜时的欣乐激情更是此篇得能一气流转、气势飞扬的主要原因。

# 北邙山①

沈佺期

北邙山上列坟茔，万古千秋对洛城。

城中日夕歌钟起，山上惟闻松柏声。

**【注释】**

①北邙山：在今河南洛阳市东北。汉魏之后，许多王侯贵族的陵墓修建于此地。

**【赏析】**

《北邙山》这首感怀之作，选取的视角极为特别。诗人不写帝王的功业，不吟兴衰更替，不念亡灵幽魂，而是取材于坟墓，钟情于松声，以幽界与人间两两对比，揭示了时光易逝、富贵虚枉的深刻主题。

"北邙山上列坟茔"，诗的起句即给人以森然的感觉。洛阳城北的北邙山山势雄伟，伊、洛二水自西而东贯洛阳城而过。古人崇尚"枕山蹬河"风水之说，因而这里成了王侯公卿乐于葬身之地。秦相吕不韦、南朝陈后主、西晋司马氏、汉光武帝刘秀的原陵均葬北邙山。一向有"北邙山头少闲土，尽是洛阳人旧墓"之说。这样一处有着无数故事的地方会让人产生无限联想。诗人首句用了"列坟茔"三个字来概括这里的景象，一幅墓碑鳞次栉比、松柏默然耸立、寒气森森的画面展现开来。

坟茔还未说罢，第二句却突兀地转至洛阳城："万古千秋对洛城。"一个苍凉森严、埋骨藏魂的北邙，一个繁华热闹、人口纷多的洛阳城，一南一北，一阴一阳，形成了鲜明的对照。诗人用了"万古千秋"这一宏词加以渲染，更增加了对照的古久和宽泛，引人深思：洛城和邙山遥遥相望，历史的长河不停流淌，两个阴阳不通的世界时间同样流逝，死去的人一代一代葬去，活着的人将来也是如此。城与山只隔仄地，却是生死两界，表明诗人对一步之遥的生与死，对须臾之间的存与亡进行了哲理性的思索。

第三句"城中日夕歌钟起"是描写洛阳城内人们的生活情景，这里的"歌"与"钟"是写上层人们的生活。城中歌声和钟声日夜响彻，是说上流社会那种酒山肉海、轻歌曼舞、管弦呕哑的盛况。诗人年轻时考取进士进入官场，由协律郎迁考功员外郎，因才气独步长期置身官场，对洛城"城中日夕歌钟起"的内里状况甚为了解。正因为他对这种醉生梦死的上层生活见得太多，看得太透彻，所以在尾句发出了"山上惟闻松柏声"的慨叹，其言外之意是：今天正在洛城寻欢作乐的人，明天不也会成为长眠邙山的鬼魂吗？

诗人是站在另一个角度看待世情的，面对长眠地下的众多死魂灵，他联想到歌舞升平的城里，人们正无聊度日，并由此叹息人生之短暂，反映了诗人对人生的独到见解，也对世人提出了警示。

# 回乡偶书二首

贺知章

少小离家老大回，乡音无改鬓毛衰。儿童相见不相识，笑问客从何处来。

离别家乡岁月多，近来人事半消磨。惟有门前镜湖水，春风不改旧时波。

**【赏析】**

天宝三载（公元 744 年），贺知章年已 86 岁，他时常感到年老不济、精神恍惚，便辞去朝廷官职，告老返回故乡越州永兴（今浙江省萧山市）。这时，距他中年离乡已有五十多个年头，物是人非，回乡如陌路之人，无限感慨之下写出这《回乡偶书二首》。

第一首描写的是他刚回到家的一个场面。

"少小离家老大回，乡音无改鬓毛衰。""衰"是稀疏衰落。少壮的时候离开了家乡，到了年纪老大才又回到这里。故乡的口音没有改变，头上的毛发却已掉得稀稀疏疏没了几根。风华正茂时离家外出，多年为官也算是尽享荣华，终还是又回到这别去 50 多年的故乡。乡音无改是自己怀念故乡不愿把它改变，但阻止不住韶年逝去变老的脚步，世事变换、人生苦短的情绪不免涌动于诗人的心中。第一句"少小离家"与"老大回"概括写出数十年久客他乡的情况；第二句的"乡音无改"与"鬓毛衰"进一步抒发自己深深的感叹，并为下文的"应识而不识"设下伏笔。

"儿童相见不相识，笑问客从何处来。"此处"儿童"可以解为童子，也可解为诗人自己儿童时候的玩伴。后一种应是诗人的本意，这就可以如下理解两句全意：少小时在一起玩耍的亲密伴侣，此时也已老矣，见到我已经认不出是什么人，竟含着笑问，这位客人，您是从哪里来的啊？"笑问客从何处来"，是陌生地、怯怯地问出了客人从哪里来。这是重重的一问，长年在外，魂牵梦绕的故乡藏着无数童年的回忆，如今终于回到了阔别的"家"，然而这里已经变得陌生，儿时的密友认不出他，"家"已经不知道他是谁。"家"人这一问，对这名老归的游子的心给予了重锤一击，自己残年衰朽的愁情与反主为宾的悲哀尽都包含在这一问中。

人生老去、时不可逆的叹息充溢在字里行间。全诗口语化的表述，却生动形象，画面感极强，让人仿佛看到一名老翁颤巍巍敲开了一扇柴门，里面同样的老翁开门愣怔，不识来者。诗的共振性极强，尤其年长之人更易体会，千百年来这首诗最易引人共鸣。

第二首描写的是诗人到家以后的情况。

"离别家乡岁月多"，第一句与前一首意同，说明自己离家已经太久了。第二句"近来人事半消磨"是指到家以后在亲友的口里得知家乡种种人事的变化，叹息这一期间故人多半已离世，不免悲从中来。

三、四句："惟有门前镜湖水，春风不改旧时波。"诗人对着家门前的镜湖发出了感慨。镜湖在唐越州（今浙江省绍兴市）会稽山北麓，诗人的家就在湖边。这两句是说虽然阔别已久，但门前春天里的镜湖水却如前一样波光粼粼。湖波不改，但人生代代，生生死死，人终将老去。面对这 50 年依旧的湖水，想着不远的将来被时光"消磨"逝去的会轮到自己，诗人感慨不免愈加深沉了。

# 春江花月夜

张若虚

　　春江潮水连海平，海上明月共潮生。滟滟随波千万里，何处春江无月明。江流宛转绕芳甸，月照花林皆似霰。空里流霜不觉飞，汀上白沙看不见。江天一色无纤尘，皎皎空中孤月轮。江畔何人初见月？江月何年初照人？人生代代无穷已，江月年年望相似。不知江月待何人，但见长江送流水。白云一片去悠悠，青枫浦上不胜愁。谁家今夜扁舟子？何处相思明月楼？可怜楼上月徘徊，应照离人妆镜台。玉户帘中卷不去，捣衣砧上拂还来。此时相望不相闻，愿逐月华流照君。鸿雁长飞光不度，鱼龙潜跃水成文。昨夜闲潭梦落花，可怜春半不还家。江水流春去欲尽，江潭落月复西斜。斜月沉沉藏海雾，碣石潇湘无限路。不知乘月几人归，落月摇情满江树。

## 【赏析】

　　《春江花月夜》是一篇脍炙人口的名作，它沿用《春江花月夜》是乐府《清商曲辞·吴声歌曲》旧题，以动人的情感将春、江、花、月、夜及其各种相关景色融入月光的笼罩下，并在营造意境的同时，从这令人心驰神往的良辰美景中阐述了深奥的人生哲理，构成朦胧深邃、耐人寻味的艺术境界。

　　诗人开篇就描绘了一幅温婉动人的春江花月夜景图。浩瀚无垠的江潮，就像大海连在一起，这时候一轮明月随着潮水的涌动渐渐升上天空，无垠的江潮滚滚涌动向前，在月光的照耀下更显得气势宏伟，景象壮观。作者用一个"生"字便把明月、潮水写得灵活生动起来，为广阔的夜景增添了无穷的生命力，也为后面所讲的哲理埋下了伏笔。

　　皓月当空，照耀千万里，每一处江水都在明月的笼罩之下。江水蜿蜒曲折地向前涌动，带着读者绕过花草丛生的芳香原野，撩人的月色倾泻在岸边的花树上，仿佛撒了一层白雪。至此春、江、花、月、夜诗人已经全部点到，妙笔一挥就把江月闪耀下的夜景勾勒出来，紧扣题面。在月光的洗涤下，人世间的一切景物都随之熠熠生辉，银光薄雾缭绕之下，平凡的景色立刻披上了梦幻的色彩。皎洁的月光下，似乎感觉不到"流霜"飞舞，岸边的白沙也看不见了。开头八句，作者用细腻的笔法，由远及近，慢慢将目光聚焦到一轮明月上，银白色的月光洒下来，天地宇宙瞬间变成了一个幽静甜美的神话世界。

　　在宁静而纯洁的境界中，诗人自然而然地陷入了沉思，进而俊才飞驰，思考着宇宙的奥妙，发出了"江畔何人初见月？江月何年初照人"的疑问。宇宙是无限的，人生是短暂的，这样的主题难免使人悲伤，但诗人并没有一味沉浸在这种难解的悲情中无法自拔，而是想到人类会世世代代无穷尽地发展下去，而汹涌澎湃的江水和当空闪耀的月亮年年岁岁都是相似的，无穷的人类传承将与江潮明月永远共存。

　　这种对宇宙奥秘和人生哲理的探究，张若虚并不是第一人，早在魏晋时期的诗歌中便有了。阮籍《咏怀》中既有"人生若尘露，天道邈悠悠"，尘露生命短暂，但天道却悠悠无垠，不免透露出悲凉的意味。但张若虚却摆脱了前人的窠臼，认为个人的生命虽然只有区区几十年，但人类的生命力是无穷无尽的，诗人并没有被忧伤、绝望绊住，他从瞬间的伤感中跳脱出来，表达了对人生的乐观态度。

"不知江月待何人，但见长江送流水"，诗人从前面的思考中进一步想到，人生世世代代相继，这江月也是年年相似，一轮明月下，江潮无期无限又无声无息地在此翻涌，是在等待着谁吗？如果在等待却难以遂愿，因为江水总要无可奈何地随着江海大浪向前奔腾而去。诗人将意境由景入理，再由理及人，自然、宇宙、人生、情感都融汇在笔下，引出下面要写的人间爱恋、两地相思。

"白云一片去悠悠，青枫浦上不胜愁。谁家今夜扁舟子？何处相思明月楼？"这四句由春夜的景色写到妇人与游子的相思之情。飘飘远去的白云就像游子一样，远在千里之外，行踪不定，音信杳杳，这里诗人先用景物比喻、寄托相思之情，完成由景向人的引入，十分巧妙。悠悠飘远的白云、舟楫停泊的岸边、随风散落的枫叶，每一个都是离别分手时刻常见的景物，想来未免使人伤感。触景生情、睹物思人，这景物是普遍的，而这离愁别恨又何尝不是哪家都有的呢？一种相思，几人离愁，诗人用设问的形式使诗情回环往复，曲折委婉。

"白云"、"青枫浦"托物寓情。白云飘忽，象征"扁舟子"的行踪不定。"青枫浦"为地名，但"枫"、"浦"在诗中又常用为感别的景物、处所。"谁家"、"何处"二句互文见义，正因不止一家、一处有离愁别恨，诗人才提出这样的设问，一种相思，牵出两地离愁，一往一复，诗情荡漾，曲折有致。

接下来"可怜"八句回答了上面的设问，写妇人对游子的思念。诗人以月为背景，渲染了思妇的相思离愁，在楼上徘徊的不只是月光，还有月光下可怜的思妇。月光倾泻在孤楼上，晚风吹动着树影，忽明忽灭，妇人一脸愁容，好像倚楼眺望着、等待着离人的身影，直到夜深了还徘徊着久久不忍离去，而月光好像要陪她做伴，也一样不忍离去，盈盈月光映照着她的妆镜台。

此景此情中，妇人的相思更加浓烈，月光依恋着她，任她卷也卷不去、拂去拂还来。月光下的她惆怅着、迷惘着，而这月光想必也正照着远方的爱人。"明月千里寄相思"，远在天边的游子是不是也能感受到妇人的这份相思之情呢？也许她更希望"卷不去""拂还来"的不是月光，也不是这浓浓的哀愁，而是游子对她的思念吧。即使爱人也在思念她又能怎样呢？此时两人都在望月相思却无法相见相闻，所以诗人设想妇人的内心活动"愿逐月华流照君"——我希望追逐着这皓月的光华，照在爱人的身上。然而这终究是无法实现的，就像天上的鸿雁飞得再远也飞不出月光之外，就像水中的鱼儿跃得再高也跳不出江水，只能激起阵阵涟漪罢了。

最后，诗人用落花流水、海石残月来烘托游子的归思。春去春又来，花开花又落，随着大自然的四季回往变迁，而离家的人也已经年华渐逝，落花如落叶归根，他做梦都想回到故乡，却依旧不能回家。梦醒时分，昭昭雾气之中，月亮已渐渐落下，沉沉归藏海平面，碣石潇湘无限路，却没有一条是可以归家的路，他的悲伤仿佛增加了几分。在这美好的春江花月夜中，该有多少人正乘着皎洁的月光走在回家的路上啊，可是他却只能看着落月的余晖挥洒在江边的树上，风吹着树枝慢慢摇曳。至此春、江、花、月、夜所构成的图景下，景、理、情交融，情韵袅袅，余音不绝。

《春江花月夜》用的是陈隋旧题，却一洗宫体诗的香艳，语言清新，意境开阔，在思想和艺术上也超越了以前的山水诗、哲理诗和闺情诗。诗人先描写春江花月夜这动人的良辰美景，又由景入理，引出对自然宇宙和人生哲理的探求，进而写到人，讲到情。前面的美景和哲理与后面的相思哀愁相辅相成，写出了人生有美景也有哀愁，在无限自然景物与有限人生中找到了慰藉。全诗笼罩在迷茫的月色中，却哀而不伤，使读者获得一种凄美动人的情感体验。

在韵律上，全诗共三十六句，四句一换韵，共换九韵。平仄交错、回环往复，形成一唱三叹之势，声情韵律与诗情意境丝丝相扣，和谐优美。

张若虚一生仅留下两首诗，这首《春江花月夜》将真挚的离情放在动人的景色中，富有深刻的人生哲理。全诗语言清新、布局曲折、浑然天成，给人空灵、自然之感，为初唐诗坛带来了一股清丽之风。其中对自然宇宙的探索、人生哲理的阐述、离愁别绪的渲染引起了千百年来众多读者的共鸣。张若虚也因这一首诗，"孤篇横绝，竟为大家"。难怪闻一多先生在《宫体诗的自赎》中称赞《春江花月夜》是"诗中的诗，顶峰上的顶峰"。

# 代答闺梦还

张若虚

关塞年华早，楼台别望违。试衫著暖气，开镜觅春晖。燕入窥罗幕，蜂来上画衣。情催桃李艳，心寄管弦飞。妆洗朝相待，风花暝不归。梦魂何处入，寂寂掩重扉。

## 【赏析】

这是一首拟闺怨诗，以抒写弃妇或思妇的忧伤及对离人的思念为主，题中"代"字即表明作者是模拟女性口吻所作的。

首句为全诗设置了基本场景，为了戍守边防要塞，年轻的丈夫就要与妻子分别了。作者没有赘述其他内容，只是选择了一个最典型的场景，留给读者一定的想象空间：妻子在楼上，一边拭着眼泪，一边送别依依不舍的丈夫，这一去关山南渡，音信难传，衣食冷暖不知能够保证，更不知何年何月再能相见，她望着一步三回头的丈夫，默默落泪，直到看着丈夫的身影渐渐消失不见。

第二句作者试想离别后女子的生活。随着时间的推移，冬去春来，但是女主人公的心里却感觉不到一丝暖意。丈夫远戍边关，偌大的房子里只有她一个人形影相吊，格外冷清。她心情忧伤、纷乱，外面的春色她也很少关心了，穿上新的衣服，才能感觉到一点春天的温暖，打开镜子强打起精神梳妆，才从镜子里面看到初春的景象。原来外面已是花红柳绿，春色盎然。燕子飞过来透过罗幕偷偷看着她，蜜蜂也飞到她衣服的图画上来。这一句从侧面描写了女主人的衣装容貌，虽然她无心去浏览春光，但她的美丽连燕子也忍不住偷偷看一看，美丽的衣服让蜜蜂误以为撞入花丛中。"上"字把蜜蜂写得栩栩如生，也衬托出衣服的美丽。可是衣装再用心又有何用？

丈夫远戍，尚未归来，再美丽的妆容、再用心制作的新衣也只能顾影自怜、孤芳自赏了。也许这件新衣就是为了丈夫回家时候给他一个惊喜。她拿出新衣服试穿，想象着丈夫归来的时刻，心中燃起点点希望，也才觉出一丝春天的暖意。可是却只有燕子、蜜蜂来与她做伴，她的内心不禁更加凄楚、寂寥。这句话从侧面将女主人的心理变化描写得淋漓尽致，从试穿新衣时候的希望到蜂燕来看时的失望，作者抓住了瞬间的微妙变化，塑造了一个楚楚动人的女性形象。这时候远处传来了悠扬的音乐声，女主人公静静聆听着，心却随着悠远的乐声飞向了遥远的边关，去寻找丈夫的身影。

以上四句通过对外物的描写衬托出女主人公的心境，接下来诗人由景物写到女主人公本人。随着飘缈的乐声，她再一次产生希望，她幻想着丈夫归来的那一天，于是她仍然早早就起来盛装打扮，随时等待爱人归来的消息。可是她盼过了花开花落，春去春归、爱人仍然没有回来，连梦都没有梦到。午夜梦回时，她长长地叹息一声，空旷的屋子回响着悲叹的回音，她慢慢地关上了给爱人留着的门。

全诗篇幅短小，意味深远。开篇选取了一个典型的场景，之后用带有感情色彩的外部景物来烘托主人公的心境，最后一句更像一个电影镜头，将女主人公孤独的影子静静地定格。

诗人抓住了女主人公从悲伤失望到希望再到失望的微妙心理变化，刚开始年轻的女子与爱人分别，心中充满惆怅，可是她仍然打起精神梳妆打扮盼着爱人归来，可是盼来的只是不解风情的燕子、蜜蜂，该来的人还是没有来，听到乐声的那一刻她自然地想起了丈夫回家的情景，再一次怀抱希望，可是爱人还是没有回来，连梦里都没有梦到他回来的情景。如果说最开始女主人公的心情是悲伤的话，那么到诗歌结尾时她的悲伤似乎带着些许的绝望，读来更使人心中凄然。

这首诗对人物心理的描写可谓别具一格，诗人从侧面烘托女主人公的心境和心理变化，几乎句句未写心境，却又句句写的都是心境，很值得细细品味一番。

张若虚的诗歌上承齐梁，下启盛唐。严格来说这首诗仍然属于宫体诗，但又与一般的宫体诗不同，它细腻温婉，却不见香艳的脂粉气，初萌温李之风，对后来诗词发展影响颇大。

# 登幽州台歌

陈子昂

前不见古人，后不见来者。
念天地之悠悠，独怆然而涕下！

**【赏析】**

陈子昂为武则天朝的谏官，直言敢谏，却不为上所采纳，政治抱负难以实现。万岁通天二年（公元 697 年），建安王武攸宜带兵征契丹，陈子昂任右拾遗参谋军事。武攸宜先头部队被契丹大败，武攸宜怯敌不前，陈子昂建议以奇兵胜骄敌，未被采纳，后来因多次进谏触怒了武攸宜，被降职为军曹。在极度苦闷忧愤下，陈子昂登上蓟北楼（即幽州台，遗址在今北京市）赋诗七首，总题为《蓟丘览古赠卢居士藏用》，缅怀古代求贤若渴的燕昭王、燕太子丹等贤明之主，抒发生不逢时、抱负不展的感慨。《登幽州台歌》是此期间的另一首情绪激越的感怀之作。

"前不见古人，后不见来者"，这里的古人是指像古代燕昭王那样礼贤下士的明主。战国时燕昭王招贤纳士，构建招贤台，也叫蓟北楼、幽州台，因为置黄金于台上作为对人才的封赏，因而又叫黄金台。燕昭王拜郭隗为师，是当时他用黄金台招纳而来的第一位贤才，后燕国由此而强盛。这两句诗的意思是：像燕昭王那样能够招纳人才、任用人才的前代贤君现在见不到了，而我心中理想的后继贤明之主也来不及见到，"前贤"已远，"后贤"未来，自己真是生不逢时啊！

"念天地之悠悠，独怆然而涕下！"这两句意思是：登台远眺，怀想那茫茫宇宙无边的悠远绵长，而一个人在如此短暂的生命中却不能有所作为，又没有人能够理解，不禁让人悲从中来，怅然泪下。这里用了一个"念"字，明朗了诗人的主观趋向，突出了作者的欲想和渴求，强化了慨叹宇宙浩渺无垠的思想用意；"独"字则强烈渲染了诗人心中不可名状的落寞和孤独。

这首诗的第一个特点是情感激烈而沉重。诗人是一个具有政治见识和政治才能的文人，文人正直倔强的性情在他身上表现明显。他曾因亢言直谏获罪坐过牢，又因谏言军策被降职罢用。生不逢时、怀才不遇的情绪一再袭扰，令他十分痛苦，煎熬下登上这古代招贤台吟诗发泄痛苦和无奈，诗的每一个字都饱蘸了作者伤心的悲泪，整个诗章被注入了诗人强烈的感情色彩，由此生发了浓烈袭人的感染力。

第二个特点是具有很高的思想境界。诗人抒发的怀才求遇不是简单的建功立业，是治国安邦的大抱负，是视天下为己任的高尚情怀；怀念的是燕昭王那样可以彪炳青史的贤德君主，视角和眼界是天地古今宏阔悠远，揭示的是正直、多才而遭逢困厄的知识分子深受压抑的境遇，发出的是凭今吊古所引起的历史感慨，诸方面都具有深刻的典型社会意义和人生意义。因而这首诗引起了累代无数人的共鸣，是其具有崇高魅力的根本所在。

诗的第三个特点是在艺术上开了一代诗风。诗歌撷来浩瀚的宇宙天地、沧桑的古今人事、深邃的思想背景，加以反衬烘托，展现了一幅境界雄浑、空旷幽渺的艺术画面，推出高亢悲壮、气盖天地的思想外延，形成了一种沉雄刚健、厚重苍古的诗风，犹如掀起一道劲飙驱除着齐梁诗风的浮艳纤弱，成就了"汉魏风骨"的唐代诗歌的一尊先河标榜。

# 修竹篇

陈子昂

龙种生南岳，孤翠郁亭亭。峰岭上崇崒，烟雨下微冥。夜间鼯鼠叫，昼聒泉壑声。春风正淡荡，白露已清泠。哀响激金奏，密色滋玉英。岁寒霜雪苦，含彩独青青。岂不厌凝冽？羞比春木荣。春木有荣歇，此节无凋零。始愿与金石，终古保坚贞。不意伶伦子，吹之学凤鸣。遂偶云和瑟，张乐奏天庭。妙曲方千变，《箫韶》亦九成。信蒙雕斲美，常愿事仙灵。驱驰翠虬驾，伊郁紫鸾笙。结交嬴台女，吟弄《升天行》。携手登白日，远游戏赤城。低昂玄鹤舞，断续彩云生。永随众仙去，三山游玉京。

**【赏析】**

修竹历来是文人吟咏的对象，因其坚韧挺拔有气节，也因其清高正直不虚荣，还因其坚强刚直不惧风雨，另因其中空虚心常喻谦谨之人。因而古代爱竹之人有"宁可食无肉，不可居无竹"的说法。这首诗运用比兴寄托的手法，前半部赞颂了修竹的坚贞高洁，后半部续写竹变为洞箫后的志趣和追求。

诗一开头就道出了修竹生长的环境和形貌、气节。"龙种生南岳，孤翠郁亭亭。"五岳之中以衡山为"南岳"，处处茂树修竹，终年翠绿。"龙种"指品质优良的竹。美好的修竹生长在名山上，山中万千丛林独有它青翠孤高，葱茏挺立。诗人先给人展出了一幅青山翠竹图。

接下去，诗人叙述修竹生长的条件。"峰岭上崇崒，烟雨下微冥。夜间鼯鼠叫，昼聒泉壑声。"上面是高崇的峰岭，下面是烟雨蒙蒙的翠谷。善飞的鼯鼠夜间叫着穿行，白日里静悄悄入耳的是聒聒的泉水声。修竹生长的地方幽僻而清洁，长在净土上，呼吸着清新的空气，品质当然出色。

"春风正淡荡，白露已清泠。哀响激金奏，密色滋玉英。"这四句是说修竹的清洁美貌。春风轻轻吹过，它快速生长。秋日白露来到，它照样接受，接纳露的清凉。正因为生长在这清雅的自然环境里，并且它又愿意接纳清风白露的洗涤，才会使竿叶碰撞的"哀响"如同金器奏乐般动听，青翠的"密色"如美玉一样润绿光华。

"岁寒霜雪苦，含彩独青青。"这两句写竹的品行。即便在深秋严冬，霜雪压枝，它也仍然傲然而立，青翠如故。修竹经受得住严冬霜雪的折磨，具有坚毅的特性。诗人反问："岂不厌凝冽？"难道它不厌恶惧怕寒冷吗？而后自答："羞比春木荣。"不愿在春暖草木皆发时与其他草木争艳。突出表明了修竹具有羞于趋时、耻去争荣、卓尔不群、清高孤傲的品格。

"春木有荣歇，此节无凋零。始愿与金石，终古保坚贞。"诗人进一步揭示修竹的品行。通过草木的春荣秋衰与修竹的四季常青对比，说明修竹耻于与草木争春的理由。"始愿与金石，终古保坚贞"说明修竹的志向是如金石一般坚贞不二，不凋零，不软弱。

此上诗人反复吟咏修竹的形貌、性情、品格，以下诗人展开丰富的想象描写修竹变身为洞箫。"不意伶伦子，吹之学凤鸣。遂偶云和瑟，张乐奏天庭。妙曲方千变，《箫韶》亦九成。"这六句是说：没想到啊，伶伦子把竹用来做成洞箫，吹出凤鸣的声音。于是与其他乐器配合，得以在朝廷演奏。优美的音曲千变万化，将《箫韶》的音乐演奏了九章。相传黄帝派乐官伶伦从昆仑山北的峡谷选取了优质的竹子，砍做十二竹筒，按照雌雄凤凰的鸣叫声，为人类创制了十二音律。诗人借这一传说把修竹变成能奏出美妙音乐的洞箫，得到帝君赏识鸣响于庙堂之上。《箫韶》是舜时的乐章，诗人以修竹变箫奏出舜的乐章来表示其得到明君的重用。

以下诗人笔意再转，改以洞箫自己来表述："信蒙雕斲美，常愿事仙灵。驱驰翠虬驾，伊郁紫鸾笙。结交嬴台女，吟弄《升天行》。"这六句的意思是："不能辜负雕琢的美意，愿伺候那仙灵，跟着青龙驾的车，随着紫鸾与笙和鸣，去嬴台与仙女弄玉结交，吹响《升天行》走上游仙的路径。"洞箫并没有满足于此："携手登白日，远游戏赤城。低昂玄鹤舞，断续彩云生。永随众仙去，三山游玉京。"

洞箫要与弄玉一起登上白日，再去赤城游。黑色的鹤在身边高低起舞，彩云在身边飘绕。然后去那神仙所居的三山，再游天外仙境玉京。诗人借竹箫之口，描绘了一个充满自由快乐的美好世界。

陈子昂在赞颂一番修竹的优秀品质后，又借修竹之口造了一趟游仙曲，想象神驰，将咏物诗写得更有新意。诗人借物抒怀，一边沉浸在现实的忧愤中，一边憧憬着世外的自由，希望有一个类于"桃花源"的外界接纳自己。此意诗的末句"永随众仙去，三山游玉京"便已说明。

# 度荆门望楚

陈子昂

遥遥去巫峡，望望下章台。巴国山川尽，荆门烟雾开。城分苍野外，树断白云限。今日狂歌客，谁知入楚来。

**【赏析】**

少怀壮志、饱读诗书的诗人不甘隐匿自身才华，告别亲友，踏上入京游宦之路。这首《度荆门望楚》即是诗人由家乡梓州入楚的途中所作，抒写了初到楚地见到新奇景象的欣喜，表现出年轻的诗人对前途的满怀信心。

"遥遥去巫峡，望望下章台。"诗的首句即以开阔的视野展示了开阔的胸襟。"遥"即远的意思，"遥遥"便是远而又远。诗人自蜀中而来，经过三峡顺长江直驱而下，此时已至荆门。回首望去，巫峡等三峡已去甚远，早已是遥遥不见。"望望"是望了又望。"章台"指章华台，在今湖北监利县西北离湖上，是诗人下行必经之地。这句意思是，前路的章华台尚且不见，因而一望再望且行且近。巫峡已去远，章台又不见，地域之广阔、长江之长远让诗人心胸宽展畅快。蜀山骄子初入荆楚大地的欢愉心情显露无余。

"巴国山川尽，荆门烟雾开。"三、四句再写初入楚地的视野。"巴国"是西周封国，在今四川巴县，秦汉以后设郡，此处代指蜀地。"荆门"就是荆门山。第四句才露出本诗"度荆门望楚"的主旨。荆门山是诗人此次顺流而下的必经之地，这一带水急、山峻，过荆门山又是一番景象。因而诗人至此着意领略一番佳景，留下一篇诗章。

"城分苍野外，树断白云隈。"两句是承接上句"烟雾开"的续写。出荆门烟雾已散，楚地的景物具体地展现眼前：只见仍是淡雾缭绕的城郭房舍展向远处，到野外才看到边际；树丛也显得茫茫无际伸向远处，在白云那里才能望断。诗人这里对出荆门所见作了具体形象的描绘。一幅城邑延宕、人烟稠密、树木茂密、远连白云的景象展现开来，特异而迷人。

"今日狂歌客，谁知入楚来。"故楚隐士陆通恃才蔑俗，不肯入仕，佯狂高歌。这两句是说，谁料到我这个狂傲如陆通的人，今日却来到中原追求功名。诗人以陆通自比，却也道明不欲完全与其相同隐居不仕，今日入楚是为了一展抱负。

陈子昂开阔的胸襟得以淋漓尽致的展现，格调昂扬有力，场面宏大舒展，"初生牛犊不怕虎"式的豪情道出诗人的抱负。

# 送魏大<sup>①</sup>从军

陈子昂

匈奴犹未灭，魏绛复从戎。怅别三河道，言追六郡雄。雁山横代北，狐塞接云中。勿使燕然上，惟留汉将功。

**【注释】**

①魏大：这位魏姓友人在家族兄弟中排行第一，故称"魏大"。

**【赏析】**

《送魏大从军》是一首慷慨激昂的送别诗，充满了身披甲胄勇战沙场的豪情。虽是赠给友人魏大而非诗人本人从军，但诗人自己仿佛就是那跃马驱敌的勇士，诗中格调极为振奋。

"匈奴犹未灭，魏绛复从戎。"首联即以前代靖边英雄贤者入诗，气势立显。西汉骠骑将军霍去病多次带兵西击匈奴，战功卓著，汉武帝为他建造豪府，他断然拒绝："匈奴未灭，无以家为也。"春秋时期晋国大夫魏绛主张联合少数民族，实施和戎政策，后大见成效，消除了边患。诗人以魏绛的和戎靖边表明了自己对边塞战争的看法，并且有意以魏绛与魏大同姓一家而拿来作比，既用古贤勉励魏大，又生谐趣愉悦友人。这首送别从军的诗加上了一些戏谑的效果，于离情中偶见欢语，可谓别出心裁。

"怅别三河道，言追六郡雄。"颔联再引典故，更增雄浑。"三河道"，古称河东、河内、河南为三河之地，囊括黄河中段平原区域，古人认为三河在天下之中，为王者所居。此处代指送客地长安，既合诗韵，又显大气。"六郡"，指汉代西部金城、陇西等六郡。《汉书·赵充国传》云：“（充国）始为骑士，以六郡良家子善骑射，补羽林。”此“六郡雄”是指汉时防守北疆诸郡使匈奴惧怕的名将赵充国。“怅别”二字不免带出送别的惆怅，但诗人还是勉励友人要像赵充国那样在边塞建功扬名立威。

“雁山横代北，狐塞接云中。”颈联写此去边塞的方位。“雁山”即雁门山，古称勾注山（今山西省代县），山势险峻，建有雁门关。“狐塞”是飞狐塞（今河北省涞源县）的略称。“代北”、“云中”是与“雁山”、“狐塞”相对应、相关联的两个州郡名。诗中用一“横”字表明雁门山是横亘代州北面的军事要地；用一“接”字点出飞狐塞在云中郡的门户关隘位置。此处地理位置的描写，渲染了边关守备的艰巨，烘托了魏大此次从军意义的重大。

“勿使燕然上，惟留汉将功。”尾联还是用典故作结。东汉车骑将军窦宪大破匈奴北单于，登上燕然山（今蒙古国境内杭爱山），刻石记功返回。诗人再以窦宪勉励友人，意为不要让燕然山上只留下汉将功名，还要把唐人的战绩刻在燕然山的石碑上。

通篇用典，令数位史上靖边大将的形象跃然纸上，更能营造出战阵横列、宛若沙场的气象，而诗人送友从军，不舍之情与勉励之意灌注其中，声声感人。连送友诗也如战鼓音，难怪韩愈会发出“国朝盛文章，子昂始高蹈”的感叹。

# 感遇十二首（其一）

张九龄

兰叶春葳蕤，桂华秋皎洁。欣欣此生意，自尔为佳节。谁知林栖者，闻风坐相悦。草木有本心，何求美人折？

**【赏析】**

自屈原开始，诗人常以花草自比。本诗以草木比兴，起承转合，一贯而就，笔力遒劲。张九龄的《感遇》写作于遭谗被贬谪之后，本诗中诗人也以花木自喻，表达了他和兰花、桂花一样，不肯趋炎附势、低头诌媚，而是忠于“本心”，追求高洁的人生理想。

第一句“兰叶春葳蕤，桂华秋皎洁”，以兰和桂两种植物起兴，兰对桂、叶对花、春对秋、葳蕤对皎洁，工整的对偶显出诗人的深厚功底。屈原《九歌·礼魂》中即有“春兰与秋菊，长无绝兮终古”的说法，作者以此为基础加以发挥。兰与桂对举互文，并非只写兰的叶、桂的花，而是兼指兰和桂的叶、花来说的。诗人抓住两种花各自的特点，“葳蕤”写出春天兰花欣欣向荣、焕发勃勃生机的样子，“皎洁”一词概括了桂花的迎霜孤傲、纯洁清雅。

第二句前半句对上一句作了总结，“欣欣此生意”意思是说两者葳蕤也好，皎洁也罢，都显出了欣欣向荣的生机。“佳节”暗合前面的“春”和“秋”而言，说兰花和桂花各自在它们适当的季节开放，显示出各自的生命特征——兰花葳蕤，桂花皎洁。“自”字，为下文做了伏笔，表示它们各自开放，不去管周围有其他什么植物或者什么人，它们只是盛开着，散发着各自的芳香，没有刻意诌媚于谁。

第三句“谁知”忽然一转，由单写植物引出“林栖者”，他们是爱花的人，特指那些自认为与兰桂一样高洁的隐逸之士。他们由于闻到了花的芳香而产生了喜爱之情。从单写兰花、桂花到引出喜爱兰、桂之人，作者笔势一转，诗情也随之一变。

最后一句，"草木"是对兰花和桂花的概括。诗人用"何求"又是一转。如果承接上文，隐逸之士以兰花、桂花为同调，闻风而相悦，"草木"若有感觉也应该"相悦"吧！可惜"草木有本心"，无论是兰花还是桂花，它们都有自己开花的时令，不因任何人的喜爱而枝繁叶茂，也不因任何人的宠爱而改变散发芬芳的时节，因为它们不会趋炎附势地寻求谁的攀折和赞美！到最后诗人才点出本诗的主旨，一个真正的君子应该和兰花、桂花一样，洁身自好，本本分分，不谄媚于小人去博得功名，追求富贵。

这是一首古体诗，是张九龄感遇诗中的第一篇，也是较为著名的一篇。诗中抒发了诗人愿像兰桂一样散发芳香、不求为人知的情怀。

杜甫曾经写诗称赞张九龄："诗罢地有余，篇终语清省。"意思是说张九龄的诗语言简练清丽但余味无穷，给读者丰富的想象空间，并易于篇中参透其意，读罢本诗便觉杜甫评价之公允。

# 湖口望庐山瀑布水

张九龄

万丈红泉落，迢迢半紫氛。奔流下杂树，洒落出重云。日照虹霓似，天清风雨闻。灵山多秀色，空水共氤氲。

## 【赏析】

湖口即鄱阳湖口，当时归洪州大都督府管辖。这首诗大约作于张九龄出任洪州都督转桂州都督之时。开元十一年（公元 723 年），时为宰相的张说十分赏析张九龄的才华和能力，擢任张九龄为中书舍人。三年后，张说因遭人弹劾被罢相，诗人也随之被贬。旋即，又迁为冀州刺史，他以照顾年迈老母为由上疏奏请固授江南一州，唐玄宗准他"改为洪州都督，俄转桂州都督"，张九龄因获玄宗恩遇对朝廷感恩戴德，也从失去张说依靠的阴郁中走了出来，因自己的才华和德行获得皇帝的肯定而壮志满怀。怀着这样的心情，张九龄写下了这首诗。诗中在描摹和赞美庐山瀑布壮美景色的同时，蕴含着诗人豪放的风度和开阔的胸襟，激情满怀，壮志凌云。

"万丈红泉落，迢迢半紫氛。"一开始诗人便写出了日光之下，一川瀑布从高高的庐山上陡然而落，好像来自迢迢的天边一样。"红泉"、"紫氛"写出瀑布水在日光下的缤纷色彩，也与下句的"日照"一句遥相呼应。首联即写出瀑布的宏伟气势，展示出诗人的博大胸怀。

"奔流下杂树，洒落出重云。"瀑布向下流向杂树，飞溅的水花好像散落到天边的重云之上，这句写瀑布的风姿豪放洒脱。万丈魏峨的庐山上杂树丛生，奔流而下的瀑布水被杂树截挡，飞溅的水汽在周围氤氲，远远望去竟在一片云雾之中。

"日照虹霓似，天清风雨闻。"阳光的照耀下，远望瀑布就像天上的彩虹；天气晴朗的时候，好像能够听到风雨的威声，有一种"山雨欲来"的气魄。

最后一句赞赏庐山秀美，宛如灵山，而灵山之中的瀑布更有一番风采，它将水天在此相接，天地万物氤氲而成一体，这是何等的胸襟和气度！

庐山瀑布水自迢迢天边而来，犹如诗人远道至此，瀑布水穿过丛生杂树的障碍，飞流直下，化高山之功，取天地之灵，与万物氤氲和谐，在日照之下显出壮美、灵秀之气，一如诗人的才德获取了皇帝的赏识。这是一首成功的山水诗，张九龄取大舍小，从大处着手写出了瀑布水的恢宏气势，描摹景物的同时处处有诗人的影子，表达了自己因重获赏识而踌躇满志的情怀。



# 登鹳雀楼

王之涣

白日依山尽，黄河入海流。
欲穷千里目，更上一层楼。

**【赏析】**

鹳雀楼原址在山西蒲州（今永济市，唐时为河中府）西南，因时有鹳雀栖息，故名为鹳雀楼，又作鹳鹊楼。鹳雀楼曾是一个众相登临的胜地，在鹳雀楼上能够看到黄河雄伟壮丽的景观，唐代很多都曾经于此登临望远，即兴赋诗，因而"唐人留诗者甚多"（沈括《梦溪笔谈》）。

现在鹳雀楼早已经无迹可寻了，更多的人都是从王之涣的《登鹳雀楼》一诗中来想象鹳雀楼的胜景，鹳雀楼也因此诗闻名于世。

诗的开头是一对偶句："白日依山尽，黄河入海流。"此为一正对，对仗工整，语言纯朴、流畅。诗人描写的景色是在日落时分，夕阳的余晖把整个天空映照得暗淡起来，所以诗人说是"白日"，夕阳"依山而尽"，这是一个短暂的过程，诗人抓住这个美妙的瞬间并在笔端描绘出来；接着写黄河，黄河犹如一条金色的缎带，飘落巍巍山峦之间。

前两句诗人描绘的是登楼远眺看到的实景：站在楼前向西望去，一轮落日向着巍峨起伏的群山沉沉而下，渐渐消失在视野的尽头；向东望去，由南而北的黄河水巨浪滚滚，奔腾着层叠着卷向暮色渐近的天边。在夕阳的余晖氤氲中，在黄河之水的映衬下，远山、落日、大河、群山，仿佛世界只是由这些壮美的景物所构成。

诗人把登楼所见远近、上下、东西的景色，悉数融入诗笔，描绘了一幅色彩凝重、金辉相映的雄伟画面。"尽"字捕捉到了大自然精彩的时刻；"流"字写出黄河奔腾不息地向天际流去，带着汹涌澎湃的磅礴气势。诗人赋予了整个画面灵动的气息：落日黄昏，大河如带，充满了勃勃生机。整体看来，意境开阔，视野辽远，显示出诗人宽广的胸怀、不凡的气度。

后面诗人一笔调转："欲穷千里目，更上一层楼。"在即景之下，用简练的语言道出了生活常见的哲理。如果要想看得更远就要再上一层楼了；不仅如此，考虑问题也是一样，只有站得更高才能看得更远，想得更周到。这两句，既与上面写景相接，又显得出其不意，自然紧密；同时也紧紧扣住登楼的主题。

在笔法上，这后两句又属于流水对，前后皆用对仗，工整却毫无对仗痕迹，前后呼应，气势雄浑充沛，由此可见诗人对技巧运用的纯熟程度之深。

全诗以开阔雄浑的意境，表现了诗人豪放的性格和宽广的胸襟，对于祖国壮丽河山的热爱以及积极奋进的精神。诗歌前两句写景后两句议论，前后自然融洽，和谐统一。写景为议论渲染了气势，埋下伏笔；议论使写景更加富有深意。

登上高处，或望远或怀古，这是古代文人墨客的习惯。这首诗寥寥数语，明白如话，却蕴含着深刻的人生哲理。诗人放眼宇宙，把景色写得气魄雄浑、波澜壮阔，极目远眺之余也将人生哲理说得明白易懂，别有一番滋味。

# 凉州词

王之涣

黄河远上白云间，一片孤城万仞山。
羌笛何须怨杨柳，春风不度玉门关。

## 【赏析】

凉州，在今天的甘肃省武威县。"凉州词"即为凉州歌的唱词。《乐府诗集》第七十九卷《近代曲辞》载有《凉州歌》，并说明是玄宗开元年间西凉府都督所进。王之涣这首《凉州词》是一首意境雄浑苍凉的边塞诗，在当时是广为传唱的名篇。

相传当时，王之涣、王昌龄、高适同为著名边塞诗人又都在洛阳游学，他们因互相倾慕对方，故而常常小聚闲谈、唱和。一天三人又相聚在酒店饮酒作诗，偶遇梨园伶人唱曲宴乐，三位难分伯仲的大诗人便约定以伶人所唱歌曲多少来评定他们的诗艺高低。歌女们先是唱了王昌龄的两首绝句和高适的一首绝句。王之涣以为自己早就出名了，可歌女们却一首他的诗都没唱，面子上有些挂不住，就指着最漂亮的一位歌女对王昌龄、高适两个人说，如果这位歌女唱的不是王之涣的诗便一生不再与二位争夺高下，如果是王之涣的诗，就要王、高二人当即拜他为师。其后，这位最美丽的女子终于开口唱道："黄河远上白云间……"果然唱的是王之涣的诗，这首诗就是《凉州词》。

这个故事虽然真实性有待考察，但却客观地表明了这首诗的艺术魅力。

诗的首句按照从下到上、由近到远的顺序描绘一幅动人的画面：向远处望去，波涛汹涌、气势澎湃的黄河水浩浩荡荡，像一条绮丽的缎带轻盈地向白云之间飞去，写出了黄河一泻千里的气势。唐诗中描写黄河的好句很多，这一句的独特之处就在于，诗人选取与黄河河流相反的方向为参照，"上"字，渲染了黄河高低错落、源远流长的壮阔之美，同时也展现了凉州的边塞广袤无垠的壮丽之美。

次句"一片孤城万仞山"点出了本诗的主要意象——塞上的孤城。在辽阔的画卷中，如果"黄河远上白云间"是远景、大背景的话，这一座"孤城"是近景，它是整个画卷的中心。"万仞山"在黄河白云的映衬下，静静地守护着一座孤城。这个大漠中的孤城就是塞北边关的戍守堡垒了，"孤城"意象的引入，为下面两句中刻画征夫的心理做好了准备。

第三句，由视觉转为听觉，羌笛之声忽然而至，使征夫们心中顿生思乡之感，心中一阵悲凉。"杨柳"是唐诗中常用的意象，因为"柳"与"留"同音，因此折柳相赠意思是劝君暂留的意思。所以在唐诗中"杨柳"这个意象往往与离愁别绪联系在一起。无须多问，这悠扬传来的苍凉遒劲的羌笛之声，一定会引起征夫们对家乡和亲人们的怀念，更何况吹奏的还是《折杨柳》呢？此情此景，对于离家万里的征夫们来说，由于思乡心切，不用见到折杨柳，就是听到《折杨柳》的曲子也会触动心中隐隐的离恨。

这一句用语巧妙，诗人不直接说羌笛何须"闻折柳"而是说"怨杨柳"，"怨"字，深化了诗意，也点明了征夫们的心态。

最后一句"春风不度玉门关"的意思是：过了玉门关，即使春天来了，杨柳树也不会变绿，也就是说边地气候寒冷异常，春天来得很晚，言外之意是在物产不丰的塞外边关，分别时刻想要折柳相赠都难以实现。思乡之情更为强烈，进一步升华为对杨柳的怨恨，使上一句的诗意到此喷薄而出，水到渠成。"何须怨"三字运用得委婉而含蓄，极其逼真地写出了戍边者的矛盾心理，他们既思念故乡又不想辜负戍边卫国的重大责任，只能在无奈中聊以自慰。

本诗写戍边征夫思乡不得还的离愁别恨，诗情起伏有致，格调苍凉而慷慨，意境悲壮而不颓废，写出了盛唐气象中诗人广阔的胸襟，可谓是"唐音"的典型代表。

# 夜归鹿门歌

孟浩然

山寺鸣钟昼已昏，渔梁渡头争渡喧。人随沙岸向江村，余亦乘舟归鹿门。鹿门月照开烟树，忽到庞公栖隐处。岩扉松径长寂寥，唯有幽人独来去。

**【赏析】**

"鹿门"是指鹿门山，这座山在汉江东岸、沔水南畔，与岘山隔江相望。孟浩然的园庐名为"南园"或"涧南园"，在襄阳城南郊外的岘山附近，位于汉江西岸，正好与鹿门山隔水而望。诗人早前便隐居在这里，直到40岁赴长安谋仕不成，便南下游历吴越。几年后返回家乡，继续隐居生活，还在水陆数小时之远的鹿门山特辟一住处，决意从此隐居不仕。这首诗写的是"夜归鹿门"一事，读起来像一篇山水游记，表达了诗人对归隐的人生理想和清高的隐逸志趣。

"山寺鸣钟昼已昏，渔梁渡头争渡喧"，这两句是记叙归鹿门山一事。"山寺鸣钟昼已昏"，点出诗人归鹿门山的时间是在傍晚。天色已近黄昏，诗人乘船走于江上，听见远处传来山寺报时的阵阵钟响，看见渔梁渡口上人们回家的喧闹景象。这里"渔梁"是地名，诗人要去鹿门山必须从岘山南园渡汉江，经沔水口便可望见渔梁渡头。

这两句写的是诗人于黄昏时分渡过汉江，舟行水上诗人伫立船头凝神远望的见闻。远处悠然的钟声和近处嘈杂的人声形成鲜明的对比，写出山中的幽静和尘世中人们的喧闹。

"人随沙岸向江村，余亦乘舟归鹿门"两句又是对比，意为：人们随着沙岸向村里奔去，我却乘着小船回到了人迹罕至的鹿门山。众人生活的村庄是嘈杂的尘世，诗人回归的鹿门山却是人世间静谧超然的境界，也正是诗人身心的归属之地。

"鹿门月照开烟树，忽到庞公栖隐处"，这两句写的是夜晚诗人独自攀山而上，朦胧的树木被纯洁的月光照得异常美丽，宛如仙境；诗人沉醉在这宁静优雅的环境中，不知不觉就走到了自己的住处。"忽"字写出了诗人怡然自得而不觉山路漫漫、时间悠远的心情。

"庞公"指的是东汉名士庞德公，他与当时隐居襄阳的徐庶、司马徽、诸葛亮相交。诸葛亮待庞德公以师礼，每造访必拜于床下。荆州刺史刘表多次请他入府，庞德公拒绝了他的征召，后隐居于鹿门山，采药而终，后世便将鹿门山视为隐逸的圣地。南游归来后，孟浩然决意追随先贤（也是同乡，孟浩然也是襄阳人）隐居于此，以示隐逸不仕的决心。这里的"庞公栖隐处"就是诗人在此特意开辟的住处。

"岩扉松径长寂寥，唯有幽人独来去。"最后二句写的是诗人住处的情况，其中的"幽人"，既指庞德公，也指诗人自己。"岩扉松径"说的是庞德公隐居采药而走的路，这条林中小路一如真正隐逸者的路一样，是漫长而寂寞的，但是诗人领略了在大自然怀抱中，独自漫步往来的妙趣，并深深沉醉其中，便也不觉得寂寥和漫长了。

诗人以简单的布局结构、淡雅的笔墨、疏朗的情致描绘了归往鹿门山时在水上的见闻和攀山林中小路上静谧的自然景色，从日落黄昏再到皓月当空，这个时间并不短，这段路也很漫长，这是诗人回归鹿门山的路，更是从嘈杂尘世通向寂静自然的心灵之路。诗中不仅描绘了寂静幽雅的鹿门山夜景，也成功地塑造了一位飘逸洒脱、超然世外的隐者形象，语言平实、意象清远，景、人、情共同构成了独特的艺术格调。

# 望洞庭湖赠张丞相

孟浩然

八月湖水平，涵虚混太清。气蒸云梦泽，波撼岳阳城。欲济无舟楫，端居耻圣明。坐观垂钓者，徒有羡鱼情。

**【赏析】**

诗人孟浩然，苦学多年，40岁时游长安，应进士举不第。于是他给当时的丞相张九龄写了这首诗，希望能够得到丞相的引荐。

洞庭湖在湖南北部，是中国第二大淡水湖。这是一首投赠之作，但诗人没有直表心意，而是通过身在烟波浩渺的洞庭，想渡水却无舟楫的情况，进而发出临渊羡鱼的慨叹。

这是一首五言律诗。诗歌可以分为两个部分，前四句写的是洞庭湖的秋景；后四句抒发诗人胸中的感情，委婉地表达了诗人的心意。其中"气蒸云梦泽，波撼岳阳城"两句历来被认为是描写岳阳洞庭的佳句，千百年来为人们传颂。

"八月湖水平，涵虚混太清"，这两句是说，初秋八月，湖水上涨，天空在几乎与岸平齐的水面形成迷茫的倒影，水天浑然一体。水天含混迷茫与天空浑然一体。开篇诗人即点明时间，正值"八月"，洞庭湖湖水泛溢。这一句写的是诗人极目远眺所看到的景色，八百里洞庭湖水浩浩汤汤，与水天相接，广阔浩瀚。"平"字，表现出湖水上涨、欲溢出堤岸的气势。接下来，诗人俯瞰湖中，天空在水面形成的倒影，使水天浑然相融。诗人起笔不凡，开篇便写出了广阔宏大的意境。

"气蒸云梦泽，波撼岳阳城"，"云梦泽"在古代云泽和梦泽指的是湖北南部、湖南北部一代低洼的地区，诗中的洞庭湖就是它南部的一角。第二句的意思是，云梦泽水气蒸腾浩渺一片，洞庭湖波涛汹涌似乎要撼动岳阳城。这两句承接第一、二句，波澜壮阔的湖面上风卷云涌，汹涌的波涛，层层向前，拍打着岳阳城的城墙，似乎要将城池撼动。"撼"字，把汹涌澎湃的洞庭湖水写得十分传神，并具有自己的意识，显示出水势上涨的秋季，洞庭湖烟波浩渺、波澜壮阔的气势，具有惊心动魄、震撼人心的艺术力量。

前四句描写洞庭湖秋景，意境壮美，后四句转为抒情，表明心意。"欲济无舟楫，端居耻圣明"，这两句的意思是，我想渡这浩波飞荡的洞庭水，却因为找不到船和桨而感到十分苦恼，在这大唐盛世中，我依然悠闲地隐居于山林，实在感到有些不好意思。这两句实际上是在向张丞相表明心迹，在这太平盛世，人人都出来为国家作贡献，自己虽是隐士，对于出仕为官还是心向往之的，只不过就像渡河找不到船只和桨一样，出仕也找不到门路。

"坐观垂钓者，徒有羡鱼情"，闲坐看着别人在河边殷勤地垂钓，多想一展身手，施展才华，如今却只能白白地羡慕被钓上来的鱼。诗人巧妙地引用了《淮南子·说林训》中的名句"临渊羡鱼，不如退而结网"，并从中翻出新一层意义；同时"垂钓"之事也正好与前面所描写的洞庭湖水照应。诗歌从远观洞庭水写到欲渡洞庭水再写到钓鱼之事，合情合理，层次分明，结构完整，一气呵成，委婉地表达了诗人希望通过张九龄引荐，干一番事业的急切心情。

这是一首干谒诗，所谓干谒诗就是古代文人为了推销自己，展示自己的才华与抱负，求得进身的机会而作的一种诗歌。在唐代，很多文人都是通过向达官显贵之人呈献诗文而走上仕途的。

可以说，干谒诗是文人铺垫进身的台阶，其阅读对象或为高官显贵，或为社会贤达，因而言词限制颇多，诗人们写作起来常常竭尽才思，诗歌风格也往往深沉、语言含蓄。

孟浩然这首诗是赠予张九龄看的，目的与一般干谒诗没有什么不同，只不过诗人为了保持隐逸者的清高，在写作笔法上力求泯灭干谒的痕迹，措辞委婉，不卑不亢。在不失身份的前提下，用语得体，不落俗套。诗中有景有情，层次有转有合。在诗人的笔下本来是用来以求推介的洞庭湖水竟然被渲染得意境雄浑，蕴含着浓郁的诗意，因而本诗也不失为一篇出色的山水诗。

# 与诸子登岘首

孟浩然

人事有代谢，往来成古今。江山留胜迹，我辈复登临。水落鱼梁浅，天寒梦泽深。羊公碑尚在，读罢泪沾襟。

**【赏析】**

这是一首登临吊古的诗，是作者与朋友一起登上岘山之顶的感怀之作。岘首是岘山的别名，在今湖北襄阳城以南，当时孟浩然的隐居之所正在岘山附近。诗中除了缅怀古人之外还包含着今时尽时的叹谓，以及诗人身世遭际的感慨，凭古抒怀，情感深沉。

"人事有代谢，往来成古今"，首联说的是人世的事情总是不停地变化着，时光往来流逝即为古今。古往今来，大自然中春夏秋冬四季变换，朝代更迭，家世兴衰，甚至一个人的生老病死，人世间的一切变化就像新陈代谢一样，随着时间的流逝发生着改变，这是一个不可逆转、无法左右的事实。诗人开篇便说出这样一个平凡的真理，带着感慨的意味，为下面的吊古伤今蓄势，也暗含着自己的遭遇和心事。

"江山留胜迹，我辈复登临"，这两句的意思是：江河高山仍保留着名胜古迹，而现在我们又可以登临远望。这一联紧承第一联，点出登临吊古，紧扣题目。时光流逝古今变迁之中，还可以从名胜古迹中寻到古时的影子。接下来再写到登临所见并由所见景物引出情感的抒发。

"水落鱼梁浅，天寒梦泽深"，渔梁洲因水落而变浅，露出江面；云梦泽因为天气寒冷显得迷雾幽深。这一联写的是诗人登临岘首山所看到的景色。鱼梁是沙洲名，在襄阳鹿门山的沔水中。"梦泽"即指云梦泽，在古代云泽和梦泽指湖北南部、湖南北部低洼地区，即今江汉平原。因为"水落"，鱼梁洲更多地呈露出水面，所以说"浅"；"深"形容云梦泽一望无际，辽阔深远。由于天气寒冷，水上一片云蒸霞蔚，满目苍莽，一派萧条，这样的景色烘托了诗人内心的哀伤，为下面的抒情积蓄情势。

"羊公碑尚在，读罢泪沾襟"，羊祜碑如今依然巍峨地矗立在山上，读罢碑文泪水不禁沾湿衣襟，无限感伤溢于言表。"尚"字，表现出对羊公的爱戴与尊敬之情。"羊公"是西晋开国元勋羊祜。晋代魏后司马炎有吞吴之心，羊祜奉命坐镇襄阳，督荆州军事。羊祜博学能文，为人清廉正直，在荆期间屯田兴学，以德怀柔，深得民心，后来羊祜因病不能主事便推荐杜预接替自己的工作，使荆襄百姓免于战乱之苦。羊祜辞世后，百姓在岘山为他建碑立庙，上书他的生平事迹以示纪念，后人读来无不泪下，称之为堕泪碑。

《晋书》中记载，羊祜曾与贤达胜士登临岘山远望，喟然叹曰："自有宇宙，便有此山，由来贤达胜士，登此远望如我与卿者多矣，皆湮灭无闻，使人悲伤！"第二联中所说的"复登临"即相对此事而言。羊祜登上岘山远望，想到古人也有很多人登上过这座山，因而发出感叹；同样现在孟浩然登临此山眺望也自然想到当初发出过悲叹的羊祜。

诗人由此吊古伤今，联想到自己的身世遭遇，不禁悲从中来。从晋代到唐代几百年来经历了多少朝代更迭、人事变迁，可是羊祜碑仍矗立在此，提醒着今人羊祜为百姓所作出的贡献。而诗人自己却在世事变迁中蹉跎了岁月，现在仍是一"布衣诗人"毫无作为，与这历经百年尚在的羊祜碑相比，自己死后也就被淹没在滚滚历史洪流之中，没有人再记得了吧！想到这里诗人不免热泪落下，沾湿衣襟。

诗以哲理开篇，以悲情结束，在凭吊古迹的同时感怀今日自己的身世，情景交融，饱含激情，读来不禁让人感同身受，意味深远。

# 题义公禅房

### 孟浩然

义公习禅寂，结宇依空林。户外一峰秀，阶前众壑深。夕阳连雨足，空翠落庭阴。看取莲花净，方知不染心。

## 【赏析】

这是一首题赞诗，其中诗人抓住了能够表现自然环境特征的瞬间，用清丽淡雅的语言，轻描淡写地绘就了一幅空灵清丽的山水画卷，山林幽静，空山雨后，晚霞迷蒙，闲适时光中，出于尘世之外，环境的寂静也给人带来内心的平静。

"义公习禅寂，结宇依空林"，义公坐禅修行的禅房依傍在空寂的山林中。"义公"是位高僧；"禅寂"是佛家用语，佛教教徒坐禅入定，用寂静的思维来去除杂念。首联点出禅房的位置和背景。

"户外一峰秀，阶前众壑深"，从禅房中走出，开门便可望见一座高耸秀美的山峰，台阶连着一片深深的山谷。这一联写的是禅房前面高雅深邃的山林景观。人们来到这里，抬头瞻仰高峰，俯身注视深壑，空灵断想之境中，绝尘之意油然而生。前两联描绘高僧禅房位置、禅房庭前的自然环境，通过环境的清雅脱俗、悠远深邃衬托出义公清高的志趣。

"夕阳连雨足，空翠落庭阴"，天空被雨水完全洗涤过后，雨过天晴的时候，正逢夕阳落下，暮色渐近，晚霞依山，相映生辉，山林中格外清净。寥落的雨丝随风飘落而来，空翠的水滴落在禅房前庭上，阴凉湿润，给人清爽静谧之感。这一联，诗人抓住了雨后高僧隐居环境的特点，进一步由景色环境的描写烘托义公脱离凡间、超于尘世的胸襟和情怀。无一字赞美高僧却字字饱含尊敬和赞美之情，明是写景实是赞人；明是赞景实是赞人。

"看取莲花净，方知不染心"，这一联借佛家用语，进一步赞美义公纯净的心灵。"莲花"即"青莲"，它洁净清香、纤尘不染，所以佛家常把它比为佛眼。意思是，义公选取了这样静谧的山林修建禅房作为修行之所，可见他独具慧眼，也便可知他怀有莲花一样纤尘不染的胸怀。

孟浩然生性自然不羁，为人耿介，志在隐逸。这首诗通过描写高僧修行的环境来赞美高僧清净纯洁的心胸，也寄托着自己对隐逸生活的向往之情。本诗用语明朗轻快，词采清雅秀丽，可以看作能够充分表现孟浩然诗歌艺术特点的代表作品之一。

# 过故人庄

孟浩然

故人具鸡黍，邀我至田家。绿树村边合，青山郭外斜。开轩面场圃，把酒话桑麻。待到重阳日，还来就菊花。

**【赏析】**

《过故人庄》是一首脍炙人口的田园诗，也是孟浩然的代表作之一。诗歌通过描写一个普通的农庄中的农家宴请，表达了诗人宁静淡泊的情怀。诗人用清丽的语言奏响了一首淡雅悠远的田园交响曲。

"故人具鸡黍，邀我至田家。"诗的首联写老朋友邀"我"到家宴饮，共叙家常。没有虚礼，有"邀"就"至"；不用排场，"鸡黍"相邀既表现出农家特有的风味，也显示出主人的热情淳朴，主客之间真挚的感情跃然纸上。开篇自然而亲昵，使人读来很快进入情境之中，既紧扣题目中的"故人"，也为下面做了铺垫。

"绿树村边合，青山郭外斜。"漫步进入村中，看到的是一幅清新的景象。绿树环抱之中，郭外的青山静静地陪伴孤独的小村庄，诗人由远及近，将村庄在远处青山的掩映中，被绿树环绕的景象写得栩栩如生，优美的自然环境给人带来身心的愉悦。景物描写中传递出诗人愉快的心情。

正是由于"故人庄"出现在这样的自然和社会环境中，所以宾主临窗举杯，"开轩面场圃，把酒话桑麻"，打开窗子，面临菜园和打谷场，农家的景象令人顿觉轻松，心旷神怡。在这样宽敞明亮的农家小舍中，没有疲惫，只有轻松，没有尘世的纷扰，只有心灵的简单与平静，所以宾主之间的谈话也不是富有深意的内容，他们只是端起酒杯随便谈着眼前看到的农事。怡风送爽，窗外田野中正在劳作的农民，闻到了泥土的清新香气，听到主客谈话时的欢声笑语。在这样宁静优美的田园风光中，与故人举杯共饮，闲话农事，诗人忘记了尘世间的一切烦恼、失意与惆怅，对于诗人来说，这里何尝不是心灵的一个隐逸之所呢！

"待到重阳日，还来就菊花。"诗人被简单清新的农庄生活所吸引，更被故人真挚淳朴的情感深深打动。临行前，与主人再次相约，秋日重阳节再来一同把酒临风，共赏菊花。结尾处，尽显主客亲密融洽，但似乎余兴未尽，尚有依依不舍之情。

沈德潜在《唐诗别裁》中评价孟浩然的诗"语淡而味终不薄"。意思是说孟浩然的诗常常在淡淡的语言中，蕴藏着深厚的韵味。

《过故人庄》用简单明丽的语言描绘了宁静的山中小村庄，平铺直叙地讲了一个闲适赴宴的故事，平淡到没有一个令人感到心潮澎湃的字眼。诗中描写的都是农家日常生活中常见的情景，生动地描绘了故人农庄的自然风光，表现了农家的生活情趣，同时也寄托着诗人宁静淡泊的情志。本诗不事工巧极自然，句句不见锤炼痕迹，却并不孤立薄弱，看似平淡如水，读罢细品便觉此诗如一幅田园风光水墨画，诗人将事、景、情相互融合，形成了强烈的艺术表现力，不愧为孟诗中的上乘之作。

# 春晓

孟浩然

春眠不觉晓，处处闻啼鸟。
夜来风雨声，花落知多少？

## 【赏析】

孟浩然一生大部分的时间都在隐居中度过，这首《春晓》即是诗人隐居鹿门山时所作。诗人抓住春日黎明的短暂瞬间捕捉典型而细微的春天气息，表达了自己对春天来临的喜爱和对春光易逝的怜惜，景色迷人，意境优美。

"春眠不觉晓，处处闻啼鸟"，春日里对黎明的来临总是后知后觉，不知不觉便到了早晨，从酣梦中醒来，到处都能听到鸟儿明快的啼叫声。诗的前两句没有直接描绘眼前的春而是写诗人因春宵梦酣，天空既白还不知道，只听到鸟儿到处在欢快地鸣叫。

诗人首句破题写春梦香甜，对明媚春光的喜爱之情溢于言表；第二句写景，本来春天有醉人的花香，有流光溢彩的图画，但是诗人却只选取一个侧面、细节来展现春天万物复苏的景象。"处处"写出了鸟儿们起落鸣叫的欢快情景，使人仿佛置身于空灵秀美的山林中，眼前众多的鸟儿正欢叫雀跃着，好像对春光的来临表达出由衷的欣喜。诗中前一句写的是不觉春日黎明的到来，可以想象刚刚起床的诗人也许这时候正睡眼惺忪，那么对他来说视觉上的春光尚无暇顾及，反而最先诉诸听觉，这是人之常情，也正是充满活力的春天早晨最典型的形象。

"夜来风雨声，花落知多少"，可爱的春晓景象，使诗人不禁回忆起昨夜庭院里可爱的花儿来。想起夜里朦胧中听到的阵阵风雨声，诗人感叹不知道庭院里的花现在到底被吹落了多少。可以想象，也许正是夜里的轻风细雨使诗人很快进入甜美的梦乡，也正是在这场春风春雨后春光才更加明媚，可是它却不知摇落了多少春花。春花落尽也代表春天就要结束了，想到这里诗人不禁担忧起来。

到这里，诗人由对春天的喜爱转为对春光的怜惜，也正是爱得深切才会为春雨过后的花木担忧，所以诗人写回忆、写惜春实际上是更进一步表达对春天的喜爱。

这首诗题材贴近生活，语言明白晓畅，读起来朗朗上口。小诗仅仅二十个字，却写得情景交融，意味隽永。在结构上也回环波折。其中有眼前与回忆的时间变换，有春雨前后的阴晴交替，也有从爱春到惜春的感情变化，诗情错落有致，结构完整，回味无穷。

初读来平淡无奇，反复诵读却别有余味，这就是本诗最大的特点。它的艺术魅力不在于华丽的辞藻、雕琢的手法，而在于"自然"二字。诗人取之于自然景物，抒情如行云流水自然而变化有致，语言也浑然天成。所以，千百年来深受人们喜爱。

# 闺怨

王昌龄

闺中少妇不曾<sup>①</sup>愁，春日凝妆上翠楼。
忽见陌头杨柳色，悔教夫婿觅封侯。

**【注释】**

①不曾：刘永济《唐人绝句精华》注："不曾"一本作"不知"。作"不曾"与凝妆上楼，忽见春光，顿觉孤寂，因而引起懊悔之意，相贯而有力。

**【赏析】**

盛唐时代国力强盛，社会上流行尚武风气，许多人幻想着马上取功名，万里觅封侯，从此改变自己的命运。在这首诗中，女主人公的丈夫很可能就是其中一员。为了建功立业、功成名就，他离开家乡和妻子远戍边关。而他的妻子，也就是诗中的女主人公，心中很可能也怀抱着同样的理想。

这首诗题为《闺怨》，开头却言少妇不曾愁。接下来诗人要怎样演绎出闺阁之愁怨呢？诗人选取了少妇生活中的一个小片断，在短短二十八字之内，展现了少妇从"不曾愁"到"悔"之间细微的心理变化。

本诗将开头的场景设置在一个春日。"闺中少妇不曾愁，春日凝妆上翠楼"，这位空守闺阁的少妇心中尚未感到哀愁，大好春光使人心情疏朗，她精心梳洗打扮后登上翠楼欣赏春光。这两句中暗含着女主人公惬意闲适的心情，第二句正迎合了首句中的"不曾愁"。这位少妇在大时代背景的影响下，在社会风尚的影响下，很可能和自己的丈夫一样，梦想着在战争中立功，成就一番事业，改变自己乃至全家的命运。对于丈夫的离开，她也一样踌躇满志，以为这只是短暂的分离，以为用这暂时分别作为代价换取功名是值得的。所以，她并没有陷入日日难挨的愁怨中，仍旧乘兴欣赏春景。

"忽见陌头杨柳色"，写的是她在登楼后观赏到的春景。"忽见"一词暗示她在楼上应该可以观赏到很多景物，也许有鸣叫的翠鸟、盛开的鲜花……在这"忽见"之前她看到的应该是风轻云淡、鸟语花香，一幅春意盎然的画面。只是她忽然看到了路边新长出来的柳叶，这一刻画面也随着她的目光定格了。

新柳之色本是春天最常见的景象，登楼远望自然可以见到。只是为何诗人要说"忽见"呢？这一句可以说是诗情起伏的关键，也是女主人公心情发生变化的时刻。"忽见"是因为她的心灵受到了触动，之前不曾愁的女主人公，看到春天的杨柳忽然发生了变化。

在古代，分别的人往往折柳相赠，因"柳"与"留"读音相近，意谓愿君停留，以表不舍之意。诗中的女主人公看到清新的柳色，不禁想起了当年与丈夫分别的时刻，也许那时候她也曾经轻轻折下一条柳枝送给他，然后也是独倚着翠楼望着他的身影渐行渐远。

也许那时候她也有不舍，也有悲伤，但想到丈夫将来立功而归，拜官封侯，心中尚存些许安慰。可是现在，同样在翠楼上登临远望，看到的只是和那时一样的柳色，却连丈夫的身影也望不见了。再想到，几年时间转瞬即逝，丈夫远征仍然未归，音信袅袅，不免黯然神伤。

这时候女主人公的心情与开头相比发生了强烈的变化，她后悔当初让丈夫出征边地。建功立业"觅封侯"的梦想不知何时能够实现，倒不如撇下梦想留在家里安安稳稳地过日子好。

诗中的女主人公本来没有"怨"和"愁"，春日登楼只是兴从中来，但是柳色入目心情忽然一转。从来都是"古来征战几人回"，千万远征军中建功立业的毕竟是少数，而能够建功并活着回到家乡的人更是少之又少，女主人公和爱人的梦想恐怕也很难实现了吧！

全诗从开头的"不曾愁"到结尾的"悔"，短短四句之内写出了女主人公微妙的心理变化。其中第三句诗人以景色的描写作为女主人公情绪变化的引线，堪称绝妙。诗人抓住了女主人公心理的微妙变化，汇集万千感想于一瞬，刻画细腻、精准。

# 送魏二

王昌龄

醉别江楼橘柚香，江风引雨入舟凉。<br>忆君遥在潇湘月，愁听清猿梦里长。

**【赏析】**

"魏二"其人史料极少，他究竟是何许人也读者不得而知，不过从诗中渲染的离别愁绪中，可以推测魏二是诗人的一位挚友。由"潇湘"二字可以看出，本诗作于王昌龄被贬龙标尉之时。

诗歌的前两句暗示诗人送别友人魏二是在一个秋天。江楼之上，设宴饯别，酒入愁肠愁更愁，难分难舍之情溢于言表。"醉别"二字写出了诗人和友人都被离愁困扰，欲图一醉方休。

醉眼蒙眬之时，分别的时刻到了。江上的秋风呼啸而来，将雨水吹进友人的小舟中，"一场秋雨一场寒"，在这别离时分，这场秋雨不仅打在船里，打在友人的身上，也打在诗人的心上。一"引"一"入"两字相对应，极状秋雨之势。这两句写景，渲染了别离的气氛，意境凄凉悲切。

后两句是虚写，诗人想象友人出发以后，独自乘舟漂泊，在潇湘江水上夜宿，空对月光的心情。"愁听清猿梦里长"，雨霁风去，一轮明月高照，独宿异乡江上的友人，难以入眠。许久以后，刚刚枕着愁绪入眠，忽然听得两岸猿声传来，在孤寂的梦里，朦眬中顿觉叫声更加凄厉、清长。本就被愁绪填满的心，更加离愁满溢。

第三句深化了前句所营造的朦眬意境。醉眼蒙眬到秋雨朦眬，这一句诗人塑造了朦眬的梦境。"道伊旅况愁寂而已，惜别之情自寓"，诗人代友人之思，扩大了诗中的意境，使意境更加凄凉、深远。

# 芙蓉楼送辛渐

王昌龄

寒雨连江夜入吴，平明送客楚山孤。
洛阳亲友如相问，一片冰心在玉壶。

**【赏析】**

这首诗大约作于开元二十九年（公元 741 年）后王昌龄任江宁（今南京市）丞之时。芙蓉楼在润州（今江苏省镇江市）西北。辛渐是王昌龄的朋友，王昌龄陪同他由江宁（今南京市）出发到此处分别送辛渐北上洛阳。全诗构思精巧，诗人借送别朋友的离愁别绪抒发了自己清明如镜的胸怀。

"寒雨连江夜入吴"，昨天夜里绵绵的秋雨造访长江。首句从昨夜的秋雨写起，为送别设置了凄清的气氛。三国时期的吴国在长江中下游一带，所以这里也被简称为"吴"，诗中指的是诗人和友人所在的长江镇江一段。这一句写的是送别时刻所见的实景。"连"、"入"摹状秋雨连绵之势。阴沉天空中秋雨纷纷，水天相连、烟波浩渺。诗人从视觉听觉的角度描绘了一幅烟雨蒙蒙的长江秋雨图。

"平明送客楚山孤"，这句诗人选取了送别时刻所见到的景象。早晨诗人在此面对孤独的楚山，送朋友远行。此句中"楚"与上一句中的"吴"是互文的说法，春秋时期楚国即在长江中下游一带，诗人称这里的山为楚山。

昨夜的秋雨使秋意更浓，天气更凉，给人萧瑟凄冷之感，为别离设置了寒意弥漫的意境。别离的愁苦想诉说却难以言表，想咽下却如鲠在喉。远望长江水天相接，看不到尽头，不知友人前方行程如何。想象着朋友乘坐的小舟即将起航，渐行渐远，最终消失在长江天际的尽头，诗人心中怅然若失。抬头远望，江北的楚山孤独地伫立在平旷的江水之上。楚山没有生命也没有感情，它不会感到自己孤独，孤独的是为友人送行的诗人。朋友即将回到洛阳与亲朋好友相聚，自己却还要独身一人回到南京。

想到这里，诗人将千言万语化为一句嘱托：洛阳亲友如相问，一片冰心在玉壶。这是一句千古传颂的佳句，现代作家谢婉莹的笔名冰心即取于此句。诗人以冰心玉壶来表达自己为人光明磊落、胸怀澄清。

开元初年期间，时任宰相的姚崇曾作过一篇《冰壶赋》告诫官吏为官要廉洁奉公、内情外润，一时间成为做官的指导性文件，被官吏和士大夫广为传阅，甚至曾作为考题出现。王维、李白、崔颢等诗人都写过以此为题材的诗歌，而王昌龄此诗所表达的也是廉洁为官、心胸澄明的意思。

据说，王昌龄为人坦荡不羁，不拘小节，也因此得罪了朝中不少人。在众口交恶的情况下，他先后几次被贬。清者自清，王昌龄的心胸显然没有改变。因此在这首诗的结尾，他并没有向家人道自己安好敬请放心，而是托付友人转告洛阳亲友自己的心在污浊的尘世间依然玉洁冰清。

　　回味此诗，方才领悟诗中平旷的江天、孤仁的楚山正是诗人胸怀的写照。到这里，诗人胸怀坦荡、耿介孤傲的形象仿佛伫立在苍茫浩渺的秋雨江岸边，融入清澈澄明、悠远深沉的意境中。全诗意境隽永，余味无穷，写景、抒怀浑然天成，不愧为唐诗中的佳品。

# 观猎

王维

　　风劲角弓鸣，将军猎渭城①。草枯鹰眼疾，雪尽马蹄轻。忽过新丰市②，还归细柳营③。回看射雕处，千里暮云平。

**【注释】**

　　①渭城：在长安西北，渭水之北，乃秦都咸阳故城。②新丰市：故址在今陕西省临潼区东北，是古代盛产美酒的地方。③细柳营：汉代名将周亚夫屯军之地，在今陕西省长安区。《史记·绛侯周勃世家》："亚夫为将军，军细柳以备胡。"借指将军军营。

**【赏析】**

　　《观猎》属王维早期诗作，本诗描写了将军由出猎到归猎的狩猎过程，气势遒劲，逸兴遄飞，一气直贯，流转自如，当属盛唐佳作。

　　诗歌从打猎的高潮写起，在一连串纵马涉猎的动作之后，尾联的写景似在回味方才骑马狩猎激动人心的场面，意境归于平静，仿若气定神闲。清人沈德潜《说诗晬语》评此诗："神完气足，章法、句法、字法俱臻绝顶，此律诗正体。"

　　"风劲角弓鸣，将军猎渭城。"全诗首句"未见其人，先闻其声"，烈风呼啸在旷野上，角弓瑟瑟鸣叫振动，让读者不禁想起策马驰骋的场面。"劲"字状风势之猛；"鸣"字衬托角弓之强。这一句犹如高山落石，突兀惊绝，待气势蓄满后，顺着耳畔的烈烈风声读者翘首以盼的英武形象才正式登场——这样的场面原来是将军在渭城狩猎。首联的描写成功地为狩猎创造了典型的气氛，也为后面塑造将军傲风驰骋、坚韧不拔的形象做了铺垫。

　　"草枯鹰眼疾，雪尽马蹄轻"，主要描写射猎时的情景。"草枯"、"雪尽"意在点明其时令正值冬末春初，极具画意。因"草枯"，"鹰眼"更加锐利，扑取猎物更加迅疾；积雪销尽后马儿驰骋更加无阻。这两句一方面描写狩猎时候的景物，一方面通过正面写战马飞奔、猎鹰狩猎时的动作体态来描绘将军纵马逐猎时矫捷的身姿、专注的神态和昂扬的斗志。这两句写将军出猎的过程，虽然并未直接写出是否获猎，但在字里行间已经表达了射猎的乐趣、出猎的结果。

　　颈联紧承"马蹄轻"，写出归猎的欢快。"新丰市"和"细柳营"两地相去甚远，诗中以"忽过"、"还归"衬托将军获猎后返营疾速。简单两句既刻画了将军高超的骑术、出神入化的射猎技艺，同时也反映了他充沛的精力、高昂的斗志，以及喜悦轻松的心情。

尾联写踏入军营之时，将军回望天际的景色，与篇首相对照。出猎时候狂风乍起，归来时分已是日暮黄昏、云淡风轻。开篇的景物渲染了狩猎之初紧张激烈的气氛，结尾处的景色也与归猎时的气定神闲相符。诗人以生花妙笔将心情与情态的变化寓于景色的描写中，令人叹为观止。回看时，目极之景平静祥和，一方面衬托出将军踌躇满志、兴犹未尽的情致，一方面也蕴含一种值得回味的余韵。

全诗起笔突兀，收笔意远，首尾相映，气脉一贯。颔联一语多关，写景亦是写人，同时又穷自然之理。用地名、化典故如若己出，浑然天成。锤字炼句，尽显字法之妙。视觉听觉兼顾，形态和动感并具，同时融合诗画音乐的综合魅力，其艺术手法堪称绝妙。施蛰存先生评价这首诗为"完美无疵的好诗"。

# 秋夜独坐

王维

独坐悲双鬓，空堂欲二更。雨中山果落，灯下草虫鸣。白发终难变，黄金不可成。欲知除老病，唯有学无生。

**【赏析】**

中年以后，王维对官场的生活渐渐心灰意懒，随着参禅入理渐入佳境，他的诗中也更多禅意。这首诗写了一个秋夜诗人打坐参禅，感慨人生之易老、长生之虚妄，领悟禅理的过程。

前两联写一个秋天，诗人在空堂之中独坐参禅，灯下雨中感怀凉秋，忽觉人生之悲。春去秋来不相待，浑然不觉中自己已经双鬓斑白，人生之有限，长生之不可及。秋夜渐近二更，人生一梦，白云苍狗，时光流逝，永不停歇。面对堂上一盏孤灯，聆听窗外凄凄秋雨，联想到山中果实正值秋熟，却也被这无情的秋风秋雨打落。再看屋中灯下，秋虫哀鸣。不禁感慨，山果、草虫也与人一样，在无情的岁月都有兴有衰，有生有死，不可抗拒，也无能为力。

后两联是由上面所参悟的内容，表达皈依佛门之心。白发难复黑，这是自然规律，那么人能否长生不老呢？诗人想到了道教所宣扬的神仙方术。唐太宗自诩为道教创始人老子李聃的后代，这也是道教在唐代社会蔚然成风的原因。历史上记载，唐代众多公主都曾入道观修行，文人士大夫中曾隐居过或者终身隐居的也不在少数，由此可见道教之盛行。诗人由果落、虫鸣的自然现象想到人之生而短暂，生老病死的自然规律不可逆转，从而否定了道教所信奉的炼丹服药以求长生的思想。

既然炼成长生不老之药是无稽之谈，那么怎样才能从生老病死的苦痛中解脱出来呢？"欲知除老病，唯有学无生"，想知道怎样解除生老病死的困惑，只有皈依佛门。"无生"是佛教用语，意思是没有生灭，不生不灭。王维《登辨觉寺》一诗中："空居法云外，观世得无生。"其中的"无生"也是此意。佛教中讲人有七情六欲，清除此七情六欲，也就是无生了。假如解除了七情六欲，人生也就不再有生老病死的苦恼了。皈依佛门才是根本之法，神仙方术实为天方夜谭。

总体来说，这首诗前半部分写诗人观秋景而陷入对生老病死的沉思中，神情悲痛，情感真切，艺术上细致传神，颇受赞誉。后半部分因说理意味比较浓重，常被诟病。

# 鹿柴①

王维

空山②不见人，但闻③人语响。
返影④入深林，复⑤照青苔上。

【注释】

①鹿柴（zhài）：一作鹿砦。柴，指栅栏。鹿柴：意为鹿居住的地方，是王维晚年隐居之所。在今陕西省蓝田县，是辋川的一个景区，风景优美。②空山：空旷的山林。③但闻：只听见。但：仅、只。④返影：指日落时分，夕阳返射到东方的光线。影，太阳的光影。⑤复：又。

【赏析】

本诗是王维五绝组诗《辋川集》二十首中的第五首。作为山水诗的代表作，《鹿柴》描绘了鹿柴在黄昏时分山林中的清幽景色。

"空山不见人"，首先从正面点出空旷山林的杳无人迹。王维的诗中"空山"一词出镜率很高，似乎王维对它格外偏爱。而在不同的诗中，它所呈现的意境也有微妙的差别。"人闲桂花落，夜静春山空"（《鸟鸣涧》），偏重于体现春山夜晚的安谧幽美；"空山新雨后，天气晚来秋"（《山居秋暝》），则着力于体现秋山雨后的明快洁净；而"空山不见人"，重点在于体现山林的清幽冷寂。"不见人"，把"空山"的意蕴具体化了。人迹罕至的空旷山林，在诗人的笔下显得空廓虚无，犹如远离红尘之胜境。

若将第一句单独来看的话，也许会觉得它貌不惊人、文字平平。然而紧接着这一句的是"但闻人语响"，一下子把境界全烘托出。颇可玩味的是"但闻"二字。一般说来，空山尽管寂静"不见人"，不过读者可以联想到会有风语细细、水声潺潺、鸟啼啾啾、虫鸣唧唧，并非没有半点声息。但是这些常规的声响都寂然无声，传来的却是人语声，颇出乎意料。"人语"似乎是打破"空山"之"寂"的，但却更衬托出山谷的幽。以有声写无声，与"蝉噪林愈静，鸟鸣山更幽"（南朝·王籍《入若邪溪》）异曲同工。以暂时的声响去反衬长久的寂静，而愈见空山之空。人语响过之后，山中再一次沉入万籁俱寂中，像将一颗小石子投向如镜面般的湖中，激起轻波微澜后又复归平静。

前两句描写了空山传语，语言虽直白，却让人如身临其境。后两句进而勾勒了深林晚照，对山林的描写从调动听觉到引出视觉。"返影入深林，复照青苔上"，这时夕阳的光线照射入林木深处，又有一部分斑斑驳驳的光影落到林间的青苔之上。

山中的树林茂密深邃，造成了林间的昏暗。树下的青苔，也暗示出林中的光线不足。偏偏是在这样的环境中，夕阳的余晖穿过层层树林，洒向青苔之上。就是这一抹斜阳，给幽暗中的山林提亮了一个色度，带来了一阵温暖，在寂然中展现出一点生机。然而，落日的余晖总是短暂的，最后的光线也不会太亮。不久之后天色就要暗下来，深林会再次归属于幽暗的统辖区域。

本诗有两个透视点，其中一个便是深林。树林深处，人无法用感官测知，因此便产生了想象中不可知的幽深与神秘之感。这种感觉在盛夏就要过去、初秋即将来临的时节最为明显。诗的另一个透视点是青苔。苔色青青，尽在眼底。青苔所生之处往往在茂密的林间，阴暗潮湿，而此刻却沐于斜阳晚照中，投在地面上的葱郁的树影在落日余晖中渐渐拉长。深林与青苔两个透视点融合在一起，互相照映，使得诗文虚实相生，动静结合。

这首诗的绝妙之处在于清新自然，毫不做作。全文没有一个晦涩的字眼，却必须经过反复咀嚼，才能品出它的味道。诗人没有着力强调和直述山林的幽静和昏暗，却达到了这种效果。他独辟蹊径，以人语来打破山的寂静，以夕阳来照射林的幽暗，以声烘托静，以亮反衬暗，反而使山林的寂静和幽暗给人更加突出的印象。

大多数的山水诗，总难以脱开具体景物的写实：要么描绘芳草萋萋、古木参天，要么临摹孤峰嶙峋、辽原无边，要么状写飞瀑直下、泉水潺潺。这便是众多山水诗的窠臼，着眼于用语言复制景物的奇丽。

而王维的这首《鹿柴》与这些写实的诗歌相比，却多了几分空灵清透，就像写意画与工笔画之间的区别。他将声音从图像中抽离出来，以一个奇特的现象下笔："空山不见人，但闻人语响。"这种从声音写起的方法新巧有趣，因为"空山"，因为"不见人"，关闭了视觉的通道，听觉就会格外灵敏，于是听见"人语响"。山中层峦叠嶂，看不见一个人。有时能听到朗朗笑语，但由于声音在空谷中回荡，一时间难以判断人声究竟从何而来。这种现象本来很平常，但是将这种视觉与听觉融为一体的方法，却不能不说是王维的一个创造。

诗人、画家和音乐家三重身份的王维，把鹿柴附近的景色用语言、画面、声音有机地结合起来。无声的宁静、无光的昏暗，人人都能觉察；而细声的静寂、微光的幽暗，却鲜有人关注。诗人以音乐家对声音的敏感，画家对光影的捕捉，恰如其分地把黄昏中空山传声和深林返照，那可遇而不可求的一瞬间通过语言整合出来，呈现在读者面前。

然而忘情世事的味道在诗中也有所流露。除去本首诗，在《辋川集》中，带有这种遁世色彩的句子俯仰皆是，例如："暗入商山路，樵人不可知"（《斤竹岭》）；"涧户寂无人，纷纷开且落"（《辛夷坞》）；"来者复为谁，空悲昔人有"（《孟城坳》）；"湖上一回首，山青卷白云"（《敧湖》）。诗人长于表现静谧恬淡的意境，寄情于山水，倾心于佛法，自称"一悟寂为乐，此生闲有余"（《饭覆釜山僧》）。

# 九月九日忆山东兄弟①

王维

独在异乡②为异客，每逢佳节倍③思亲。
遥知④兄弟登高⑤处，遍插茱萸⑥少一人。

**【注释】**

①九月九日：农历的九月初九，为重阳节。山东：指华山以东的蒲州，今山西永济，是王维的故乡，并非是指现在的山东省。②异乡：他乡。③倍：更加，加倍。④遥知：远远地想到。⑤登高：民间在九九重阳节这一天有登高避邪的习俗。⑥茱萸：一种落叶乔木，香气浓烈，又名越椒。古人有在重阳节时有佩戴茱萸的习俗。

**【赏析】**

《九月九日忆山东兄弟》是一首抒写思乡之情的诗，是王维在十七岁时（公元718年）所作。少年时期的王维，与他的胞弟王缙结伴离开了家乡蒲州，到东都洛阳和西京长安客游。虽然那时的王维非常年轻，但他在诗歌创作方面久负盛名，很快便受到王公、驸马、达官贵人的青睐，成为他们的座上客。他每天接触上流社会的人物，过着优哉的日子。然而在短暂的新奇和兴奋过后，他却渐渐对这种漂泊的生活产生了深深的厌倦，思乡之情无时无刻不在侵扰着他，挥之不去。长安是繁华的帝京，吸引着无数雄心壮志的年轻仕子，也是遥远的异乡，困扰着那些举目无亲的少年游子。

又逢重阳佳节之日，达官贵人们纷纷设家宴自娱，胞弟王缙也回老家蒲州去了，只剩王维在长安谋取功名。繁华热闹一时间成了孤独无亲的参照，一种难以排遣的思乡之情在年少的诗人心中瞬间爆发，遂写下《九月九日忆山东兄弟》。

游子和故乡向来是文学作品中一对经典的意象。在异乡思念亲人的感受恐怕所有漂泊在外的人都深有体会。若赶上欢腾的节日，乡情就更成了不能触碰的痛处。佳节本应是家人团聚的日子，记忆里故乡的一切都那么亲切熟悉，而自己却孤身在外。乡愁是每个游子的痛风病，节日就成了加重病情的嚎呤。但王维成功地用朴素却不失纯美的语言，替所有的游子说出了病情的症状："独在异乡为异客，每逢佳节倍思亲。"此句一出，便不胫而走，成为流传后世的佳句。

当时王维共作了三首诗，这是其中的第二首。本诗以白描的手法，刻画了诗人思乡的浓烈情感，简洁而有力。

前两句开门见山，不经任何曲折迂回，写身在异乡的诗人到了重阳佳节加倍思念远在故乡的亲人兄弟。

"独"和"异"是诗里的浓墨重彩。第一句一个"独"字，如当头一棒，造境突兀，传达出乡愁带来的一种强烈的刺痛感。两个"异"字，则反复强化了游子孤寂无亲的心灵触觉，诉说中强忍着一丝酸楚。

第二句是全诗的核心与高潮。"每逢"二字用得巧妙，打破了九月初九的特定时间格局，使人体会到诗中思乡之情已经积聚了许久。感情在这一刻不可遏制地喷发，只不过是重阳佳节这根导火索对乡情的再一次触动。"倍"字一箭双雕，既道出了平日里思念亲人的频繁，又表明了此时思念亲人的程度。

后两句由自己思念亲人，转而想到亲人们在重阳佳节登高远眺之际，也定然会想念自己。相传古代有一个人叫做桓景，跟随费长房游学。一天费长房告诉他：你家在九月九日这一天有难，快回去让家里人做些绛色的袋子，盛上茱萸，佩戴在胳膊上，再登高饮菊花酒，就可以躲避这场灾难。桓景回家后按照老师费长房所说的方法做了。九月九日这天桓景一家从高处下来回到家时，发现家里的牲畜都死了。因此，后世的人们在九月九日相聚登临高处，佩茱萸、饮菊酒，认为这样做可以消灾避邪。

诗人借着重阳节的经典旧俗把抽象的思念转化成具体的形象，使诗歌的意象更加丰富。杜甫在《月夜》中有"今夜鄜州月，闺中只独看"，与王维的这两句似有异曲同工之妙。同样是猜想，而王维的诗显得更不经意、更不着力。

前两句相当饱满，是为千古名句，已形成奇峰。如此的气势叫人过目难忘，却也给下文平添了难度：若延续佳节思亲的路子往下走，会显得头重脚轻；若想写出新意，也难以再出佳句。然而诗人却另辟蹊径，笔锋一转，从亲人的角度入手，处理得轻巧高明："遥知兄弟登高处，遍插茱萸少一人。"用自己的想象幻化出一幅兄弟登高的图景。扣紧了诗题，进一步说明了文中"佳节"所指的重阳。诗人确定，亲人们团聚在一起"遍插茱萸"时，是会记起他这客居他乡的游子的。亲人们的心思，是他自己细心体会出来的。之前的感情强烈真挚，到这两句转变为深沉细腻，像湍急的激流一下子过渡到平缓的涟漪，感情处理得有放有收，颇具韵律感。

前半段诗从自身的漂泊在外的思念，到后半段亲人兄弟中只差一人的遗憾，遥相呼应。人虽处两地，心却在一处。《诗经·魏风·陟岵》末章里说："陟彼冈兮，瞻望兄兮。兄曰：嗟！予弟行役，夙夜必偕。"梦中思念亲人，想象着亲人也在思念自己。清人沈德潜在《唐诗别裁》中评价王维的这首诗"即陟岵诗意"。"遥知"下面两句的表达方式不难找到根源，是从《诗经》中脱胎而来，且极为相似。

这种用想象完成的空间转换也被其他敏感的文人捕捉，同一朝代的诗人罗邺的《雁》也采用了这种巧妙的转换："暮天新雁起汀洲，红蓼花开水国秋。想得故园今夜月，几人相忆在江楼？"这种表达方式免于流俗，同时也丰富了诗歌的内容。

# 送秘书晁监还日本国

王维

积水不可极，安知沧海东！九州何处远？万里若乘空。向国惟看日，归帆但信风。鳌身映天黑，鱼眼射波红。乡树扶桑外，主人孤岛中。别离方异域，音信若为通！

## 【赏析】

这是一首送别诗，历来被誉为中日传统友谊之歌。晁衡，日本人，原名仲满、阿倍仲麻吕，开元年间随日本遣唐使来到中国，并留在朝中任职，改名晁衡。他经历玄宗、肃宗、代宗三朝，曾任秘书监，故题目中称之为秘书晁监。

晁衡天资聪敏，学识渊博，性格豪爽，是一位天才诗人。在长安期间他与李白、王维等建立了深厚的友谊，但仍难止思乡之情，几次恳请后终于在天宝十二载（公元753年）获准归国探亲。消息传出后，朝野上下纷纷挥泪纵笔赠诗，他本人也怀着无比激动的心情写了《衔命还国作》一诗，后来这首诗被宋人收录在优秀诗文集《文苑英华》里，成为此集中唯一的外国人作品。

这首诗表达了王维对友人晁衡的深情厚谊，情感真挚，感人肺腑。此诗还配有一篇较长的序文，文中王维简述了中日友好的历史并热情地赞颂晁衡卓越超群的才华和高尚的品德人格。

本诗并未以景物开篇，渲染离愁别绪，诗人上来就发出深沉的感慨，看似突兀，却更显感情之深厚。"积水不可极，安知沧海东！"大海苍茫无边，难及尽头，怎么知道沧海之东的那一边又是什么景象呢！自古以来中日两国一衣带水，现在看来不算遥远但是在唐代虽然航海技术有了一些发展，但东渡去日仍旧是十分危险的事情。大海对于当时的人来说，苍茫无际，充满未知和恐惧。

"九州何处远？万里若乘空。"用问答的形式表达了对晁衡此行的担心，可见情深。大海苍茫辽阔，友人前行之路漫漫难及，前四句创造了一种迷茫、悲愁的意境，烘托出不安和担心的情绪。

中间四句诗人想象友人渡海可能遇到的危险情景，但是诗人没有实写海上的情景，而是点到为止，给读者留下丰富的想象空间。横渡大海，只能靠日月星辰、海风等自然条件，安危难测，生死难卜，可见其危险。

"鳌身映天黑，鱼眼射波红"两句虚构了两种怪物：海中巨鳌遮天蔽日，沉浮的大鱼眼露红光。诗人用光怪陆离的色彩和景物制造了强烈的感官刺激，表现大海行舟的波谲云诡、险象环生，进一步传达了对晁衡此行的担忧。

最后两句也是虚写，诗人感叹即使朋友能够历经千难万险，平安归国，也难通音讯，想到这里不禁悲从中来。

全诗通过对大海航程艰险难测的设想和感叹表现出对友人归国的惜别和担忧。事实上，晁衡此行也确实不顺，海上遇险后他被冲到越南，最后又辗转回到长安。

# 终南山

王维

太乙近天都，连山到海隅。白云回望合，青霭入看无。分野中峰变，阴晴众壑殊。欲投人处宿，隔水问樵夫。

**【赏析】**

《终南山》是王维山水诗中的名篇。终南山由甘肃天水向东绵延八百里，气势高拔，清灵俊秀，深受历代文人骚客的青睐。王维成功地把握终南山的形态之美，以其传神之笔将终南山的雄壮与飘缈描绘得淋漓尽致，整首诗层次分明，轻快明朗。

"太乙近天都，连山接海隅"，首联写远远望去，终南山巍峨高大，连海接天。"太乙"是终南山的别称；"近天都"一词用夸张的手法突出终南山凌云绝顶之高；"到海隅"一词，形容终南山绵延不绝的样子。首联突出终南山延绵之广，视野开阔，意境宏大。

"白云回望合，青霭入看无"，诗人在此处将"白云"作衬，虚实结合；"青霭入看无"一句更是把读者带进了神秘的终南山的氤氲之中。上句中的"回望"与下句中的"入看"是"互文"，它们交错为用，相互补充。诗人身在终南山中，前方一片白云弥漫，道路迷阻，什么都看不见，一切都笼罩于茫茫"白云"、蒙蒙"青霭"之中。正是如此，才更令人神往，更急切地想要进一步"入看"。

"分野中峰变，阴晴众壑殊"，颈联着眼于终南山的各个分峰，"变"字形容终南山峰峦林立，姿态万千。紧接着王维又巧妙地用"众壑"来与"中峰"作对比，间接地把终南山群峰之间的距离点出。下句中的"殊"字更意味深长地道出了"同山不同天"的奇异。"分野中峰变"这句诗还展现了终南山从北到南的阔，诗人立足"中峰"，纵目四望之状依稀可见。

"欲投人处宿，隔水问樵夫"，尾联抛开景物描写，转而写事。终南山景致优美，趣味无穷，令诗人流连忘返。他"欲投人处宿"，既是想要舒缓游走之累，又希望能饱览山色之美，品味其幽。"隔水问樵夫"的"水"实际是深沟大涧，"隔水"二字也点出了作者"远望"的位置。

同时，王维之问终南山樵夫，令人想起东晋大诗人陶渊明《桃花源记》中武陵渔人之问，暗含以终南山比桃花源之意，突出终南山闲适安谧的隐逸气氛。

全诗写景、写人、写物，转换自如。景物、人物的描写声色俱佳，意境高深，展现了终南山恢宏雄壮的气势和山中宁静悠远的气氛。诗人采取"以不全求全"的写作手法，达到"以少总多"、"意余于象"的艺术效果。

# 汉江临泛①

王维

楚塞②三湘③接，荆门④九派⑤通。江流天地外，山色有无中。郡邑浮前浦，波澜动远空。襄阳好风日，留醉与山翁。

**【注释】**

①一作《汉江临眺》。汉江：汉水。②楚塞：古代楚国的地界。③三湘：一种说法是湘水合漓水为漓湘，合蒸水为蒸湘，合潇水为潇湘，合称三湘；另一种说法则是湖南的湘潭、湘阴、湘乡。在古典诗文当中，三湘一般泛指今天洞庭湖南北、湘江一带。④荆门：是山名，在今湖北宜都市西北。⑤九派：指长江的九条支流，相传大禹治水，开凿江流，使九派彼此相通。

**【赏析】**

《汉江临泛》是一首五言律诗，全诗描绘了一幅清新淡雅、格调悠远的山水画卷，赞叹汉水的浩渺壮观，称得上是诗人王维融画法入诗的代表作。

"楚塞三湘接，荆门九派通"，泛舟江上，极目远望，只见莽莽古楚之地与湖南方向奔涌而来的"三湘"之水相连接，汹涌的汉江流入荆江，从而与长江九派汇聚合流。起句大处着笔、气势非凡，将相隔千里之画面，纳入一览，勾勒出汉江波澜壮阔的景象，为整首诗营造出一种雄壮的基调。

"江流天地外，山色有无中"，颔联写山光水色，作为画的远景。汉江奔腾而去，好像涌流到了天地之外。两岸青山重重，水雾迷蒙，若隐若现，似有似无。上句中，诗人将广阔无垠的楚地作为画面背景，而这句中，他又以遥不可及的远景构图，将人带入迷离恍惚的山色水光中。江水的流长邈远、山色的苍茫迷蒙相呼应，烘托出汉江水势的浩渺空旷。"天地外"、"有无中"二词，为诗歌平添了一种玄远恒久、无可穷尽的意境，所谓"含不尽之意见于言外"。

这两句诗历来被传为千古名句，后人多有仿效。如唐权德舆的"山岫有无中，片帆烟水上"，宋欧阳修的"平山栏槛倚晴空，山色有无中"。

颈联"郡邑浮前浦，波澜动远空"，眼前的城郭好像在水面上浮动，天空也仿佛随着水波动荡摇晃。实际上，城邑不可能移动，只是诗人乘坐的小船在向城郭靠近，而天空也不可能波动，诗人看到的是汹涌的波涛中，天空随水激荡的倒影罢了。这里诗人选取独特的视角和参照物，化动为静，化静为动，将普通的景象写得绝尘超群，渲染洞庭湖水的气势磅礴，笔法飘逸灵动，下笔有神。"浮"与"动"二字画龙点睛，使整个画面变得活泼生动。

"襄阳好风日，留醉与山翁"，当时的襄阳也是隐居名地，诗人孟浩然就隐居襄阳地区，未曾入仕。"山翁"，指魏晋时期"竹林七贤"中山涛之子——山简。据《晋书·山简传》载，山简任征南将军镇守襄阳时，常去当地一处景致优雅的园林饮酒游玩，喝得酩酊大醉，方才归去。山简醉卧山林的雅致风范使诗人心驰向往，故言尽襄阳美好风光，欲留与山翁共醉方休。

全诗以形写意，融情于景，词采秀丽，格调清新，意境优美。在描绘景色中，充满了乐观情绪，给人以美的享受。尤其是"江流天地外，山色有无中"这句诗，历来被人们广为传诵，实乃千古佳句。

# 终南别业

王维

中岁颇好道，晚家南山陲。兴来每独往，胜事空自知。行到水穷处，坐看云起时。偶然值林叟，谈笑无还期。

**【赏析】**

这是一首五言律诗，是山水田园诗人王维的代表作之一。诗题"终南别业"指的是王维晚年居住的"辋川别墅"。天宝九载（公元 750 年），王维因丧母而屏居辋川，于宋之问蓝田别业辟辋川别业。后来由于在安史之乱中被奸臣陷害而获罪，虽被赦免了死罪，但他已经看破了世事，于晚年过上了半官半隐的生活。诗中着重描写了诗人退隐之后的生活，展现了其自得其乐的闲适情趣。

首联"中岁颇好道，晚家南山陲"里的"中岁"指的是中年，"道"指佛教禅机，"晚"是晚年，"家"即居住，"陲"指的是山下，"南山陲"是指辋川别墅所在地。这句诗主要叙述了诗人中年之后即厌倦了俗世，转而信奉佛教。隐居辋川别墅之后，全然为那里秀美、寂静的田园风光所陶醉。此处，诗人运用时间词"中年"与"晚家"，在时间上形成了一个跨度，富有时间感与空间感。"好"字，不但强调了自己对佛教禅机的信仰，也表达了诗人对凡尘俗世的厌倦与逃避。

颔联"兴来每独往，胜事空自知"描绘诗人自在随意的生活状态。"兴"即兴致，"独往"即独自前去游览，"胜事"指值得快乐的事。此联说的是，兴致一来时，我便独自去游览，那种快乐的心情只有自己才能体会。上一句中的"独往"展现了诗人的勃勃兴致；下一句中的"自知"，又写出诗人欣赏美景时的自得其乐。

颈联"行到水穷处，坐看云起时"，"水穷处"即溪水的尽头。"行到水穷处"，是说随意而行，想走便走，想停就停。不知不觉来到流水的尽头，索性坐下来欣赏云卷云舒。"坐看云起时"，云原本就有一种娴静随意的姿态，给人以无心之感，说明此时诗人心情悠闲到极点。这一联视线转换角度极大，从地到天，由水到云，时空交融，境界开阔，给人以广阔的空间感和丰富的想象。尤其是"处"与"时"两个字运用得十分奇妙。"处"字将行到水源"穷"处的情景空间化；"时"字，则将人看云"起"的情景时间化。

"偶然值林叟，谈笑无还期"，突出了"偶然"二字。实际上遇见林叟是出于偶然，乘兴出游也具有很强的偶然性。这一联的意思是说，偶然遇到乡村的老头，不经意地聊天说笑，却叫人忘记了归返。此联是由之前的写景过渡到写人，由外在状态到内心感受表现诗人的闲情逸致、将诗人那种天性淡逸、超然物外的风采，表现得恰到好处。

这首诗没有具体描绘山川景物，而重在表现诗人隐居是悠然自得的心境。他不问世事，更不刻意探寻山中的美景，但却可以用发现美的眼睛和心灵，在每个地方领略到山林自然的美。全诗语言平实，收放自如，字里行间蕴含着禅意哲理以及物我关照的温情。

# 渭城曲

王维

渭城朝雨浥轻尘，客舍青青柳色新。
劝君更尽一杯酒，西出阳关无故人。

**【赏析】**

这首诗一题为《送元二使安西》，是一首极负盛名的送别诗。此诗后来被编入乐府，成为饯别的名曲广为传诵，名曰《阳关曲》，或名《阳关三叠》。白居易《对酒五首》之一有诗句："相逢且莫推辞醉，听唱《阳关》第四声"句，并且注明"第四声即'劝君更尽一杯酒'"。可见此曲当时之盛。安西，是唐代中央政府为统辖西域地区而设的安西都护府的简称，治所在龟兹城（今新疆维吾尔自治区库车市）。诗人这位姓元的友人是奉朝廷的使命前往安西的。渭城位于长安西北，渭水北岸。唐代从长安往西去，多在渭城送别。

"渭城朝雨浥轻尘"，首句点明了送别的时间、地点、天气情况以及环境气氛，为送别营造了一个哀思忧伤的氛围。早晨的雨只下了一会儿，只有刚刚润湿尘土的程度。

"浥轻尘"的"浥"字是湿润的意思。

"客舍青青柳色新"，客舍是羁旅者在外的居住之地；杨柳更是离别的象征。这两件事物是作者有意关合送别而特地选取的。"轻尘"、"青青"、"新"这三个词语，声韵轻柔、节奏明快，读起来朗朗上口。清晨，渭城的客舍延伸至不见尽头的驿道，客舍周围，驿道两旁的柳树郁郁青青。这些极平常的景色在诗人的笔下，却风光如画，构成了一幅色调清新明朗的图景，为送别提供了恰当的自然环境。

三、四两句"劝君更尽一杯酒，西出阳关无故人"重点在写惜别时诗人与友人的情感交流。要想理解诗人临行劝酒中蕴含的深情厚谊，就必须要对"西出阳关"做出说明。阳关位于河西走廊的尽头，与它北面的玉门关相对。自汉代以来，一直是内地出往西域的交通要道。唐代国力强盛，内地与西域之间往来频繁，出使阳关或从军，在唐人眼里无疑是令人向往的壮举。

对送行者来说，劝对方"更尽一杯酒"，是在试图延宕离别的时间，好让对方再多留片刻，更是希望自己对朋友的情谊能够被他带去那遥远的他乡。朋友"西出阳关"虽是壮举，却免不了路途万里之中的长途跋涉，那份艰辛与寂寞定是十分苦涩的。因此，在这临行之际，"劝君更尽一杯酒"更像承载了诗人深情厚谊的玉液琼浆。这里面除了依依惜别的情谊之外，更包含着诗人对远行者的体贴关怀之情。

这首诗之所以流传千古，在于所写的是一种极为普遍的离别。虽然语句直白平实，但情感真挚深厚。诗人对友人的惜别之前尽在不言中。

# 鸟鸣涧

王维

人闲桂花落，夜静春山空。
月出惊山鸟，时鸣春涧中。

**【赏析】**

这首诗是王维五言绝句组诗《皇甫岳云溪杂题五首》中的第一首，被公认为描写静境的名篇。"皇甫岳"，是王维友人，据《新唐书宰相世系表》载，此人是皇甫洵之子，生平事迹不详。云溪，皇甫岳别墅所在地。开元二十八年（公元 740 年），王维曾以殿中御史身份知南选，次年自岭南北归，经过润州并到瓦宫寺谒璇禅师，集中有《谒璇上人》诗，故云溪当在丹阳。诗里的桂花指春桂或四季桂。

"人闲桂花落，夜静春山空"，这是一联整齐自然的对仗。诗人一开始便用"人闲"二字点明自己娴静的心境，说明周围没有人事的烦扰。诗人下榻山居，并无人事烦扰，远离车马喧嚣，心境怡然自得。在静谧的环境中，人对大自然的声音和动态的事物十分敏感。桂树枝叶繁茂，而花瓣细小。春桂的花瓣纷纷散落对人的影响极为细微，诗人能发现这种"落"，或因花落衣襟的触觉、声响，或凭花瓣飘落时的芬芳。

在万籁俱寂的春山之夜，诗人愈发觉得春山格外空旷，好像除了自己以外，周围一切都不复存在，所以诗人才能感觉到这细微的变化。因"人闲"而知"花落"，因"花落”而感“夜静”，困“夜静”而觉“山空”。意境环环相扣，一气蝉联而下，具有一种流动的音乐美。娴静的心境和春山静谧的气氛，既互相契合又互相作用。

“月出惊山鸟，时鸣春涧中。”当月亮升起，夜幕笼罩的空谷乍现皎洁银辉之时，山鸟竟然惊觉起来。忽然，一轮明月破云而出。白色的月光洒落山林，惊动了栖息于涧中的山鸟。鸟惊，是由于它们已习惯于山谷的静默，似乎连月亮出现也惊动了它们，这正表明春山寂静到了极点。音回空谷，既打破了春山的寂静，同时又使春山愈发显得清幽空寂。“山谷”的寂静与“鸟鸣”的喧闹这两者一静一动，相辅相成。诗人运用的这种“以动显静”和“以声写静”的艺术手法，让全诗充满了雅致的美感。

这首诗的前三句，用花落、月出的动态，来衬托出春山月夜之静。最后一句，又用鸟啼之声来打破春山之静。寓动于静，寓声于静，愈见其静，描绘出深刻的幽静境界。钱锺书先生《管锥编》第一册中评说：“寂静之幽深者，每以声音衬托而愈觉其深。”

王维在许多诗中都创造了“空”、“静”的意境，这首诗亦是如此。花落、月出、鸟鸣，静中有动，动中有静，全诗静境优雅而不枯寂，动境生机盎然。诗人通过动突出了春涧的幽静，使人感到赏心悦目，不禁陶醉其中。同时，动静之间又富含着自然辩证法的哲理。

# 山中

王维

荆溪白石出，天寒红叶稀。<br>山路元无雨，空翠湿人衣。

## 【赏析】

这是一首纯粹描写初冬时节山中景色的小诗。

首句“荆溪白石出”写的是山涧中流出的溪水。荆溪，本名长水，又称浐水，源出陕西蓝田县西南秦岭山中，北流至长安东北入灞水。这里大概写的是穿行在山中的上游那段。“荆溪”与后面的“山路”相呼应，一个是清澄莹澈、蜿蜒曲折的涓涓细流，另一个是遍布苍松翠柏、翁郁青葱的山涧小道，“荆溪”的动感与“山路”的静态一动一静，动静结合。

“天寒红叶稀”主要描写的是山中的红叶。绚烂的霜叶红树，本是秋山的特点。冬季一到，天气寒冷，红叶稀疏地挂在枝头。原本这个景致并不引人注目，但在敏感的大诗人兼画家王维的眼里，大自然的色彩有种特殊的美。山色浓翠，几片红叶点缀着，十分显眼、艳丽。

第一句中的“白石”照应着这句中的“红叶”，萧瑟凋零的山峦、凹凸的“白石”配着稀零摇曳的“红叶”，一组暖色点零落于山峦其间，这一冷一暖所形成的美感让人不禁心旷神怡，也引起了诗人对刚刚逝去的绚烂秋色的遐想。因此，这里的“红叶稀”并未给人以萧瑟、凋零之感，相反引起了人对美好事物的珍视和流连。

前两句从局部描写山中景色，后两句全体来写。尽管冬季天寒，但整个秦岭之中仍是苍松翠柏。山色苍翠、空明，难以触摸，故说"空翠"。行走在"空翠"的山中，微微感觉到一种细雨湿衣似的凉意，整个身心被浓湿的翠雾浸染、滋润。

"空"字经常出现在王维的诗作中，如"自顾无长策，空知返日林"（《酬张少府》），"空山秋雨后，天气晚来秋"（《山居秋暝》）和"兴来每独往，胜事空自知"（《终南别业》），"独坐悲双鬓，空堂欲二更"（《秋夜独坐》），"积雨空林烟火迟，蒸藜炊黍饷东兹"（《积雨辋川庄作》），"人闲桂花落，夜静春山空"（《鸟鸣涧》）等。实际上这个"空"往往有细微的差别，它是一种难以言说的境界，是视觉、触觉、听觉等多重感官作用下产生的一种似幻似真的复杂感受，而"元"与"空"又多了一种禅学意境。

王维的诗多描写静谧境界，富有清冷、虚无的色彩。而这首诗，在营造静谧境界的同时也给读者带来禅意的趣味，显得更加清新健康。混浊现实的烦恼就在大自然的一石、一草、一花、一木、一水、一蝉中渐渐消失了。这首诗的意境给官场中忙碌的诗人带来清新、宁静，也给读者带来心灵上的慰藉。

# 渭川田家

### 王维

斜光照墟落①，穷巷②牛羊归。野老念牧童，倚杖③候荆扉④。雉雊⑤麦苗秀，蚕眠桑叶稀。田夫荷锄⑥至，相见语依依⑦。即此羡闲逸，怅然吟《式微》⑧。

**【注释】**

①墟落：村落。②穷巷：小巷。③倚杖：拄着拐杖。④荆扉：柴门。⑤雉雊（zhì gòu）：野鸡叫。⑥荷锄：扛着锄头。⑦依依：亲切的样子。⑧式微：《诗经·邶风》中的篇名，其中有"式微、式微，胡不归"的句子，此处暗含诗人归隐的情怀。

**【赏析】**

《渭川田家》描写田家闲逸的日常生活，王维面对夕阳西下，夜幕降临，恰见如此恬然自得的农家晚归景致，心生羡慕，遂写此诗。

整首诗描绘了一幅宁静、闲适、恬淡的山村农家晚归图，并借此抒发了诗人内心的惆怅之情，表达了自己欲摆脱官场归隐田园的愿望。全诗围绕着一个"归"字来写，以农村斜阳西下为背景，描绘农夫们和牲畜们"归"的情景，以此反衬自己"胡不归"的忧伤、苦闷和孤单。

诗一开头就用"斜阳照墟落"描绘出夕阳西下余晖斜照田家村舍的萧疏景象。这句诗中交代了诗中场景发生的时间和地点，并为全诗中所描绘到的场景做了背景铺垫。紧接着诗人用生动和亲切的笔墨，满怀深情地画出了"穷巷牛羊归"、"野老念牧童"、"倚杖候荆扉"的动人画面。

事实上，这种景象在乡村来说是极为常见的：一个慈祥的老人，心中惦记着上山放牧的小孙儿，他步履蹒跚，拄着拐杖，倚着柴门望向远处，等候孙儿归来。这样恬静宜人的画面、如此朴实无华的爷孙深情打动了诗人，他也开始羡慕儿孙绕膝、共享天伦的平凡生活，并试图从这幅恬静、静谧的图画寻找自己的归宿。

紧接着，诗人又描绘了另一幅"雉雊麦苗秀，蚕眠桑叶稀。田夫荷锄至，相见语依依"的田园山水画。前面两句主要是对景物做的静态描写：在麦子吐华之际，野鸡鸣叫，召唤家人快快回归；桑叶稀疏，桑蚕休眠。后两句则是对人物做的动态描写：农夫们干完了农活以后，扛着锄头，踏着暮色，带着一身泥土的芳香，走在归家的途中。路上偶遇乡亲，亲切絮语，相互问候，显得非常亲切。这一静一动的描写，将乡村生活的恬淡与乐趣展现得淋漓尽致。

前面所描写到的牛羊归圈、牧童牧归、野鸡归鸣、桑蚕作茧、农夫归家等，都着重在写这个"归"字。农村的生活充实而美好，农夫们心地淳朴善良，他们之间的关系也诚挚纯真。诗人再联想到自己坎坷不平的仕途，以及官场生活的尔虞我诈，不禁感慨万分，羡慕与惆怅之情油然而生。

"即此羡闲逸，怅然吟《式微》"，"式微"一词出自《诗经·邶风·式微》中的："式微，式微，胡不归？"诗人化用《诗经》中的句子，起到画龙点睛的作用。牛羊归村，牧童、田夫归家，诗人写他们的"归"，反衬诗人自己的无所归；写他们"有所归"的及时、亲切、惬意，反衬诗人为官生活的孤苦以及归隐太晚的悔恨。

这首诗开头四句写渭川田家晚归之景，描写生动，突出村中田间生活的闲适安逸，"雉雊四句，见是野老相见，语亦是野老语。都为'闲逸'二字出色描写"（《唐诗绎》卷一）。中间四句渲染了田间农事生活的和谐、惬意；最后二句化用《诗经》中的句子，点明主旨。全诗意境完整，首尾呼应，看似平铺直叙，实则情景交融，浑然天成。

# 洛阳女儿行

王维

洛阳女儿对门居，才可颜容十五余。良人玉勒乘骢马，侍女金盘脍鲤鱼。画阁朱楼尽相望，红桃绿柳垂檐向。罗帏送上七香车，宝扇迎归九华帐。狂夫富贵在青春，意气骄奢剧季伦。自怜碧玉亲教舞，不惜珊瑚持与人。春窗曙灭九微火，九微片片飞花璅。戏罢曾无理曲时，妆成只是熏香坐。城中相识尽繁华，日夜经过赵李家。谁怜越女颜如玉，贫贱江头自浣纱。

## 【赏析】

这首诗题下原注："时年十六。"大约作于开元四年（公元 716 年），是王维早期作品。那时的洛阳为东都，其富庶繁华堪比长安，诗人在洛阳生活期间与贵族、贫士均有交往，因此亲眼看见了达官显贵的骄奢淫逸和寒门才士蹭蹬潦倒，感触颇深。此诗即作于诗人居于洛阳生活期间，诗中描写了贵族女子及其权贵夫婿骄奢淫逸的生活，反映了当时社会浮华背后所隐藏的腐化真相，极具批判意义。

诗题取自梁武帝萧衍《河中之水歌》中的"河中之水向东流，洛阳女儿名莫愁"。诗人在这里用"洛阳女儿"来概指当时的贵族女子。"洛阳女儿对门居"暗指这个事实为诗人亲眼所见，"才可容颜十五余"则描绘出了这名女子正当豆蔻年华，容颜娇美。如此年轻貌美的女子嫁入了豪门，夫婿骑着饰有"玉勒"的青骢马，侍女端来用盛在"金盘"中的"鲤鱼"，从这句诗中足以见得夫婿身家丰厚，门第高贵。

接下来这四句"画阁朱楼尽相望，红桃绿柳垂檐向。罗帏送上七香车，宝扇迎归九华帐"则描述了贵妇女子生活环境的优越与生活质量的奢华。后面这两句诗中的"送上"、"迎归"分别指代娘家和婆家，"七香车"和"九华帐"则进一步说明两家人门第均十分显贵。

"狂夫富贵在青春，意气骄奢剧季伦。自怜碧玉亲教舞，不惜珊瑚持与人"这四句诗中引用了晋代富豪石崇（字季伦）和当时的另一个富豪王恺斗富的典故，来描绘洛阳女儿夫婿的形象。

据说当时石崇与王恺比斗谁的奇珍异宝更多，王恺样样都比不过石崇。后来，王恺搬出了皇帝赐予他的高两尺的珊瑚树，以为这件珍宝一定能打败石崇。谁料石崇竟然摔碎了这棵珊瑚树，并命令随从从家中搬出几十株三四尺高的珊瑚树来，叫王恺看傻了眼。这里说夫婿"意气骄奢剧季伦"，其恃富而骄的程度必定叫人难以想象。不仅如此，他还亲自教小妾跳舞，并送她珍贵的珊瑚，生活豪奢狂放。

"春窗曙灭九微火，九微片片飞花璅。戏罢曾无理曲时，妆成只是熏香坐"进一步描述了他们奢华放纵的生活。"九微"指的是上下多头的烛树华灯，"花璅"指的是碎小的灯花。此处可见他们的狂欢不分昼夜，几乎都是夜夜笙歌。

"城中相识尽繁华，日夜经过赵李家"，这里的赵李，指汉成帝后妃赵飞燕、武帝时李夫人，在此处代指皇亲贵戚，说明他们的社交圈皆为当时的上流权贵。

最后两句突然转折，以容颜如玉的越女在江头浣纱作对比，在强烈的反差中突现主题，使前面的华丽描绘一下子变为对贵族生活乃至社会不公的冷峻批判。"贫家越女"与"洛阳女儿"由于出身不同，过着天差地别的生活。

诗人通过对这两个女子生活境况的对比，揭露了社会上贫富悬殊的现实，寄托了寒门志士怀才不遇的深沉感慨。王维的诗多以隐逸题材为主，此类批判现实的风格极为少见，具有很高的研究价值。

# 辋川闲居赠裴秀才迪

王维

寒山转苍翠，秋水日潺湲。倚杖柴门外，临风听暮蝉。渡头余落日，墟里上孤烟。复值接舆醉，狂歌五柳前。

**【赏析】**

此诗是一首五言律诗，是诗人王维酬赠好友裴迪之作。《新唐书·王维传》中写道："别墅在辋川，地奇胜……与裴迪游其中，赋诗相酬为乐。"诗人将辋川视为自己的精神家园，常与好友裴迪酬和为乐。全诗通过描绘辋川附近山水田园的优美景致，刻画了诗人和裴迪两个隐士的形象，表现隐居生活的闲居之乐，抒发诗人对友人的真挚感情，人与景相映成趣，情景交融。

"寒山转苍翠，秋水日潺湲"主要描绘的是山中秋景。时际苍山凋零的寒秋，山涧泉水潺潺而流；天色向晚，山色渐渐地变得更加苍翠。"转苍翠"，表示山色愈来愈深，愈来愈浓。山是静止的，这一"转"字，便凭借颜色的渐变而写出它的动态。"潺湲"形容水潺潺流动的样子；"日"字强调它日夜不息，昼夜不停地流动，始终守恒，每时每刻都发出喧响之音。寥寥十字，便勾勒出一幅有声、有色，动静结合的绝美画面。

"倚杖柴门外，临风听暮蝉"描写诗人自己的情态。诗人倚仗柴门，临风听蝉，神态安闲、专注。这句诗将诗人的闲淡与飘逸表现得恰如其分，营造了一个静谧、优雅的境界，字里行间透露出浓浓的禅意，和陶渊明的《归去来兮辞》中的"策扶老以流憩，时矫首而遐观"有异曲同工之妙。

颈联"渡头余落日，墟里上孤烟"描绘了一幅昏黄的原野暮色。夕阳西下，炊烟初升，这是典型的日落黄昏时的田野乡村景色，给人的是一种宁静的感觉。渡头在水，墟里在陆；落日属自然，炊烟属人事，可见诗人对景物的选取是很巧妙的。"墟里上孤烟"，显然是从陶潜"暖暖远人村，依依墟里烟"（《归田园居之一》）中点化而来。"上"字，写出炊烟悠然上升的动态，"孤"字将炊烟与天空的形象勾勒出来，极具画面感。在首联和颔联里，作者写出了时间的两种形态：一种是无始无终，如水流一样不曾停止的时间，就像首联中所写的"秋水日潺湲"，另一种则是在某一刻度上瞬间存在的"切片"或片段，这就是"渡头余落日"。

在尾联"复值接舆醉，狂歌五柳前"中，诗人将自己比作五柳先生。五柳先生是陶渊明的《五柳先生传》中的主人公，以"宅边有五柳树"而得名，是一位忘怀得失、以诗酒自娱的隐士，其实这也就是陶渊明的自我写照。而诗人在此又以五柳先生自况，直接表明了作者的归隐心态以及对陶渊明的仰慕之情。接舆，是春秋时代"凤歌笑孔丘"的楚国狂士，诗人把沉醉狂歌的裴迪与楚狂接舆相比，显然是出自裴迪性情的赞许。陶潜与接舆，王维与裴迪，虽个性不同，但那超然物外的心迹却是相似的。在如此宁静的美景之中，诗人再次遇到了志同道合的好友，欣喜的心情尽显无疑。

这首诗是一首以景写意的哲理诗。诗人在隐逸生活中体会生命的真谛，满足于辋川隐居，在更高的哲学层次上去思索生命的存在及其意义。诗中蕴含了朴素的辩证思想，在宁中表现出诗人的不宁，在短暂中表现出时光的永恒。

# 酌酒与裴迪

王维

酌酒与君君自宽，人情翻覆似波澜。白首相知犹按剑，朱门先达笑弹冠。草色全经细雨湿，花枝欲动春风寒。世事浮云何足问，不如高卧且加餐。

**【赏析】**

这是一首七言绝句，王维得辋川别业后，常与裴迪往还唱酬，本诗当与《辋川集》同时所作。全篇激情充沛，感慨深郁，语气兀傲，句句发自肺腑，感人至深。

首句"酌酒与君君自宽，人情翻覆似波澜"，诗人与友人裴迪饮酒，胸中郁积愤懑，二人互相宽慰。"君"字是对友人的称呼，此处重复强调，韵律独特，饱含深情。所谓"宽"者，宽人也即宽己，正是因为心中郁气无法排遣，所以只能自己宽慰自己。下句化用了陆机的《君子行》："天道夷且简，人道险而难。休咎相乘蹑，翻覆若波澜。"此二句表达对世态人情反复无常的深深不满。

颔联"白首相知犹按剑，朱门先达笑弹冠"，这两句对上联中的"人情翻覆"做了深入的刻画。"按剑"指的是以手抚剑把，指发怒时准备拔剑争斗的动作。下句化用了王吉的典故，《汉书·王吉传》载：王吉做了大官，好友贡禹便叫人掸去帽上尘土，等入朝做官。后来王吉举荐贡禹做了御史，御史专挑皇帝或同僚的毛病，往往干不长，甚至丧命。而王吉过于正直老实，不懂得昧着良心，巴结朋友，结果最后二人都被免职。因为此处用这个典故来表现人情翻覆，世态炎凉。

颈联"草色全经细雨湿，花枝欲动春风寒"，即景写生，托意深微，诚如赵殿成笺注所言："以众卉而邀时雨之滋，以奇英而受春寒之痼，即植物一类，且有不得志者。"诗人酌酒时举目所见，由世态炎凉、人情翻覆转而至天地无私、万物亲仁，愈加深刻地体现了小人得宠、君子颠危的黑暗现实。在看透人间蝇营狗苟之后，恍然顿悟。

尾联"世事浮云何足问，不如高卧且加餐"，"世事浮云"是将世事比作天上浮云，暗示其永远翻覆、变幻无常。"何足问"三字，将诗前部分所讲的人情世事一概抛去，流露出诗人对人情反复的鄙薄之意以及厌烦俗世的心理状态。"加餐"二字，出自《古诗十九首·行行重行行》中的"弃捐勿复道，努力加餐饭"。这一联前后两句错综成文，构思巧妙，气度非凡。

明人王世贞认为诗人"不拘常调"，誉为"摩诘体"，赞其"以意气发端，神情傅合，浑融疏秀，不见穿凿之迹，顿挫抑扬，自出宫商之表"（《艺苑卮言》卷四）。此诗旨意明晰，立意深刻，将诗人亦显亦隐，半儒半释的矛盾心理表现得淋漓尽致。

# 田园乐（其四）

王维

蒌蒌①春草秋绿，落落②长松夏寒。
牛羊自归村巷，童稚不识衣冠③。

**【注释】**

①蒌蒌：草木茂盛的样子。②落落：松高大的样子。③衣冠：指为官的人。

**【赏析】**

这首诗是《田园乐》的第四首，诗中通过对终南山下辋川别墅周围村落的风景和环境的描写，展现了天然、自然的淳朴民风。

"王孙游兮不归，春草生兮蒌蒌"（《楚辞·招隐士》），"蒌蒌春草"、"落落长松"好似在召唤着归隐的人留在山林中，简单的两种景物以淡墨勾勒出适合隐居的环境。

"绿"、"寒"二字给人清爽、舒适的感觉。

前两句写的是山村的自然景物，后两句转写山中之人。"牛羊自归村巷"，牛羊本为驯养，但却无须驱赶，"自归"二字，境界超然。人与自然和谐同处，怡然自乐。

"儿童相见不相识，笑问客从何处来"，贺知章用这样的诗句表现了小孩子的淳朴天真，而在王维的诗中，"笑"也省去了。礼貌的微笑也代表着世俗的沾染，而"不识"才是更加彻底、完美的天真。世俗中有竞争，有贵贱才有礼貌性的微笑，但在不知有汉何论魏晋的世外桃源，孩童不认识官场中人，不知道人间还有贵贱尊卑之分，只知道人与人之间是平等的，甚至人与动物、自然中的花草树木之间也没有高低之差，这正是返朴归真的最高境界。

本诗选取田园乡村常见的事物，用淡淡的笔墨、清新的笔调，描写了辋川田间的自然风光和淳朴的民风，感情真挚，声色兼具，富有浓厚的生活气息，给人身临其境之感。在王维的笔下，辋川山林田间就是一个远离尘俗的世外桃源，这里的人民不追名逐利、没有私心，甚至在他们看来牛羊都不是低下的动物，而是和他们平等和谐相处的朋友，仿佛正是这里的自然、率真、纯净，涤荡了人心中的邪念。

# 田园乐（其五）

王维

山下孤烟远村，天边独树高原。
一瓢颜回陋巷，五柳先生对门。

**【赏析】**

这首诗描绘了一幅古朴闲逸的田园风景图。一缕炊烟从山下孤寂的远村中徐徐升起；再向远处望去，参天古树直冲云霄，孤单地伫立在天边平阔的高原上。诗歌的前两句好似一幅清谈悠远的水墨画背景。

"山下"对"天边"；"远村"对"高原"；"孤烟"对"独树"，前两句共六个词，两两相对，创造了幽寂、孤远的意境。"高原"、"远村"形容空旷；"孤烟"、"独树"形容人迹稀少，远处天边的云与山遥遥相接，整幅画面冲淡安适，给人自由自在、无拘无束之感。这里没有纷争，没有利益的困扰，这是一幅淡雅的水墨画，它也是诗人心中向往的生活环境，更是诗人内心的外化。王维笔下的山水田村，像他眼中之景，更像他心中之景。

后两句诗人将描写的镜头对准了画中的人物。画中的主人公是像颜回一样"箪食瓢饮"、简居陋巷的孔门儒生，对门的隐居者，过着像五柳先生一样安贫乐道、怡然自乐、与世无争的闲适生活。

颜回是孔子的得意门生，在诸多弟子中，孔子对他最为赞赏。他为人谦逊好学，"不迁怒，不贰过"。颜回十四岁师从孔子，一生为学习和弘扬孔子所创立的儒家学说殚精竭思。他生活简朴，"一箪食，一瓢饮，在陋巷，人不堪其忧，回也不改其乐"，第三句诗即从此句化出。

　　五柳先生是指东晋文学家、诗人陶渊明，五柳先生是他的号。他曾做过几年小官，后辞官归隐，因家门前中有五棵柳树，人称五柳先生。陶渊明一生淡泊名利，"闲静少言，不慕荣利"（《五柳先生传》），以躬耕为乐，他的诗作以田园山水为题材，风格冲淡，对后世的影响极为深远。诗中用"五柳先生"和"颜回"来突出田园山林中人们的高尚情操，赞扬他们不慕权贵、安贫乐道的品格和无拘无束、自由自在的生活乐趣。

　　这首诗语言平淡，用典贴切，无须吞吐日月的气势，更无须雕梁画栋的矫饰，在朴实无华的境界中，惊人的言语反而会破坏自然而然的意境。

# 田园乐（其六）

王维

桃红复含宿雨，柳绿更带朝烟。<br>花落家童未扫，莺啼山客犹眠。

## 【赏析】

　　深红的花瓣粘带着昨夜的雨滴，色泽饱满、温柔可爱；清新的空气中，若有似无的水烟笼罩着嫩绿的柳枝；被夜雨打落的花瓣落满了地，家童尚未起床还没有来得及去打扫；莺啼婉转悠扬，山客还在酣畅地熟睡中。

　　朝烟远带的绿柳、幽静的山林，近处是粉红含雨的桃花，甫一开篇诗人即绘制了一幅精美的工笔画。桃红、柳绿、莺啼悦目的色彩昭示着春天的到来，清幽静雅的环境中，无论是家童还是山客，心也都随之变得宁静安适，浑然不知夜雨过后的春日已经来临了。

　　一夜春雨过后，落花满地，自有一番幽静的趣味，零落的花瓣说明这一场雨一定不小。"家童未扫"不是主观上不想打扫，而是人尚在安谧的环境中熟睡未起的缘故。柳枝上莺儿的啼鸣竟然没惊醒梦中的山客和童仆，他们对梦外的佳境一无所知。以动衬静，静更静，这种宁静、闲适的生活正是王维晚年追求的境界。情由境生，在这境界中可以领悟到诗人的隐逸情怀。宋人胡仔（号苕溪渔隐）在《丛话后集》中云："每吟此句，令人坐想辋川春日之胜，此老傲睨闲适于其间也！"

　　诗中的花落、鸟啼、夜雨、酣睡等意象令人不禁想起孟浩然的《春晓》。孟浩然诗中的"处处闻啼鸟"形容春天早晨雨后清新的空气中，鸟儿欢快的景象；而王维则用花落、莺啼衬托出幽静的、山客犹眠的山中环境，更衬出诗人安宁的心境。这里以动衬静，别有一番乐趣，给人清新明朗的感受。

　　王维善于抓住平常景物的特点，将他们描写得细腻、精致、传神。"桃红"、"宿雨"、"柳绿"、"朝烟"、"花落"、"家童"、"莺啼"、"山客"、"未扫"、"犹眠"这样平常的景物都成了诗人构图的素材，其中"桃红"、"柳绿"、"宿雨"、"朝烟"皆着色；"花落"、"莺啼"、"未扫"、"犹眠"皆有声。

　　因为"宿雨"才有"花落"，而"花落"本该打扫，而"家童未扫"一则时候尚早家童还没起，此处呼应"朝烟"；二则是因为"花落"、"莺啼"，清幽的环境适合安眠。

这样的细节描写何等出神入化，诗中有画，使人观景知画。

　　诗人采撷了田园生活的真实场景，表达了对世俗中人们利欲熏心、苦心钻营的鄙视。全诗由境生情，诗中有画，对仗工整，音韵和谐。起、承、转、合之中，字词使用均经过精心的剪裁，可见诗人锤字炼句功底之深厚。

# 送丘为落第归江东

王维

　　怜君不得意，况复柳条春。为客黄金尽，还家白发新。五湖三亩宅，万里一归人。知祢不能荐，羞为献纳臣。

## 【赏析】

　　丘为，唐诗人，苏州嘉兴（今浙江省嘉兴市）人，多次应试失利，至天宝二年（公元743年）方进士及第，后官至太子右庶子。"江东"是丘为的家乡所在。这首七言绝句，是送友人丘为落第返乡的送别诗，作于天宝元年（公元742年）。全诗以"怜"起笔，以"羞"作结，抒发了诗人对丘为落第的惋惜以及为自己未能荐贤而感到羞愧的无奈心情。

　　首联"怜君不得意，况复柳条春"，"不得意"，即"落第"。诗人下笔一个"怜"字，写出丘为落第正值柳枝又绿的新春时节，这里以对比的手法用早春的柳条新绿春色来反衬丘为落第的困窘潦倒与凄凉孤寂。"柳条青"三个字暗含送别之意，灞水两岸，杨柳轻拂，也加深了诗人对丘为的怜惜之情。

　　颔联"为客黄金尽，还家白发新"化用了苏秦的典故，来描写丘为的失意境况。《战国策·秦策》记载，当年苏秦游说秦王，连续上了十次书都未奏效，"黑貂之裘敝，黄金百斤尽"。此处用苏秦指代丘为，描写其困于长安、盘资耗尽的窘况，及其归家时，由于忧愁煎熬而新添白发的落魄失意。诗中的"黄金尽"与"白发新"、"五湖"与"三亩"、"万里"与"一人"，形成强烈的对比，意境非凡。

　　颈联"五湖三亩宅，万里一归人"，"五湖"泛指江南的湖泊，亦可专指太湖。"三亩宅"形容田宅之窄小。丘为在太湖畔只有微薄的一点家产，一个人独自登上返乡的路途，万里迢迢，孤寂清寡。

　　结尾"知祢不能荐，羞为献纳臣"。祢，东汉的祢衡，字正平，此处借指丘为。据《后汉书·文苑传》记载："祢衡恃才傲物，唯善鲁国孔融及弘农杨修，融亦深爱其才，上疏荐之。""献纳臣"是诗人的自指。时王维任右拾遗，有向皇帝进谏和举荐贤良之责，故称献纳臣。诗人明知丘为有才华却不能将其推荐给朝廷，自愧不如孔融，字里行间流露出对贤才遭弃的强烈愤慨。

　　惜才之情、送别之意，以及对黑暗政治的激愤心绪在这首诗中得到了完美的结合。这首诗平实质朴，感情真挚动人，饱含深深离愁别绪。

# 寻西山隐者不遇

丘为

绝顶一茅茨，直上三十里。扣关无僮仆，窥室唯案几。若非巾柴车，应是钓秋水。差池不相见，黾勉空仰止。草色新雨中，松声晚窗里。及兹契幽绝，自足荡心耳。虽无宾主意，颇得清净理。兴尽方下山，何必待之子。

## 【赏析】

唐诗中寻访类的诗歌很多，其结构行文大致相同，但丘为此诗却构思巧妙、独辟蹊径，不失为同类作品中的佳篇。诗中记叙了诗人寻访隐逸高人而不遇一事，诗人并未因不遇而沮丧，却转而从欣赏山中美景中体味到隐逸的高雅志趣，继而抒发了自己乘兴而往、兴尽而归的惬意和对隐逸生活的向往之情。

本诗可以分为两大部分来理解。从开头到"差池不相见，黾勉空仰止"可以看作第一部分，写"寻隐者不遇"的经过。其余为第二部分，这部分诗人欣赏山林美景，抒发随性而为的雅致。

"绝顶一茅茨，直上三十里"，写出隐者居所的位置，"绝顶"、"三十里"，突出上下落差之大、寻访路途遥远，也侧面表现出诗人对隐者的尊敬和仰慕之情。"直上"，写山路险峻，突出诗人不畏辛劳前去寻访。三、四句写敲门无应答，透过窗子只见桌几，隐者却毫无踪迹。

"若非巾柴车，应是钓秋水"，寻隐者不遇，诗人推测其行踪——不是乘车出游就是到水边垂钓去了吧！"柴车"，形容车的简陋，突出隐者安贫乐道的胸怀。

"差池不相见，黾勉空仰止"，来得真是不巧，没有见到心中尊敬的隐者，殷勤到此处只能空留对他的仰慕之情了。"黾勉"照应首、二两句所写的路途遥远、艰难，写出了诗人心之所诚。"空"字透露出希望落空的失望感，按照常理，接下来就应该写懊恼失落的心情或者到此为止了。路途难行，心诚而访，见不到隐者灰心失望也在情理之中。但是诗人点到为止，空落的心情刚刚流露出一丝便被欣赏隐居雅景的欣喜取而代之了。

下半部分他没有写懊丧、失望的心情，而是借描绘隐居美景，抒发了自己乘兴来去的喜悦心情。"草色新雨中，松声晚窗里"，山中小雨初停，绿草经过新雨的洗涤显得更加翠绿夺目，风荡着松林，将阵阵浪涛般的沙沙声送进了窗户。寻人不遇，诗人并没有失望，在山林中脱于尘世的美景触动了他的心灵，诗人转而体会到了林中问景的妙处。来到这惬意幽静的绝尘山林中，草香、松涛涤荡着诗人的身心，使他感到分外满足。即便没有遇到仰慕的隐者又有何妨？这隐居的景致中不也可见隐者风度之一斑吗？

虽然说没有宾主酬答之意，却正好借此行此景领悟出清静的道理。诗人的心情由失落变得满足，最后一句诗人化用"雪夜访戴"的典故，进一步抒发自己"乘兴而行，兴尽而返"的惬意心情。

综观全诗，诗人写"寻西山隐者不遇"，本来历经艰辛到达隐者"绝顶"处的居所却不见隐者踪迹，心情不免落落寡欢，但诗人却超出意料之外，借着"不遇"而欣赏山中景致，进而突出隐者的日常生活和性格志趣，尽情地抒发了自己旷达不羁的胸怀。本诗构思精妙，独具匠心，在同类诗作中独树一帜。

# 题农庐舍

丘为

东风何时至？已绿湖上山。湖上春既早，田家日不闲。沟塍流水处，耒耜平芜间。薄暮饭牛罢，归来还闭关。

## 【赏析】

这是一首描写田园风光的五言律诗，全诗描绘了一幅田家日出而作、日入而息的劳动画面，透露着浓郁的乡土气息，表现出诗人对自食其力、怡然自得的田园生活的热爱与向往。

首联"东风何时至？已绿湖上山"，以自问自答的形式点明田园正值初春时节。此句语言自然朴实、平白如话，将春风所带来的春意盎然之景体现在不知不觉之间。尤其"绿"字，看似信手拈来、随心而至，实则匠心独运，心思巧妙。王安石《泊船瓜洲》中的"春风又绿江南岸"大抵便是受此启发。

颔联"湖上春既早，田家日不闲"，这两句诗概括地说明了早春时节农家已开始忙碌的客观事实。接下来，颈联"沟塍流水处，耒耜平芜间"则具体地描绘了农忙的场面。"塍"，指的是田间的土埂子。"耒耜"，古代耕地翻土的农具，这里泛指农具。田埂下的水沟里水流潺潺，农人们弯着身子在田间翻土耕地。前句是景物描写，后句是人物描写，渲染出农事的繁忙场面。此两联对仗工整，简繁相衬，将春耕的繁忙景象描绘得活灵活现，充满乐趣。

尾联"薄暮饭牛罢，归来还闭关"，描绘的是结束农活归家闭门的景象。农人们结束了一天的劳动，回到家中，妇女们忙着打点晚炊，男人们则用牛的饮食填满食物槽。关闭柴门之后，一家人围坐在桌前吃着晚饭，愉快地闲聊。这两句诗从侧面地突出了农忙时节的繁重农活，以至于农人们无暇寒暄乃至互不相扰的心理状态，同时也反映了盛唐时期社会安定、百姓安居乐业的社会现实。

全诗笔调轻灵，语言质朴，平易亲切，行文有如行云流水，舒卷自如，一气呵成。从诗的内容来看，诗人是以诗化农家生活的方式来表达自己对田园闲适的向往，也表现出诗人与世无争、渴望宁静的心理状态。此诗情感真挚，恰似一曲淡逸的田园牧歌。

# 古风（其一）

李白

大雅①久不作，吾衰竟谁陈？王风②委蔓草③，战国多荆榛④。龙虎⑤相啖食⑥，兵戈逮⑦狂秦。正声⑧何微茫，哀怨起骚人⑨。扬马⑩激颓波，开流荡无垠。废兴虽万变，宪章⑪亦已沦⑫。自从建安⑬来，绮丽不足珍。圣代复元古，垂衣⑭贵清真⑮。群才属休明，乘运共跃鳞。文质相炳焕，众星罗秋旻⑯。我志在删述，垂辉映千春。希圣如有立，绝笔于获麟。

**【注释】**

①大雅：《诗经》之一部分，代指《诗经》。②王风：《诗经·王风》，代指《诗经》。③委蔓草：被埋没。④荆榛：形容形势混乱。⑤龙虎：指战国群雄。⑥啖食：吞食，吞并。⑦逮：直到。⑧正声：指雅正的诗风。⑨骚人：楚国文学家屈原。⑩扬马：指汉代文学家扬雄和司马相如。⑪宪章：典章制度，指诗歌创作的规范。⑫沦：消亡。⑬建安：东汉末献帝的年号，当时文坛有著名"三曹"、"七子"等，其诗文风格被誉为"建安风骨"。⑭垂衣：意为无为而治。⑮清真：与绮丽相对，指朴素自然的诗风。秋旻：秋天的天空。

**【赏析】**

这首诗用平缓的语气，表达了李白对国运昌盛的赞美之意，抒发了自己的政治理想和抱负，他希望自己可以报效祖国，留名青史。诗中既有李白一贯的粗狂豪迈，又兼具他的诗中鲜见的温润如玉。

"大雅久不作，吾衰竟谁陈？"这两句诗统领了全诗，其中"大雅久不作"一句统领第二句到第十二句。"吾衰竟谁陈"一句则统领了剩余的部分。

"大雅久不作"一句中的"大雅"两个字指的就是《诗经》中雅正之声，或者说是"颂"的部分。《大雅》体现出了当年大周王朝的恢宏气势，所以诗人十分推崇，这其中充满了诗人对于兴盛王朝的向往之情，同时也透漏了对当时国事渐败的哀叹。"久不作"的意思就是说因为国力不济所以世上的赞颂之音渐渐地再也听不到了。

"吾衰竟谁陈？"孔子曾感叹自己已经老了，很久都没有再梦到周公了。李白一生怀才不遇，空有一腔报国热情却没有知音、伯乐的赏识。如今年华已经逝去，诗人自比孔子，也感叹自己已经不再年轻，纵然有理想，有抱负也没有足够的时间来实现了。这两句诗通过短短的十个字表达了多重意思，含义丰富，浑然天成。

从"王风委蔓草"到"绮丽不足珍"为本诗的第二部分，这一部分诗人抒发了久不闻大雅之音的具体感受。"王风委蔓草，战国多荆榛。"这是大雅之音衰败的开始。春秋时期那些雅正之音已经开始没入草莽之中，战国时期那些缠绕着雅正之音的蔓草日益壮大，终于变成了难以逾越的荆棘。"龙虎相啖食，兵戈逮狂秦。"已经很衰败的雅正之音到这时终于被世人所遗忘了，在那个兵戎相见的时代，雅正之音确实是"久不作"了。这四句诗按照时间的顺序描述了周末的混乱年代，它们的存在直接导致后面的"正声何微茫"。

"哀怨起骚人"一句是倒叙的写法，这里提到了两个著名的文人——楚国的屈原和宋玉，意在说明在那个纷争的时代雅正之音还是有人传承下去的。"扬马激颓波，开流荡无垠"两句又回到时间顺序上，表明在那个行文风格已经变得十分萎靡、完全脱离大雅之音的年代，虽然有像扬雄、司马相如这样的名士，但是他们的存在也无法改变那个年代"竞为侈靡闳衍之辞，没其风喻之义"的状况。

"废兴虽万变，宪章亦已沦"是对前面的总结，后世的文章虽然有很多的章法，但是再也没有人写雅正之音，曾经风靡一时的"大雅"就这样沦陷了。"自从建安来，绮丽不足珍。""建安"两字指的是建安七子，诗人认为他们的文风虽然绮丽但是已经远离了清真自然的诗歌本质。这一段诗人阐述了大雅再不可闻的原因，将自己对于雅正之音再也听不到的哀伤展现了出来。

"圣代复元古"到"绝笔于获麟"可以分为两个部分，前六句说唐代的诗歌是在复兴古诗的文风，其特点就是"清贵"，在这个时代有才华的名士都会受到重视。但是联系李白的遭遇，可以推断这六句诗中所写的内容并不是真实的，可以说这只是李白飘缈的理想。

唐代是一个诗歌革命的年代，文风、格式已经多种多样了，绝对没有"复元古"的可能，"清真"只是李白的心中所想，绝不能代表整个唐代的诗歌风格。在李白生活的年代，李唐王朝已经开始腐朽，他的理想始终得不到实现。所以这是一种反向的写法，更具有讽刺、自嘲的意味。

最后四句是第二部分，诗人想到孔子曾删述诗书，去掉糟粕，留下优秀的作品，著述《春秋》，从而希望自己可以像孔子一样改变现状，实现自己的理想。在这一部分中"立"字和首句的"作"遥相呼应，表明诗人对自己非常有信心，他相信自己可以使已经停止的雅正之音再次响起，表达了诗人的政治抱负。

本诗的主题在表面上是要复兴雅正之音，但是其中又包含了诗人自己的政治理想，可以说是一首论政之诗。而这首诗在风格、形式上也笔触圆润、中规中矩，颇具大雅风范，与诗中思想内容完美地契合。

# 古风（其三）

### 李白

秦王扫六合，虎视何雄哉！挥剑决浮云，诸侯尽西来。明断自天启，大略驾群才。收兵铸金人，函谷正东开。铭功会稽岭，骋望琅邪台。刑徒七十万，起土骊山隈。尚采不死药，茫然使心哀。连弩射海鱼，长鲸正崔嵬。额鼻象五岳，扬波喷云雷。鬐鬣蔽青天，何由睹蓬莱。徐市载秦女，楼船几时回？但见三泉下，金棺葬寒灰。

**【赏析】**

秦王灭六国，统一中国后，一心求仙访道，求长生不老之药，这首诗即来源于这个故事。诗人通过这个故事来讽刺同样在探求仙道的唐玄宗，本诗气势磅礴，跌宕起伏，时张时翕，极具感染力。

"秦王扫六合"到"骋望琅邪台"为全诗的第一部分，诗人首先肯定了统一六国的秦始皇的功绩。"秦王扫六合，虎视何雄哉！"形容秦始皇君临天下、震慑六国的霸气，"扫"和"六合"两个词的运用将秦国的所向无敌和秦始皇的傲视天下形象地展现了出来。"虎视"一词将秦国对天下的野心彰显了出来，同时将秦始皇比作百兽之王、斑斓猛虎，威慑感十足。

"挥剑决浮云，诸侯尽西来。""决"字将秦国的狠、绝、果断直接地表现出来，有当机立断的明快之感。而被秦始皇挥剑斩断的就是当时腐败混乱的天下形势，也就是所谓的"浮云"。在这样强势的国事之下天下诸侯只能匍匐前来臣服于秦国之下，"西来"两字表明了秦国所处的方位。"明断自天启，大略驾群才。"两句中，诗人运用了大量的形容词来赞美秦始皇的丰功伟业，勾画出了一个俯视群雄的帝王形象，这样一个偏僻小国取得这样的功绩让人十分敬佩。以上六句诗中诗人将秦始皇抬到了一个非常高的地位，使得他在诗中形象空前饱满。

"收兵铸金人，函谷正东开。"秦国终于如愿统一了天下，这时的秦王朝将重点放在了对于政权的巩固之上，"收兵"两个字表明了秦始皇的军事策略，他不再向外扩展而是将兵士收回国内驻守在各地，以预防、应对叛乱。"铸金人"是秦始皇的一个策略，他为了防止人们谋反，将人们手中的兵器都收归国有，炼造成了十二个金人。这一系列手段，使天下终于实现了大同，再没有国与国之间的纷争，所以函谷关也就失去了作为要塞的作用，"东开"两字正是表明了这种状态，也暗示了天下真的统一了。

"铭功会稽岭，聘望琅邪台。"秦始皇到处为自己立碑，宣扬自己的丰功伟绩。"聘望"两个字将秦始皇那种踌躇满志的状态展现了出来，"会稽岭"和"琅邪台"两个地方一个在南方一个在北方，诗人选择这两个地名作为代表的用意就是为了表明这些碑文、铭文遍布全国各地。

"刑徒七十万"到"金棺葬寒灰"为本诗的第二部分，这一部分表现了秦始皇的骄奢淫侈以及他对于长生不老的痴心妄想，其中充满了诗人的不屑和嘲讽，这才是诗人真正想表述的。经过上文的铺垫和蓄势，秦始皇的形象已经空前辉煌，而在这一部分中，秦始皇的形象又被诗人贬低到了一无是处的地步，前后对比鲜明、讽刺辛辣，震撼人心。

这一部分中诗人所表述的都是真实的历史事实，前四句表现了秦始皇矛盾的内心，一方面他知道人总有一死，所以他花费巨资修建陵园，另一方想到死后就要放弃好不容易打拼下来的江山，再无法享受荣华富贵，他又不甘心。"刑徒七十万，起土骊山隈"描写秦始皇为自己在骊山修建陵园，诗人感叹秦始皇为了自己的欲望而劳民伤财。"七十万"一词极言参与修建陵园的人员众多。

"尚采不死药"到"楼船几时回"讲的是徐福带百名童男童女去蓬莱求取仙丹的故事。渴望得到长生不老之药的秦始皇听信徐福之言，花费大量的金钱到蓬莱求取仙丹。失败后，徐福说因大鱼阻挡求丹不成，秦始皇信以为真，又派出大军，猎杀了一头鲸鱼。诗人用浪漫的夸张手法，描绘了鲸鱼的形象，云雾缭绕中它的身躯像三山五岳一样巨大，鬐鬣可以遮天蔽日，喷出的水注声如巨雷。通过表现鲸鱼之巨大无边，将猎杀鲸鱼的惨烈争斗描绘得活灵活现。成功杀了鲸鱼后，徐福带着童男童女踏上了寻访仙药的旅程，但是充满期待的秦始皇没有等到仙药，却等到了死亡。

"但见三泉下，金棺葬寒灰"两句表明秦始皇在巡游途中就去世了。这里诗人在没有任何过渡的情况之下就直接过到了秦始皇之死，虽然突兀，但却达到了震撼人心的艺术效果。结尾处诗人表明，即使再英明的君王也终有去世的一天，探寻长生不死不但于国无益，同时更是一种愚蠢的行为。

在艺术手法上，诗人将对史实的叙述、描写和议论交杂在一起，先扬后抑，借古讽今，通过批判秦始皇来讽刺唐玄宗，想象丰富，生动形象，不愧为李白的代表作之一。

# 古风（其九）

李白

齐有倜傥生，鲁连特高妙。明月出海底，一朝开光耀。却秦振英声，后世仰末照。意轻千金赠，顾向平原笑。吾亦澹荡人，拂衣可同调。

## 【赏析】

《史记》记载："鲁仲连者齐人也。好奇伟倜傥之画策，而不肯仕宦任职，好持高节。"李白采用了司马迁的说法，以"齐有倜傥生，鲁连特高妙"开篇。

鲁仲连，又名鲁仲连子、鲁连子、鲁仲子或鲁连，战国末年齐国人，著名的策士、思想家、辩论家，据钱穆先生推算他主要生活在前 305 年至前 245 年。《战国策》中有一篇《鲁仲连义不帝秦》：游于赵国，秦围邯郸，魏安釐王派人劝赵归秦，鲁仲连义不帝秦，面折辩者。邯郸解围，平原君千金相酬，"辞让者三，终不肯受"。后助齐破聊城，齐王欲封官爵，鲁仲连以"吾与富贵而诎于人，宁贫贱而轻世肆志焉"却之，逃隐海上。他放浪不羁、不慕权贵的性格，深为李白所推崇。

这首诗中诗人歌颂了鲁仲连却秦救赵的事迹，表现他倜傥豪迈的气概、视功名权贵为粪土的傲岸、功成不居的侠客之风。李白多次在诗中表达"天子呼来不上船"、"千金散尽还复来"的思想，可见这也是他平生所想，故引以自况，认为只有鲁仲连这样的义士才与自己志同道合。

在李白看来，鲁仲连不仅风流倜傥，而且是齐国最高尚奇妙的人物。开头两句提纲挈领，虽然平淡却给人深刻的影响。"高妙"二字是诗人对鲁仲连的总评，称赞他谋略辩才之妙，傲岸节操之高。

"明月出海底，一朝开光耀。"这两句用一个比喻形容鲁仲连形象伟岸、品行高洁，就像一轮明月从海底升起，一下放出万丈光辉。李白常用明月的意象来比喻品德高洁的人，如在《哭晁卿衡》中他用"明月不归沉碧海"的句子将晁衡溺水比喻成明月沉入苍茫大海，形象丰满，饱含着惋惜之情。而这里用明月升起来比喻鲁仲连，可见对其推崇程度，非同一般。

"却秦振英声，后世仰末照。意轻千金赠，顾向平原笑。"这四句由"鲁仲连义不帝秦"的故事化出，夹叙夹议。秦围攻邯郸（战国时期赵国都城）之时，新垣衍劝赵顺秦国称帝，平原君已经动摇，关键时刻鲁仲连力挽狂澜，以雄才大略辩驳，力主"却秦"。李白在诗中只用"却秦"二字简单点出事件，重点放在对此事的评论上。"振英声"，使鲁仲连滔滔雄辩、掷地有声的形象跃然纸上；"后世仰末照"呼应"明月"的比喻，形容鲁仲连光辉功业犹如明月普照，万世景仰。

"意轻千金赠，顾向平原笑。"当平原君以千金酬谢时，鲁仲连却毅然回绝了。"轻"、"笑"二字即刻画出鲁仲连视金钱为粪土的高傲形象，字里行间流露着赞许之情。

"吾亦澹荡人，拂衣可同调。"此二句意为：我也放浪形骸、不慕权贵、超然高举，与鲁仲连志趣相同，就像曲之同调。诗歌最后表达了诗人鲜明的观点，抒发了对鲁仲连由衷的赞赏。

全诗直陈史事，直抒胸臆，言简意赅，刻画了一位倜傥风流、放荡不羁、高洁伟岸的战国义士形象，这是鲁仲连，也是理想中的诗人自己。对建功立业的理想的追求、对不为世俗权贵羁绊的自由的向往不乏为盛唐气象的一种表现，可以说在李白的身上，这两者均有迹可循。这是他自我人格的两个方面，在主观上诗人力求二者兼有，两相结合。但在黑暗的现实面前，他的人生理想终究难以实现。

在李白的诗歌中经常可以看到二者的矛盾冲突，以及深受现实打击后的苦闷和狂放不羁。"事君之道成，荣亲之义毕。"（李白《代寿山答孟少府移文书》），李白以功成身退为人生理想，李白对张良、鲁仲连这样的历史人物极为推崇，无奈现实环境扼杀了他的理想，所以在他的诗歌中时而求仕，时而求仙。正如清人龚自珍在《最录李白集》中所说："庄（庄子）、屈（屈原）实二，不可以并，并之以为心，自白（李白）始；儒、仙、侠实三，不可以合，合之以为气，又自白始也。"

# 古风（其十五）

李白

燕昭延郭隗，遂筑黄金台。剧辛方赵至，邹衍复齐来。奈何青云士，弃我如尘埃。珠玉买歌笑，糟糠养贤才。方知黄鹄举，千里独徘徊。

**【赏析】**

这是李白《古风》中第十五首，全诗拟阮籍咏怀体，化用典故和史实以古讽今，表达了李白对理想的热烈追求和怀才不遇的苦闷心情。

理解这首诗可以分三部分。第一部分为前四句，诗人引用燕昭王求贤的历史，虽是直陈，但可见歌咏之意。战国时期，群雄争霸，燕昭王之父燕王哙想学尧帝，将王位禅位给相国子之。不料子之反欲除掉燕王的儿子和亲信，导致燕国大乱。齐国趁机发兵燕国，占领了燕国大半土地，子之被杀，燕王哙自缢，太子平（燕昭王）和老师郭隗逃往无终山避难。

后百姓拥戴太子平继位为燕昭王，他立志图强，一雪前耻，广聚贤才。郭隗当时是燕昭王的客卿，燕昭王问计于他，他说"请先自隗始"，意思是若想求贤就先从尊重礼遇他郭隗开始。燕昭王"筑台而师之"，结果乐毅、邹衍、剧辛等许多贤才之人皆来归附燕国，燕国渐渐强大起来。燕昭王在位二十八年后，联合他国大举破齐，终于报了前仇。

前四句说的就是这个故事。"燕昭延郭隗"中"延"是大宴、礼遇之意；"剧辛方赵至"中的"赵"指的是燕国，古时常称"燕赵之地"。燕昭王礼遇贤才的历史令众多文人志士向往，初唐诗人陈子昂的《登幽州台歌》中所登的"台"就是此诗中所讲的"黄金台"，它代表着君王对人才的赏识、重用。这首诗中所表达的情感和陈子昂的《登幽州台歌》类似，都表达了对开明君王和郭隗那样的贤臣的渴望，以及报国无门的苦闷。

接下来四句是第二部分，诗人化用典故表达了对现实的讽刺和感慨。"奈何青云士，弃我如尘埃"，这两句中引用《史记·伯夷列传》所载："间巷之人欲砥行立名者，非附青云之士，恶能施于后世者！"意思是说平常百姓即使胸怀大志如果不靠达官显贵就无法立功扬名，只能埋没才干。据此，诗人感慨现实，怎奈达官显贵之人早就把自己这样的人才像尘埃一样抛弃了。第一部分诗人所说的像郭隗那样的贤臣只存在于理想状态之中，现实中却没有。

那么，像燕昭王那样开明的君王有没有呢？接下来，诗人化用阮籍《咏怀》中"战士食糟糠，贤者处蒿莱"的诗句，讽刺当今君王"珠玉买歌笑，糟糠养贤才"。燕昭王置千金广纳贤才，而现今的君王却千金买歌舞、欢笑，任天下贤能之才穷困潦倒。

壮志难酬，前途未卜，结尾诗人用春秋时期田饶的故事含蓄地抒发心中的无限苦闷。春秋时期，周王室逐渐失威，诸侯争霸，田饶来到鲁国求仕，欲建功立业，可是鲁王并未重用他。决意离开时他对鲁哀公说："臣将去君，黄鹄举矣！"意思是说，鸡因为随时随地在君王身边，忠心报国，君王却没有重视，煮之食之。黄鹄千里而来，虽不像鸡那样忠诚且可食用，君王反觉弥足珍贵，不仅不吃它还送食物给它吃，田饶已经明白了其中的含义，要学黄鹄不再做鸡。后来他去鲁赴燕，被燕王重用，为相国，治理三年，国家昌盛太平。

当时的李白身处长安，正像田饶在鲁国一样不受重用，所以才真正体会到田饶当时的心情。可是李白却没有田饶那样自由求仕的机会，在国力昌盛、高度统一的大唐帝国，只有一个君王，面对不察君王和不贤重臣，他只有孤独、无奈，悠悠地徘徊。

全诗通过咏吟历史来寄托诗人的政治理想，表达了对明君贤臣的渴望，以及对现实的反讽。典故和史实化用贴切自然，拿捏得当，更好地烘托了诗人的情感和思想，可见诗人文学造诣之深厚、诗歌艺术之精妙。这首诗格调高昂，情感慷慨，具有李白诗歌的独特风格。

# 古风（其十九）

李白

西上莲花山，迢迢见明星。素手把芙蓉，虚步蹑太清。霓裳曳广带，飘拂升天行。邀我至云台，高揖卫叔卿。恍恍与之去，驾鸿凌紫冥。俯视洛阳川，茫茫走胡兵。流血涂野草，豺狼尽冠缨。

**【赏析】**

安禄山攻陷洛阳之后，李白面临艰难的抉择，思想十分矛盾。一方面，怀才不遇的诗人对当时的政治和社会已经绝望，他渴望脱离世事，遍游名山大川；另一方面，他仍然忧国忧民，不愿置百姓们于水深火热之中，独善其身。这首游仙诗充分地表现了李白当时的矛盾心情和深刻的思考。

"西上莲花山，迢迢见明星。"诗人想象着自己登上华山的最高峰——莲花峰，仿佛看到了闪闪的明星。华山在五岳中为西岳，所以诗人说"西上"。"明星"这里既指华山玉女的名字，又指天上的明星，一语双关，突出天高云空，明星闪耀的意境，同时充满神话色彩，给人一种奇幻之感。开篇两句奠定了全诗浪漫、神秘的基调。

"素手把芙蓉，虚步蹑太清。霓裳曳广带，飘拂升天行。"这四句诗描写华山玉女的动作。她用纤纤素手把玩着纯洁的芙蓉花，身着霓裳羽衣飘飘而起，她在太清之上自由散步，长长腰带游弋飘荡，场景如梦似幻。

"邀我至云台，高揖卫叔卿。恍恍与之去，驾鸿凌紫冥。"接着诗人也参加到了神女的活动中。据说当年卫叔卿曾经坐着由白鹿驾驶的云车去拜访汉武帝，他满怀欢喜，认为汉武帝一定会对他礼遇有加，但汉武帝只用君臣之礼接待了他，卫叔卿感到十分失望和沮丧，败兴而归。李白由这个神话传说，想到自己也是满心希望到长安求仕，却不受唐玄宗的重用。所以在这段诗中神女将李白带到了云台峰，为他引荐的仙人就是卫叔卿。政治上的挫折使李白十分失望，对于他想象自己和卫叔卿一起驾驶着鸿雁游历紫冥。"凌"字突出了高绝之感。

"俯视洛阳川，茫茫走胡兵。流血涂野草，豺狼尽冠缨。"这四句全诗的重点，描写诗人坐在鸿雁上遨游时的所闻所见。诗人摆脱了虚无缥缈的现实，神游太虚，但惨烈事实还是出现在眼前。

诗人忧国忧民，在空中遨游之时也不忘看看人间的景色。他看到洛阳城到处都是外族的士兵，中原的百姓被大量屠杀，他们的鲜血染红了满地的野草，就在这样惨绝人寰的景象中，引狼入室的安禄山却可以衣冠楚楚地侵占王权。"豺狼"两个字表现了诗人对安禄山的鄙视和唾弃。全诗到这里戛然而止，诗人没有交代自己的去向，也没有写国家的将来，留下了无限的遐想空间和悬念，表现了诗人的迷茫，蕴涵了诗人浓浓的忧思。

这首诗以天马行空的想象描绘了诗人的理想世界和诗人所看到的现实世界，将纯净无瑕的仙境和血腥残暴的现实进行对比，突出了现实世界的残酷无情。本诗语言慷慨激荡，跌宕起伏，飘逸俊雅之中也不乏深沉苦闷。

# 古风（其三十一）

李白

郑客西入关，行行未能已，白马华山君，相逢平原里，璧遗镐池君，明年祖龙死。秦人相谓曰：吾属可去矣！一往桃花源，千春隔流水。

**【赏析】**

李白翻文为诗，以古为新，借古喻今写就了这首诗。诗人剪裁得当，点染得宜，将两个故事天衣无缝地联系在一起，表达了一个统一完整的思想。

此诗前六句可看做第一部分，诗人化用了《史记》、《汉书》均有记载的故事。郑客由关东至华阴，华山山神持璧让他将璧转交给水神（镐池君），并说："今年祖龙死。"一般认为这个故事寓言了秦始皇将亡。五行中秦国尚水，以水德为王，对秦国来说，水神相当于护国神，"祖龙"即秦始皇，华山神欲将秦国灭亡的征兆告诉水神。这个故事《史记·秦始皇本纪》用了一百零三个字交代了故事的来龙去脉；《汉书·五行志中之上》较之精炼，只有五十个字；而诗仙李白则用诗化的语言将这个故事凝练在短短六句三十个字当中，诗味盎然，回味无限。

在《史记》的记载中，秦始皇并没有相信使者所言。此诗中并没有体现这个细节，显然主要根据《汉书》所载故事而成。前六句主要是复述这个故事，诗人剪裁合理，将这个故事讲得颇具诗味，但这首诗的精妙之处主要在后四句上。

最后四句是诗歌的结尾部分。诗人用"秦人相谓曰：吾属可去矣！"两句将前面的故事与东晋诗人陶渊明《桃花源记》中的情节联系在一起。《桃花源记》一篇中所描绘的世界是作者陶渊明理想中的世界，在现实中是不存在的，后来人们用"世外桃源"比喻理想中的世界。《桃花源记》讲到渔人与桃花源中的人闲谈得知，他们"先世避秦时乱""来此绝境，不复出焉"。诗人抓住了这个细节，将前面关于秦将灭亡的寓言和桃源人之桃源的原因联系起来，似乎他们避世到桃花源就是因为郑客从华山君那儿得来秦始皇将死、秦将灭亡的消息。

李白用"秦人相谓曰"一句加紧了行文结构，省略了郑客传播消息的情节。"相谓"二字将秦人相互传说的神态和表情写得栩栩如生；"吾属可去矣"传神地写出他们避世隐居的决心和轻松的心态。

"一往桃花源，千春隔流水"，"桃花源"即表明了世外桃源这个虚构的世界，同时"桃花"二字令人想象出春季桃花盛开的美景，所以最后一句说"千春"承和桃花盛开的季节，同时表达诗人对世外桃源的向往和对现实乱世的厌恶之情，也透露了诗人淡淡的归隐之思。全诗至此戛然而止，入桃花源生活如何不再赘述，只留给读者丰富的想象空间。

# 古风（其三十四）

李白

羽檄如流星，虎符合专城。喧呼救边急，群鸟皆夜鸣。白日曜紫微，三公运权衡。天地皆得一，澹然四海清。借问此何为？答言楚征兵。渡泸及五月，将赴云南征。怯卒非战士，炎方难远行。长号别严亲，日月惨光晶。泣尽继以血，心摧两无声。困兽当猛虎，穷鱼饵奔鲸。千去不一回，投躯岂全生！如何舞干戚，一使有苗平！

**【赏析】**

初唐时期，西南地区的少数民族在当地建立了一个政权南诏，但最终自愿俯首称臣，臣服于强大的李唐王朝。本诗描述的即是这个真实的历史事件。

唐玄宗统治后期，放任外戚专权，在天宝九载（公元 750 年），当时的南诏节度使鲜于仲通，为杨国忠所推荐。这是一个十分残虐冷酷的人，南诏在他的统治之下备受蹂躏，当地人民在忍无可忍之下只能奋起反抗。鲜于仲通十分愤怒，于是第二年便带领八万大军讨伐南诏。面对这样局面，备受欺凌的南诏王阁罗凤选择隐忍不战，他派遣使者向鲜于仲通请罪，希望避免这场争斗，但是傲慢的鲜于仲通拒绝了南诏王的请求。

没有退路的南诏军只能迎战，他们在西洱河与唐军背水一战，最终大灭唐军，取得了胜利。而杨国忠却没有及时将战争结果上报朝廷，而是继续在东西两京以及河南、河北等地大量征兵，以弥补损失的兵力。本诗描述了这场惨烈的战争，表达了对被卷入战斗无辜将士们的同情，以及对腐朽朝廷的不满之情。

"羽檄如流星，虎符合专城。喧呼救边急，群鸟皆夜鸣。"这是一幅行军画面，其中充满了紧张感和急迫感。"羽檄"代表着军事文书，"如流星"则说明了军情十分紧急，"虎符"在古代代表着军权，这里诗人暗示战斗中军情和军权、军队有很大的联系。"喧呼救边急，群鸟皆夜鸣"两句强调了军情的紧急和情势的严峻。传令官一边策马奔驰一边大声地呼喊，声音之大使夜间睡着的鸟儿不停地发出鸣叫。前四句营造了一种非常紧张的氛围，设置悬念，引人入胜。

"白日曜紫微，三公运权衡。天地皆得一，澹然四海清。"接着四句诗一改紧张的气氛，突然开始描绘平稳、安然的氛围。诗人将场景设置在歌舞升平的庙堂之上，这里的人们还过着纸醉金迷、逍遥自在的生活。"白日"、"紫微"、"三公"、"权衡"均指天象，这里用来指代皇帝的大臣们，他们的悠闲自得与前面的紧迫忧虑形成了鲜明的对比，精妙地表达了诗人的嘲讽。

"天地皆得一"这一句取自《老子》"天得一以清，地得一以宁"，诗人说当今世上君主英明，大臣贤能，四海欢歌，天下太平。祥和的氛围之中为什么还会有紧急的军情呢？联系下文就会发现，这一段其实是反语，旨在表达诗人的嘲讽和不满。

"借问此何为？答言楚征兵。渡泸及五月，将赴云南征。"这四句对上文的内容进行了补充说明，这其实才是诗人真正想要表达的内容。这种补叙的写法新颖奇特，吸引人心。古人认为泸水中有很浓烈的瘴气，只在每年五月才会散去，所以只有这时才是横渡泸水的最佳时期，行军出发的日期只能在"五月"。"云南"两个字直接道出了本次征讨的对象。

"怯卒非战士"到"投躯岂全生"这十句诗人没有描写朝廷征兵的过程，而是侧重于表现被征集的士兵们的悲惨。前六句诗中，诗人花费大量的笔墨描绘征人和家人依依惜别的情景，他们明白自己将要奔赴的是极其惨烈的战场，那里危机重重，所以他们一旦离开家乡就很难活着回来了，他们的悲号之声令日月都变得暗淡无光了。诗人极力描绘生离死别的情景，其绝望凄惨，令闻者伤心，见者落泪。

接下来的四句进一步表现征人的心情。诗人将他们比为"困兽"和"穷鱼"，将敌人比喻成"猛虎"和"奔鲸"，这几种动物的强弱对比鲜明，一目了然，表明了敌我力量的悬殊。诗人通过这样夸张的比喻预示这场战争必然失败的结局，"千去不一回，投躯岂全生"说被征调的将士只有战死一种结局，充满无力感和哀伤、绝望之情。

"如何舞干戚，一使有苗平！"结尾两句表达了全诗的中心和主旨。诗人运用典故，感叹现在的朝廷已经失去上古先帝的贤德。《帝王世纪》中记载了这样一个故事：上古时期，有苗氏不服从舜的统治，对于有苗氏的忤逆禹认为应该出兵讨伐，但是舜却认为有人会不服从是因为自己德行不足，所以他不但没有出兵讨伐，反而励精图治，修身养性。在三年之后他通过一次舞蹈就使有苗氏心甘情愿地臣服了。到此，诗人没有继续描写征人的遭遇，而是给人们留下了无限的遐想空间。

# 古风（其四十六）

李白

　　一百四十年，国容何赫然。隐隐五凤楼，峨峨横三川。王侯象星月，宾客如云烟。斗鸡金宫里，蹴鞠瑶台边。举动摇白日，指挥回青天。当涂何翕忽，失路长弃捐。独有扬执戟，闭关草《太玄》。

**【赏析】**

　　这首诗以气吞千古、横贯九州的笔势描写了大唐帝国的盛世图画，同时也揭露了盛世之下的君王显贵的腐朽生活。诗歌共有十四句，七十个字，却写得起伏跌宕、腾挪有势、感情充沛，可见李白诗歌艺术的独特魅力。

　　"一百四十年，国容何赫然"，首句用十个字高度地概括了大唐帝国一百多年发展繁荣的历史，令人联想到由贞观、开元至天宝年间的众多历史内容，将诗歌放在一个气势恢宏的历史背景之下。百余年的大唐历史使诗人不禁叹谓"国容何赫然"，这一句站在历史的高度上，有一种纵览天下、登高俯瞰的胸怀。前两句以慨叹而起，总写泱泱大唐的繁荣气度。

　　接下来两句，一写人文景观——宫殿；二写自然景观——山川。"隐隐"，状宫殿层出不穷之势；"五凤楼"写出宫殿楼宇的富丽堂皇、巧夺天工；"峨峨"，写山川巍峨超拔、气势如虹；"横三川"，可见地势险要。

　　前四句诗人以高度概括的艺术笔力，虚实结合的艺术手法描写了大唐帝国繁盛的场面，渲染了磅礴、雄浑的气势，但是接下来诗人则以尖锐的眼光和敏锐的政治观察力向读者展示了繁荣背

后的腐朽。

　　中间"王侯"六句酣畅淋漓的笔墨刻画了当今权势者贪婪享乐的丑恶形象。"王侯"如同星月一样璀璨闪耀，极尽娇贵；相比之下，宾客就像云烟一样趋之如鹜。"金宫"、"瑶台"都是指帝王居所；"斗鸡"、"蹴鞠"都是帝王之家、权贵之士用来打发时间的游戏。这两句写权贵者的日常居所，可见生活之奢华；写他们日常的活动，可见贪图享乐并以此获宠。"摇白日"、"回青天"，以夸张的艺术手法写出他们的气焰之嚣张，甚至可以迷惑和左右君王的思想。这六句从三个方面勾勒出权贵者腐败的生活以及谄媚的嘴脸，想象逼真。在章法上也与前四句构成对比，突出在盛世华衣之下帝国的真实皮相，透露了诗人的悲愤之感。

　　诗人运用扬雄的故事来表达对身世华丽背景下的腐朽的担忧和愤怒。"当涂者入青云，失路者委沟渠。旦握权则为卿相，夕失势则为匹夫"，扬雄在《解嘲》中用这样的尖锐指出权贵者气焰嚣张不会有好的结果，今日浮华终将归为尘土。李白在"当涂何翕忽，失路长弃捐"两句中化用了扬雄的诗，"翕忽"二字写出了权贵者失势之迅速，相对于中间六句所写的权贵之骄横，这两句犹如当头棒喝，使人警醒。

　　最后两句"独有扬执戟，闭关草《太玄》"是以扬雄自比。扬雄曾经闭关模仿《易经》而作《太玄》，当时有人嘲笑他是因得不到官才闭关著书，他作了《解嘲》作为答复。其中讲到了任用贤才和国家兴旺之间的道理。而这也正是唐朝统治者所面临的问题，当时社会上崇尚金钱、朝廷内政治黑暗，有志之士、有才之人往往因种种原因没有施展才华抱负的机会，常常被埋没，而国家却任用了许多只图享乐、专事谄媚君王的小人。长此以往，大唐帝国恐怕也难逃西汉的命运。"独有"二字表达了诗人浑世独醒了的高尚情操，以及对权贵们的鄙视态度。

　　从内容上看这首诗作于天宝年间，李白在长安时期。当时的大唐帝国登上了繁荣昌盛的顶峰，也露出了由盛转衰的苗头。诗人以敏锐的观察力为读者展示了大唐王朝繁盛中充斥着腐朽的真实历史画面。

# 行路难三首（其一）

李白

　　金樽①清酒斗十千，玉盘珍羞②直③万钱。停杯投箸④不能食，拔剑四顾心茫然。欲渡黄河冰塞川，将登太行雪满山。闲来垂钓碧溪上，忽复乘舟梦日边。行路难，行路难，多歧路，今安⑤在？长风破浪会有时，直挂云帆济沧海。

**【注释】**

　　①樽（zūn）：古代盛酒的器具。②珍羞：珍贵的菜肴。羞，同"馐"，美味的食物。③直：通"值"，价值。④箸（zhù）：筷子。⑤安：哪里。

**【赏析】**

　　《行路难》共有三首，其内容均感慨世道艰险难行、仕途不顺，抒发理想难以实现的愤慨和不满。这组诗作于天宝三载（公元 744 年）李白离开长安之时。此为第一首，诗中李白虽感叹自己怀才不遇的悲惨现状，但也表达了从未想过要向世俗妥协的高洁品格，他坚守自己的政治理想，相信前方的道路总有"天堑变通途"的一天，坚信自己终能一帆风顺，大展宏图。这首诗豪放不羁，极具浪漫主义色彩。

"金樽清酒斗十千，玉盘珍羞直万钱。停杯投箸不能食，拔剑四顾心茫然。"开篇四句描写了一个快乐的场面："金樽美酒"、"玉盘珍羞"，诗人与友人欢聚一堂，纵酒豪饮。但佳肴美酒诗人却无心品尝，他一次次推开酒杯，放下筷子，索性起坐舞剑，却心下茫然。"停"、"投"、"拔"、"顾"四个连续的动作表现了诗人内心深处的无奈和苦闷。

"欲渡黄河冰塞川，将登太行雪满山。闲来垂钓坐溪上，忽复乘舟梦日边。"承接上文的"心茫然"，正面描绘了诗人所行之路的艰难。"冰塞川"、"雪满山"写诗人在人生的道路上遇到的艰难险阻，也就是被"赐金放还"远离长安的挫折。后两句化用典故，写了两个历史人物——周文王的贤臣姜太公和辅佐商汤的伊尹，他们虽才华横溢但一开始均默默无闻，姜太公钓鱼，伊尹做梦乘坐小船绕过日月，直到被明君知遇后他们才一展抱负，建功立业。

李白一方面以两位历史人物自比，表现对自己的信心。另一方面感叹自己空有才华、抱负，当今却没有古时文王、商汤那样的明君能够赏识、重用自己，抒发了渴望明主重用的心情，对自己的未来前途充满信心。

"行路难，行路难，多歧路，今安在？"这四句用短句子将诗人那种进退两难的矛盾心情惟妙惟肖地表现出来。诗人明白像姜尚、伊尹一样有明主知遇是可遇而不可求的，当他回到现实中，眼前的路依旧是困难重重，艰难阻碍。诗人不禁感叹面前的道路虽多，却很难找到自己前行的正确方向，突出理想与现实之间强烈的矛盾冲突。

"长风破浪会有时，直挂云帆济沧海。"这是诗人对未来的憧憬，他虽然遭受了巨大的挫折，但是依然期望有一天能够实现自己的抱负。这种积极的人生态度使他摆脱了歧路的彷徨和失意的苦闷，到这里所有的迷茫和彷徨都化为了坚定的信念，诗文跌宕起伏，引人入胜。

对诗人李白来说，篇幅长短以及体制都不能束缚他纵横的神思以及天马行空的想象。这是一首短小的七言歌行体诗歌，只有短短的十四句，八十二个字，但是李白在较短的篇幅内，运用跳跃的思维和语言实现了时空和感情的腾挪转移，打开了深广的意境，感情层层叠叠。全诗的格调随着诗人的心境从喜悦到失望、抑郁，发展到最终充满积极向上的情绪，给人乐观、自信之感。全诗情绪激扬，构思新颖，变化多端，值得细细体味。

# 行路难三首（其二）

李白

大道如青天，我独不得出。羞逐长安社中儿，赤鸡白雉赌梨栗。弹剑作歌奏苦声，曳裾王门不称情。淮阴市井笑韩信，汉朝公卿忌贾生。君不见昔时燕家重郭隗，拥篲折节无嫌猜。剧辛乐毅感恩分，输肝剖胆效英才。昭王白骨萦蔓草，谁人更扫黄金台？行路难，归去来！

**【赏析】**

《行路难》为乐府旧题，此前也有不少诗人用此题作诗。李白的《行路难》三首通过抒写诗人在政治道路上的坎坷遭遇，表现了诗人率直耿介的性格，展现了诗人的过人才情。此为第二首。

"大道如青天，我独不得出。"诗歌以慷慨激越的抒情开头，情感突兀，仿佛郁结在胸中的感受突然一并喷发而出，给人排山倒海之感。大道如直上青天，若可摘星挥云，但为什么诗人说"我独不得出"呢？起句以浓郁的抒情总领全诗。

李白的《行路难》三首大约写于天宝三载（公元744年）李白离开长安之时。大道平坦宽广却独有诗人无路可行，这里的"大道"暗指李白的政治道路。李白诗曾写道："仰天大笑出门去，我辈岂是蓬蒿人"（《南陵别儿童入京》），这样的狂放不羁为当时的权贵不容，甚至妒恨，故而他的政治道路艰辛难行。

"羞逐"以下六句，写自己在求仕道路上意之不称，志之不得。"羞逐长安社中儿，赤鸡白雉赌梨栗。"当时的上层社会流行斗鸡，以此游戏或者赌博。唐玄宗也有此爱好，"斗鸡金宫里，蹴鞠瑶台边"（李白《古风其四十六》）。相传他曾在宫内建造鸡坊，斗鸡小儿颇为受宠，因而"长安社中儿"多学斗鸡。社会上普遍认为参与斗鸡活动有机会结识纨袴子弟，有助于仕途发展，可李白以此为羞耻。如此大道如青天诗人却独不得出，那么他究竟希望以怎样的方式走上仕途呢？

接下来两句诗人引用了战国时期"冯谖客孟尝君"的典故。冯谖为孟尝君门下客，他认为孟尝君对自己礼遇不够，所以常常"弹剑作歌"，表示自己要离开。李白也像冯谖一样获得权贵王侯的礼遇、尊重和赏识，但偏偏权贵王侯都轻视他、嫉恨他。

"淮阴市井笑韩信，汉朝公卿忌贾生"这两句用两个典故。前句说淮阴侯韩信在尚未辅佐刘邦建功立业之时，曾在淮阴市井受无赖的讥讽、嘲笑，遭"胯下之辱"。西汉时期的贾谊少有贤才，文帝本打算重用，却因遭诸大臣妒恨，终郁郁不得志。李商隐曾有诗："可怜夜半虚前席，不问苍生问鬼神"，贾谊最后不仅不受重用反遭贬谪。诗人以韩信、贾谊的典故抒发在长安时遭遇嘲笑、轻视、打击的失望和愤懑之情。

"君不见"到"谁人更扫黄金台"这六句用燕昭王筑黄金台广纳人才的典故，表达诗人建功立业的渴望和对君臣互尊互信的希望。战国时期燕昭王为一报前仇、重振国威，受师于郭隗，并遵照老师的建议在易水边筑高台、置黄金，以招揽贤能之人才，果然乐毅、邹衍、剧辛等人才前后归燕。他们披肝沥胆、推心置腹，效忠燕王。而燕昭王对贤臣也极为尊重，甚至亲自扫除道路，衣袖遮灰，对贤才极为爱惜和尊敬。李白曾多次在诗作中引用"燕昭王求贤"的典故（如《古风十五》），足以见其对燕昭王一样的贤明君主的希求，以及对互相尊重、忠诚的君臣关系的推崇。

"昭王白骨萦蔓草，谁人更扫黄金台？"诗人感叹燕昭王已经不在，世上再没有像他一样礼遇贤臣的君王了。晚年的唐玄宗已经昏聩之极，他信用奸佞之臣，宠信杨贵妃，导致朝堂混乱。在贺知章的推举下，玄宗虽招李白入翰林，但也只不过是摆出爱惜贤才的样子罢了，李白并没有受到礼遇和重用。最后他对玄宗彻底失望，自请还山。

"行路难，归去来！"朝中权贵排挤、君王轻视、世人嘲笑，在沉痛的感慨之后，诗人无路可走，仕途不通，只得归去。

这首诗感情跌宕起伏、激越复杂，在困顿中表现了建功立业的渴望，在沉痛中饱含着郁结许久的抗议。本诗思维跳跃、气势高昂，独具艺术魅力。

# 长相思（其一）

李白

长相思，在长安。络纬秋啼金井阑，微霜凄凄簟<sup>①</sup>色寒。孤灯不明思欲绝，卷帷望月空长叹。美人如花隔云端。上有青冥之高天，下有渌水之波澜。天长路远魂飞苦，梦魂不到关山难。长相思，摧心肝！

**【注释】**

①簟（diàn）：竹席。

**【赏析】**

《长相思》为乐府旧题，宋人郭茂倩将其收归于《杂曲歌辞》。汉至六朝文人所作多表达羁旅、征戍的相思之苦。"上言长相思，下言久别离"，一般认为李白的《长相思》二首作于不同时期，艺术表现手法也不尽相同。此为第一首，主要通过描写景物来烘托感情、渲染气氛，表达相思苦欲绝，大约属离开长安后的回忆之作。

这首诗以"美人如花隔云端"一句分前后两个部分。前部分由《长相思》开始铺叙情势，中间辅以四句七言扩张；后半部先以四句七言诗开始，用"长相思"收尾，前后形式均衡对称，富有艺术美感。

诗中描写"络纬"、"金井阑"等意象不禁让人想起闺词之作，但似乎又不可完全作为其解。"长相思，在长安"，这句看似在倾诉对长安之美人的思念，而大唐帝都长安对于李白来说是一个充满希望又使他的理想破灭的地方，它承载着诗人匡时济世的政治理想，也承载着他失败的苦闷和痛楚。即使离开后，长安的风景、人物也时刻萦绕在诗人脑海中，挥之不去，化而入诗。

第一部分，从听觉到触觉再到视觉描写景物，渲染了清冷孤寂的氛围，突出了相思之苦。秋日虫鸣备感凄切落寞，秋霜清冷，寒气逼人。不明的孤灯，照应出人物内心的孤独。一番相思"欲绝"，何其清苦！举目远望，寄寓明月托相思，不想美人远如相隔在云端，只能"空长叹"。

第二部分，类似于《离骚》中的"求女"一段，诗人以饱满的感情上天入地，寻求令他魂梦萦绕的人儿。长天冥冥、渌水滔滔，怎奈茫茫苍苍天高地远，纵上下求索皆不见芳踪。最终只得沉重一叹："长相思，摧心肝！"以短促的句子结尾，铿锵有力，情感执着，相思悲痛，形式上首尾呼应。

全诗在情感表达和诗歌韵律上达到了高度的统一。李白善用重复意思的词语，故作长调，抒发无限的感慨和咏叹。如诗中"上有青冥之高天，下有渌水之波澜"一句，

"青冥"与"高天","波澜"与"渌水",几乎是一回事,诗人重复而用,一是为了避免在歌行中夹杂断句减缓气势;二是为了形成感叹的语感。

在思想内容上,由《楚辞》开始,诗人常以美人比喻所追求的理想,故而这首诗常被解读为诗人对于政治理想的执着追求。但诗中并没有直接地表达出来,而是含于象外,隐而不露,显示出一种含蓄蕴藉的格调,风度翩然,情感酣畅,令人叹为观止。

# 长相思（其二）

## 李白

日色欲尽花含烟,月明欲素愁不眠。赵瑟初停凤凰柱,蜀琴欲奏鸳鸯弦。此曲有意无人传,愿随春风寄燕然①。忆君迢迢隔青天。昔时横波目,今作流泪泉。不信妾肠断,归来看取明镜前。

**【注释】**

①燕然:山名,即今蒙古人民共和国杭爱山,后汉时期大将军窦宪破匈奴勒铭记功的地方,这里泛指边塞。

**【赏析】**

这首诗沿用了乐府旧题,写的是男女之情。诗中李白代征夫之妻而言,表达了妻子对远征丈夫的深切相思之情。一般认为这首诗作于李白青年时期,在湖北李白与故相许圉师的孙女结婚,二人生活恩爱,但诗人却长期在外,夫妻聚少离多,进而认为此诗是李白借妇人之口表达自己对妻子的思念,此可备一说。

诗的前四句写妻子在一个凄清冷寂的月夜,孤枕难眠,思念戍边的丈夫,于是弹琴、鼓瑟,排遣心中的寂寞。"日色欲尽"暗含孤独时光难挨之意;"花含烟"表现日暮时分日色迷茫。"花"象征闺中少妇。夜晚月色皎洁,美丽的少妇弹琴鼓瑟,良辰美景、笙箫美人,本是多么美好的一个场景,然而丈夫远征的那一天早已带走了她年轻的、欢乐的心。

"赵瑟初停凤凰柱,蜀琴欲奏鸳鸯弦。"这两句对仗工稳。"赵瑟",战国时期赵地女子多善于鼓瑟,故言之;"凤凰柱"指的是瑟柱,刻以凤凰形状。这里的"凤凰柱"不仅是描绘瑟的华美,同时也使人想到弄玉萧史乘龙凤成仙的传说。相传春秋时期,秦穆公的女儿弄玉善于吹笙,一天在凤凰台吹笙,忽闻箫声与之和鸣,吹箫之人就是后来秦穆公的"乘龙快婿"萧史。一天,如水月华下,这对夫妻笙箫和鸣,忽见一龙一凤冉冉飞来,弄玉带着碧玉笙乘上紫凤,萧史带上赤玉箫跨上金龙,二人驾着祥云飞向皓月夜空。"蜀琴欲奏鸳鸯弦",蜀人司马相如善于弹琴,他与卓文君因琴而成为夫妇,故称鸳鸯弦。

凤凰柱、鸳鸯弦使人想起美丽的爱情故事,但是善于吹笙的弄玉可以与爱人双宿双栖,司马相如和卓文君也终成夫妇,而诗中的女主人公却只能独自鼓瑟弹琴试图排遣寂寞。

“此曲”三句写她希望琴声乐曲可以传到遥远的边地大漠，可惜丈夫与自己隔着遥遥的青天。最后四句，今昔对比，写妻子的思念之情。女主人公独自对着铜镜，看自己默默流下眼泪的脸，想起昔日厮守时的青春容颜，不禁暗自兴叹：如果你不信就回来看看镜中的我吧。其娇媚之态使人怜惜，女主人公的情态跃然纸上。

《长相思》共两首，虽沿用乐府旧题，但李白在形式上做了很大突破。第一首诗形式匀称，以“美人如花隔云端”分为前后两部分，全诗以“长相思”开始抒情，亦从“长相思”一语结尾。形式整饬，韵律极强。此为第二首，其形式结构突破了“长相思”发端的格式，写法上由景及人，风格含蓄隽永。

# 远别离

李白

远别离，古有皇英之二女，乃在洞庭之南，潇湘之浦。海水直下万里深，谁人不言此离苦？日惨惨兮云冥冥，猩猩啼烟兮鬼啸雨。我纵言之将何补？皇穹窃恐不照余之忠诚，雷凭凭兮欲吼怒。尧舜当之亦禅禹。君失臣兮龙为鱼，权归臣兮鼠变虎。或云尧幽囚，舜野死。九疑①联绵皆相似，重瞳孤坟竟何是？帝子泣兮绿云间，随风波兮去无还。恸哭兮远望，见苍梧之深山。苍梧山崩湘水绝，竹上之泪乃可灭。

**【注释】**

①九疑，即苍梧山，在今湖南省宁远县南。因九个山峰连绵相似，不易辨别，故又称九疑山。

**【赏析】**

这是一首古体诗，也是李白的名篇之一。《远别离》是乐府“别离”十九曲之一，内容多写悲伤、离别之事。诗人通过描写娥皇、女英二妃与舜帝生离死别的故事，渲染了浓重的别离氛围和悲伤情绪，其中“君失臣兮龙为鱼，权归臣兮鼠变虎”两句说明诗人思考到君权旁落的后果，表现了对大唐王朝前途的担忧。就艺术上来讲，诗人深得楚辞、骚体的艺术精髓，巧妙地为现实政治批判披上了一层凄美别离的爱情外衣。

“远别离，古有皇英之二女，乃在洞庭之南，潇湘之浦。”开篇便置于浓厚的历史背景下，概括了娥皇、女英千里寻夫的故事。传说，尧将娥皇、女英两个女儿许配给了舜，并让位于他。舜南巡时，驾崩于苍梧山（九疑山），娥皇、女英悲不自胜，遂漫游于洞庭、潇湘寻夫，其恸哭落泪形成斑竹。

《红楼梦》中林黛玉被称为潇湘妃子，这个名字不仅令人想起她可怜的身世和敏感多愁的性格，似乎也预示了她一生的悲剧。二妃寻夫的传说本身就是个带有浓重悲情气氛的离别故事，李白采取这个题材入诗，开头就创造了凄清悲凉的意境。“海水直下万里深”，是说娥皇、女英潜入潇湘之水去寻夫，其痴心可见，更渲染了悲情气氛。“谁人不言此离苦”一句引起读者强烈的共鸣。

接下来两句“日惨惨兮云冥冥，猩猩啼烟兮鬼啸雨”继续通过描写洞庭潇湘的景物来渲染悲凉伤感的气氛。乌云滚滚，遮天蔽日；暴风骤雨，猩猿啼鸣。面对这样的景象，说了又有什么用处呢？这两句表面上看是在说自己的描绘已经是在这个故事发生的千百年后了，于娥皇、女英寻夫之果没有任何意义。实际上，对景物的渲染也是在暗示当时的李唐王朝正处于波谲云诡、暗无天日的统治下，作为一个个人前途都无法把握、壮志理想都无法实现的文人，说什么都于事无补。

无人听取和采纳诗人的忠谏，也没有人能了解诗人的一片忠心。"皇穹窃恐不照余之忠诚，雷凭凭兮欲吼怒"，意为：连上天都不能察知我的忠心，反而鸣雷向我发出怒号。这两句的现实意义是说：当今皇帝不能了解我的忠心，当权之士还对我严加恫吓。

"尧舜当之亦禅禹。君失臣兮龙为鱼，权归臣兮鼠变虎。"如果君不君、臣不臣就容易大权旁落，奸臣当权，导致原本贵为九五之尊的人中之龙就会变成俎上之鱼，原本应该恪尽职守的人臣就会变成吃人的老虎，这种情况下君王也不得不禅位于臣了。

"或云尧幽囚，舜野死。"这一句说的是尧被舜幽禁而终，舜巡视时被禹刺杀的传说。虽然在《史记》、《国语》中均有这样的记载，这种说法儒家一般不给予认可。李白在《上安州裴长史书》中说自己："五岁诵六甲，十岁观百家"，显然他接受的教育与一般诵读"四书五经"的家庭教育不同。在这里他采用了"或云"的说法，认为尧幽囚、舜野死都是君臣失当、大权旁落的结果，而所谓的禅让也只是被迫的溢美之词。

"九疑联绵皆相似，重瞳孤坟竟何是？""重瞳"，代指舜，相传他两眼各有两个瞳仁。舜死后即被就近葬于九疑山，但连绵相似的山峰中哪个才是他真正的葬身之地呢？尧舜禹汤在历史上被誉为是贤君的代表，这千古一帝之死竟然如此扑朔迷离，连葬身之所都不知何处，直教二妃于绿竹间嘤嘤恸哭，泪洒而成斑竹。政治上君臣之失义、大权之旁落发人深省，爱情中纵死不泯的痴情悲剧感人至深。

"苍梧山崩湘水绝，竹上之泪乃可灭。"这一句的艺术手法与汉乐府《上邪》："上邪，我欲与君相知，长命无绝衰。山无陵，江水为竭，冬雷震震，夏雨雪，天地合，乃敢与君绝"近似。实际上，苍梧山不会崩陷、潇湘水也不会绝流，那么娥皇和女英的眼泪也无休止的一日了。

全诗通过描写潇湘风物创造了极其悲伤的氛围，在迷离的传说中，诗人用楚歌、骚体的艺术表现手法，将自己对当时政治的见解断断续续、若隐若现地表达出来，这种欲吐还吞的口吻和悲伤凄迷的传说相得益彰，其创造的悲凄、深远的意境具有强大的艺术感染力。

# 梁甫吟

李白

长啸梁甫吟，何时见阳春？君不见朝歌屠叟辞棘津①，八十西来钓渭滨！宁羞白发照清水？逢时壮气思经纶。广张三千六百钓，风期暗与文王亲。大贤虎变愚不测，当年颇似寻常人。君不见高阳酒徒起草中，长揖山东隆准公！入门不拜骋雄辩，两女辍洗来趋风。东下齐城七十二，指挥楚汉如旋蓬。狂客落魄尚如此，何况壮士当群雄！我欲攀龙见明主，雷公砰訇震天鼓，帝旁投壶多玉女。三时大笑开电光，倏烁晦冥起风雨。阊阖九门不可通，以额扣关阍者怒。白日不照吾精诚，杞国无事忧天倾。猰貐磨牙竞人肉，驺虞不折生草茎。手接飞猱搏雕虎，侧足焦原未言苦。智者可卷愚者豪，世人见我轻鸿毛。力排南山三壮士，齐相杀之费二桃。吴楚弄兵无剧孟，亚夫咍②尔为徒劳。梁甫吟，声正悲。张公两龙剑，神物合有时。风云感会起屠钓，大人巘屼③当安之。

**【注释】**

①棘津：古代黄河津渡名，在今河南省延津县东北。相传姜太公未出世之前曾卖食于此。②咍：读 hāi。③巘屼（nièwù）：不安定。

**【赏析】**

于长安求仕的李白本胸怀大志，待唐玄宗识得李白之后却"以倡优畜之"，使他备感羞辱。而他"天子呼来不上船，自称臣是酒中仙"（杜甫《饮中八仙歌》）的潇洒不羁也很难为当时权贵所容纳，所以最终李白自请还山，也就被玄宗"赐金放还"了。这首诗大约作于天宝三载（公元 744 年）李白离开长安之时，诗中通过姜太公、郦食其等古代贤臣的故事和一些神话传说，表达了诗人第一次求仕失败后的痛苦无奈、愤懑，以及对待理想隐隐的期待。全诗纵横跌宕、热烈奔放、淋漓悲壮。

《梁甫吟》是古时民间曲调，音调悲切凄苦，用作葬歌。郭茂倩《乐府诗集》解题："按梁甫，山名，在泰山下。《梁甫吟》盖言人死葬此山，亦葬歌也。"李白之先，诸葛亮有一首《梁甫吟》，其中通过"一朝被谗言，二桃杀三士。谁能为此谋，国相齐晏子"表达了对谗言人的批判，李白这首诗也沿用了诸葛亮的立意。

开头诗人便用"长啸"表达更为强烈激越的感情。"阳春"，理想实现的希望，"何时见阳春"是诗人质疑何时才能获得重用，一展宏图。这两句为全诗奠定了慷慨激烈的情感基调。

"君不见朝歌屠叟辞棘津"到"当年颇似寻常人"为一部分，写的是姜太公得遇文王施展贤才、助文王成就大业的故事。"朝歌屠叟"指的是这个历史故事的主人公，西周时期的吕望，即姜太公。《韩诗外传》中说："太公望少为人婿，老而见去，屠牛朝歌，赁于棘津，钓于磻溪，文王举而用之，封于齐。"意思说姜太公家里很穷困，少时为赘婿，年老被弃，于是在商朝首都朝歌做过屠夫，后来又到棘津之地打工维持生计，再后来又到磻溪去钓鱼。虽然一生贫困，经历坎坷，但是姜子牙并没有放弃希望，十年垂钓终于获得了文王的知遇。"大贤虎变愚不测，当年颇似寻常人"，不要看他当年那样平常，就像老虎小时候和猫相似一样，一旦长大就会变成金睛猛虎。这是姜子牙的经历，也是李白所渴望的理想实现的途径。

"君不见高阳酒徒起草中"到"何况壮士当群雄"这部分写的是历史上的风云人物郦食其。"高阳酒徒"，郦食其喜欢喝酒，是个酒鬼，这是他的自称，"起草中"是说郦食其出身贫寒。"山东隆准公"指的是刘邦。《史记·高祖本纪》："高祖为人，隆准而龙颜。"郦食其初见刘邦的时候，刘邦正由两个侍女侍奉着洗脚。刘邦掌握兵权，而郦食其却是贫贱之民，理当下拜，但郦食却长揖不拜，并指责刘邦对贤才之人没有礼貌。刘邦立即停止了洗脚，两个侍女"趋走如风"殷勤侍奉郦食其。辅佐刘邦后，郦食其凭借雄辩才能说服了齐王田广以所辖七十余城归汉，使刘邦对他刮目相看。

"狂客落魄尚如此，何况壮士当群雄"是诗人的感叹，落魄儒生郦食其尚且可以成为风云人物，建功立业，何况诗人自己呢！李白相信凭借他的才能绝不会长期沦落庸碌无为，一定能够创造更加辉煌的功业。这两句诗音调铿锵、慷慨激昂，表达了诗人对理想炽烈的追求和坚定的信念。

"我欲攀龙见明主"到"以额扣关阍者怒"，诗人模仿屈原《离骚》的写法，幻想自己在天地间上下求索，置身于奇妙多姿的神话世界中。诗人攀龙上天见明主，以求建立功业，但是雷公却用振聋发聩的鼓声恫吓他，而心中的明主却并非贤君，只知和玉女一同游戏。他们高兴的时候电光闪耀、风雨幽冥，天地间一片昏暗。通往天庭的大门全都紧紧关闭着，但诗人仍然叩首以求，最终激怒了守门人。这一部分虽然写的是诗人遨游天际的幻想，但却与现实遥相呼应。雷公的恐吓象征权臣对李白的不可容纳，明主与宠女的游戏以及造成的天地昏暗、风雨交加意为君王整日只知寻欢作乐，导致宦官、奸臣弄权，朝纲一片混乱。而像李白这样的贤能之人却报国无门，请缨无路。这一段诗人的情感如大江洪水奔流汹涌，一泻千里，表达了心中强烈的愤懑。

"白日不照吾精诚"到"亚夫哈尔为徒劳"这一部分诗人运用典故和历史故事继续抒发心中的抑郁与不平，抨击了皇帝昏聩不察明暗、不辨是非，奸臣篡权、鱼肉百姓、作威作福的黑暗政治和丑恶现实，表达了诗人对社稷国家深深的忧虑之情。诗人感叹：青天白日之下，我的精诚一片却不被朝廷君王体察，只当我是杞人忧天，却不见奸臣们像猛兽一样撕咬、残害着人民。

诗人心中沉痛不已，但胸中大志仍未移。他希望自己能够像剽悍的勇士一样，仰手接飞猱，俯身散马蹄，匡时济世，一整乾坤。

可是"智者可卷愚者豪，世人见我轻鸿毛"，诗人在现实中却被世人轻视。接下来，诗人引用了"二桃杀三士"的典故。春秋时期齐景听取相国晏子的计策，将两个桃子赐给公孙接、田开疆、古冶子这三个力能扛鼎的勇士，让他们论功而食，结果三人弃桃自杀。这个故事暗示在现实中，有才能的人往往被弃之不用，还受到质疑。

"吴楚弄兵无剧孟，亚夫哈尔为徒劳"，这两句说的是一个故事。汉景帝时期，吴楚七国诸侯王起兵叛乱。周亚夫奉命领兵讨伐，到河南见到著名侠士剧孟，感慨吴楚叛汉正是国家用人之际，但是像剧孟这样有能力的人却被弃之不用，这次叛乱定会失败，国家命运堪忧。

这一段行文错落有致，用韵急舒相间，十二句中换韵三次，极富变化。

最后结尾处照应开头，"梁甫吟，声正悲"，诗人抒情低沉而悲怆。"张公两龙剑，神物合有时"，这两句用干将、莫邪两剑的传说。《晋书·张华传》记载：西晋时丰城（今江西省丰城市）县令雷焕掘地得干将和莫邪一双名剑，并将干将送予张华，后张被杀，干将失落。雷死后其子雷华佩莫邪过延平律（今福建省南平市东），莫邪即跳入水中，与水下的干将合为一处化为两条蛟龙。诗人用这个典故，说明自己的才能不会永远被埋没，就像干将、莫邪被掘地而出一样，自己也总有一天会被明君赏识。

"风云感会起屠钓，大人𡾼屼当安之"，意为：既然曾经做过屠夫、垂钓者的姜子牙都有出头之日，我自当安心等待风云际会之时，大展宏图。最后这四句话诗人以坚定的信念回答了开头"何时见阳春"的疑问，怀着无限信心表达了对理想的不懈追求。

这首歌行体诗歌艺术布局独特，行文多变。诗人以古鉴今，将几个不相连的典故和历史故事交错融合在一起，其中插入神思飘逸的天庭畅游，将自己的命途多舛的遭遇和历史典故相结合，使诗歌的意境奇幻多变，时而阳光明媚，惠风吹送；时而阴风怒号，浊浪排空，带给读者不同的艺术体验。而其中的情感也随之时而沉郁，时而高昂，表现了诗人在现实和理想的矛盾中苦苦挣扎的苦闷以及对理想的执着。在语言上，诗人多次换韵，音节起伏变化，与诗人复杂多变、慷慨激越的感情相得益彰。

# 乌夜啼

李白

黄云城边乌欲栖，归飞哑哑枝上啼。机中织锦秦川女，碧纱如烟隔窗语。停梭怅然忆远人，独宿空房泪如雨。

**【赏析】**

《乌夜啼》是乐府旧题，其内容多倾诉离别后的相思之苦，这首诗的主题也沿用于此。沈德潜在《唐诗别裁》中评价这首诗："蕴含深远，不须语言之烦。"评语简要，却正道出此诗之妙处。

"黄云城边乌欲栖，归飞哑哑枝上啼"，惨淡的夕阳下，片片黄云漂浮，回首城边，一群群乌鸦由天际盘旋而归，啾啾喳喳地叫着，正欲停落栖息。首句以景起兴，描绘了秋日傍晚乌鸦晚归的景象，落日余晖下哑哑欲归的乌鸦渲染了悲伤忧愁的气氛，无形中撩起了丝丝愁绪。

在这样的环境下，女主人公出场了——"机中织锦秦川女，碧纱如烟隔窗语"。朦胧迷茫的黄昏，她的倩影隔着迷雾一样的碧纱窗隐约可见，她在织布机前微微地低语。这句诗人用白描的手法勾勒出女主人公的形象，虽然没有对她的妆容姿态做具体的描写，但是她孤单忧郁的形象已经跃然纸上。她不是个体的人，她是唐代思妇的典型、代表。

日色渐暗，一天的劳作也该停止了，乌鸦欲归，但远方的人却不知何时才能归家。"停梭怅然忆远人，独宿空房泪如雨！"女主人公的心中思念郁结，她想着杳无归期的丈夫，遥想当年恩爱依旧、青春依旧，如今却是年华易逝、欢爱不再，不禁悲从中来，泪如雨下。

最后两句诗人曾经做过深刻的思考和推敲。敦煌唐写本作"停梭问人忆故夫，独宿空床泪如雨"。还有一种异文作"停梭向人问故夫，知在流沙泪如雨"（《才调集》卷六注）。多了一个询问之人，更显得思妇对征人的牵挂之情，而隔窗自语衬托出女主人公的孤寂。

这首诗在六句之中，含义无穷。诗人以景起兴，景中含情，情中有人，描写人物绘声绘影，未闻其声，先见其人。用高度的艺术概括代替女主人公表达了深切的思念和忧虑之情，匠心独运，言简意赅，不愧为唐诗中的名篇。传说诗人初到长安之时，因此诗而大获贺知章赏识，后来也是由贺知章把李白推荐给了唐玄宗，使诗人步入仕途。

# 乌栖曲

李白

姑苏台上乌栖时，吴王宫里醉西施。吴歌楚舞欢未毕，青山欲衔半边日。银箭金壶漏水多，起看秋月坠江波。东方渐高奈乐何！

**【赏析】**

深宫幽暗，日暮黄昏。首句批判吴王整日与宠妃西施长歌醉饮、纵情享乐，却省去了白日里歌舞升平的笔墨，直接由傍晚时分写起。姑苏台的旧址在今苏州市西南姑苏山上，传说是吴王夫差斥资千金、耗时三年修建的华美宫殿，它横亘五里于姑苏台上。建成后，吴王日夜与西施欢饮作乐于其中春宵宫。诗人选取日薄西山之时描绘金碧辉煌的宫殿，勾画醉卧君怀的西施剪影，含蓄地讽刺了宫廷里奢华糜烂的生活，暗示吴国因此渐渐没落衰败。由乐而生悲的情绪笼罩全篇。

"吴歌楚舞欢未毕，青山欲衔半边日。"吴王在宫殿中欢歌宴饮，转眼之间不觉时光流逝，日近西山。一个"未"字写出吴王乐犹未尽的神态，"欲"字写出遗憾的心理。"欢未毕"但已"日半边"，欢乐还没有享够，大厦将倾，一切雍容华贵、美人欢歌都将不复存在。

"银箭金壶漏水多，起看秋月坠江波。"这两句侧面写秋月之下宫中纸醉金迷的颓废生活。"银箭金壶"是宫廷之中用于计时的铜壶滴漏。随着时间的流逝，滴漏到铜壶中的水越来越多，银箭上的刻度越来越高。"起看秋月坠江波"一句含蓄地写出吴王嫌享乐时短的心理。"起看"二字暗示动作；"秋月坠江波"悲凉景象与前面"日落乌啼"共同构成凄凉悲寂的意境。当情绪和意境渲染到极致的时候，却在此处戛然而止。"东方渐高奈乐何！"东方既白，难道帝王还要继续前日的寻欢作乐吗？

《乌栖曲》是乐府旧题，属《清商曲辞·西曲歌》。现存南朝梁简文帝、徐陵等人的作品多为七言四句，两句换韵，内容上多是腐化奢靡的艳情之作。李白这首诗在内容上一改前陈，由描写艳情改为讽刺宫廷奢靡淫乱的生活；在形式上也做了大刀阔斧的改进，突破旧题的偶句格式，孤句收尾振聋发聩，给沉迷在享乐中的君王敲醒了警钟，讽刺之意不全说破，言之有尽，妙之无穷。

全诗以时间为线，描写了吴宫中从日暮开始通宵达旦又周而复始的糜烂生活，景物变化中不做具体点染，而是通过客观描写种种预示衰败结局的意象，表达诗人深刻的思考和尖锐的讽刺。李白的七古和歌行体诗歌往往雄奇奔放，情感激昂，而这一首却委婉含蓄，堪称别调。据说，贺知章对此诗大为激赏，称赞"此诗可以泣鬼神矣"。

历史上，吴王夫差继父阖闾登位之初，曾励精图治，大败越王勾践，使吴国达到鼎盛。但后期，正如诗中所描写的生活奢靡。后勾践卧薪尝胆，于公元前 473 年一举灭吴，夫差自缢而亡。而唐玄宗早期也发愤图强，后期宠溺杨贵妃，沉迷于声色中，荒废朝政。因与吴王相似，故前人或认为这首诗意在借古讽今。

# 战城南

李白

　　去年战，桑干源；今年战，葱河道。洗兵条支海上波，放马天山雪中草。万里长征战，三军尽衰老。匈奴以杀戮为耕作，古来惟见白骨黄沙田。秦家筑城备胡处，汉家还有烽火燃。烽火燃不息，征战无已时。野战格斗死，败马号鸣向天悲。乌鸢啄人肠，衔飞上挂枯树枝。士卒涂草莽，将军空尔为。乃知兵者是凶器，圣人不得已而用之。

## 【赏析】

　　《战城南》系汉乐府旧题，属《汉鼓吹铙歌十八曲》之一。其内容多写战争之残酷兼以悼念不幸牺牲的士兵。

　　唐玄宗好大喜功，希望大唐威名远播，常常轻易发动战争，又几经失败，频繁的边地战争给广大劳动人民带来了深重的苦难。

　　李白以现实为基础，扩展了旧乐府《战城南》的内容。面对严酷的战争，诗人忧国忧民，悲愤、呐喊一并喷薄而出，汇聚成诗。这首诗可以分为三个部分，从开头至"三军尽衰老"为第一部分；"匈奴"至"征战无已时"为第二部分，一、二部分说明战争的性质。"野战格斗死"至"将军空尔为"为第三部分，其内容和古辞基本一致。最后一句作为结语表达自己的看法，它和一、二部分都属于诗人在内容上的扩展。

　　第一段写征战的时间持续长、范围广。前四句全部对称，"去年"、"今年"对比鲜明，突出战争频繁，给人东征西讨、辗转流离之感。后四句化用左思在《魏都赋》中写曹操讨伐群雄的句子："洗兵海岛，刷马江洲。"在条支海上洗去兵器上的污秽，在天山牧马。条支海一说为今天的波斯湾；天山在今新疆维吾尔自治区。两处对举，可见征战地域之广远。前六句从时间和空间上铺叙征伐频繁、征程之远，扩大了诗歌的意境，为下文蓄势。"万里长征战"是对战争特征的总体概括；"三军尽衰老"是长年远征的必然结果，在前面所创造的广阔意境的基础上，这两句总结和慨叹自然天成。

　　第二段诗人将目光纵向历史上的征伐战争。写匈奴的生活习惯，点出征战拼杀的结果——"惟见白骨黄沙田"。秦时为了防御胡人修筑长城，到了汉时仍然高举烽火。意在说明古来边境战事频繁，无息无止。"烽火燃不息，征战无已时。"没有正确的外交政策，这样的战争将永无止息之日，这是诗人深沉的慨叹。

　　第三段通过描写战争的残酷场面，突出战事给人民带来的灾难。广阔原野战场上，刀光剑影，双方奋力拼杀，几乎全军覆没，只剩下败阵的战马独自仰首向天悲鸣。乌鸢啄食着死者的尸体，衔着肠子挂在枯树上。这四句话画面感极强，渲染了战场上悲凉凄惨的氛围。人死马鸣，何其悲也；人尸鸟啄，何其惨也！血流成河的荒野战场上，再无一生还，将军也毫无功绩可言。这战争到底带给人们什么呢？诗人的叹息发人深省。

　　战争就像凶器，杀光了战场上所有的人，无论对哪一方而言，都是一场空虚，所以"圣人不得已而用之"。老子《道德经》中有言："兵者，不祥之器，非君子之器，圣人不得已而用之。"诗人在最后化而用之，在前面铺叙的基础上作此结语，突出主题，起到画龙点睛的作用。在诗歌中用散句本就是比较大胆的尝试，且最后一句由《道德经》化出，或认为此处结语系批注误入正文，可备一说。

这是一首叙事诗，却带有浓厚的抒情性，事与情交织成一片。三段的末尾各以两句感叹语作结，每一段是叙事的一个自然段落，也是感情旋律的一个自然起伏。事和情配合得如此和谐，使全诗具有鲜明的节奏感，有"一唱三叹"之妙。本诗字句精工锤炼，讲究对称。叙事之中，抒情意味浓重。艺术风格豪爽奔放，回环往复，一唱三叹，独特风格，颇具歌行体的气势。

# 襄阳歌

李白

落日欲没岘山①西，倒著接䍦花下迷。襄阳小儿齐拍手，拦街争唱《白铜鞮》②。旁人借问笑何事，笑杀山公醉似泥。鸬鹚杓③，鹦鹉杯。百年三万六千日，一日须倾三百杯。遥看汉水鸭头绿，恰似葡萄初酦醅④。此江若变作春酒，垒曲便筑糟丘台。千金骏马换小妾，醉坐雕鞍歌《落梅》。车旁侧挂一壶酒，凤笙龙管行相催。咸阳市中叹黄犬，何如月下倾金罍⑤？君不见晋朝羊公一片石，龟头剥落生莓苔。泪亦不能为之堕，心亦不能为之哀。清风朗月不用一钱买，玉山自倒非人推。舒州杓，力士铛，李白与尔同死生。襄王云雨今安在？江水东流猿夜声。

## 【注释】

①岘（xiàn）山：在今湖北襄阳南，也作岘首山。②《白铜鞮（dī）》：一首南朝童谣，在襄阳一带流行。③鸬鹚杓（lúcísháo）：长柄酒杓，形状像长颈水鸟鸬鹚，故名。④酦醅（pō pēi）：重酿没有过滤的酒。⑤罍（léi）：是一种酒器。

## 【赏析】

杜甫在《饮中八仙歌》中这样描绘李白的形象："李白一斗诗百篇，长安市上酒家眠。"李白的诗似乎都离不开美酒的点缀，这一首歌也不例外。

"山公时一醉，径造高阳池。日暮倒载归，酩酊无所知。复能乘骏马，倒著白接篱。举手问葛彊，何如并州儿。"酣醉到日暮亦能骑马倒载，路过街市的时候小孩拍手唱笑。这个人就是魏晋时期竹林七贤之一山涛的第五个儿子山简。《晋书》中有《山简传》，其中记载他为镇南大将军时，镇守襄阳，"嗜酒，每游习家园，置酒池上便醉，名之曰高阳池"。山简的故事传于后世，并演化出"醉倒山公"、"山公酩酊"、"山公倒载"、"醉酒高阳"等。

来到襄阳饮酒自然想起曾在襄阳镇守的醉酒山公，王维也有诗云："襄阳好风日，留醉与山翁。"（《汉江临泛》）山简和李白，两个人都放荡不羁，纵酒行乐，无酒不欢。也难怪李白在开篇就引用了"山简醉酒"的典故来描写自己的醉态。

人生匆匆，百年不过三万六千日，每日须饮三百杯。醉酒朦胧之际，远看汉水好像葡萄重酿的美酒。诗人进一步联想到，假如汉江水为美酒，那么酿造这么多美酒所需的酒曲也应该能修造一座高台了。"千金骏马换小妾"，古乐府有《爱妾换马》的诗题，这里用来比喻马贵。骑着名贵的骏马，摇摇晃晃唱着《梅花落》，车旁挂着酒壶，笙歌管乐齐劝酒，这样的情致有何人能比？

"咸阳市中叹黄犬，何如月下倾金罍？"这一句中用到了"李斯临行叹黄犬"的典故。《史记·李斯列传》载：秦二世二年七月，丞相李斯因遭奸人诬陷，论腰斩咸阳市。与其中子俱执，顾谓其中子曰："吾欲与若复牵黄犬俱出上蔡东门逐狡兔，岂可得乎！"这个故事常用来表示为官遭祸、抽身悔迟的意思。像李斯一样为官显赫却难免遭遇祸患，被腰斩，诛三族，做官哪有纵酒行乐来的逍遥自在呢？

遭遇诛杀的李斯不如醉酒酣畅的李白。生前为官清廉、为人贤达，死后为人民立碑悼念的羊祜也被淹没在历史时间的洪流之中，现在"堕泪碑"已经发霉长满了绿苔，望碑堕泪、思念羊祜的人寥寥无几。可见为官者的一生，不管结局好坏，都比不上"月下倾金罍"的快乐。

"清风朗月不用一钱买，玉山自倒非人推。"这里的"玉山自倒"说的是魏晋时期"竹林七贤"的精神领袖之一嵇康，他仪态飘逸俊美，人称他醉倒后如玉山将倒。眼前的清风朗月不花一钱，尽情欣赏，醉后就像嵇康一样倾倒，何其潇洒！何其惬意！

结尾处，诗人以慷慨激昂的声调再一次将抒情推向高潮。李白更愿意与酒同生共死，这样的快乐就算与巫山神女相接的楚襄王也远远比不上。

开元十三年（公元 725 年），李白由巴蜀地区东下。开元十五年（公元 727 年）时在湖北安陆与高宗时期左相许圉师的孙女成婚。安陆与襄阳相距不远，这首诗很可能作于此时。另有一种说法，开元二十二年（公元 734 年），韩朝宗于襄阳任荆州长史兼东道采访史。李白前往求官不遂，于是作诗抒愤。这是李白饮酒正酣时所吟唱的一首醉歌，诗中以直率的口吻、热烈奔放的语言塑造了一个天真、耿介的醉汉形象，并以醉汉的眼光看待人世间的一切苦乐悲欢。诗中读者可以领略大唐市井风韵，看到诗人不慕权贵、爽朗不羁、舒展潇洒的神态和独特个性。

# 江上吟

李白

木兰之枻①沙棠②舟，玉箫金管坐两头。美酒尊中置千斛③，载妓随波任去留。仙人有待乘黄鹤，海客无心随白鸥。屈平词赋悬日月，楚王台榭空山丘。兴酣落笔摇五岳，诗成笑傲凌沧洲。功名富贵若长在，汉水亦应西北流。

**【注释】**

①枻（yì）：同楫，一种划水工具。②沙棠：长于昆仑山上，以果实食之，客入水不溺，见于《山海经》。③斛（hú）：中国古代的容量单位，一斛十斗，后来改为五斗。

**【赏析】**

李白仕途不顺，客游江夏，听歌行乐，遂吟此诗，表达了对现实的不满、功名富贵的蔑视以及对自由生活的执着追求，抒发了旷达脱俗的情怀。

　　本诗大约可以分为三个部分来理解。开头四句为第一部分，即景抒情，为记事。诗人以夸张手法描写江上载妓携酒、纵情遨游的情景。"木兰之枻沙棠舟"，木兰的船桨，沙棠做的舟。屈原的《离骚》中有"朝饮木兰之坠露兮，夕餐秋菊之落英"、"朝搴阰之木兰兮，夕揽洲之宿莽"的诗句，在屈原的笔下木兰成为清高雅致的花卉；而沙棠则是《山海经》中写到的一种木名，传说人吃了则"入水不溺"，诗人用这两种木料做船桨和船体，显得清新脱俗，似具仙风道骨。

　　"玉箫金管坐两头"，"玉箫"和"金管"指代吹奏的歌妓。"美酒尊中置千斛，载妓随波任去留"，这两句写出了诗人纵酒欢歌的恣意、洒脱。诗歌开篇用词华丽，景物华美，氛围超脱，仿佛江上舟中形成了一个与现实污浊世界完全不同的理想境界。

　　中间四句为第二部分，此处运用典故，写诗人徜徉江中、自由惬意、不是神仙胜似神仙的逍遥情怀。那些一心一意求道成仙的人尚需等待黄鹤，黄鹤不来纵使几经修炼也成不了仙，而诗人无心求仙，恣意于江上舟中饮酒行乐，心随白鸥自由飞翔，岂不比苦等黄鹤的求仙之人还要自在潇洒？

　　"屈平词赋悬日月，楚王台榭空山丘。"古时楚国即在汉江流域发展壮大起来，诗人泛舟江上自然联想到楚王、屈原。这一联以屈原与楚王对比，前者忠心爱国却自投汨罗江而死，后者无心为民反而逼迫人民为他修建宫殿楼台，整日享乐欢歌，终于亡国。屈原的文章千古流传，直至今日，而楚王的台阁轩榭早就成了荒丘。诗人站在历史的高度上俯仰古今，通过强烈的对比表达了对富贵的不齿，对文章不朽之业的肯定。此联研炼精工，为千古传诵的名句。

　　最后四句为第三部分，内容上承接第二部分表达了诗人欲以诗文傲视群雄、流传于世，不求功名富贵的态度，情绪高昂。"兴酣落笔摇五岳，诗成笑傲凌沧洲"，形容笔力雄健、诗风超群。"功名富贵若长在，汉水亦应西北流"，结尾两句表达了对功名富贵的蔑视。汉水本流向东南，在这里诗人用了一个假设，加强了否定的力量。若功名富贵能长时间存在，那么汉水该向西北流去了。汉水不可西北流，功名富贵自然也不可常在。李白早已将万世虚名、富贵功业视为一场尘烟，这样的否定中包含着对现实的嘲讽和蔑弃，表现了诗人遗世独立的孤傲和超然尘外的精神。

　　这首诗诗题一作"江上游"，大约作于李白客游江夏之时。全诗三部分依次记叙、用典、抒情，声调铿锵、抒情激扬，诗意跌宕、气脉一贯，仿若鬼斧神工，一气呵成。其中仙风道骨体现了李白"斗酒诗百篇"飘逸的诗风，而从其工巧绵密看来，也不乏诗人的锤字炼句、惨淡经营。无论在思想上还是艺术风格上，均可视为李白的代表诗篇之一。


# 梁园吟<sup>①</sup>

李白

　　我浮黄河去京阙，挂席欲进波连山。天长水阔厌远涉，访古始及平台间。平台为客忧思多，对酒遂作梁园歌。却忆蓬池阮公咏，因吟"渌水扬洪波"。洪波浩荡迷旧国，路远西归安可得！人生达命岂暇愁，且饮美酒登高楼。平头奴子摇大扇，五月不热疑清秋。玉盘杨梅为君设，吴盐如花皎白雪。持盐把酒但饮之，莫学夷齐事高洁。昔人豪贵信陵君，今人耕种信陵坟。荒城虚照碧山月，古木尽入苍梧云。梁王宫阙今安在？枚马先归不相待。舞影歌声散渌池，空余汴水东流海。沈吟此事泪满衣，黄金买醉未能归。连呼五白行六博，分曹赌酒酣驰晖。歌且谣，意方远，东山高卧时起来，欲济苍生未应晚。

**【注释】**

①诗题一作《梁苑醉酒歌》。

**【赏析】**

天宝三载（公元 744 年），被"赐金放还"的李白游大梁（今河南省开封市一带）和宋州（今在今河南商丘），诗人满怀的志向和理想被黑暗冰冷的现实击碎，心中波涛起伏，久久无法平静。

李白在其诗《书情题蔡舍人雄》中曾道："一朝去京阙，十载客梁园。"这首诗就是诗人"客梁园"时期的咏怀之作。诗中通过多种抒情手段形象地抒发了诗人复杂矛盾的情感。李白将游历过程中所见到的客观景物、历史遗迹以及生活情景一并勾勒出来，抒发了一个正直纯净的灵魂在与黑暗现实碰撞后激越难遏的强烈情感。

梁园，又名梁苑、兔园，故址位于今河南省商丘市睢阳区东，为西汉时期梁孝王刘武所建。梁园规模宏大、富丽堂皇，周围三百多里亭台轩榭、奇果佳树、珍宝异兽应有尽有，宛如人间天堂，当时人称"秀莫秀于梁园，奇莫奇于吹台"。冬天的梁园银装素裹，翠玉相映，分外妖娆，"梁园雪霁"即为汴京（今河南省开封市）八景之一。梁孝王喜好招揽文人谋士，常与司马相如、枚乘等一起于此吟诗作赋。

此诗可划分为两部分以及一个结尾，前半以叙事为主，后半以抒情为主。

从开始到"路远西归安可得"一句为前半部分，主要记叙了诗人去帝京历经远途来到梁园与朋友欢饮的过程，抒发诗人离开长安后抱负不得施展、理想无法实现的苦闷，给人前路茫茫之感。天宝初年（公元 742 年），李白仗剑侠游来到京都长安，他怀着济苍生、安黎元的壮志，准备一展才华、建功立业，但事实却使他深受打击。一方面唐玄宗只将李白视为其厚待贤才的招牌，另一方面李白耿介直率的性格以及卓尔不群的才华使他屡屡遭到王侯权贵的妒恨和排挤。不得已之下，李白离开了长安。

"挂席欲进波连山"、"天长水阔厌远涉"。山高水远、波涛汹涌，历经艰难旅途，迈着沉重的脚步，拖着疲惫的身躯，诗人来到了梁园。古时繁荣的历史遗迹如今已经是满目疮痍，本想访寻古迹、游目骋怀以排遣愁思却不想在这里俯仰天地、视通古今，目极之景勾起了心中更浓烈的忧思，所以诗人挥笔作下这首《梁园吟》。

"却忆蓬池阮公咏，因吟'渌水扬洪波'"，此时此刻诗人不禁想起阮籍《咏怀·徘徊蓬池上》中"渌水扬洪波"的诗句。"蓬池"是战国时魏都大梁（今河南省开封市）东北的沼泽地。阮籍"还顾望大梁"，李白则感叹："洪波浩荡迷旧国，路远西归安可得！"这是忧思的根本原因。前六句中诗人对理想的破灭表现出无限的惋惜，情感深沉忧郁。

　　后半部分从"人生达命岂暇愁"到"分曹赌酒酣驰晖"，这部分诗法大开大合，诗人从排解不得的苦闷愁绪中解脱出来，抒发"人生达命"且将饮酒欢歌的豪放旷达之情。"平头奴子摇大扇，五月不热疑清秋"、"玉盘杨梅为君设，吴盐如花皎白雪"。环境舒爽宜人、珍馐美酒具置，对此美景，登高远望，如果不开怀畅饮反去学伯夷、叔齐采薇而不食周粟以表高洁，岂不是辜负了这番良辰美景。

　　"昔人"以下十二句即景抒情，诗人面对荒凉颓圮的梁园，不禁感叹昔日功绩都经不起时间的流逝，进一步抒发恣意狂饮的旷达情怀。战国四君子之一的信陵君是魏国人，即便在当时后世颇受褒扬又怎么样？他的坟丘现在不也一样成为人们耕作的土地了吗？梁孝王的宫殿只剩断壁残垣，昔日的座上宾、著名辞赋家枚乘和司马相如也已经不在人世。雍容华贵的鎏金宫阙、欢饮赋诗的盛宴场面在渌水池中消散了，只剩下汴水滚滚向东流去。

　　"荒城"二句烘托出凄冷孤寂的景色；"舞影"二句以永存的事物对比歌舞人影等消逝不再的事物，给人以人生匆匆转瞬而逝的感受。既然人生如此匆匆，功名富贵如此易逝，还是恣意狂饮、纵酒高歌吧！

　　第二部分诗人的感情好似由不可排解的苦闷转为饮酒行乐的豪放不羁，但实际上李白心中郁结的理想与现实的矛盾仍然没有解决。在结尾处，他引用东晋贤达之人谢安退隐东山的故事来表明对自己理想的执着信念和追求。东晋名士谢安辞官归隐于会稽东山不问朝政，但在前秦南侵的危急时刻，他临危受命任宰相，率军在淝水大败敌军，收复失地。李白以谢安自比，坚定地认为自己尚有机会"济苍生"。

　　这首诗在章法上波澜层叠，陡然突变；情感复杂，如云端高唱，昂扬激越。通过对梁园残景的描写，访古伤今，表达了诗人在理想与现实之间苦苦挣扎的矛盾心情，却也不失纵情饮乐地旷达豪情，应为李白成熟期的代表作之一。

　　相传这首诗还成就了李白与第四个妻子宗氏的一段情缘。当日，李白与高适、杜甫三人同游梁园，李白酒醉之后，于墙上挥就此诗。他们离开后，梁园之人欲将此诗擦掉，正巧被路过这里的宗氏看到，宗氏读罢此诗大为倾心，于是"千金买壁"。后来李白听说此事，遂与宗氏相识。

　　宗氏出生身于书香门第，是武则天时宰相宗楚客的孙女，当地久负盛名的才女。这一传说未必属实，但这首诗能被才女大为激赏，一掷千金，可见其魅力。

# 公无渡河

李白

　　黄河西来决昆仑，咆哮万里触龙门。波滔天，尧咨嗟。大禹理百川，儿啼不窥家。杀湍湮①洪水，九州始蚕麻。其害乃去，茫然风沙。被发之叟狂而痴，清晨临流欲奚为？旁人不惜妻止之，公无渡河苦渡之。虎可搏，河难凭，公果溺死流海湄。有长鲸白齿若雪山，公乎公乎挂胃②于其间。箜篌所悲竟不还。

【注释】

①湮（yān）：淤塞，堵塞。②罥（juàn）：挂，缠绕。

【赏析】

《公无渡河》为乐府相和歌辞名，一名《箜篌引》，箜篌是一种古老的弹弦乐器，古代民间流传甚广。关于《箜篌引》有一个凄美的故事："《箜篌引》者，朝鲜津卒霍里子高妻丽玉所作也。子高晨起刺船，有一白首狂夫，被发提壶，乱流而渡，其妻随而止之，不及，遂堕河而死。于是援箜篌而歌曰：'公无渡河，公竟渡河，堕河而死，其奈公何'声甚凄怆，曲终亦投河而死。子高还，以语丽玉。丽玉伤之，乃引箜篌而写其声，闻者莫不堕泪饮泣。丽玉以其曲传邻女丽容，名曰《箜篌引》。"（晋人崔豹《古今注》）李白这首《公无渡河》亦由此而生发。

"黄河西来决昆仑，咆哮万里触龙门。"古人以为黄河发源于昆仑山；"龙门"在今山西省河津市西北，临黄河，传说为大禹治水遗迹，与"昆仑"相去"万里"。诗人起笔不凡，开篇即塑造了令人惊愕的景象：黄河之水由昆仑上发出，咆哮如雷鸣，浩浩荡荡向万里之外的龙门而来。黄河西来，震天动地，声威赫赫，气势磅礴。

"波滔天，尧咨嗟。"传说上古时期，洪水泛滥，帝尧心系天下黎民，不禁叹息："汤汤洪水滔天，好好怀山襄陵，下民其忧，有能使治者？"用三言表达了尧帝深沉激切的叹息。

"大禹理百川，儿啼不窥家。杀湍湮洪水，九州始蚕麻。其害乃去，茫然风沙。"传说大禹治水十三年，身心劳顿，但仍旧大公无私，三过家门而不入，最终制伏了狂暴的洪水，使天下百姓有地耕作、安居乐业。黄河之害去除了，两岸只留黄河改道的风沙。

以上为第一部分，诗人思接千古，视通万里，写上古时期黄河之水声势浩荡、巨浪滔天，寥寥几笔描绘出黄河滔天万里的气势，塑造了大禹不畏艰险辛勤治水的英雄形象，为下文铺垫蓄势。

自古黄河浊浪排空，其势难遏，而白发之叟却想涉水而渡，可谓痴狂。第二部分诗人将镜头转向，狂叟欲渡河的瞬间，彷如其妻子见而惊呼："清晨临流欲奚为？""旁人不惜妻止之，公无渡河苦渡之。"痴狂白发老叟执意渡河，痴情妻子阻止不及，也随他投入滔天巨浪之中。临去之前，悲痛而歌：老虎可搏斗，黄河不可渡，你果然溺死在水中，缠绕在巨鲸如雪山般的白齿之下。雪山鲸齿的意象惊悚恐怖，骇人听闻。这歌声字字惊骇，声声凄楚，是劝告更是痛惜，听之使人几欲不忍。"箜篌所悲竟不还。"箜篌之歌再悲伤也无法换回丈夫的生命，诗歌至此戛然而止，但妻子那悲痛的歌声仿佛和着黄河震天的波涛，声声泣诉，久久回响。

千百年来，这个凄婉的故事感动了很多人。王建、李贺、温庭筠等很多诗人都曾以之为题，其中李白这首意象最为雄奇壮阔，感情最为沉痛。一般的诗篇前部分多状黄河当世之气势，但李白却独辟蹊径，起笔即由上古时期写起，为全诗创造了更为深远的背景，写出黄河自古以来巨浪滔天的气势。接下来"公无渡河"的故事在诗人的笔下显示出更加强烈的悲剧色彩。

在思想内容上，这首诗历来被认为是李白诗作中较难解之作。一般认为诗人极状黄河狂虐意在象征"安史之乱"残害天下；齿如雪山的巨鲸隐喻安禄山。另有一种说法，白发狂叟的形象即为诗人自指，渡河意在苦苦追寻人生理想。或认为，联系李白天宝十载（公元 751 年）、十一载（公元 752 年）的幽州之行，此诗当为李白幽州冒险经历的艺术总结，其在幽州遭遇不详，但由此诗可以看出处境异常危险，几乎一度不得脱身，亦可备为一说。

# 独漉篇

李白

独漉水中泥，水浊不见月。不见月尚可，水深行人没。越鸟从南来，胡鹰亦北渡。我欲弯弓向天射，惜其中道失归路。落叶别树，飘零随风。客无所托，悲与此同。罗帏舒卷，似有人开。明月直入，无心可猜。雄剑挂壁，时时龙鸣。不断犀象①，绣涩苔生。国耻未雪，何由成名。神鹰梦泽，不顾鸱鸢②。为君一击，鹏抟九天。

## 【注释】

①犀象：指的是犀牛和象，指代乱臣贼寇。《孟子·滕文公下》有"（周公）驱虎豹犀象而远之"。②鸱（chī）：一种凶猛的鸟；鸢（yuān）：鹰的一种。

## 【赏析】

《独漉篇》是乐府古题，原为"拂舞歌"五曲之一，原是四言体，写的是乱世中女儿为父报仇的故事。李白用此题目在形式和内容上都有所创新，他将四言改为杂言，写为国雪耻。

"独漉"是河流名，在今河北。

这首诗可以分成六段来解释。"独漉水中泥，水浊不见月。不见月尚可，水深行人没"此为第一段。传说独漉河水湍急，污泥满载，极其浑浊，月明之夜也映不出月亮的影子。不仅映不出月亮的影子，它还深不可测，不知多少行人在其中丧命。开篇既表达了对独漉之水的憎恶，二、三句以"不见月"三字顶针复沓，意思层层递进，揭露独漉之水的罪恶。

一般认为这首诗作于"安史之乱"爆发之后，诗中"独漉"之水当隐喻攻占长安，并将战事向河北等地扩大的安禄山叛军。诗人批判他们像污浊的独漉之水，遮天蔽月，给广大人民带来了深重的灾难。

接下来八句为第二、三段，诗人见"越鸟南来"、"胡雁北渡"，可自己却报国无门，心中苦闷。望"落叶别树，飘零随风"不禁感叹自己就像北风吹落的树叶一样，客居异地，无所寄托。

远望四野，寂静无声，诗人却独自一人立于堂上，"罗帏舒卷"，好似有人来访，不料只有明月的"无心"造访。以清风明月入室反衬独处的寂寞冷清，诗人仿佛有所期待，但终究落空。

身处乱世，孤独飘零，诗人期待着有人赏识，获得重用，匡时济世。他在等待的是一个弯弓射箭、拔剑杀敌、为国雪耻的机会。"雄剑挂壁，时时龙鸣。"以下六句为第五段，写诗人报国无门的孤愤心情。宝剑悬挂在壁，因感应到乱贼时时鸣响，乱臣贼子未灭，国耻未雪，"何由成名"？

"神鹰梦泽，不顾鸱鸢。为君一击，鹏抟九天。"传说楚文王带着神鹰到云梦泽狩猎，可这只神鹰却对凶猛的鸟类不感兴趣，只是远望着天际云端，忽然出击，但见羽雪纷纷而下，原来它击落了九天大鹏鸟。最后一段，诗人引用《幽明录》中记载的这个故事，创造了神鹰击落巨鹏的雄奇景象，表达了为国雪耻的决心和气魄。

清人王琦曾评价说此诗："依约古辞，当分六解……各解一意，峰断云连。"也就是说这首诗看上去各段各有其意，实则浑然一体。面对安史之乱所造成的动荡时局，诗人虽然孤独客居，心中仍期待为国作贡献，诗中抒发了请缨无路的苦闷，以及搏击长空的壮志雄心。诗中带有梦幻色彩的雄奇意象、豪迈悲壮的气概，具有震撼人心的艺术力量。

# 结袜子

李白

燕南壮士吴门豪，筑中置铅鱼隐刀。<br>感君恩重许君命，泰山一掷轻鸿毛。

**【赏析】**

自古燕赵多慷慨悲歌之士。此处的慷慨悲歌指的是荆轲所吟："风萧萧兮易水寒，壮士一去兮不复还！"战国时期，荆轲受燕太子丹之请前往刺杀秦王，惜别之际，高渐离为他击筑弹奏，荆轲在易水（燕国南界）岸边慷慨地吟咏了这首短歌。

诗中赞扬了两位为报答知遇之恩视死如归的义士，其中一个就是为荆轲击筑的高渐离，也就是诗歌首句中所言的"燕南壮士"。高渐离是荆轲的好友，善于击筑（古代击弦乐器，共十三弦，肩圆颈细中空）。荆轲刺秦失败，秦王通缉太子丹和荆轲门客，高渐离改名更姓。秦王听说高渐离善于击筑，于是熏瞎他双眼，让他击筑。后来高渐离得以更近秦王，就把铅放在筑中，进宫演奏时举起来撞击秦王，但没有击中，为秦王所杀，后秦王再不敢接近从前六国的人。

诗中所歌颂的另一个人是刺杀吴王僚的吴国豪士专诸。吴公子光（阖闾）阴谋篡位，暗蓄武士专诸，待宫中宴会之际，令专诸将匕首藏在鱼腹中，献给吴王僚。专诸按此计杀害了吴王僚，自己亦被卫士所杀，吴公子光遂自立为王。首句中"吴门豪"即指专诸，"鱼隐刀"即指刺杀一事。

燕国高渐离和专诸两位重情豪士，为了报答知遇之恩献出了自己的生命。最后诗人化用司马迁《报任安书》中"人固有一死，或重于泰山，或轻于鸿毛"一句，说人的生命虽重如泰山，但在必要之时也不枉如鸿毛一掷，"士为知己者死"，亦死得其所。

全诗仅四句，前二句简叙史实，后两句抒情，歌颂两位义士的同时，也表达了诗人的生死观。既是咏史，也是抒情言志诗。

　　《结袜子》为乐府杂曲歌辞，其具体形式、内容已不可考，这首以乐府古题作新声，言简意深，观点鲜明，慷慨激昂，豪情悲壮。俞陛云《诗境浅说续编》中评："太白此作，悲壮挺崛，犹有乐府遗风。"这首诗也见于《全唐五代词》，并被注明不一定为李白所作，可姑且存为备考。

# 北风行

李白

　　烛龙①栖寒门，光耀犹旦开。日月照之何不及此，唯有北风号怒天上来。燕山②雪花大如席，片片吹落轩辕台③。幽州思妇十二月，停歌罢笑双蛾摧④。倚门望行人，念君长城⑤苦寒良⑥可哀。别时提剑救边去，遗此虎文金鞞靫⑦。中有一又白羽箭，蜘蛛结网生尘埃。箭空在，人今战死不复回。不忍见此物，焚之已成灰。黄河捧土尚可塞，北风雨雪恨难裁！

**【注释】**

　　①烛龙：我国古代神话传说中人面龙身无足的龙，居于不见太阳的极北寒门，睁眼为昼，闭眼为夜。②燕山：在河北平原的北侧。③轩辕台：纪念黄帝的建筑物，故址在今河北怀来县乔山上。④双蛾摧：女子双眉紧锁、哀伤愁苦的样子。⑤长城：借指北方前线。⑥良：实在。⑦虎文金鞞靫：绘有虎纹图案的箭袋。

**【赏析】**

　　《北风行》原是乐府诗，王琦先生认为，李白这首《北风行》乃拟鲍照《北风行》所作。鲍照的诗"伤北风雨雪，行人不归"，但李白并未拘泥于此，他赋予本诗浪漫的色彩，突破了原来题材、内容的束缚，新意辈出，感人至深，具有较强的感染力。

　　"烛龙栖寒门，光耀犹旦开。"诗人开篇即描写了一幅风雪呼啸的画面，来营造悲惨的氛围，即景抒情，烘托气氛。这两句诗引用了《淮南子·地形训》中的典故。其中记载，烛龙生活在雁门北面的委羽山上，是一种人面龙身的动物，那里终年不见阳光，烛龙张开眼睛时就是白天，它闭上眼睛时就是黑夜，它吸气时就是冬天，它呼气时就是夏天。在那里，烛龙就代表了一切，但是烛龙所能带来的温暖和光明毕竟十分微小，所以那里永远都是非常阴暗和寒冷的。诗人用这个场景来比作现实的环境，营造了一种阴冷绝望的意境。

　　"日月照之何不及此，唯有北风号怒天上来。燕山雪花大如席，片片吹落轩辕台。"这四句进一步描绘了一幅冬日的寒冷雪景图，意境辽阔。"不及此"是说日月之光无法到达，那里没有一点光明和温暖。"北风"代表了寒冷，"唯有"更是说明了这里除了寒冷，就什么都没有了。"天上来"形容北风铺天盖地的样子，与下文的雪花相互呼应，描写风雪交加的情景。

　　"燕山雪花大如席，片片吹落轩辕台。"两句将雪花的状态、气势完全展现了出来，意境优美，富于想象，寓情于景，是千古难得的名句。"燕山"和"轩辕台"两个词点明了下文所说的思妇所处的地方，描述的地理范围一下子就缩小了。

"幽州思妇十二月，停歌罢笑双蛾摧。倚门望行人，念君长城苦寒良可哀。"四句诗借助环境的烘托，描绘了思妇的形象。"十二月"点明时间，解释了为何风雪如此之大，同时暗示年关将近，当别家已经开始为新年做准备的时候，只有"幽州思妇"孤单一人思念着远方的征人，更显得悲切凉悲。

"停歌罢笑双蛾摧"写思妇的一系列动作，她不再唱歌，脸上也再也没有了微笑，她所做的事情只有一件，就是"倚门望行人"。她看着眼前来来往往的行人，幻想着其中会有自己的丈夫。"长城"两个字说明了征人所在之处，"苦寒"直接点明了征人饱受饥寒的状态。征人所在的地方比思妇留守的幽州更加阴冷凄苦，前面的景物又有了新的意义，即起到了烘托对比的作用。

"别时提剑救边去，遗此虎文金鞶靫。中有一又白羽箭，蜘蛛结网生尘埃。"思妇想到分别时的场景，不禁黯然神伤。"救边去"说明丈夫到长城去是为了保卫国家。"提剑"两字表现他的英勇形象，在妻子心中丈夫的形象十分高大。"鞶靫"、"白羽箭"是丈夫离别前留给妻子的信物——装箭的袋子和一只羽箭。每当妻子思念丈夫时，她就会把这个箭袋拿出来看看，回忆曾经在一起的美好时光。"蜘蛛结网生尘埃"表明了丈夫离开的时间之久，以至于他留下的箭袋中已经结成了蜘蛛网。

"箭空在，人今战死不复回。不忍见此物，焚之已成灰。"丈夫已经战死沙场，永远留在了那个苦寒之地。"空"字充满了无奈和悲痛，人已不在但是物件还在，有物是人非之感。"不复回"三个字中充满了思妇的血泪，不管她如何思念和等待，丈夫都永远不能回来了"焚之已成灰"一句中被思妇所焚毁的是那个箭袋，她之所以选择焚毁它并不是因为自己已经忘记了丈夫，而是因为睹物思人，让她更加悲痛。悲情到达极致之后，她对战争充满了愤恨，心也和箭袋一起烧成了灰烬。

"黄河捧土尚可塞，北风雨雪恨难裁。"连黄河那样奔腾不息的河流都可能被填满，但思妇的离愁别恨却像充斥天地的暴风雪一样永无止境。这里运用了《后汉书·朱浮传》的一个典故，曾有个人不自量力，想要捧土塞孟津，这是不可能实现的。诗人反用了这个典故，反衬出了思妇浓烈的悲愤和愁情。

这首诗寓景于情，前后呼应，结构完整，表达了诗人对战争的控诉、对无辜百姓的同情，意境幽怨，感人至深。

# 日出入行

李白

日出东方隈<sup>①</sup>，似从地底来。历天又复入西海，六龙所舍安在哉？其始与终古不息，人非元气<sup>②</sup>，安得与之久徘徊？草不谢荣于春风，木不怨落于秋在。谁挥鞭策驱四运<sup>③</sup>？万物兴歇皆自然。羲和<sup>④</sup>！羲和！汝奚汨没于荒淫<sup>⑤</sup>之波？鲁阳<sup>⑥</sup>何德，驻景挥戈？逆道违天，矫诬实多。吾将囊括大块，浩然与溟涬同科！

**【注释】**

①隈（wēi）：山弯曲的地方。②元气：古代哲学家常用术语，指天地未分前的一片混沌之气，万物皆由此气派生而出，因而元气被认为是世间万物最本质的因素。③四运：春、夏、秋、冬四季。④羲和：神话中的太阳女神，传说她生了十个太阳。上古时代，她被认为是制定时历的人。⑤荒淫：辽阔、浩渺。⑥鲁阳：《淮南子·冥览训》说鲁阳公与韩酣战至黄昏，鲁阳公援戈一挥，就使太阳退了三舍（一舍三十里）。

**【赏析】**

《日出入行》原本是汉代乐府中的诗歌，它原本的意思是感叹人的生命太过短暂，无法和永远高挂在天上的太阳一样长久，希望可以成为由六头龙托着升仙的仙人。而李白的这首《日出入行》则不是劝谏修仙的诗，而是表明万事万物都有自己的规律。作为自然中的一员，人不能违背规律，而是要将自己和自然融合在一起，达到天人合一的境界。

这首诗共换韵三次，逐层深入表达诗意。

"日出东方隈"到"安得与之久徘徊"七句描述了太阳运行的轨迹：每天清晨太阳都是从东方升起，就好像是从地下出现的一样；每天傍晚太阳又回落到了西海之中。古时候人们认为，伏羲是太阳神，他乘坐着由六条龙拉载的车，每日从天空中行驶而过，而太阳的运行轨迹就是伏羲所乘坐的车在天空中的行驶轨迹。

"六龙所舍安在哉"是一句反问句，用嘲讽的语气表明，其实根本就不存在驾驶天车的六条龙，天车和太阳神也全是无稽之谈的。"徘徊"两个字形容太阳东升西落的状态。太阳和人们的日常生活息息相关，但人的生命十分有限，又怎么能和长久存在的太阳相提并论呢？诗人通过疑问的语气加强语气，明确地表达了自己的观点，他认为日出日落只是自然现象，和神灵没有关系。

"草不谢荣于春风，木不怨落于秋在。谁挥鞭策驱四运？万物兴歇皆自然。"这四句诗人描写了草木枯荣的自然景象，以此来说明万物的盛衰都是自然规律，这是全诗的核心内容。草木在春季生发，他们不用去感谢春风，树木落叶也不会怨恨这一切发生在秋季，因为四季的更迭并非操纵在神灵手中，而是不以人的意志而改变的自然规律。两个"不"字连用加强了语气，增强了说服力。"谁挥鞭策驱四运？"那个原本认为理应存在的神到底在哪里？诗人用设问引发思考，为后文"皆自然"的答案奠定了基础。

"羲和！羲和！汝奚汩没于荒淫之波？鲁阳何德，驻景挥戈？逆道违天，矫诬实多。吾将囊括大块，浩然与溟涬同科！"最后一部分，诗人运用了大量的感叹句和疑问句，以此来加强语气，表达强烈的感情。羲和被埋没在了波涛之中，鲁阳公妄想挥戈停住太阳。诗人运用屈原天问中的句式感叹，对他们的能力表示怀疑，进而发表了自己的观点：在强大自然力的作用下，人的力量十分渺小，忤逆天道只是人类的痴心妄想。只有接受自然，和自然融为一体才是人类正确的选择。

本诗格式新颖奇特，其中充满了李白的狂傲和自信。本诗将叙述、说理、抒情三者巧妙地融合在了一起，语言充满了跳跃感。即景抒情，情景交融，语气强烈，活灵活现，充分体现了李白的浪漫主义思想。

# 杨叛儿

李白

君歌《杨叛儿》，妾劝新丰酒。何许最关人？乌啼白门柳。乌啼隐杨花，君醉留妾家。博山炉中沉香火，双烟一气凌紫霞。

【赏析】

《杨叛儿》最初是北齐时的童谣，流传广泛，后来成为乐府诗的题材，李白这首《杨叛儿》延续并扩展了乐府旧题。

"君歌《杨叛儿》，妾劝新丰酒。"两句诗中描写了一男一女在宴会上的互动。男子对女子唱了一首《杨叛儿》，女子的回应就是向男子敬了一杯美酒。男子通过《杨叛儿》这首情歌向女子求爱，而女子并没有回绝，其中充满了男女之间的浓情蜜意。

"何许最关人？乌啼白门柳"两句点明了男子和女子相会的时间和地点。"最关人"表明见面的双方是最为关心和挂念的人。"白门"在南北朝时是情歌中经常出现的约会地点，在这里用来暗示男女见面的目的就是约会。"乌啼"两个字表明他们见面的时间是傍晚时分，夕阳西下。

"乌啼隐杨花，君醉留妾家"写约会过程，情趣盎然。当夜色越来越浓，鸟儿回到了自己的巢窠，在柳叶杨花中进入了甜蜜的梦乡。男子喝醉了之后留在女子家中。"隐"表明鸟儿是埋藏在了杨花之中，"醉"字既表示男子可能真因美酒而醉，也可能是"酒不醉人人自醉"，醉倒在女子浓情蜜意的温柔乡中。

"博山炉中沉香火，双烟一气凌紫霞"两句诗是本诗的高潮，在这两句诗中男女双方情感浓烈，就像香料投入香炉立即熊熊燃烧起来。"沉香"指名贵的香料，"博山炉"是一种山形的熏炉。男女双方相会欢爱就像将沉香投入博山炉之中，充满了美感和香气，也表示他们心意相通，融为一体。

本诗形象生动，富于情趣，节奏明快，诗中用优美的语言表现男女之间炽烈的爱情，这种自由奔放的爱情在封建社会中难得一见，客观上反映了当时的社会风气。

# 古朗月行

李白

小时不识月，呼①作白玉盘。又疑瑶台②镜，飞在青云端。仙人垂两足，桂树何团团③。白兔捣药成，问言与谁餐？蟾蜍④蚀圆影，大明夜已残。羿昔落九乌，天人清且安。阴精此沦惑⑤，去去⑥不足观。忧来其如何？凄怆⑦摧心肝。

【注释】

①呼：称作。②瑶台：传说中神仙居住的地方。③团团：圆圆的样子。④蟾蜍：传

说月中有三条腿的蟾蜍。⑤沦惑：沉沦、迷惑的样子。⑥去去：远去的样子。⑦凄怆：凄切悲伤。

**【赏析】**

《朗月行》原本是乐府诗，李白的《古朗月行》虽然沿用古诗题目却没有沿用旧的题材内容。这首诗运用神话传说，描写了诗人对月亮的浪漫的想象和美丽的幻想，语言生动活泼，感情浓烈。

"小时不识月，呼作白玉盘。又疑瑶台镜，飞在青云端。"开头四句描写幼年时对月亮的印象，充满了童趣。"白玉盘"就是孩子眼中月亮的形象，比喻直观、生动形象，一目了然。接着诗人又将月亮比作了"瑶台镜"，比之前的"白玉盘"又更近了一步，不但表现了月亮的形状，还将月亮能反光的特性也表现了出来。同时，"瑶台"是神话中西王母的住处，这样比喻也给诗歌增添了浪漫的神话色彩，引人遐想。"呼"和"疑"这两个词展现了孩子天真烂漫的神态，塑造了一个好奇心极强的幼童形象。

"仙人垂两足，桂树何团团。白兔捣药成，问言与谁餐？"四句诗描写了月亮升起时的画面。月亮渐渐升起，孩童仿佛从月亮之中隐隐地看到了上面仙人的两只脚，以及月宫中桂花树的形状。传说月宫中住着嫦娥和玉兔，白兔在上面不厌其烦地捣药，它要和谁一起吃呢？这四句似真似幻，以孩童的口吻写出，天真无邪，想象浪漫。

"蟾蜍蚀圆影，大明夜已残。"这是孩子看到月亮慢慢变弯心中的担忧。年幼的孩童还不明白什么是自然规律，也不明白月有阴晴圆缺。当他看到月亮不再圆满时，以为月亮被癞蛤蟆啃食了，才会变得残缺和晦暗，他担心生活在月亮之上的仙人和兔子也会掉下来。

"羿昔落九乌，天人清且安"，这两句引用了一个后羿射日的神话传说。诗人感叹当年多亏了后羿射掉了扰乱秩序的九个太阳，才使人间得以安宁平静。这两句诗一方面抒发了世间再无英雄的感慨，另一方面也揭示上面所提到的月宫仙人的身份，她就是偷了后羿仙丹独自飞升的嫦娥。

"阴精此沦惑，去去不足观。忧来其如何？凄怆摧心肝。"结尾四句直抒胸臆，表达了诗人的失望、悲伤。原本明亮皎洁的月亮变得晦暗不明、残缺不全，也就没有观赏的意义了。诗人表面上继续写月亮，但是实际上却暗含着诗人对于现实的绝望和不满，"沦惑"可以看作诗人对当时政治的影射。"忧"字表现了诗人壮志难酬又忧国忧民的矛盾心情；"凄怆摧心肝"就是诗人内心感情的直接爆发。

本诗通过追忆诗人童年时的关于月亮的认知来讽刺唐玄宗晚期的腐朽政治。全诗语言明快，自由奔放，形象生动，引人遐想。

# 妾薄命

李白

汉帝重阿娇，贮之黄金屋。咳唾落九天，随风生珠玉。宠极爱还歇，妒深情却疏。长门一步地，不肯暂回车。雨落不上天，水覆难再收。君情与妾意，各自东西流。昔日芙蓉花，今成断根草。以色事他人，能得几时好？

**【赏析】**

《妾薄命》原本也是乐府古题的一首。李白这首诗通过表现陈皇后阿娇悲剧的一生，表达了以色事人终非长久之计的观点。但在古代，大多数妇女终究都难以避免色衰而爱弛这一悲惨命运。

本诗共有十六句，可以分为四层。

"汉帝重阿娇，贮之黄金屋。咳唾落九天，随风生珠玉。"开头四句为第一层，诗人描绘了汉武帝时期陈皇后阿娇最初备受宠爱的场景。"贮之黄金屋"一句引用了"金屋藏娇"的典故，据说当年汉武帝的姑母长公主曾让年幼的汉武帝在数百名长御中选择一个最喜欢，但汉武帝一个都不要，长公主进而问汉武帝："难道你想要我的女儿阿娇？"没想到汉武帝表示如果能让他娶到阿娇，他一定会为她打造一个纯金的屋子让她居住，即"作金屋贮之"，后来汉武帝登基之后，阿娇被立为皇后，备受汉武帝的宠爱。"咳唾落九天，随风生珠玉"两句就生动形象地描绘了当时阿娇受宠的盛况。

"宠极爱还歇，妒深情却疏。长门一步地，不肯暂回车。"这四句为本诗第二层，受宠的阿娇恃宠骄横，终被废弃。"极"和"歇"两个字表明汉武帝对于阿娇的宠爱在到达了极致之间渐渐地衰退了。历来皇帝的后宫中都有数不清的美女，当汉武帝被其他的妃子吸引后，阿娇妒火中烧。为了让汉武帝回心转意，她做过很多努力，但却事与愿违，最终激怒了武帝，被废了皇后之位。阿娇的冷宫"长门宫"和汉武帝只有一步之遥，但却咫尺天涯。阿娇再也见不到心爱之人了，"一步地"三字充满了哀伤、绝望之情。

"雨落不上天，水覆难再收。君情与妾意，各自东西流。"四句话是阿娇的心声，它们表明了阿娇心中明白她已经不能让汉武帝回心转意了。这四句诗中所说的都是客观存在的事实，其中充满了悲凉之感。"水覆难再收"取自覆水难收的典故，意在说明诀别的夫妻再也无法和好，其中充满了绝望。"东西流"对应"君情与妾意"表明阿娇和汉武帝将再也没有交集了。

"昔日芙蓉花，今成断根草。以色事他人，能得几时好？"最后四句通过比兴点明了本诗的主旨，"芙蓉花"和"断根草"形成鲜明的对比，说明再珍贵的东西一旦遭到唾弃也就变得一文不值了。最后诗人直接道出以色事人终究短暂、早晚会被舍弃的观点。

本诗语言纯真质朴，典故丰富，生动形象，对比鲜明，具有警醒世人的作用。

# 横江词六首（其一）

李白

人道横江好，侬道横江恶。<br>猛风吹倒天门山，白浪高于瓦官阁。

**【赏析】**

《横江词》是李白新题乐府，《乐府诗集》将此诗收入《新乐府辞》。《横江词》组诗一共六首，主要写的是横江地势险峻，气候多变，风浪险恶，此为第一首。

横江为地名、津渡名，在今安徽省和县。《太平寰宇记》卷一二四记载："横江浦，在县北南二十六里。"横江浦与对岸采石矶（一名牛渚矶）相对的一段长江即为横江，形势险要，

今属安徽省马鞍山市。长江到安徽境内由东西走向一折为南北走向，江南之地素有江东之称。"至今思项羽，不肯过江东"（宋李清照《绝句》），这里的江东指的就是和县对岸的长江南岸。

"人道横江好，侬道横江恶。"此二句意思是：别人都说横江好，而我却说横江不好。诗人用朴实的民歌口语道出对横江的印象。"侬"是吴越方言，为吴人自称，现在的上海人还会用"侬"这个字。"人道"、"侬道"，用带有地方色彩的口语，抑扬顿挫，充满浓烈的生活气息，读来亲切感人，自然流畅。横江风浪多变，时而风平浪静，所以"人道横江好"；时而逐浪排空，因而"侬道横江恶"。"恶"即为不好，险恶之意。接下来说"恶"在何处。

"猛风吹倒天门山"，一作"一风三日吹倒山"。"天门山"由东、西两梁山组成，两山夹长江，形如天门，西山在和县地界，东山在当涂县地界，形势险要。"天门中断楚江开，碧水东流至此回。两岸青山相对出，孤帆一片日边来"（李白《望天门山》）写的就是这个地方。这句是形容猛风之大，好像要将天门山吹倒，这显然是夸张的手法。

风吹猛烈，山欲倒塌，那么风吹江水又是怎样的景象呢？"白浪高于瓦官阁"，这里的瓦官阁在南京瓦官寺中。瓦官寺气势恢宏，建于公元 364 年，为南朝古迹，其中留有东晋著名的画家顾恺之和雕塑家戴逵、戴颙颛父子以及梁代著名壁画家张僧繇的优秀作品。猛烈的山风吹来，在江中掀起了滚滚滔天巨浪，一浪高过一浪，好像比南京城江畔的瓦官阁还要高，大有排山倒海之势。这句形容巨浪滔天的自然奇景，令人叹为观止。同时，瓦官寺的位置也写出了此处长江滚滚而去的气势。

一般认为这首组诗为李白早期作品，诗人用夸张的手法，辅以口语化的民歌语言，加上浪漫的诗笔和纵横驰骋的想象力，描写了横江山水、巨浪一派雄奇壮阔的景象。语言自然流畅，明白如话，感情充沛，带有鲜明的民间文学特色，读来令人心驰神往、胸怀为之开放、精神为之一振。

# 横江词六首（其五）

李白

横江馆前津吏迎，向余东指海云生。
"郎今欲渡缘何事？如此风波不可行。"

**【赏析】**

这首诗是一首七言绝句，诗中除了有主客双方的对白，还辅以诗中人说话时的姿态，声色俱全，情感真挚。在传统的旧诗中，虽然也有相互问答之作，如诗经的"女曰：鸡鸣。士曰：昧旦"（《诗经·齐风·鸡鸣》）以及《孔雀东南飞》中兰芝与使君的

对白，但总的来说数量颇少，因此这首诗更显得弥足珍贵。

一、二两句"横江馆前津吏迎，向余东指海云生"，这里的"津吏迎"指明了诗人李白与津吏在横江浦（今安徽省和县东南）的驿馆前相逢。"津吏"指的是管渡口的小吏，而一个"迎"字也点出了津吏与李白的社会地位相差悬殊。下句中的"海运生"，则预示气象骤变，暴风雨即将来临。而这里的"向余东指"将津吏的形态生动地描绘了出来，他边回答诗人，边向东指着海上低压的乌云。

三、四两句"郎今欲渡缘何事？如此风波不可行"，为何津吏要如此作答呢？原来诗人首先提出了想要渡江的要求。若非诗人先发问，津吏决不会在来人尚未说明情况时主动作答。这个推断可以从第三句中的"郎今欲渡"四个字看出，津吏未举手东指以前，李白就先已提出了"欲渡"的要求。这种写法省略了诗人的主动发问，使结构更加精炼，意蕴更为丰富。从"郎"字可知那时李白年龄尚小，而津吏已是老人。此处津吏警醒式的回答，同时反映出李白当时急于渡江的神情。从"如此风波"四个字可以看出津吏对于观察天象经验丰富，因此颇为自信，而"不可行"则显示了老人的善良本性。

王琦《李太白全集》引范德机语曰："绝句一句一绝，乃其大本。其次句少意多，极四咏而反复议论。此篇气格，合歌行之风，使人嗟叹而有无穷之思，乃唐人所长也。"全诗语言爽朗，风格明快，字里行间透露出津吏关心渡客生命的为善天性。

# 秋浦歌十七首（其十四）

李白

炉火照天地，红星乱紫烟。<br>赧郎明月夜，歌曲动寒川。

**【赏析】**

秋浦，位于今安徽省池州市贵池区西，在唐代是银和铜的重要产地之一。天宝十二载（公元 753 年），李白游历于此，写了组诗《秋浦歌》十七首，本篇乃其中第十四首。这是一首描写劳动场面、歌颂冶炼工人的五言绝句。诗的一开头，便是"炉火照天地，红星乱紫烟"，呈现出一幅色调明亮、气氛热烈的冶炼场景。诗人用了"照"、"乱"两个动词，将冶炼的场面真实生动地展现在读者面前。"天地"和"紫烟"二词则突出了冶铁场面的宏大与通明。

紧接着便是"赧郎明月夜，歌曲动寒川"，这两句诗是全诗的重点，重在对冶炼工人的形象进行深刻描绘。"赧"，原指因害羞而脸红，此处则指炉火将工人的脸庞照得通红。"赧郎"二字，可以联想到他们健美壮硕的体魄和朴实、豪爽的性格。"明"字，将形容词用作动词，讲的是炉火映红了工人的脸庞，而工人们通红的脸庞又照亮了深夜的明月。如果说"赧郎"句是描绘了明月、炉火交映下冶炼工人的表情，那么后一句"歌曲动寒川"描绘了冶炼工人们一边劳动、一边歌唱的情节，嘹亮的歌声荡起了寒冷的河水。这句诗揭示出他们丰富的内心世界，字里行间极尽诗人对冶铁工人的赞美。

由于生活环境的限制，李白很少作直接描写劳动场面的诗歌。只有在《丁都护歌》

中描写过江南船工纤夫的劳动场面，再就是这首《秋浦歌》。这首诗塑造了生动鲜明的工人形象，将劳动场景描摹得真实热烈，极富张力。李白诗歌浩如烟海，而这首因其风格罕有，因而极为珍贵。

# 秋浦歌十七首（其十五）

李白

白发三千丈，缘愁似个长。
不知明镜里，何处得秋霜！

**【赏析】**

这是一首抒愤诗，作者运用了夸张的浪漫主义手法抒发自己怀才不遇的苦衷。诗以强烈的激情，宣泄报国无门、年华流逝的幽怨与悲愤，塑造出超凡脱俗的自我形象，具有极强的艺术效果。

诗歌一开篇便以"白发三千丈"将"自我"的形象展现得生动逼真。单看"白发三千丈"一句，叫人无法理解，白发怎可能有"三千丈"那么长。下句"缘愁似个长"使人豁然开朗，原来"三千丈"的白发是因愁而生。"愁"字点出了诗的主旨，同时也使三千丈的白发具有了双重内涵。古典诗歌里写愁的诗句很多，李白独辟蹊径，以"白发三千丈"之长来隐喻愁怨深重，具有了震撼人心的力量。诗人此处发出"白发三千丈"的孤吟，让天下后世识其愤慨，意味深长。

三、四两句"不知明镜里，何处得秋霜"，讲的是人看到自己头上生了白发，是因为照镜而知。秋霜色白，此处代指白发，兼具忧伤憔悴的感情色彩。句中的"不知"，并不是真的不知，也不是因为"不知"才发出"何处"之问。这两句诗不作问句用，而是极尽愤激之语，抒发诗人愤懑、惆怅以及无可奈何的心绪。最后将诗眼落在"得"字上。如此浓重的仇怨究竟是从何而"得"？"得"字贯穿到诗人坎坷的政治生涯中所受到的排挤压抑，志不能遂，缘此愁生白发，鬓染秋霜。问镜中秋霜何处得来，将思绪进一步引向社会、人生的广阔空间，于小诗中见无穷意。

诗人以奔放的画面、浪漫主义的表现手法，将积蕴极深的怨愤和抑郁宣泄了出来。《李诗直解》云："此因胸怀不遂而生迟暮之感也。"《唐宋诗醇》卷五："突然而起，四句三折，格力极健，要是倒装法耳。"诗中所有的倒装句法和夸张手法历来为评论家所推崇。

# 永王东巡歌十一首（其十一）

李白

试借君王玉马鞭，指挥戎虏坐琼筵。
南风一扫胡尘静，西入长安到日边。

**【赏析】**

李白进入永王幕府之后，踌躇满志、信心满满，准备大展拳脚，一展抱负，希望能够像谢安那样弈棋自若，叱咤风云，成为像谢安那样的人物。这首诗就透露出李白意欲"奋其智能，愿为辅弼"的激亢心情。

第一句"试借君王玉马鞭"，此处的"玉马鞭"指代军政大权。诗人写欲向君王"试借"军事权力，这里的"试借"二字可以表明诗人其实并不稀罕权力本身，但希望能够借用一回，以实现自己的政治理想。

第二句"指挥戎虏坐琼筵"，诗人想象自己坐镇军中，指挥战争的从容姿态表露无遗。战场腥风血雨，然而诗人却用了"琼"、"筵"二字，如此便将战争诗化、浪漫化。而正是这两个字也流露出诗人率性文雅的天然个性，同时也暗示了他的政治抱负最终只能被禁锢在文学作品中。

三、四两句"南风一扫胡尘静，西入长安到日边"，这里的"南风"指的是永王李璘的军队，由于其军队当时在南方，因此此处用"南风"设譬也很贴切。此外，古人认为南风可滋养万物，因此"南风"句也含有复国兴邦之意。"扫胡尘"比喻平息战乱，打倒叛军。这个比喻极为生动形象。末句"西入长安到日边"，"日"是皇帝的象征，从"入长安"到"到日边"，诗人描述的是一幅虽凯歌高奏却功成身退的画面，暗含功成弗居之意。诗人向来崇拜鲁仲连，他的最高理想便是功成身退。这一点诗人在同期诗作《在水军宴赠幕府诸侍御》提到过："所冀旄头灭，功成追鲁连。"

这首诗饱含政治热情，将理想和现实结合起来，并运用了夸张的浪漫主义手法。全诗读起来飘逸灵动，气势恢宏，意境潇洒，酣畅淋漓。

# 望天门山

李白

天门中断楚江开，碧水东流至此回。<br>两岸青山相对出，孤帆一片日边来。

**【赏析】**

开元十三年（公元 725 年），诗人去往江东，途经天门山的时候写下了这首著名的《望天门山》。

天门山指的是安徽省当涂县的东梁山以及和县的西梁山这两座山，它们分布在长江两边，形状像一道门，所以被合称为天门山。诗人乘轻舟行于江上，天门山出现在眼前，气势雄伟，震慑人心。全诗围绕"望"字展开描述。

"天门中断楚江开，碧水东流至此回。"这两句诗采用铺叙手法描述了天门上的雄浑景象以及长江奔腾不息的磅礴气势。山水相互映照将天门山的险峻展现得淋漓尽致。

第一句写江水，"中断"二字给人以无限的遐想。在这里诗人假设原本天门山并不是两座而是一座完整的山，因被湍急的江水冲断而分成两座山，既表现了天门山的险峻，更突出长江之水波涛汹涌的气势。"楚江开"强调突破而出的状态。

第二句写天门山。"碧"既写江水的颜色，也暗示了在天门山附近的江水十分深。"回"描绘江水曲折奔腾的画面，自由奔腾的长江水在天门山受到了阻挠，不得不放慢了前进的脚步。原本开阔的河道在天门山这里突然变得狭窄起来，大量的河水无法同时流过于是出现了惊涛拍岸、回旋激荡的画面。

"两岸青山相对出，孤帆一片日边来"描绘出了诗人乘舟通过天门山的画面。"相对"两字表明了诗人所处的位置，以及各天门山的状态。"出"字表明天门山逐渐出现在诗人的眼中，之后又渐渐离开了诗人的视线。它赋予原本静态的事物以动感，将天门山拟人化，仿佛它们正打开大门，欢迎诗人的到来，生动形象。

最后诗人乘坐轻舟在阳光的照射之下高兴地向天门山驶去。这一句暗示前面所写的都是诗人所看到的，紧扣题目。结尾两句中有红色的太阳、碧绿的江水、雪白的船帆，还有翠绿的青山，这一切共同构成了一幅壮美雄浑的江山画卷，意境悠远，色彩艳丽。"孤"字又增添一种孤寂苍辽之感。

李白性好山水，一生去过很多地方游历，他也留下了许多传世名篇。本诗描绘了天门山以及长江的磅礴气势，意境雄浑，体现了诗人豪放洒脱、狂放不羁的性情。

# 赠钱征君少阳

李白

白玉一杯酒，绿杨三月时。春风余几日，两鬓各成丝。秉烛唯须饮，投竿也未迟。如逢渭水猎，犹可帝王师。

## 【赏析】

这是李白写给友人钱少阳的一首五言律诗，大致作于诗人暮年。题中的"征君"，指被朝廷征聘却不肯受职的隐士。这首赠诗，既是赞扬钱少阳虽已年迈，但仍怀出仕建功的抱负，同时也反映出诗人晚年壮志不迟的豪迈气概。

"白玉一杯酒，绿杨三月时"，首联一下笔便写"酒"，随后再点明这个季节正是"三月"暮春，为下文抒情埋下伏笔。这两句诗渲染了春日独酌的隐居氛围，意境闲适宁静，正与钱征君身份相符。

"春风余几日，两鬓各成丝"，此联承接第二句，语带双关，既说春光将尽，余日无多，又暗示诗人与钱征君都已近风烛残年，鬓发已斑白。"各"字，将两人的境遇联系起来，暗示诗人在写友人之志的同时，兼以述己之怀。

"秉烛唯须饮，投竿也未迟"，抒发了由暮春与暮年引发的无限感慨。第五句诗化用于古诗"昼短苦夜长，何不秉烛游"，承袭颔联，与首句相呼应，饱含对人生的无可奈何、饮酒避世的心绪。

尾联化用了吕尚钓鱼的典故，说如果钱少阳能碰到像周文王一样求才若渴的明君，也能成就辅佐帝王成就大业。"如"字说明建功立业还只停留在设想之中，并未成为现实，此处是虚写，非实指。"犹"字隐藏着诗人"烈士暮年，壮心不已"的雄心。此句用典贴切，着"如"、"犹"两个副词表达深刻的含义，巧妙独特，余味无穷。

这首律诗不局限于韵律之中，首联对仗，颔联却不对，与一般的律诗有很大不同，可见诗人豪放不羁的行事风格。全诗情到之处即为诗篇，语句上流畅自然，毫无滞涩，情感上含蓄内敛，意味深长。

# 赠汪伦

李白

李白乘舟将欲行，忽闻岸上踏歌声。
桃花潭水深千尺，不及汪伦送我情！

**【赏析】**

这首诗是一首赠别诗，作于天宝十四载（公元 755 年）。李白从秋浦（今安徽省贵池）前往泾县（今属安徽）游览桃花潭，当地人汪伦常酿美酒款待他。临走时，汪伦前来送行，因此，李白作此诗留别。诗中朴素自然地表达出一位普通村民对诗人朴实、真挚的情感。

第一句"李白乘舟将欲行"，主要是叙述事情发生的背景，先写要离去者，继写送行者，展示出一幅别具特色的离别画面。"乘舟"二字表明离开的方式是走水道；"将欲行"则表明正是轻舟待发之时。这句诗写诗人站在船舱头正准备离去的情景。

第二句"忽闻岸上踏歌声"，不像首句那样直接叙述，而采用了曲笔，说听见岸上传来有节奏的歌声。很显然，这阵歌声的出现完全出乎诗人的意料，"忽"字将偶然的状态表现得十分贴切。如果是诗人意料之中的话，那么此处当用"遥闻"而不用"忽闻"。这句诗虽然表现得比较含蓄，未见其人，先闻其声，但人仿佛已呼之欲出。

第三句"桃花潭水深千尺"，深湛的桃花潭水触动了诗人的离愁别绪，此处将汪伦对诗人深情厚谊和水深自然地联系起来。"深千尺"并不是指真有千尺那样深，而是用了夸张的手法，既描绘了桃花潭的特点，又为结句打下伏笔。

结句"不及汪伦送我情"，以比物手法直接地表达出汪伦与诗人真挚纯洁的友情。潭水已"深千尺"，而汪伦送李白的情谊比桃花潭水更深。诗人用"不及"二字将"深千尺"的桃花潭水与友谊联系在一起，把无形的情谊化为有形，形象生动，构思巧妙。

历来诗人都爱用水流之深比喻人的感情之深。此诗中，如果诗人直接说，汪伦的友情像潭水那样深，未免落入俗套，且带有粉饰雕琢的意味。诗人以有形之水比喻无形之情，可谓匠心独运。另外，口语化也是本诗的一大特点，诗人用明白畅达的口语直接抒情，天真自然，别具一格，也表现了李白豪放不羁的个性。

# 忆旧游寄谯郡元参军

李白

忆昔洛阳董糟丘，为余天津桥南造酒楼。黄金白璧买歌笑，一醉累月轻王侯。海内贤豪青云客，就中与君心莫逆。回山转海不作难，倾情倒意无所惜。我向淮南攀桂枝，君留洛北愁梦思。不忍别，还相随。相随迢迢访仙城，三十六曲水回萦。一溪初入千花明，万壑度尽松风声。银鞍金络到平地，汉东太守来相迎。紫阳之真人，邀我吹玉笙。餐霞楼上动仙乐，嘈然宛似鸾凤鸣。袖长管催欲轻举，汉东太守醉起舞。手持锦袍覆我身，我醉横眠枕其股。当筵意气凌九霄，星离雨散不终朝，分飞楚关山水遥。余既还山寻故巢，君亦归家渡渭桥。君家严君勇貔虎，作尹并州遏戎虏。五月相呼渡太行，摧轮不道羊肠苦。行来北京岁月深，感君贵义轻黄金。琼杯绮食青玉案，使我醉饱无归心。时时出向城西曲，晋祠流水如碧玉。浮舟弄水箫鼓鸣，微波龙鳞莎草绿。兴来携妓恣经过，其若杨花似雪何！红妆欲醉宜斜日，百尺清潭写翠娥。翠娥婵娟初月辉，美人更唱舞罗衣。清风吹歌入空去，歌曲自绕行云飞。此时行乐难再遇，西游因献《长杨赋》。北阙青云不可期，东山白首还归去。渭桥南头一遇君，酂台之北又离群。问余别恨今多少，落花春暮争纷纷。言亦不可尽，情亦不可及。呼儿长跪缄此辞，寄君千里遥相忆。

**【赏析】**

这首诗是作者写给好友元演的，元演当时为亳州（谯郡，州治在今安徽省亳县）参军。从诗的内容看，这首诗约作于天宝九载（公元 750 年）前后，即诗人仕途受挫，第二次离开长安之后。元参军，即李白的好友元演。二人曾有数次交往，意气相投。作品的内容虽写的是诗人青年时期纵酒狎妓、放荡不羁的轻狂生活，但这并不仅仅是为了怀旧，其中饱含对现实社会的批判与否定。

全诗是以与元演的交往为线索展开描写的，据此可分为四个部分。

从开头到"君留洛北愁梦思"为第一部分，重在追忆在洛阳时结交豪俊、纵情恣意的情景。酒贯穿了诗人的一生，片刻不可缺少，诗人自称"酒中仙"。对于李白来说，饮酒是一种追求精神解脱的方式。"一醉"，而至"累月"，"倾情倒意"几乎到了不惜牺牲一切的地步，这是一种令人拍案叫绝的夸张。接下来，诗人说到自己的交游，尽是"海内贤豪青云客"，其中元参军最是"莫逆"之交。然后诗中又交代了二人离别之后的去向，一个赴淮南，一个"留洛北"。

第二段从"相随迢迢访仙城"到"君亦归家渡渭桥"，"不忍别，还相随"作为一、二两段的过渡句，承接了上句"君留洛北愁梦思"，重在写二人分别时依依不舍的情景。此二句承上启下，衔接得极为自然。

接下来，诗人用"水回萦"、"千花明"、"松风声"三个词描写了仙城山的迷人景致，仿佛人间仙境。下文又写与汉东太守及道士胡紫阳饮酒作乐的场面。其中太守"乘醉起舞"、诗人"醉卧枕其股"、太守"解衣覆其身"三个细节最为动人。好友之间志趣相投，没有尊卑之分，无拘无束，倾心相交，与上层社会的虚伪、势利全然不同，二者形成了鲜明的对照。

第三段从"君家严君勇貔虎"到"歌曲自绕行云飞"，主要是追忆了诗人在并州受元演及其父亲热情款待的情况。这一段主要是写元参军，先从其"严君"（父亲）写起，介绍元演将门之子的尊贵身份，以突出元演"贵义轻黄金"的深厚情意。"行来北京（太原）岁月深，感君贵义轻黄金。琼杯绮食青玉案，使我醉饱无归心。"他们时常光顾城西的名胜古迹，泛舟于晋水之上，风光极美，击鼓吹箫，乐趣无穷。"斜日"的红光与歌女们的红妆相互映照，美不胜收。

第四段从"此时行乐难再遇"到篇末，用一句收束前文，写诗人长安失意后与元演的再次相逢。"西游因献《长杨赋》"，诗人满怀建功立业的渴望来到长安求仕，无奈奸邪当道，屡遭谗毁，失望而归。"北阙青云不可期，东山白首还归去"则含蓄地表明自己对仕途的失望，以及意图归隐的打算，其中包含强烈的悲愤之情。

"渭桥南头一遇君，酂台（在谯郡）之北又离群"，仿佛是与友人握手说"久违"，其间包含多少人事感慨。向来旷达的诗人也因心境不佳，发出了"问余别恨今多少，落花春暮争纷纷"的声音。这种心境"言亦不可尽，情亦不可及"，只有"寄君千里遥相忆"！

这首诗层次清晰、结构完整，手法夸张、描写生动形象。在句法上主要以七言为主，其中间杂三、五、九字句，又整饬又参差，信笔挥洒，可谓酣畅淋漓。


# 送贺宾客归越

李白

镜湖流水漾清波，狂客归舟逸兴多。
山阴道士如相见，应写黄庭换白鹅。

## 【赏析】

这首《送贺宾客归越》是一首七言绝句。天宝元年（公元 742 年），李白与贺知章于长安第一次相遇，二人相见恨晚。次年，贺知章请求出家为道士。天宝三载（公元744 年），贺知章辞京回乡，此时李白正在长安，便特作此诗为他送行。李白与贺知章虽然年龄相差 40 余岁，却是莫逆之交。李白曾作《蜀道难》一诗，贺知章尚未读完，便赞赏不已，称李白为谪仙。自此李白被称为"谪仙人"，人称诗仙。题中的"越"，指越州，在今浙江绍兴。

首句"镜湖流水漾清波"，"镜湖"得名于王羲之"山阴路上行，如在镜中游"之句，又名鉴湖，位于浙江绍兴市会稽山麓，东起今曹娥镇附近，经郡城（今绍兴）南，西抵今钱清镇附近，尽纳南山三十六源之水而成湖。湖周围约三百一十里长，东西走向，形状狭长，因湖水清澄而驰名。

次句"狂客归舟逸兴多"，"狂客"指的是贺知章，据《旧唐书·贺知章传》记载："知章晚年尤加纵诞，无复规检，自号'四明狂客'。"杜甫在《寄李十二白二十韵》中也提道："昔年有狂客，号尔谪仙人。"因此，此处用"狂客"二字，主要是为了突出贺知章的性格，也是为了切合全诗的基调。逸兴，是指超逸豪放的意思。此次友人回乡，是以道士的身份，因此推测，贺知章一定会在镜湖终日泛舟遨游的。

最后两句"山阴道士如相见，应写黄庭换白鹅"化用了东晋大书法家王羲之的典故。王羲之所记载的兰亭集会便发生在贺知章的故乡山阴。据《太平御览》卷二三八记载，山阴有一个道士，以白鹅作为报为酬，请王羲之书写《黄庭经》。王羲之欣然同意，写毕，笼鹅以归。由于贺知章乃是唐代书法家，尤其擅长草书和隶书，又一度为道士，因此，此处用王羲之的典故作比，来盛赞贺知章书法的绝妙高超。

全诗诗风飘逸、意境深远。虽语言平实但构思甚妙，尤其妙在典故运用。诗人用王羲之写字换鹅的故事，来颂扬友人贺知章的才华横溢与潇洒不羁，同时也对友人故里山阴作了一定的描绘。

# 望庐山五老峰

李白

庐山东南五老峰，青天削出金芙蓉。
九江秀色可揽结，吾将此地巢云松。

## 【赏析】

此诗作于开元十三年（公元 725 年）诗人初游庐山之时，是一首吟咏庐山美景的佳作。五老峰，庐山胜景之一，位于庐山牯岭东南十一里，因五峰并峙，如同五位仪态轩昂的老人而得名。李白钟爱庐山之美，尤其钟情于五老峰，曾在五老峰下的九叠屏隐居，并赞美五老峰曰："予行天下所游览山水甚富，俊伟诡特，鲜有能过之者，真天下之壮观也。"

首句"庐山东南五老峰"，诗人以赋的手法直写五老峰在庐山的方位，开门见"峰"，紧扣诗题，仿佛突然兴起而作，直抒旨畅。次句"青天削出金芙蓉"，意到辞工，浑然天成。人皆道五老峰形似五叟，而在诗人眼里，阳光下的五老峰，却金碧辉煌，如同盛开的金色芙蓉。尤其是一个"削"字用得极为巧妙，突出五老峰的险峻陡直，暗示诗人的视角是由下向上仰望的。此句一出，顿见太白笔力腾挪矫健，想象神思逸动。如此山势形状，原本是由天工造化，而李白却偏偏说它是由青天削成，可见诗人的用词之传神。

李白向来喜用"芙蓉"来形容山峰的秀丽挺拔，曾赞美华山"太华三芙蓉，明星玉女峰"（《江上答崔宣城》），赞美九华山"天河挂渌水，秀出九芙蓉"（《改九子山为九华山联句》）。五老峰在李白笔下，一派壮伟英姿之气象，处处鬼斧神工之奇景。

紧接着"九江秀色可揽结"，视点由五老峰转向山下的九江，凭高送目，九江秀色尽收眼底，仿佛伸手可以揽取。此处，诗人以"可揽结"三字，抒发了对九江美景的深深喜爱。五老峰离九江并不近，然而由于山势陡直，因此可以一览无余。诗人在首句中交代了五老峰的"东南"方向和地理位置，次句又以"削"来突出五老峰的陡直山势，而此句中的"揽结"则与上文相呼应，再次点明了五老峰的山势陡峭。

尾句"吾将此地巢云松"，"巢云松"，意即在白云苍松之下结庐隐居。诗人沉醉于五老峰的独特景色，顿生隐居于此的念头，不忍离去，故而说："吾将此地巢云松。"后来，李白果然在五老峰的青松白云之中隐居了一段时间。

全诗以"望"为诗眼，语言精妙，意境绝美。诗人运思于胸襟之中，挥洒之间，一幅五老峰山水长轴图便灵动宏伟，有尺幅万里之势。诗在反映诗人热爱五老峰风光的同时，也流露出了出世思想。

# 苏台览古

李白

旧苑荒台杨柳新，菱歌清唱不胜春。
只今惟有西江月，曾照吴王宫里人。

## 【赏析】

此诗是天宝初年（公元 742 年）诗人漫游吴越时所作。苏台，即姑苏台，修建于吴王阖闾时，夫差时增广扩建。相传台横五里，高见三百里，积材五年乃成。台上建有春宵宫，夫差与嫔妃彻夜宴饮作乐。这首诗通过对苏台今昔变化的描写，发出了昔盛今衰的感慨，表现了诗人深沉的兴亡之感。

首句"旧苑荒台杨柳新"，以极衰飒的笔触，描写了吴苑的残破，苏台的荒凉，引发出诗人对人事变迁、兴废无常的感慨心绪。而"杨柳新"一词，又描绘了杨柳青青的清丽春色，杨柳年年如旧，岁岁常新。杨柳的"新"与苏台的"旧"，反映出变迁的时光与不变的遗迹、如此鲜明的对照，更加深了诗人凭吊古迹、叹古今盛衰的感慨。

次句"菱歌清唱不胜春"，月夜静谧，柳岸湖中传来采菱女轻柔婉转的歌声，更为这绝佳春色增添了无限的柔情蜜意。不胜，犹不尽。"不胜春"三字，将人们的欢愉推向了极致，同时也更衬托出诗人吊古之怅惘。正是这些歌声，引起诗人的无限遐思：有谁能够想到，正在这荒凉的姑苏台上，吴王夫差曾在巍峨的春宵宫里与美人们通宵达旦地欢歌醉舞过？

三、四两句"只今惟有西江月，曾照吴王宫里人"，指出只有斜挂于西江之上的那轮明月，才照见过吴宫的繁华，看见过宫中的美人。这两句诗凄清肃穆，情感悲凉，词有限，而意无穷，使读者的情感体验获得了进一步的升华。亘古不变的西江月与年华易逝的宫中美人相对而出，旨意遥深，具有深刻的象征意义。

人作为万物之灵，执有强烈的生命意识，总是在不断追求着超越解脱。这首诗通过对苏台人事与景物的变化，反映出人生无常、韶华易逝的慨叹，抒发了诗人的兴亡感慨。

# 春日醉起言志

李白

处世若大梦，胡为劳其生？所以终日醉，颓然卧前楹。觉来眄庭前，一鸟花间鸣。借问此何时？春风语流莺。感之欲叹息，对酒还自倾。浩歌待明月，曲尽已忘情。

## 【赏析】

这是一首醉歌诗。天宝元年（公元 742 年），李白奉诏入京，供奉翰林。由于他性情孤傲，疾恶如仇，不愿合李林甫、高力士之流，很快受到奸佞权贵的谗谤与排挤。诗人身处如此黑暗的官场，却无能为力，心中异常苦闷，经常借酒浇愁。此诗便是诗人醉酒之后的抒怀之作。

"处世若大梦，胡为劳其生？所以终日醉，颓然卧前楹"，佛家与道家，都有人生如梦的观点，梦里梦外，孰假孰真，人们为何要为此而操劳终身呢？唯有普度众生的"佛法"及育化万物的"道"才是永恒的，值得人们追求。诗人常喝得酩酊大醉，要在醉中来排解忧思，度过这如梦的人生。诗人通过醉酒来表达自己对社会现实的丑恶与黑暗的批判，也在朦胧的醉意中享受人生。

"觉来眄庭前，一鸟花间鸣"，诗人从梦中一觉醒来，看见花丛中一只小鸟在兀自鸣叫，这句诗将烦嚣的尘世瞬间变得安宁静谧。"借问此何时？春风语流莺。"问一问这只小鸟，此时为何时？春风吹拂之时，流莺处处低鸣，原来春日已至。这种幽美之境与其说是大自然的赐予，不如说是诗人心境的表现。

这是春日常见的景象，但清醒时候的诗人却看不见，而如今在醉后醒来才突然发现，因为只有在醉酒之后诗人的心境才可以沉静下来，宠辱皆忘，坐看风起云涌。

这种醉后的顿悟使李白感慨再感慨，他在这种境界中享受人生，不想这种心境转瞬即逝，那样自己恐怕又要回到现实中，面对种种烦恼。于是诗人又给自己斟了一杯酒，希望这样的状态持续下去，一直喝到月上中天。

东晋诗人陶渊明一直是李白崇拜的对象，他的《饮酒》诗影响深远，这首诗在某种程度上也受到了《饮酒》诗的影响，是李白模拟《饮酒诗》而作。虽说是"拟陶之作"，但其中也不乏李白自己的格调。这首诗风格豪迈，突出了诗人洒脱不羁、逍遥自在的形象。

# 嘲鲁儒

李白

鲁叟谈五经，白发死章句。问以经济策，茫如坠烟雾。足著远游履，首戴方山巾。缓步从直道，未行先起尘。秦家丞相府，不重褒衣人。君非叔孙通，与我本殊伦。时事且未达，归耕汶水滨。





"

**【赏析】**

《嘲鲁儒》这首诗，大约于开元末年（公元741年）李白移居东鲁后不久所作，当与《五月东鲁行答汶上翁》为同一时期作品。李白来到东鲁，就是今天的兖州，此地紧邻孔子故里曲阜，"盛产"儒生。在东鲁的这段时期李白与大批"鲁儒"有往来，了解之后却心生鄙夷，遂写此诗以讽。诗中对儒生们皓首穷经的迂腐进行了辛辣的嘲讽，并反复声明自己的远大政治抱负和高洁的人品均与儒生不同，表现了诗人狂放潇洒的形象。

"鲁叟谈五经，白发死章句。问以经济策，茫如坠烟雾"，这四句说的是，山东的儒生们，言必称"五经"，白发苍苍之时，也只是将《诗》、《书》、《礼》、《易》、《春秋》这几部儒家经典章句死记硬背下来。假如向他们请教经世治国之策，他们便茫然不知所措。此处，诗人细致刻画了鲁儒只知经书和不知治国的迂腐无能。

接下来，诗人对鲁儒的迂腐打扮和装腔作势的行为做了精彩的描写："足著远游履，首戴方山巾。缓步从直道，未行先起尘。"他们脚下穿着文饰考究的"远游履"，头上戴着平整端重的"方山巾"，缓缓而行，由于宽袖博带极不方便，因此，在他们尚未迈开步子时，便卷起了灰尘。诗人以漫画笔法，将鲁儒们迂腐可笑的举止描摹得活灵活现，矜持的外表与无能的内在对比鲜明，突出他们的迂腐。

诗末六句"秦家丞相府，不重褒衣人。君非叔孙通，与我本殊伦。时事且未达，归耕汶水滨"，诗人将自己与鲁儒加以对比，表达出自己的积极的入世思想。

这六句诗中，采用了两个典故。秦朝时期，秦始皇曾采纳丞相李斯的建议，下令焚烧天下的《诗》、《书》等儒家经典，违抗者均施以黥刑，并被罚去筑城。诗人用这个典故说明，那时候的儒生都受到轻视，迂腐无能的"鲁儒"也不可能得到朝廷的重用。

据《史记·刘敬叔孙通列传》记载：汉以来，山东儒学有齐、鲁两派。鲁学好古、重章句，齐学趋时、重世用。汉高祖时期天下初定，齐学派儒生叔孙通受命去鲁地征召儒生。当时有二儒生认为"天下初定，又欲起礼乐，为不合古"，被叔孙通笑为"真鄙儒"，不知时变。后来，叔孙通选三十儒生进京，为朝廷制订礼仪。高祖七年（公元前200年），叔孙通受拜为太常，赐金五百。诗人以此嘲讽的"鲁儒"正像叔孙通所讥笑二儒生一样"不知时变"。

通过这两个典故的化用，诗人强调也崇尚儒学，但却和鲁儒不用，他希望效仿叔孙通，安定天下，救济苍生，成就一番大事业。他认为对时务一窍不通的儒生，也只能够回到家乡去耕田。

《嘲鲁儒》这首诗以辛辣的笔调、漫画的笔法，刻画了"鲁儒"装腔作势、迂腐无能的形象，讽刺他们只知死读经书，不懂治国之策。同时也表现自己既不屑与世人同流合污，又和迂腐儒生不同的绝世才华。

# 宣城见杜鹃花

李白

蜀国曾闻子规鸟，宣城还见杜鹃花。
一叫一回肠一断，三春三月忆三巴。

**【赏析】**

天宝十四载（公元 755 年）春，诗人寓居宣城，看到宣城的杜鹃花想起了家乡蜀地的子规鸟，思乡之情袭上心头。

"蜀国曾闻子规鸟，宣城还见杜鹃花"，暮春三月诗人在宣城见到一片开放的杜鹃花。杜鹃花因杜鹃鸟而得名，而杜鹃鸟相传是古蜀帝杜宇的精魂所化，蜀地最多。每逢暮春，杜鹃鸟便不迭声地啼叫"不如归去，不如归去"的音调。本来诗人是先看见宣城的杜鹃花，才联想到蜀国的子规鸟，而诗中却将逻辑颠倒，先写回忆中的虚景，再回到眼前的实景。如此便可将思乡心情放在突出的位置上，点明诗旨。

三、四两句"一叫一回肠一断，三春三月忆三巴"，充分显示了李白大胆的艺术构思，进一步渲染了诗人浓重的思乡情怀。此处"一"、"三"数词叠用，形式奇特，富有节奏，韵律铿锵，有极强的感染力。此句如谚如谣，意境极佳。三个"一"的叠加产生了千呼百转的效果；而三个"三"的重复，也将诗人思归之情发挥到极致，荡气回肠，余音缭绕。

在古典诗歌创作中，同一首诗里使用同一个字或词本是大忌，诗人却打破了这一传统的诗歌模式，用叠字来抒发强烈的情感。严沧浪评此诗："偶然取小巧，非大雅调。然劲快不伦，自是太白风格。"此诗对仗工整，迭沓重复，构思精妙，信口咏出，极自然真挚之致。

# 示金陵子

李白

金陵城东谁家子，窃听琴声碧窗里。落花一片天上来，随人直度西江水。楚歌吴语娇不成，似能未能最有情。谢公正要①东山妓，携手林泉处处行。

**【注释】**

①要：通"邀"。

**【赏析】**

此诗是一首七言古诗，一题作《金陵子词》，作于开元十四年（公元 726 年）。金陵子，即金陵妓。李白游金陵时，倾心于金陵子，于是作此诗赠予她。魏颢《李翰林集序》中记载李白的事迹："（太白）间携昭阳、金陵之妓，迹类谢康乐（谢灵运封康乐公，魏氏误以谢灵运为谢安），故世号李东山。"诗中描绘了金陵妓娇美的情态以及诗人潇洒恣意的生活。

全诗共八句，前六句专门描写金陵妓。"金陵城东谁家子，窃听琴声碧窗里"，这两句描写了金陵城东的歌妓擅长古琴弹奏，琴声自"碧窗里"传出，竟引来行人"窃听"。可见弹琴的人技艺娴熟，琴声悠扬动听。"落花一片天上来，随人直度西江水"，西江，西来的江水。《庄子·外物》中写道："我且南游吴越之王，激西江之水而迎子。"因此后人泛称吴越之地的江水为西江。这句诗将金陵子比作飞舞的落花，气韵非常，恰似仙女下凡，随人渡过西江水，来到金陵。

"楚歌吴语娇不成，似能未能最有情"，金陵子操一口吴侬软语，吟唱楚歌，语气娇媚，腔调似有似无，最叫人喜欢。这两句着重描写了金陵子的情致斐然，令诗人也为之倾倒。

末句"谢公正要东山妓，携手林泉处处行"，诗人借用东晋名士谢灵运的典故，写自己被金陵子所倾倒，正欲相邀。谢灵运旧时隐居于会稽东山，后来于金陵居住之时，便筑土山以替代东山，常携妓纵情游赏于此。李白一直对谢灵运多有钦慕，此处着意仿效，隐约透露出对现实的不满以及意欲归隐山林之志愿。

全诗语言清新洒脱、宕逸轻灵，将金陵子的才艺、气韵描绘得不落俗套，情意悱恻。此外，诗人还借用了谢安典故，表明志向，意在言外。

# 经下邳①圯②桥怀张子房

李白

子房未虎啸，破产不为家。沧海得壮士，椎秦博浪沙。报韩虽不成，天地皆振动。潜匿游下邳，岂曰非智勇？我来圯桥上，怀古钦英风。唯见碧流水，曾无黄石公。叹息此人去，萧条徐泗③空。

**【注释】**

①下邳（pī）：今江苏省睢宁县。②圯：读 yí。③徐泗：指的是徐州、泗州，二者相邻。

**【赏析】**

这首诗是李白经过下邳圯桥时所写的一首怀古诗，其写作时间历来颇有争议，一说作于天宝四载（公元 745 年），即李白离京之后北游山东之际，一说作于开元二十六年（公元 738 年）。诗歌叙述了张良为韩国报仇，倾尽家产招揽刺客暗刺秦始皇的事迹。全诗基调悲壮慷慨，流露出对张良的钦慕之情。诗人在颂扬张良的智勇果敢同时，又不禁发出了对自己仕途不顺的感慨之情。

前四句"子房未虎啸，破产不为家。沧海得壮士，椎秦博浪沙"，子房，张良的字，其家五世为韩相，而后因辅佐刘邦兴汉，被封为留侯。诗句一开始便用了"未虎啸"三个字，指出张良未发迹之前仍非龙吟虎啸之名士。

第二句"破产不为家"讲的是张良为韩国报仇的事。《史记·留侯世家》中记载："……良家僮三百人，弟死不葬，悉以家产求客刺秦王，为韩报仇"，故曰"破产不为家"。后两句则讲述了张良报仇的细节。据《史记》记载，张良后来于"东见沧海君，得力士，为铁椎重百二十斤。秦皇帝东游，良与客狙击秦皇帝博浪沙中"。不料力士误中副车，未能成功。

紧接着诗人又继续讲述张良的经历，"报韩虽下成，天地皆振动。潜匿游下邳，岂曰非智勇？"第五句"报韩虽不成"，为力士椎击始皇未遂误中副车扼腕叹息。后来秦皇勃然大怒，下令全国通缉张良。张良改名换姓，逃到了下邳。虽然刺秦未果，但是张良的才谋胆略竟使"天地皆振动"。

七、八两句"潜匿游下邳，岂曰非智勇"，写的是张良逃亡至下邳，但省略了圯桥进履、受黄石公书这一段。相传张良匿至下邳，偶遇古怪老人。老人故意将鞋堕入圯桥下，令张良拾履，并令张良屈膝为之穿上。张良虽有怒色，但念及其年迈，于是未有推辞。老人为张良之谦恭与忍让所动容，于是传授《太公兵法》于他，助他辅佐刘邦，此古怪老人便是黄石公。最后一句诗在这里主要是赞扬张良的智勇与胸怀。

九、十两句"我来圯桥上，怀古钦英风"，讲的是诗人自己游览圯桥古迹，想起了张良的故事，感慨如今桥下碧流仍旧缓缓流淌，可惜却再也没有黄石公这样的人了。这句诗本来的逻辑是见不了张子房，但是诗人却不提张子房，而直接写黄石公。诗人这样写是别有用意的，像张良那样的人才当今未必就没有，但是像黄石公那样可以点拨张良、传其道者则再也没有了。

诗人在这里以张良自喻，无疑是在感叹自己满腹才华，却无人能欣赏，以曲笔自抒抱负，意味深长。最后两句"叹息此人去，萧条徐泗空"，则进一步抒发了诗人渴望展露才华、实现抱负的感慨之情。

整首诗怀古伤今，气势磅礴，最后又曲抒胸臆，意味深长，实乃佳作。

# 望鹦鹉洲悲祢衡

李白

魏帝营八极，蚁观一祢衡。黄祖斗筲人，杀之受恶名。吴江赋《鹦鹉》，落笔超群英。锵锵振金玉，句句欲飞鸣。鸷鹗啄孤凤，千春伤我情。五岳起方寸，隐然讵可平？才高竟何施，寡识冒天刑。至今芳洲上，兰蕙不忍生。

## 【赏析】

相传东汉末年，江夏太守黄祖之长子黄射于洲上大宴宾客，席间有人献上鹦鹉一只，黄射便令祢衡写赋以娱众宾客。祢衡文思泉涌，一挥而就，写成文采飞扬、流传千古的《鹦鹉赋》，此洲因此叫做鹦鹉洲。《鹦鹉赋》中祢衡以鹦鹉自况，表达了对当时黑暗政治的不满，以及生于乱世才智不得施展的愤懑。

祢衡少有才辩，性傲慢，因拒曹操召见，被操罚作鼓吏，祢衡却当众裸身击鼓辱曹操。曹操便将其送与荆州刘表，又被转送黄祖。后因出言顶撞黄祖被杀，年不逾三十。

这首诗约作于乾元二年（公元 759 年）冬或者是次年春天，李白流放夜郎途中被赦，路过鹦鹉洲，触景生情，写下了这首《望鹦鹉洲悲祢衡》。全诗表达了诗人对祢衡的仰慕与惋惜，抒发了怀才不遇的悲愤之情。

"魏帝营八极，蚁观一祢衡。黄祖斗筲人，杀之受恶名。"曹操雄踞天下，显赫一时，而将祢衡视为蚁类。这两句话之间的反差极大，突出地表现了祢衡桀骜不驯、不屈于权贵的高洁品格。也正是从刻画祢衡的性格开始，预示了他的性格遭权贵不满，因此而遭遇到悲惨的命运。

"黄祖斗筲人，杀之受恶名"这两句描写了黄祖这个人才短识浅，胸襟狭隘，容不下与他想法相悖的人，竟然杀了祢衡，当然也背负了恶名。"黄祖斗筲人"这个"筲人"二字用得极为妥当。筲是一种竹器，容量仅为一斗二升。斗和筲的容量都很小。《论衡·定贤》中说道"家贫无斗筲之储者，难责以交施矣"，比喻人才识短浅。《论语·子路》中也写道："斗筲之人，何足算也。"指的是那些心胸狭隘的人，不足算也。诗人用斗和筲这两种量器作为合适的意象来比喻黄祖此人的心胸，指出他受到世人唾弃本就是理所应当的。

"吴江赋《鹦鹉》，落笔超群英。锵锵振金玉，句句欲飞鸣"，这四句诗盛赞了祢衡的才华。诗人举出祢衡在吴江所作的《鹦鹉赋》，下笔如行云流水，言辞舒畅，意境优美，字字铿锵有力，句句似可吟鸣。才华"超群英"的人，却落得如此下场，令人痛惜。

接下来这四句"鸷鹗啄孤凤，千春伤我情。五岳起方寸，隐然讵可平"表达了诗人对祢衡遭凄凉遭遇的愤愤不平。他将黄祖之流比作凶猛的鸷鹗，表达了对权势者强烈的憎恨之情，又将祢衡比作孤凄的凤凰，爱慕、怜惜之情溢于言表，鸷鹗啄食凤凰，实在是极为可恶。诗人因为祢衡被杀而感到无比哀伤，心中恰如五岳崛起，不得其平。

最后四句"才高竟何施，寡识冒天刑"，诗人为祢衡虽然才高八斗却不能施展，只是见识稍寡却因此而冒犯了权贵、遭到死刑的遭遇感到十分惋惜。最后两句"至今芳洲上，兰蕙不忍生"中，诗人赋予了兰蕙人的形象，它们知道祢衡被杀之后，似乎是痛不欲生。在这里将兰蕙人格化，使诗句的情感更加浓厚，更加真实。

这首诗前八句怀古，后八句伤情，抒发了诗人胸中愤懑难平的心情。尤其是其中运用了比喻、拟人等表现手法，使全诗更加生动形象，情感更加真挚深沉。

# 谢公亭

李白

谢亭离别处，风景每生愁。客散青天月，山空碧水流。池花春映日，窗竹夜鸣秋。今古一相接，长歌怀旧游。

**【赏析】**

"谢公亭"指的是西塔山下东南滨江处，一座已有一千多年历史的石亭。谢灵运任宣城太守期间，曾频繁游于江心屿。由于他常常在亭中观景，因此后人为纪念，特将此亭命名为"谢公亭"。谢灵运曾在这里送别诗人范云。

首联"谢亭离别处，风景每生愁"，谢公亭内，谢灵运送别诗人范云的场景依稀又在，可是这亭间风景，却令人心生"愁"思。这个"愁"字有很多层含义。一愁思古人而恨不见，二愁度今日而觉孤独。诗人从谢灵运的才华、交游、遭遇，联想到自己的人生遭遇，心中惆怅满怀。

颔联"客散青天月，山空碧水流"，这两句诗紧承上联的"离别"，重在描写了谢公亭的风景。诗人"离别"之后，当年欢聚的场面一去不复返，"客散"两个字似乎已经概括尽古今的离别。此时此地山野空旷，唯见一轮孤月高挂于谢公亭之上，空山寂静，碧水流长。青天、明月、空山、碧水构成了一幅开阔而又略带寂寞意味的原野图，意境深远，画面绝美。

颈联"池花春映日，窗竹夜鸣秋"两句描绘了谢公亭春、秋两季的动人景象。尽管谢公亭春来秋去，风景依旧，但是境况空寂，兀自冷清，早已失去了昔日的风光与热闹。

尾联"今古一相接，长歌怀旧游"打通了时空障碍，突破了空间上的距离，气势雄浑，内涵深刻。诗人遥想谢公旧游时的心境和情景，不禁心驰神往，与谢公达到了精神上的契合。

这首《谢公亭》既不受声律的约束，又具古风的神味，自然清新，情景交融。诗人思通万里、视通古今，在缅怀中与心中崇拜的对象谢灵运产生了共鸣。

# 山中与幽人对酌

李白

两人对酌山花开，一杯一杯复一杯。
我醉欲眠卿且去，明朝有意抱琴来。

**【赏析】**

这首诗是一首饮酒诗，诗中饮酒者一个是"我"，即诗人自己；另一个则是"幽人"，即诗人的挚友。全诗展现了诗人不拘小节、恣情纵饮的形象，足见其悠然自得的心境。

盛唐绝句已经几乎律化，风格多含蓄婉转、回环内敛，与古诗歌行全然不同。然而此诗却不循声律，词气飞扬，一派羁勒之势，纯属歌行作风。

此诗一开篇就描写了诗人与友人在优雅的环境里举杯畅怀痛饮的情景，点明主角是"我"与"幽人"。盛开的"山花"为饮酒的环境平添了环境一种雅致、幽静的美，而且眼前也不是"独酌无相亲"，而是"两人对酌"。诗人与"幽人"意气相投，"一杯一杯复一杯"，可谓是"酒逢知己千杯少"。接连重复三次"一杯"，不但写明饮酒之多，而且极尽快意之至，使人如临其境，如见其形，如闻其声，令人想起李白"将进酒，君莫停"、"会须一饮三百杯"（《将进酒》）等劝酒的诗句。

三、四两句"我醉欲眠卿且去，明朝有意抱琴来"里化用了一个典故。《宋书·隐逸传》中记载了东晋诗人陶渊明的一则趣事："潜不解音声，而畜素琴一张，无弦，每有酒适，辄抚弄以寄其意。贵贱造之者，有酒辄设，潜若先醉，便语客：'我醉欲眠，卿可去。'其真率如此。"而诗人则说："今天，我已喝多，想要睡觉，你且暂时离开；倘若明天还有兴趣，那么再抱着琴来，我俩痛饮一番！"陶渊明的典故与诗中所写确实有异曲同工之妙。

此句诗将诗人酒逢知己、开怀畅饮的形态传神地展现了出来，尤其是将诗人饮得似醉非醉、似醒非醒的情态摹写得逼真自然。一句"我醉欲眠卿且去，明朝有意抱琴来"

既有脱口而出、天然率真的妙趣，又意犹未尽，值得玩味。这两句诗揭示了诗人无拘无束、洒脱率真的个性，也将诗人与"幽人"之间的友情表现得淋漓尽致。

全诗清新灵动，率真天然，读来余音绕梁，趣味无穷。

# 与史郎中钦听黄鹤楼上吹笛

李白

一为迁客去长沙，西望长安不见家。
黄鹤楼中吹玉笛，江城五月《落梅花》。

**【赏析】**

乾元元年（公元 758 年），李白被流放夜郎，经过武昌游黄鹤楼时写下了这首七言绝句。本诗主要写的是作者在游黄鹤楼时，听到楼中传来笛声，唤起了诗人对坎坷命运的遐思，抒发了诗人的贬谪之苦和离乡之情。

首句"一为迁客去长沙"，诗人用贾谊的不幸来比喻自身的遭遇，字里行间流露出对自己被无辜牵连的愤懑，也有自我辩护之意。西汉名儒贾谊，也有相同的经历。初入仕途的贾谊深受汉文帝器重，被破格提升为太中大夫。后来汉文帝与诸大臣商议，欲升擢贾谊为公卿，群臣极力反对。此后，汉文帝有意疏远贾谊，并将他贬为长沙太傅。而李白此时也因永王李璘事件受到牵连，被流放夜郎。诗人联想到贾谊，不仅感慨二人相似的遭遇。

第二句"西望长安不见家"，长安到夜郎岂止万里，这段路途对于一个遭遇迁谪的人来说，艰难遥远，不知何时才能回去。"西望长安"流露出诗人对国家命运的担忧和对黎民百姓的关切。虽然诗人受到贬谪，但仍有一腔热血，虽然政治上受到打击，但是并未忘怀国事。

第三、四两句"黄鹤楼中吹玉笛，江城五月落梅花"，不经意间听到黄鹤楼上有人在吹奏《梅花落》，笛声婉转凄凉，仿佛五月的江城，梅花纷纷飘落。五月的江城，正值初夏，不可能有梅花，但由于《梅花落》笛曲吹得分外婉转悠扬，让人顿生梅花满天飘落的错觉。梅花开于寒冬，景象冷峻俏美，给人以凛然生寒的感觉，这也正是此时诗人落寞心情的真实写照。

不仅如此，梅花漫天纷飞的景象还让人联想到邹衍下狱、六月飞霜的民间传说，这不免将作者的无辜与委屈委婉地体现了出来。这种由乐声联想到画面的表现手法，就是论诗家通常所说的"通感"。诗人由笛声想到梅花，由听觉诉诸视觉，声色交融，将冷落的心境与苍凉的景色相结合，有力地烘托了去国怀乡的悲思愁绪。

此外，这首诗的结构还独具艺术性。虽然诗写的是听笛之感，但却并未按先闻笛、再生情的顺序来写，而是先表达了自己对帝都的怀念之情以及"望"而"不见"的愁苦，而后再出现了《梅花落》的笛声。笛声中幻化出"江城五月落梅花"的凄凉画面，同诗人的忧思心绪相互呼应，前情后景，情景交融，甚为巧妙。



# 访戴天山道士不遇

李白

犬吠水声中，桃花带露浓。树深时见鹿，溪午不闻钟。野竹分青霭，飞泉挂碧峰。无人知所去，愁倚两三松。

**【赏析】**

早年诗人李白曾在戴天山中的大明寺读书，这首五言律诗即为这一时期的作品。"戴天山"位于今天四川省江油市，因其山势陡峭直插云霄而得名。诗人去拜访山中的一位道士，不料他却外出，没能见到他，诗人有感于山中美景，写下了这首情深境美的诗。全诗共有八句，前六句重在写"访"的过程中，所遇见的优美景色；末两句重在写"不遇"，意在抒发诗人对山河美景的热爱以及对友人的真挚情感。

首联"犬吠水声中，桃花带露浓"描写了诗人拜访道士的途中的所见所闻：淙淙的泉水声中隐隐约约能够听见犬吠声；清晨的桃花上仍然带着硕大的露珠。诗人缘溪进山，这沿途的美景不得不让人联想到居于深山之中的道士远离尘世，如处世外桃源。下句中的"带露浓"三字，除了描写桃花之娇美外，还指出了入山时间乃是早晨。诗人趁着黎明晨光，在这桃花盛开的阳春三月进山访友，透露了诗人与道士之间友谊的深厚，表明了此刻赶路的愉悦心情。

颔联"树深时见鹿，溪午不闻钟"描写的是诗人行进于林间小路上，偶尔能见到麋鹿出没；来到溪边时，已是正午时分，道院本已该鸣钟，却不闻钟声，此处已暗示下文中的道院无人。这两句写尽林山幽深，将道士远离尘嚣的清幽环境展现得淋漓尽致。这两句诗以"时见鹿"反衬不见人；以"不闻钟"暗示道院无人，诗句之间属因果关系。"不闻钟"是因，"时见鹿"是果；正因为"不闻钟"，所以才"时见鹿"。诗人交代视觉结果，后又以听觉来推测原因，两句诗在关系上先后倒置。这样写的目的在于保证韵律的协调，同时也符合人们白天察觉环境时目在耳前的规律。

颈联"野竹分青霭，飞泉挂碧峰"中用"分"字，将野竹与青霭两种相近的色调汇成一片绿色；下句"挂"字，将白色飞泉与碧翠山峰融为一幅美妙的山水画。也许正是由于道士不在，诗人才游目四顾，细细品味起眼前的美景来。

尾联"无人知所去，愁倚两三松"，尽管眼前美景使诗人忘情陶醉，然而诗人的主要目的还是为了拜访友人。可惜此处山野林深，人迹稀少，又该向谁去打听道士的去向呢？诗人此刻怅然若失，倚松长叹，心中愁苦万分。这里以"倚松"的动作将"不遇"的惆怅描写得婉转迂回，情感顺势流转，余味不绝。

常有人说："文似看山不喜平。"这首五律虽然只有短短八句四十个字，情节却起伏跌宕，兴致盎然。诗人运用了欲抑先扬的表现手法，先是尽情渲染出访友的高昂兴致，再由扬而抑，情感瞬间转折与过渡，饶有趣味。一言以蔽之，诗篇波澜曲折，引人入胜。

# 忆东山二首（其一）

李白

不向东山久，蔷薇几度花。
白云还自散，明月落谁家。

**【赏析】**

这是一首五言绝句，据前人推论，此诗应当为天宝三载（公元 744 年）诗人在长安意欲归隐时所作。在长达三年的长安生活中，诗人未能实现自己的政治抱负，反而受到权贵的排挤。正是在这种政治背景下，诗人才急切盼望回归东山，回到白云、明月的怀抱之中。东山是东晋著名政治家谢安曾经隐居之处。

前两句"不向东山久，蔷薇几度花"，描写了诗人对东山的魂牵梦萦。"久"字，突显了诗人对东山的深切怀念；而"几度花"三个字则反映了诗人无法目睹蔷薇花的花落、传递出岁月催人的悲伤以及光阴虚度的淡淡哀愁。据施宿的《会稽志》记载：东山旁边有蔷薇洞，相传是谢安游宴的地方；山上还有谢安所建的白云、明月二堂。明白了这个，也就知道诗里的蔷薇、白云和明月几个物象，并非随意写出，而是确有实景，一语双关。

谢安在淝水之战中镇定自若，看似不经意间就击败苻坚百万之众，其出仕前就长期隐居于东山之中。然而在其建功立业之后，受到昏君和佞臣算计之时，又打算归隐东山。李白仰慕谢安，在于谢安能隐能仕，隐时淡于名利，俯仰自得；仕时挥洒自如，气度非凡。在李白看来，意欲归隐东山，实则是对谢安品德的推崇，表现出淡泊权势禄位，但在苍生社稷临危受难之时，也不妨出而为世所用。

三、四两句"白云还自散，明月落谁家"，将诗人的无奈之感表露无遗。既然他已离开东山那么久，那淡泊的白云想来早已杳无踪影，清澈的明月也不知落于谁家。这种无奈，似乎是在暗示着诗人归隐东山的失落。白云卷舒自如、聚散无意，本是山中常见景象，这里用"还"字，使得诗人对昔日生活无比眷恋的情感油然而生；夜月空明，不知将"落谁家"。这两句中所包含的感情，一方面是向往，一方面又有一种内疚，继而抒发了昔日为我独赏之月今日已不知何处去的感慨。

诗人将自己与谢安相比，又用白云、明月来衬托自己的形象，意在表明自己的淡泊与明洁。全诗遣词造句，浑成自然，既明白如话，又含蕴无限，可谓是篇中无剩字，篇外有余意。

# 翰林读书言怀呈集贤诸学士

李白

晨趋紫禁中，夕待金门诏。观书散遗帙，探古穷至妙。片言苟会心，掩卷忽而笑。青蝇易相点，《白雪》难同调。本是疏散人，屡贻褊促诮。云天属清朗，林壑忆游眺。或时清风来，闲倚栏下啸。严光桐庐溪，谢客临海峤。功成谢人间，从此一投钓。

## 【赏析】

天宝元年至三载（742～744 年），李白在长安做官，位至翰林学士。当时朝廷一共设有两个学士院。一是集贤殿书院，主要的职务是侍读，同时也承担一部分起草内阁文书的任务；而另一个学士院则是翰林学士院，其专职是为皇帝撰写重要的文件。李白本以为做了翰林学士便仕途坦荡，不料玄宗却视其为才华横溢的文人，命其作诗娱乐。虽然，也有幸得到皇帝的荣宠，然而这却招来了高力士、张坦等人的诋毁与陷害。此诗即为诗人遭谗谤后所作，诗人为明其志，作此诗以表明心迹，陈述志趣，字里行间一派潇洒倜傥。

首句"晨趋紫禁中，夕待金门诏"描写了诗人对实现政治抱负的急切渴望。一大早便去到紫禁城，夕阳西下之时又去"金门"待诏。"金门"指的是汉代皇宫的金马门，据《汉书·东方朔传》记载，东方朔"待诏金马门，稍得亲近"，而后便成为汉代宫中博士先生们会聚待诏的地方。"观书散遗帙，探古穷至妙"，宫中藏书众甚多，趣味无穷，探索古代著作中的至理精华，同样妙不可言。"片言苟会心，掩卷忽而笑"，如若可以同古人的思想会意交融，哪怕只有只言片语，也会乐得合拢书卷，大笑起来。此处，诗人看似在写阅读时的精妙情趣，实则暗示这读书的快意其实用作衬托政治上的失意，反衬出他在翰林院供职时无聊烦闷的心绪。

"青蝇易相点，《白雪》难同调"，东方朔曾引用《诗经》中的"营营青蝇"篇直谏汉武帝"远巧佞，退谗言"，此处诗人亦将那些势利小人比作青蝇，下句中又以《阳春白雪》来比喻自己的志向情操。"本是疏散人，屡贻褊促诮"，原本自己个性散漫，无奈却屡遭诽谤，无奈之情溢于言表。"云天属清朗，林壑忆游眺。或时清风来，闲倚栏下啸"，诗人读书之时偶然望见外面天高云淡，朗朗晴空，心中无限愉悦，随之又念及山野自由、游玩远眺的时光。偶尔清风徐徐，吹入这烦闷的翰林院，诗人不由得走出屋外，凭靠栏杆，吟叹长啸。

"严光桐庐溪，谢客临海峤"，诗人将自己比作严子陵，表明自己无心富贵，又自喻谢灵运，性本爱丘山。"功成谢人间，从此一投钓"这句诗中，诗人表明志向，即入世出仕只是为追求政治理想，一旦理想实现，就将归隐山林。

全诗从正面抒写心志，同时也进一步回应了来自佞臣的非议和谗谤，最终归结到主题"言怀"，言辞清爽，立意深刻，尽显诗人名士风度。

# 寄东鲁二稚子

李白

吴地桑叶绿，吴蚕已三眠。我家寄东鲁，谁种龟阴田？春事已不及，江行复茫然。南风吹归心，飞堕酒楼前。楼东一株桃，枝叶拂青烟。此树我所种，别来向三年。桃今与楼齐，我行尚未旋。娇女字平阳，折花倚桃边。折花不见我，泪下如流泉。小儿名伯禽，与姊亦齐肩。双行桃树下，抚背复谁怜？念此失次第，肝肠日忧煎。裂素写远意，因之汶阳川。

## 【赏析】

天宝三载（公元 744 年），李白受到朝中权贵排挤，仕途失意，于是离开长安，游历四方，途中曾回东鲁家中探视。天宝七载（公元 748 年），诗人游历至金陵（今南京市），因思念儿女而作此诗。时际其长女平阳约十四五岁，长子伯禽约十一二岁。在诗中，诗人以生动真切的笔触，抒发了对骨肉儿女的思念之情，向读者展现了其内心世界中的舐犊情深的慈父心肠。

根据全诗脉络，可以将其分为三层。

从开头到"飞堕酒楼前"，这八句为第一层，交代诗人为何突然会思念家中一双儿女。"吴地桑叶绿，吴蚕已三眠"描绘了南京桑叶一片碧绿、春蚕即将结茧这样一幅农事繁忙的景象，画面清新自然。紧接着，诗人联想到自己家乡的农事。由于自己外出游历，飘忽不定，不禁发出了"那龟山北边的田园又由谁来种"的慨叹。"南风吹归心，飞堕酒楼前"，诗人因想归而不能归，忽而一阵怜爱之情涌上心头，心一下子便飞到了千里之外，眼前幻化出一幅幅关于子女的生动画面。

从"楼东一株桃"到"抚背复谁怜"为第二层，诗人主要围绕着酒楼东侧的一株桃树，描写了一双儿女惹人怜爱的姿态，殷殷父爱，表露无遗。此桃树乃诗人亲手所植，一别已有三年，而这三年之中，竟未曾亲自照顾和抚育自己的孩子，此处颇有自责之情感。桃树如今与楼齐高，女儿平阳于树下折花，然父亲并未陪同身旁，念及如此，泪如泉涌；小儿子伯禽，如今已与姐姐"齐肩"，一双儿女一起在桃树下玩耍。其中"折花不见我"最为巧妙，诗人不仅将女儿折花时的体态与神情，甚至连女儿的心理活动刻画得入木三分，思念之情溢于言表。最后诗人发出了"抚背复谁怜"的感叹，一来怜惜儿女幼年丧母，因李白第一任妻子许氏早年逝世，二来自责自己未能亲自照料一双儿女。

最后四句为第三层，无奈山长水远，千里烟波，只能"裂素写远意"，聊慰"日忧煎"，此处点明了题中的"寄"字。"汶阳川"，既指东鲁之家，也象征着忧思如汶水。诗人"肝肠日忧煎"的模样和"裂素写远意"的动作，使其诚挚的思子之情，急切的怀乡之心跃然纸上，感人至深。

正如刘勰所言："春秋代序，阴阳惨舒。物色之动，心亦摇焉……情以物迁，辞以情发。"（《文心雕龙·物色》）诗中所写的吴地桑蚕、东鲁农事、酒楼桃树、儿女徘徊等情景，无一出自刻意雕琢，均为兴起而为之，父爱天性却自然流露，使人心弦为之震动。全诗于平淡琐屑之中见腾挪跌宕之势，富于情感上的变化，时空转换，虚实相对，情景交融，凄楚动人。

# 南陵别儿童入京

李白

白酒新熟山中归，黄鸡啄黍秋正肥。呼童烹鸡酌白酒，儿女嬉笑牵人衣。高歌取醉欲自慰，起舞落日争光辉。游说万乘苦不早，著鞭跨马涉远道。会稽愚妇轻买臣，余亦辞家西入秦。仰天大笑出门去，我辈岂是蓬蒿人。

**【赏析】**

天宝元年（公元 742 年），李白 42 岁，忽然得到唐玄宗召其入京的诏书，便立刻回到南陵家中，与儿女告别，同时写下了这首激情洋溢的七言古诗。李白素有远大的抱负，他立志要"申管晏之谈，谋帝王之术，奋其智能，愿为辅弼，使寰区大定，海县清一"（《代寿山答孟少府移文书》），不断通过漫游、隐居等手段扬名的李白，终于得到唐玄宗的垂青，其政治抱负有望实现。这首诗将使人内心难以遏制的喜悦之情表现得淋漓尽致。

一、二两句"白酒新熟山中归，黄鸡啄黍秋正肥"，点明了归家时间正值秋熟时节。白酒新熟，黄鸡啄黍，一派和睦欢乐的农家气氛，衬托出诗人兴高采烈的情绪。"呼童烹鸡酌白酒，儿女嬉笑牵人衣"两句将家中热闹的氛围描写得生动有趣，神采飞扬。"呼"字颇能表现出诗人眉飞色舞、神情飞扬之状。"烹"、"酌"连贯一气，文脉相通，从侧面上表现出诗人心急火燎、饮酒助兴的豪情，颇有欢庆奉诏之意。诗人的情绪感染了家人，"儿女嬉笑牵人衣"，儿女娇俏姿态，真切动人。

紧接着，诗人又"高歌取醉欲自慰，起舞落日争光辉"，酒酣兴浓，起身舞剑，剑光闪闪与落日争辉。把诗人喜悦的心情表现得活灵活现。从高歌狂舞中，也能感觉到诗人生活中依然有不如意之处，这便是诗人对仕途的渴望，期望自己能够成为帝王师。

"游说万乘苦不早，著鞭跨马涉远道。"李白叹息自己的才能和抱负未能得到及早的施展，现在有了大展宏图的机会。这里用"苦不早"来反衬诗人的欢乐心情，"苦不早"和"著鞭跨马"都表现出诗人的满怀希望的急切之情。

"会稽愚妇轻买臣，余亦辞家诗西入秦"，据《汉书·朱买臣传》记载：朱买臣，会稽人，早年家贫，以卖柴为生，常常担柴走路时还念书。妻子嫌贫，离开了他。后朱买臣深得汉武帝赏识，做了会稽太守。这二句侧重于诗人内心世界的描写，流露出诗人早年间一直壮志未酬的苦闷以及对实现梦想迫不及待的心情。

"仰天大笑出门去，我辈岂是蓬蒿人"，这最后两句的狂喜情态是此时李白最好的肖像画。"仰天大笑"，神态颇为得意，"岂是蓬蒿人"，又是何等自负的心理，此句将诗人踌躇满志的形象表现得淋漓尽致。李白一生孜孜不倦地追求仕途成就，心中久积愤懑和痛苦，同时也有挥洒不尽的激情。

全诗采用的是直陈其事的赋体，兼采比兴，既有正面的描写，又有侧面描写进行烘托。诗人独具匠心，由浅入深，将情感层层推进，最后热烈迸发到极致，笔触婉转，内涵深刻，感情真挚。

# 金乡送韦八之西京

李白

　　客从长安来，还归长安去。狂风吹我心，西挂咸阳树。此情不可道，此别何时遇？望望不见君，连山起烟雾。

## 【赏析】

　　天宝八载（公元 749 年）春天，李白从兖州出发，东游齐鲁，于金乡（今属山东）巧遇友人韦八回长安，乃作此诗，抒发了诗人对友人的依依惜别之情。

　　诗在一开头便写"客从长安来，还归长安去"，这两句诗自然朴素、不加修饰，仿佛信手拈来一般，描述了一种顺理成章的逻辑。三、四两句"狂风吹我心，西挂咸阳树"想象奇特、意象生动、凭空起势、形象鲜明，可谓神来莫测之笔，具有浓厚的浪漫主义想象。

　　"狂风吹我心"并非是说送别时果真有大风伴行，而主要表达了诗人送别时的激动心情，犹如狂飚吹心。而至于"西挂咸阳树"则将"挂心"，用想象的方式形象地表现了出来。"咸阳"实指长安，因上两句连用两个"长安"，故此处用"咸阳"代之。

　　紧接着，"此情不可道，此别何时遇"二句将离别时的万般思绪，仅用"不可道"三字带过。"此情"，既是指难以割舍的离别之情，也寄托着诗人对长安的怀念。"此别何时遇"一句，再回到送别的主题上来：今日一别，从此天各一方，何时才能重聚呢？这两句诗虽语短，却情长，充满了满腔的离别惆怅。

　　最后两句"望望不见君，连山起烟雾"，写诗人伫立凝望，目送友人归去的情景。"望"字叠用，突出伫望之久和依恋之深。诗歌结句的"连山起烟雾"展现出来的辽远迷蒙的境界，则既道尽了送别的惆怅，也融入了遭际的感叹，以景结情，形象地反映了朋友远离后诗人空寂茫然的心情。清代刘熙载《艺概》评此诗为"平中见奇"，值得细细体味。

　　这首诗语言通俗平实，毫无雕琢痕迹，然情感真挚深沉，动人心弦。诗的意境奇峰壁立，构思奇特，情韵悠长，充分展现了诗人杰出的艺术才能。尤其是结尾的"连山起烟雾"，以景结情，使诗句意境渺茫，绵延不绝，深厚情谊可见一斑。

# 灞陵行送别

李白

　　送君灞陵亭，灞水流浩浩。上有无花之古树，下有伤心之春草。我向秦人问路岐，云是王粲南登之古道。古道连绵走西京，紫阙落日浮云生。正当今夕断肠处，骊歌愁绝不忍听。

**【赏析】**

长安东南三十里处，有一条灞水，因汉文帝葬于此，遂称灞陵。在唐诗里，灞上、灞陵、灞水等词一般具有很浓的离别色彩。从诗中"古道连绵走西京，紫阙落日浮云生"可以推断，此诗当作于诗人遭到谗毁以后。

一、二句"送君灞陵亭，灞水流浩浩"，此处的亭，指的是驿亭，为古时旅途中供人休息的处所。灞水，源出陕西蓝田东，流经今西安，向北注入渭水。这两句中"灞陵"、"灞水"相继出现，渲染出浓郁的离别气氛。下句中，用灞水水势的"流浩浩"，来比喻诗人汹涌浩荡的惜别之情。从写作手法上来看，既是赋，而又略带比兴。

接下来的"上有无花之古树，下有伤心之春草"这两句，字面含义可释为：头上是不能再开花的古树，脚下是令人伤心的春草青青。这两句诗不仅展现了灞陵道旁的自然风光，而且在写景中还流露出对友人离别时，左右顾盼不忍分别的情态，大大开拓了诗的意境。前面四句从对灞陵、古树等环境进行刻画，潜伏着浓厚的怀古愁绪。

"我向秦人问路岐，云是王粲南登之古道。"秦人，今陕西一带古为秦国，故这里的人常被称为秦人。这两句的意思是：我在岔路口向秦地人询问，他们说建安时期的王粲当年回望长安，曾登临于此古道上。王粲，建安时代著名诗人。汉献帝初平三年（公元192年），董卓的部将李傕、郭汜等在长安作乱，王粲因此而避难荆州，作了著名的《七哀诗》，其中便有"南登灞陵岸，回首望长安"的诗句。

"古道连绵走西京，紫阙落日浮云生。"漫长的古道，历来负载过无数前往长安的人，巍巍紫阙之上，日欲落而浮云生，景象黯淡。此处之景乃回望所见。在古诗中，常常将落日和浮云联系在一起时，喻指"谗邪害公正"。此处用"落日浮云"来象征朝廷中邪佞当道、谗毁忠良，也暗示朋友的离京是源于令人不快的政治原因。

尾句"正当今夕断肠处，骊歌愁绝不忍听"，骊歌，指逸诗《骊驹》，是离别时所唱的歌，因此骊歌也泛指离歌。诗虽为送别诗，然真正明说离别的却只有最后两句。诗在形式上也很好地配合了诗歌所要表达的思想内容。今日一别，肝肠寸断，骊歌之所以愁绝，在于诗人感伤的绝非单纯的离别，而是饱含对政治局势的忧心。

全诗运用了灞水、紫阙、古树、春草等意象，描绘了一幅令人心神激荡的送别景象，抒发了诗人与友人的离愁别绪，同时也蕴含着诗人对政局的忧虑，给人以世事浩茫的感受。诗的风格飘逸灵动，随手写去，自然流逸，但又气象浑厚，内容充实，一时之间，无出其右。

# 东鲁门泛舟二首（其一）

李白

日落沙明天倒开，波摇石动水萦回。
轻舟泛月寻溪转，疑是山阴雪后来。

**【赏析】**

开元二十四年（公元736年），太白从太原学剑归鲁，寓居任城，隐于徂徕山，第二年有东鲁之游。东鲁门在古兖州府城东（今山东省曲阜县）。其间，诗人与鲁中名士孔巢父等人往来密切，饮酒酣歌，人称"竹溪六逸"。此诗记录的便是诗人那段时期的生活，诗中所写乃月下泛舟的情景。

首句"日落沙明天倒开"，写的是日落时阳光反照，使水中的天空和沙洲的倒影形成鲜明的对比，宛若"天开"。这光景从水中倒影开始写起，可谓是奇中见奇，新颖别致。此句从写景中已间接为"泛舟"之事做了很好的铺垫。

次句"波摇石动水萦回"，写的是波浪的摇动与水流的萦回，给人以"石动"的错觉。按常理来说，波虽摇，然石不可动。而此处用"波摇石动"，是因为人们观察事物时，往往会产生各种错觉。这里波浪的轻摇、水流的萦回，从视觉上看，使石的倒影更加摇荡不宁。诗人通过主观感受来描写，于瞬间中捕捉如此妙不可言的景象特征，妙趣横生。

第三句"轻舟泛月寻溪转"，点出了月夜泛舟的题意。月光映射水面，湖面上粼粼波光，小舟轻盈飘游，似乎泛着月光前行。诗人兴致极高，随溪曲处而自然流转，信流而下。此句用"轻"字，生动地表现出诗人轻松愉悦乃至飘飘然的精神状态。

末句"疑是山阴雪后来"着意抒情。诗人化用了东晋名士的典故，"乘兴而行，尽兴而返"。今夜这皎洁的月光和当年王徽之访戴逵的雪光景色相似，诗人忘乎其形的豪兴，也与雪夜访戴的王徽之颇为神似。此处的典故信手拈来，且只借用其"乘兴"一端，用得非常巧妙。"疑"字，表现出诗人此时已进入"忘我"的境界，极为生动传神。

这首小诗如清水芙蓉，天然雕饰。写景抒情，随意点染，悠悠闲淡。黄叔灿云："'日落沙明'二句，写景奇绝。""下二句日落泛月，寻溪而转，清境迥绝，故疑似王子猷之山阴雪后来也。诗真飘然不群。"（《唐诗笺注》）所云甚善，尤其是诗中典故的活用，更是画龙点睛之作。

# 下终南山过斛斯山人宿置酒

李白

暮从碧山下，山月随人归。却顾所来径，苍苍横翠微。相携及田家，童稚开荆扉。绿竹入幽径，青萝拂行衣。欢言得所憩，美酒聊共挥。长歌吟松风，曲尽河星稀。我醉君复乐，陶然共忘机。

**【赏析】**

《下终南山过斛斯山人宿置酒》作于天宝三载（公元744年）春，即诗人被玄宗"赐金放还"的前夕，李白于长安供奉翰林时。作者于诗中巧借暮遇隐士的契机，曲折地表达了自己对仕途的否定和对归隐山林的向往。李白这首田园诗，内容上说的是诗人乘着月色，从终南山下来去造访一位姓斛斯的隐士，诗人描绘了苍茫暮色中的山林美景和田家庭院的恬静，与陶渊明田园诗的神韵颇有相似，均为着意描写琐事人情的，诗风平淡爽直。

诗人落笔便以"暮从碧山下"点明了夜访的时间、地点及人物活动的环境。"山月随人归"，月色皎洁，仿佛要随人归家，此处把月写得如此脉脉有情，更突出了山林景色的灵动秀丽。"却顾所来径，苍苍横翠微"，回望来时的小路，不觉流露出诗人对终南山的绵绵眷意。"碧山"、"山月"、"翠微"等意象，色调清新宜人，表现出诗人对旖旎山色的迷恋之情。这四句诗措辞虽平实质朴，情感却真挚深厚，尤其是"苍苍横翠微"五字，传神地描绘出了曲径蜿蜒、草木幽深、山色迷濛的林间晚景。

"相携及田家，童稚开荆扉"写的是诗人漫步于山间狭径中，恰逢斛斯山人，与斛斯隐士去往田家的情景。孩子们见父亲带着李白来到自家，便打开柴扉，出来迎客，由此可见斛斯家的好客。"绿竹入幽径，青萝拂行衣。"一条清幽的小径，延伸至竹林深处，青萝的枝叶轻拂着客人的衣裳，此处通过对山林环境做细致刻画，将田家庭园的恬静表现得淋漓尽致。"欢言得所憩，美酒聊共挥"，"得所憩"既是赞美山人的庭园居室，也为诗人有此知己而高兴。诗人和斛斯山人畅谈言欢，行路的困倦劳累被一扫而光。"挥"字展现了李白畅怀豪饮的神采。

"长歌吟松风，曲尽河星稀"，酒醉酣畅之际，诗人不禁放声长歌，吟唱着《风入松》的乐章，直到夜色阑珊，天空中的星星渐渐疏落。青松苍翠，河汉星稀，月色自淡，心情十分愉悦。

"我醉君复乐，陶然共忘机"表露诗人与山人心有灵犀、乐而忘忧、淡泊名利的洒脱情怀。这里诗人化用庄子"有机事者，必有机心"之句，委婉地表达出对自己朝廷的钩心斗角、尔虞我诈的蔑视，抒发了自己无辜遭谤的愤慨心情。

此诗受到了陶渊明、孟浩然田园诗的影响，看似信手拈来，实则神思飞动，寄情幽深，于淡泊平实之中隐见诗人狂傲不羁的性情。

# 江夏行

李白

忆昔娇小姿，春心亦自持。为言嫁夫婿，得免长相思。谁知嫁商贾，令人却愁苦。自从为夫妻，何曾在乡土？去年下扬州，相送黄鹤楼。眼看帆去远，心逐江水流。只言期一载，谁谓历三秋。使妾肠欲断，恨君情悠悠。东家西舍同时发，北去南来不逾月。未知行李游何方，作个音书能断绝。适来往南浦，欲问西江船。正见当垆女，红妆二八年。一种为人妻，独自多悲凄。对镜便垂泪，逢人只欲啼。不如轻薄儿，旦暮长追随。悔作商人妇，青春长别离。

## 【赏析】

这是一首古体诗，诗中五言、七言相间，不拘于形式。诗以女子的语气，来讲述自己嫁作商人妇的悔恨与凄惨。

前四句"忆昔娇小姿，春心亦自持。为言嫁夫婿，得免长相思"，说的是少妇年幼娇小之时，多愁善感，年少无知。她十分向往感情生活，春心萌动的时候，就认为嫁于夫婿是为了排遣相思之情。此处可得知主人公对爱情和婚姻的想法颇为简单，因此引出下句中的"谁知嫁商贾，令人却愁苦。自从为夫妻，何曾在乡土"。谁知嫁给了商贾，心中却万般愁苦。自从结婚做了夫妻之后，他就经常外出，几乎没有在家中待过。这四句诗和白居易《琵琶行》中的"商人重利轻别离"一样，都是在描述商人的薄情寡淡。

从"去年下扬州"到"作个音书能断绝"这一部分，是详细地叙述夫婿是如何令她愁苦的。去年他南下去扬州，二人在黄鹤楼前分别，船帆渐行渐远，少妇的心也仿佛随着这江水滚滚南下。走的时候说好一年之后一定会归来，然而一眨眼，已经春去秋来三个年头。无奈心中肝肠寸断，恨你这个薄情寡义的人为何不能忠于爱情。"东家西舍同时发，北去南来不逾月。"别家的男子都一起去的，然而南来北往，从来不足一月便要归家。"未知行李游何方，作个音书能断绝。"少妇心中痛苦疾呼：你这个负心汉到底身在何方，不如写封家书于我，做个断绝。商贾前去烟花之地扬州三年未归，可见已经沉溺于声色之中，早已忘情。

"适来往南浦，欲问西江船。正见当垆女，红妆二八年。"刚好要去南浦，所以来西江问船，正好见到当垆卖酒的少女，年方二八，青春正好。少妇见此情景，联想到自己已为人妻的悲惨经历，不免觉得悲凄。"对镜便垂泪，逢人只欲啼"生动地表现出悲凄的程度。少妇日日垂泪，逢人便哭诉，心中幽怨，可见一斑。

最后四句"不如轻薄儿，且暮长追随。悔作商人妇，青春长别离"，少妇表明了心迹，直抒心中悔意。早知嫁作商人妇，要承受如此之多的别离，还不如嫁给贫穷人家的"轻薄儿"，起码可以旦暮相随。

李白描写妇女的诗甚多，此诗语言平实，音节灵活，情感真挚，是一首反映妇女问题的佳作。


# 临路歌

李白

大鹏飞兮振八裔，中天摧兮力不济。余风激兮万世，游扶桑兮挂石袂。后人得之传此，仲尼亡兮谁为出涕？

**【赏析】**

此诗题中的"路"字，可能有误。据诗的内容，联系唐代李华在《故翰林学士李君墓铭序》中所载："年六十有二不偶，赋临终歌而卒。"因此，可以推断"临路歌"的"路"字当是与"终"字因字形相近而误，"临路歌"应为"临终歌"。这首诗是用楚辞体写就的，具有很强的悲剧色彩。

一、二两句"大鹏飞兮振八裔，中天摧兮力不济"，算得上是艺术性地概括了诗人李白一生的经历。在诗人眼中，大鹏是一个有着浪漫主义色彩的英雄形象，是自己精神的化身。他希望自己像一只大鹏一样振翅高飞，威震四海，然而现在，却感觉这只大鹏力不从心，无法继续高飞。

　　诗人早年曾受唐玄宗的青睐，万人瞩目，风光无限，但由于天性傲岸不羁，疏于心计，受到朝中佞臣排挤，难于实现自己的政治抱负，空有一腔豪情，无奈报国无门。诗人以大鹏鸟自喻，表现了自己的凌云壮志，以及面对黑暗现实的无奈，字里行间，悲壮之情溢于言表。

　　三、四句"余风激兮万世，游扶桑兮挂石袂"，"激"是激荡、激励的意思，暗示大鹏虽中天摧折，然其遗风仍可以激荡后世。这实质上是说虽然自己的理想已经幻灭，诗人坚信自己的品格和精神，仍会影响千秋万世。后一句中提到的"扶桑"，是传说中生长在东方的大树，据说太阳就升起于扶桑树下。我国古代，历来将太阳作为君王的象征，因此此处的"游扶桑"当指李白当年在皇帝身边当翰林学士的经历。

　　"袂"，是衣袖。据考证，这里的"石袂"也应当是字误所造成，原为"左袂"，指左手边的衣袖。大鹏振翅高飞，游历于太阳升起的地方，却被高约千尺的扶桑树挂住了左边的衣袖。能够高飞的只有大鹏，可是大鹏又怎会有左袂，应该是"左翅"才对，只有人才会有"左袂"。诗人此处用"左袂"，正是将自己比作大鹏，亦真亦幻，境界非凡，与庄周梦蝶的传说有异曲同工之妙。

　　最后两句"后人得之传此，仲尼亡兮谁为出涕"，化用了孔子泣麟的典故。传说中，麒麟是一种象征祥瑞的异兽。鲁哀公十四年（公元前 481 年），鲁国猎获了一只麒麟，孔子认为麒麟所出非时而被捕获，因此他怀着沉痛和绝望的心情，记录下此事，并终止了《春秋》的写作，这就是所谓的"绝笔于获麟"。但如今孔子已死，谁又能像他当年痛哭麒麟那样为摧折的大鹏流泪？此处用这个典故，表达了诗人对自己悲惨遭遇的哀伤与自怜。

　　这首《临路歌》可以看作是李白自撰的墓志铭。诗中一头一尾两个形象，表现了李白一生的抱负与志向：一个是"扶摇直上"、展翅高飞的大鹏；一个是删述六经、"辉映千春"的孔丘，他们分别代表了诗人极富浪漫主义色彩的理想和黑暗的现实，充分展现了诗人在理想与现实之间苦苦挣扎、郁郁不得志的矛盾心态。

# 阙题

刘眘虚

　　道由白云尽，春与青溪长。时有落花至，远随流水香。闲门向山路，深柳读书堂。幽映每白日，清辉照衣裳。

**【赏析】**

　　刘眘虚曾到洪都（今南昌）省亲，漫游至建昌县桃源里（今江西省靖安县水口乡桃源村），因见此地山水秀美、民风淳厚，逐结草为庐，构筑"深柳读书堂"，长驻定居于此著书立说。这首诗很可能写于此时。阙题，即无题，应该是诗歌在流传过程中题目被佚失了。

　　全诗句句写景皆可为佳句，充满了画意诗情，可以认为是刘眘虚的代表作。

　　诗歌可以分为两大部分。前四句诗人先用粗犷的线条描摹出山路和溪流，再详细写青溪、流水、花香，仿佛镜头由远及近再变为特写。

"道由白云尽，春与青溪长"，诗人一开篇就将场景设置在深山之中，省去了爬山的内容，直接说向前的山路从白云尽头开始，从侧面描写这座俊山之高，同时暗示此时诗人很可能已经处在山中的平地上了。

"时有落花至，远随流水香。"正是春暖花开的时节，花草繁盛，落英缤纷，溪水澄澈，源远流长。花落水中，水也留香。绵延的小路沿着曲折的溪水，一幅山中春景图也随之向前漫卷开来。青溪没有尽头，春景图也就看不尽。这两句写落花、青溪共同构成的春色，表达了诗人的喜悦和惬意。

"闲门向山路，深柳读书堂"，溪流载着春意、山景伴着诗人前行，兴致所致的诗人在不知不觉中来到了一座精致的"读书堂"前。一进门便看到院子里种了许多垂柳，"深"形容柳树浓密。幽闭的堂门对着山路，掩映在山中深深柳荫中的堂屋正适合读书、专心致志地研究学问。诗人借用书塾名称，表示自己的志趣。清代贺国嶙、何日浩、钱向杲等，都曾用此做书斋名称。

"幽映每白日，清辉照衣裳"，"每"是"虽然"的意思。虽然晴空万里，但在深密的树林中依旧也有一片清幽的光亮透射出来，散落在衣裳上。清幽的光辉幽雅脱俗，正符合诗人的志趣和兴趣。这时候仿佛镜头恰停留在书堂门外，全诗至此戛然而止，给读者留下了无穷余味，也增加了诗的韵味。

全诗用景语组成，无一处写人，但却藏着人物的动作、神态，无一句直接抒情却景中含情，语言自然亲切，意境优美，耐人寻味。

古人评曰："眘虚诗情幽兴远，思苦语奇，忽有所得，便惊众听。"历代文学评论家对刘眘虚的诗都有较高的评价。唐人殷璠所编的《河岳英灵集》精选了当时 24 位诗人的 234 首诗，其中辑录刘眘虚诗歌 11 首，同时也将他排在常建、李白、王维之后，位居第四位，认为其诗"情幽兴远，思苦语奇"，当为上乘之作。

# 暮秋扬子江寄孟浩然

刘眘虚

木叶纷纷下，东南日烟霜。林山相晚暮，天海空青苍。暝色况复久，秋声亦何长！孤舟兼微月，独夜仍越乡。寒笛对京口，故人在襄阳。咏思劳今夕，江汉遥相望。

## 【赏析】

这首五言古诗是诗人寄给友人孟浩然的书信，诗中主要描绘了暮秋时节的悲凉景致，以此引发出对友人深深的思念之情。全诗在结构上步步深入，语言深沉凄切，仿佛与友人晤谈，各中深情，娓娓道来。

首句"木叶纷纷下，东南日烟霜"采用了因果倒装的写法。东南地区气候湿润，深秋时分，多有雾霜天气，因此一刮风，树叶便纷纷飘落。"木叶纷纷下"这句化用了屈原的《九歌·湘夫人》"袅袅兮秋风，洞庭波兮木叶下"的诗句，渲染出了秋风萧瑟、气温渐寒的悲凉气氛，极具场面感，与杜甫《登高》中的"无边落木萧萧下"有异曲同工之妙。"纷纷"二字突出了飘落的树叶之多。

"林山相晚暮，天海空青苍。"无边无尽的大海和广阔无垠的天空相连，在秋日的余晖下显得青绿苍凉。这两句诗，继续描写暮秋之色。林山掩映在昏黄的暮色之中，将暮色衬托得广阔深邃。"相"字将林山与暮色融合于一体；一个"空"字，又生动形象地描绘出一幅空旷的秋江暮景图。

"暝色况复久，秋声亦何长"更进一步地渲染了苍凉的秋色。诗人临江远眺，暮色愈加昏黄深沉，耳畔传来阵阵秋风呼啸，还有那汹涌澎湃的水声。"暝色"、"秋声"二词，一个是视觉效果，一个是听觉效果，都以动态的形式来展现秋景，也暗示诗人心中的无限愁思。"复久"与"何长"则是将这份绵绵愁思无限延长。"孤舟兼微月，独夜仍越乡"这两句诗点出了诗人心中所思：月色微白，一叶孤舟行于海上，如此孤独的夜晚，我一人却身处异地。可见上文中的悲凉景色，引发了诗人独在异乡的寂寞愁思。

"寒笛对京口，故人在襄阳"句中，"京口"，今江苏镇江市。"襄阳"，指今湖北襄樊市汉水南襄阳旧城，是孟浩然的家乡和他的隐居之地。诗人月下吹笛，朝着长江对岸的京口，希望那远在襄阳的故人能够听见。当然，远在襄阳的孟浩然肯定是无法听见的，如此的寄望更抒发了诗人对友人的深切思念。

"咏思劳今夕，江汉遥相望"又从孟浩然的角度来写，"劳"字，也体现出孟浩然对自己的思念之切。这两句的意思是：友人今夜赋诗表达对我的思念之情，我俩一个在汉水，一个在长江，彼此遥望。此句表明了孟浩然的诗人身份，也将二人的深厚情谊表达得巧妙传神。

全诗由景到情，层层递进，情景交融，感人至深。尤其是诗人对整体结构的把握，更是极具艺术效果。

# 黄鹤楼

崔颢

昔人已乘黄鹤去，此地空余黄鹤楼。黄鹤一去不复返，白云千载空悠悠。晴川历历汉阳树，芳草萋萋鹦鹉洲。日暮乡关何处是？烟波江上使人愁。

**【赏析】**

历来题咏黄鹤楼的作品很多，崔颢这首《黄鹤楼》是举世公认千古绝唱。南宋诗论家严羽在《沧浪诗话》中曾经评价说"唐人七言律诗，当以崔颢《黄鹤楼》为第一"，使得这首诗名气大增。

相传此前与崔颢属于同时代的李白，游历到武汉黄鹤楼诗兴大发，本想登高赋诗，可见到了崔颢这首后，连称"绝妙"，并有感写了一首"打油诗"："一拳捶碎黄鹤楼，一脚踢翻鹦鹉洲，眼前有景道不得，崔颢题诗在上头。"便放下了笔。后人便于黄鹤楼东侧修建一亭，名曰李白搁笔亭。"崔颢题诗李白搁笔"，这个故事被传为千古佳话，后来不少文人墨客游览至此或题记、题诗或做亭联。此说的真实性大可不必去追究，足见《黄鹤楼》一诗影响力之深远、广大。

　　黄鹤楼始建于三国吴黄武二年（公元 223 年），与岳阳楼、滕王阁并称为江南三大名楼。黄鹤楼在武昌黄鹤山（又名蛇山），《齐谐志》说黄鹤楼在黄鹤山上，仙人王子安乘黄鹤过此山，因此山名为黄鹤，后人在山上造了一座楼，遂命名为黄鹤楼。据陆游《入蜀记》卷五记载：“黄鹤楼，旧传费祎飞升于此，后忽乘黄鹤来归，故以名楼，号为天下绝景。”在建筑上，江南三大楼可谓春兰秋菊各有千秋，难分伯仲，而就得名论，与岳阳楼和滕王阁相比，黄鹤楼却有一个神奇而美丽的传说，这也正是它的魅力所在。

　　《黄鹤楼》是诗人登楼抒怀之作。但与一般的登临诗作不同，诗人弃写黄鹤楼的位置、建筑形制等外在特征，而由黄鹤楼的得名起笔，大做文章。

　　诗的前两联写诗人登上黄鹤楼瞭望天宇的所见所感。黄鹤楼的传说令人心驰神往，初见黄鹤楼时“昔人”在此处羽化成仙的故事想起来让人心旷神怡。诗人没有在摹状黄鹤楼巍巍大气上费一点笔墨，却依据黄鹤楼得名的神话传说写出了它道骨仙风的神貌。“白云千载空悠悠”，人去楼空，悠悠千载，世事茫茫，俯仰天地之间，心潮起伏之中，诗人借着“黄鹤”、“白云”的意象写出登楼的感受，也引出关于宇宙人生的思考，为结局渲染的愁绪做了铺垫。

　　前四句诗人连用三个“黄鹤”，再用一个“白云”，语气回转，一贯而下。意象阔大，气势雄浑，语言上好似脱口而出，顺势而就，毫无滞留之感。清人沈德潜在《唐诗别裁》中激赏崔颢这首诗“意得象先，神行语外，纵笔写去，遂擅千古之奇”，由此可见一斑。

　　后两联诗人转而写在黄鹤楼上所见到的景色。“晴川历历汉阳树，芳草萋萋鹦鹉洲”，阳光照耀着广阔的平原，汉阳镇绿树成荫，历历在望；茂盛的青青春草铺满了鹦鹉洲。“晴川”中的“川”指的是汉水平原，汉阳是武汉三镇之一。“鹦鹉洲”唐时在汉阳西南的长江中，后来被江水冲没。

　　最后一联写诗人从楼上眺望汉阳城、鹦鹉洲景色而引起的淡淡乡愁。日暮时分，夕阳西下，正是归家的时候，看着江上浩渺的烟波，心中不禁低叹：哪里才是我的家呢？这一句由景入情，由豪放苍莽的气势转向淡淡的哀愁。

　　综观全诗，起、承、转、合颇具章法。第三句转折处写眼前之景，为结尾的乡愁蓄势。

　　相传，虽然当时李白看到此诗便搁笔了，但后来还是模仿崔颢的《黄鹤楼》在此地作了《鹦鹉洲》一诗，只不过没有获得后世的关注。随后游历南京之时又作《登金陵凤凰台》，在炼字、气势上都有模拟迹象。

　　这两首诗在文学批评家中引起了一番争论。明代文学家、史学家王世懋认为两首诗虽然都以“愁”字结尾，但李诗的愁因本为失宠之臣，心中已有愁；崔颢却是本来不愁，见到烟波江上的景色才由此生出愁绪，“长安不见使人愁”远不及“烟波江上使人愁”。

　　总之，此诗意境开阔，气魄宏大，淳朴生动，一如口语，感情真挚，不愧为千古黄鹤楼绝唱。

# 长干曲四首（其一、其二）

崔颢

“君家何处住？妾住在横塘。”停舟暂借问，或恐是同乡。

“家临九江水，来去九江侧。同是长干人，生小不相识。”

## 【赏析】

盛唐诗人崔颢，历史上关于他生平事迹的记载比较少，《唐诗纪事》中说他“有文无行”，但到底怎样“无行”，鲜有记载。

一般认为，崔颢早期的诗歌多写闺情，男欢女爱；后游历，至东北，赴边塞，诗风转为慷慨豪迈，雄浑奔放。《长干曲》是南朝乐府“杂曲古辞”旧题，在题材上看或属于诗人早期作品，但在风格上又与一般的闺情欢爱之情大不相同。

崔颢继承了民歌的风格，用轻快的语言、白描的手法，抓住了生活中富有戏剧性的一幕，塑造了一个活泼开朗、可爱率真、情窦初开的少女形象。风格明艳浪漫，热烈但不张扬，朴素健康。

长干在金陵地区，横塘与长干相近，在今南京西南麒麟门外。诗人以问句开篇，单刀直入。一个问句，一个“君”字，表示这句是以女主角的口吻问出的话。起笔突兀，却使读者闻其声如见其人，声音一出，情态便出，再不用浪费笔墨描写女孩的姿容穿戴。

天真的女孩住在横塘，行船时候忽然听到邻船男子的话音，仿佛不假思索张口便问：你和我是不是同乡？“借问”二字写出船家女的天真率直，才问过男子家在何处，不及回答，便自言横塘人。直爽无邪的性格反映了她的年龄，她应该是一位情窦初开的妙龄少女。

“暂借问”暗示两人在水域中初次见面，萍水相逢。茫茫江上，停船自报乡里，主动和偶尔相逢的邻船的小伙子攀话，写出了女孩的豪爽、纯真与热情。

诗人沿用了民歌男女对唱的形式，第一首用女主角的口吻，第二首用的就是男主角回答的口吻了。“家临九江水”回答了“君家何处住”。九江，泛指江水。

“来去九江侧”，男主人公如实告诉对方，他也是一个风行水宿、常年在外奔波的人，所以才有两人的萍水相逢。这个简单的问句既回答了对方的问题，同时也暗含着无奈与期待。为了生计这样辛苦之无奈，对女孩子关心热情的些许期待全都包含在内。

“同是长干人”应了女主人公“或恐是同乡”的猜想。同是长干人，又同在水上漂泊寻生计，两人自然大有“同是天涯沦落人，相逢何必曾相识”的感觉。假若两人从小便相识相知该有多好，这一叹更显出萍水相逢的可贵。宋代李之仪的《卜算子》一词为：“我住长江头，君住长江尾；日日思君不见君，共饮长江水。”这首词也以语言简练、风格清新著称，可与崔颢这首《长干行》共赏。

本诗以清新晓畅的语言，刻画了男女主人公率直、可爱的形象。结尾处更显示出诗人笔力不凡，仅仅用了五个字即翻腾诗情，表现了两人一见如故、相见恨晚的心理。诗歌艺术凝练集中，表情含蓄疏朗，应属抒情民歌中上品之作。

# 行经华阴

崔颢

岧峣太华俯咸京，天外三峰削不成。武帝祠前云欲散，仙人掌上雨初晴。河山北枕秦关险，驿路西连汉畤平。借问路旁名利客，何如此处学长生？

**【赏析】**

《行经华阴》意为行进途中经过华阴，华阴即现在的陕西省华阴市。这首诗大约作于诗人天宝年间二次入都之时，诗中通过写行旅华阴所见的景物，凭吊古今，抒发诗人心中的感慨。全诗突破律诗的起承转合的藩篱，意境雄浑，含义深刻，别有一番神韵。

诗的前六句全为写景。顺序由远及近，由眼前景到意中景，错落有致。到第七、八句以问答的方式作结，借问路人来抒发自己的情怀。

"岧峣太华俯咸京，天外三峰削不成"，岧峣，形容山势高峻。太华说的是今华阴市南的华山，也就是"五岳"之中的西岳，又称太华。咸京，就是当时唐朝的都城。因《旧唐书·地理志》中云："京师，秦之咸阳，汉之长安也。"即将长安称为咸京。"天外三峰"是指著名的芙蓉、玉女、明星三峰（一说莲花、玉女、松桧三峰）。

"俯"字，写出了西岳华山的压顶之势；"削不成"极言三峰之巧夺天工，并非人力可为。

这一联从整体到局部来写华山俯瞰的全景。远望可见古都咸阳城，近处的天外三峰犹如鬼斧神工。言外之意是说，刻意追求名利不如寄情自然山水之间，悠然自在地生活在世上。

"武帝祠前云欲散，仙人掌上雨初晴"，这是一联工对，写的是云消雨霁后的景色。华山中最峭的山峰，号称"仙人掌"。汉武帝观仙人掌时，修立"武帝祠"用来祭祀。诗人向帝都长安行进，未至华阴时候还是雨天，到华阴后平望武帝祠空中烟云即将消散，再仰望高峰"仙人掌"上，葱茏的青松被雨水洗过更加凝翠。眼前正是初晴后，天空大地经过洗涤后一片澄明的景象。

颈联是诗人联想中的景象，为虚写。"河山北枕秦关险，驿路西连汉畤平。"在华山无法同时看到黄河和秦关，"畤"的意思是古代祭祀天地五帝的固定处所。当时长安北面有秦文公在雍县所作的鄜畤、汉高祖所作的北畤共有五畤。这里的"汉畤"指的是长安北面的一处古迹。驿路指崔颢行经的华阴县，在长安东南。

最后一联诗人借问句抒发了自己的感慨。虽未直接从诗人口中说出，但最后一句已经表达了诗人的胸怀。天宝年间道教盛行，供养方士渐渐成为社会风尚。诗人路过华阴，其他路遇的客人一样，都是到长安去的，目的也大约脱不了"功名"二字。但是在华阴欣赏了巍峨崇高的华山景象，再联系到隐逸出世的仙踪道影，由此感叹不如也放下苦于奔波的仕途去寻访仙风道骨，过一过超脱尘世的生活。

综观全篇，此诗将山水景色与神话古迹融合起来，虚实相生，潇洒自如，诗境雄浑，风流蕴藉。

# 题潼关楼

崔颢

客行逢雨霁，歇马上津楼。山势雄三辅，关门扼九州。川从陕路去，河绕华阴流。向晚登临处，风烟万里愁。

**【赏析】**

"潼关"，古关名，故址在今陕西省华阴市以东。这首《题潼关楼》通过描写登高之所见所感，表达了诗人对雄伟山川的赞叹，以及对国家政治的深沉忧虑。

首联"客行逢雨霁，歇马上津楼"，解释了诗人上潼关楼的缘由。诗人行路至潼关时，恰逢雨过天晴，于是心情大好，立即下马登楼，眺望山川。"逢"字说明了遇到雨过天晴的偶然性，而下句中的"上"字又显得从容不迫，镇定自若。这句诗为下文中的景色描写做了铺垫。

颔联"山势雄三辅，关门扼九州"描写的是诗人站在潼关楼上，极目远眺的壮观景色。"三辅"，汉代治理京畿地区的三个职官，这里指所辖的长安附近的广大地区。"九州"，古代中国分为九州，即冀、豫、雍、扬、兖、徐、梁、青、荆，这里是指中原地域。前一句中，诗人勾勒出雄伟壮阔的山势，下句又强调了潼关险要的地理环境。"扼"字，大有"一夫当关，万夫莫开"之势。

颈联"川从陕路去，河绕华阴流"强调了潼关作为交通要道的重要地理位置。"川"，指平原旷野。"陕路"，指的是陕州之路，陕州治所在今河南省陕县。"河"，指黄河。"华阴"，今陕西华山之北。重山之中，有一条狭窄的平原，从关中通向"陕路"。在古潼关北面，黄河之水由北而南向华阴县流来，然后在潼关和对面的风陵渡之间，转折向东，再流回黄河。"绕"字生动形象地展现出黄河的走势，气势磅礴，由此得见。此联和颔联中，取了群山、关门、川原和河流等景象，渲染出种壮阔宏大的河山画卷。

尾联"向晚登临处，风烟万里愁"，诗人借境抒情，心中万般愁绪，有感而发。夜幕降临，群山之中渐渐升起了微微暮霭，诗人面对着眼前的雄伟山川和浩荡黄河不觉已晚，胸中不禁泛起万缕愁丝。此处的"愁"不仅包含着浓郁的乡思，还透露出诗人对国家政治环境的担忧。朝廷政治的腐败、藩镇作乱的迹象，都让诗人愁上加愁。

这首诗格调凝重，意境悲凉，气象雄浑，苍莽健劲，格律严谨工整，手法含蓄蕴藉，可谓是登临感赋的上乘佳作。

# 凉州词

王翰

葡萄美酒夜光杯，欲饮琵琶马上催。

醉卧沙场君莫笑，古来征战几人回。

**【赏析】**

王翰为人豪放不羁，不拘小节，这首《凉州词》选取了西北边陲军旅生活中具有典型意义的片段，描写了戍边将士开怀痛饮、尽情酣醉的场面，一反边塞诗苍凉悲愁的风格，以浓厚的浪漫气息，表现了征人们豪爽的性格、乐观的人生态度和征战之前悲壮的感情。这首诗文采壮丽，风格遒劲，是王翰的代表作，更是盛唐边塞诗的佳篇。

盛唐时期，边塞战争频繁，边塞题材的诗歌应运而生。其中不乏赞美塞外风光、描绘壮观战争的场面，但诗人却抛开了这些正面的描写，而是选择了一个将士们开怀畅饮的场面，由景入情，别具风格。

"葡萄美酒夜光杯"，将甘醇的葡萄美酒斟满杯。首句用绚丽的词语、铿锵悦耳的音调，拉开了一场豪华盛宴的帷幕。试想一下，边塞的生活和行军条件十分艰苦，边地的物产不甚丰富，能够摆下这样一场盛大的酒宴，想必应该是众将士大败敌军，凯旋归营，故而设酒庆功。觥筹交错、宴饮欢歌，一派激情豪放的景象，为下面的抒情奠定了基调。

第二句"欲饮琵琶马上催"，开头"欲饮"二字，承上启下，即从侧面烘托美酒欢宴的诱人力量，也表现了将士们的豪爽。正要举杯痛饮，军中乐队奏响了急促的琵琶，欢快的旋律好像催促着将士们一抒万丈豪情。诗人用音乐渲染了沸腾热泪的气氛，使宴饮画面顿时变得丰富而具有立体感。

葡萄酒、夜光杯、琵琶声，诗人借助这些具有强烈边地色彩的事物鲜活地表现出塞外军旅生活的特征，将读者带入了黄沙遍地的边地战事之中，也为下面抒情做了铺垫。

于是后两句写到征戍将士的无限感慨：如果我醉倒在战场上，请君莫笑，自古以来远赴边塞征战又有几人能生还而归呢？从语气上看，诗中没有对戎马生涯的厌恶，没有对性命不保的哀叹，也并非责难征战的痛苦，而是表现了战士们豪爽开朗的性格，以及他们将生死置之度外的广阔胸襟。

酣醉之时，战士们想到战场上刀枪无眼，自身性命朝不保夕，那么再多喝几杯又有何妨，醉与不醉又有何异，只不过一死而已，又何况自古以来边陲战事都是这样的结果？醉卧沙场的豪情，视死如归的勇气，举杯痛饮的奔放，这就是王翰笔下戍边战士的形象。

回顾全诗，诗人用凝练的语言塑造了丰满的人物形象，以及壮美的边塞画卷。这首



唐诗鉴赏

诗取得的卓越艺术成就为盛唐诗歌增添异彩。诗中表现的激昂慷慨的时代风貌，传达出来的震撼人心的力量深深地感染了千百年来的无数读者。

# 桃花溪

张旭

隐隐飞桥隔野烟，石矶西畔问渔船：
桃花尽日随流水，洞在清溪何处边？

## 【赏析】

张旭作为书法家被世人所熟知，他的草书超绝，被誉为"草圣"。张旭的诗歌鲜有人知，他的诗现存六首，都是描写自然风景的绝句，这首《桃花溪》构思新颖，意境幽深，自成一格。

诗中的桃花溪位于湖南省桃源县西南桃花洞北，溪水的两岸多桃林，暮春时节，桃花随风飘落，漫天飞舞，天地间、溪水上落英缤纷，宛若仙境。相传东晋时期陶渊明的《桃花源记》就是以此处为背景创作的。张旭的《桃花溪》是借用《桃花源记》的意境创作的一首写景诗歌。

一溪一桥，一帆一船，这简单的景物便构成了诗人心中的桃花溪，虽然只用了二十八个字，但张旭诗中的桃花溪与陶渊明笔下的桃花源相比似乎并不逊色。清人蘅塘退士甚至认为张旭的《桃花溪》"四句抵得一篇《桃花源记》"。那么，这首诗到底妙在何处呢？

"隐隐飞桥隔野烟，"一开篇诗人便将读者带入了一个如梦如幻的场景中。旷野中野烟缭绕如云似雾，远远望去一座高桥仿佛凌驾在空中彩虹桥。"隐隐"极状野烟袅袅漂浮、若有似无之态；"飞"字，写出了在烟雾缭绕中，高桥给人带来的视觉误差。在飘缈的烟雾中，远处的高桥好像临空而飞，而当看到桥的时候又感觉周围的烟雾好像"隔"在眼前的一层轻纱一样。动静相结合，暗示了诗人与桥的距离，巧妙地点出了人物和景物之间的位置关系，同时也将读者带入了亦真亦幻的境界中。

第二句"石矶西畔问渔船"，诗人由远处写到了近处，站在高桥下，溪水边诗人看着水中高低出落的岩石，树上的桃花从空中轻轻地飘落在清澈的溪水中，感觉自己恍若走进了一个梦幻中的世界。一个"问"字写出诗人心驰神往的情态。诗人恍惚间以为溪水中的渔夫就是曾经寻访桃花源的渔人，那么他一定知道桃花源的入口吧！

于是，诗人以期待的口气问道：桃花随着溪水，日日夜夜不停地漂流；桃花源洞口，到底在清溪的哪段哪边？诗人把溪水中的渔夫当成了《桃花源记》中的人物，他明知道《桃花源记》是虚构的，但他不问到底有没有桃花源，而是直接问那通向桃花源的洞口在哪里，这要怎样理解呢？

这侧面说明了这里的景致实在秀美，以及诗人欲寻世外桃源的急切心情。如果说在未见过桃花溪的景色前诗人只是向往桃花源的话，那么在亲临之后，他已经完全相信了桃花源的存在，所以也不必去问渔人是否有桃花源了。诗人实在太向往桃花源了，看着眼前悠悠小溪中随水飘零的桃花，诗人自然而然地想到桃花林尽头那个通向世外桃源的洞口。

而这个问句也仿佛不假思索、脱口而出，实在是情不自已。可见这个问话透露出了诗人对桃花源的心驰神往，也流露出对世外桃源难觅的惆怅。因为他知道，这《桃花源记》本就是陶渊明理想境界的反映，在现实中是不存在的。

全诗以由远及近的顺序、虚实相间的笔法，描写了深幽山谷中，朦胧野烟，飘逸小桥，桃花流水，渔舟轻泛，如诗如画的美妙境界，构思婉曲，情景相融。读罢此诗悠悠诗意，淡淡惆怅，如天外之音绕梁不绝。

# 山中留客

张旭

山光物态弄春晖，莫为轻阴便拟归。
纵使晴明无雨色，入云深处亦沾衣。

## 【赏析】

这首诗在四句二十八个字内描绘了山中的春景，用来挽留欲归的客人。诗人针对客人的心理，通过描写山中美景和自身感受，在客人面前展开了一幅开阔的山景画卷，给人丰富的想象空间，引导客人留在山中与诗人一同欣赏美丽的景色。

诗人用短小的篇幅将景、情、理三者融合在一起，虚实结合，曲折含蓄。

"山光物态弄春晖。"第一句即写山中景色，诗人只用一个"弄"字写出了春和景明之际，山中气象万千的变化。这是春季山林中的整体风貌，给人生机勃勃的感受，赋予万物鲜活灵动的情态。但是，具体山中的山石、草木、溪流、泉水怎么样，诗人并没有多做笔墨渲染，只留给读者广阔的想象空间。同时，这个"弄"字在写作手法上属于拟人，它将大山中一切景物全都拟人化了，与张先词中的"云破月来花弄影"有异曲同工之妙。这一句正面描写山景，含义丰富极具吸引力，也极具鼓动性。

"莫为轻阴便拟归"紧承上句，看着如此秀美的山中景色，不要因为天有些阴就打算回家。这是主人的一句劝说之词，但是没有理由，这句劝说也显得没有力度。于是接下来，诗人道出了劝留的原因。

"纵使晴明无雨色，入云深处亦沾衣。"诗人给出的理由完全是站在客人的角度上来说的。他猜测客人想回家是因为怕下雨天在路上被淋湿，于是退了一步对他说，不要看天气是阴是晴了，即使在晴天从山中走过你的衣服也一样会被打湿，既然天晴、微雨都将在回家的山路上被露水沾湿衣裳，那么又何必在意什么天气，多留几日何妨！

"入云深处"暗示此山地势之高，春天本就多雨水，再加上山中湿度大，云雾缭绕，走下慢慢山路，即使晴天也免不了被露水打湿衣衫，那么微微显露的阴云自然不能构成客人归去的理由了。这一句诗人抓住了天气与春季山中特殊景色之间的微妙关系，既是写山中春露浓重的景色，也是劝说朋友留下的最佳理由。笔行至此，境界全出。诗人用委婉的言辞创造了令人心驰神往的意境，引导朋友去"入云深处"再探访另一番山中美景！

　　在山中春雨欲来的特殊情况下留客，诗人不仅抓住了客人的心理，还抓住了山中春色的特点，既是写景又是抒情，同时也是说理。

# 燕歌行

高适

　　开元二十六年，客有从御史大夫张公出塞而还者，作《燕歌行》以示适，感征戍之事，因而和焉。

　　汉家烟尘在东北，汉将辞家破残贼。男儿本自重横行，天子非常赐颜色。摐金伐鼓下榆关，旌旆逶迤碣石间。校尉羽书飞瀚海，单于猎火照狼山。山川萧条极边土，胡骑凭陵杂风雨。战士军前半死生，美人帐下犹歌舞！大漠穷秋塞草腓，孤城落日斗兵稀。身当恩遇恒轻敌，力尽关山未解围。铁衣远戍辛勤久，玉箸应啼别离后。少妇城南欲断肠，征人蓟北空回首。边庭飘飖那可度，绝域苍茫更何有！杀气三时作阵云，寒声一夜传刁斗。相看白刃血纷纷，死节从来岂顾勋？君不见沙场征战苦，至今犹忆李将军！

## 【赏析】

　　《燕歌行》是乐府旧题，据说就是曹丕开创的。曹丕的《燕歌行》首创以妇女秋思入题，后人多学他用此曲调写作闺怨诗。这首诗用《燕歌行》的曲调来写边塞生活和战事，由高适首创。

　　《燕歌行》为高适的代表作，诗前面的小序表明了写作此诗的缘由。"张公"指河北节度副使张守珪，因开元年间战契丹有功而拜辅国大将军兼御史大夫。"客"指的是诗人的一位朋友，他随张守珪出征，归来而作《燕歌行》，故高适这首《燕歌行》是和朋友诗而作。

　　本诗以边塞战争为题材，但重点不在于民族矛盾。诗人通过对边塞一场战争过程的描写，表达了对将领轻敌失职导致士兵痛苦牺牲的谴责，对广大士兵的同情，以及希望统治者任用像李广那样体恤士兵的将领的愿望。

　　全诗以凝练的笔法写了一场战争从出师、战败被围困直到拼死困斗的全过程，过渡恰当，连接紧密。

　　前八句为第一段，写出师的过程。开篇诗人点出了战争发生的地点和性质。战事起于东北，将军奉命征讨。"天子非常赐颜色"，由此可以看出将军已经获得非常的恩宠，恃宠而骄，为下面将军轻敌而导致战士们被困牺牲埋下了伏笔。

　　紧接着后四句描写行军出征的阵容："摐金伐鼓下榆关，旌旆逶迤碣石间。"金鼓震天、旌旗如云，将领率军浩浩荡荡奔赴战场，一方面流露出骄傲的情绪，另一方面也与后面战斗失利的狼狈情景作对比。"校尉羽书飞瀚海"，"飞"字突出军情紧急。"单于猎火照狼山"，带着必胜的信心到达前线后却发现敌人的军队规模庞大，阵地森严，可预知战争不仅不如想象般容易，反而十分艰难。

　　第一部分概括地写出师的过程，随着
距战场越来越近，气氛也越来越紧张。接
着第二段八句写情势危急最终战败。"山川
萧条极边土"，战斗刚刚开始的时候形势不
利，地形开阔无险可守，这样的战斗地势
正适合敌人骑兵作战。"胡骑凭陵杂风雨"
写敌军骑兵迅急来势汹汹，犹如暴风骤雨。

　　"战士军前半死生，美人帐下犹歌舞"，
前线上拼死杀敌，死伤无数，后方将领却
恣意优哉地欣赏歌舞。诗人用前后方的对
比，突出主将对战事的骄傲和对士兵的冷
酷。接着四句通过大漠景色以及天色变化
的描写，侧面说明了激烈的战斗一直持续
到黄昏时分，残余部队被围困，悲惨的景
物描写烘托出战士们凄凉无助的心境。

　　第三段八句对举征人、思妇两地相隔、
两处相思的情景，突出双方思念而不知何
时再见的愁绪。后又用战场情景和夜间生
活渲染出悲凉的气氛。这一段写战争给士
兵和思妇带来的痛苦，表现诗人对将领的
深刻谴责。

　　最后四句收束全篇为第四段，写士兵们与敌人短兵相接，拼死奋战。"相看白刃血
纷纷，死节从来岂顾勋"，在生还概率很小的情况下，他们决心以身殉国。"岂顾勋"三
字，说明他们浴血奋战也无法取得个人功名，这是对主将的讽刺。因为将领骄傲轻敌，
急功近利，贸然出击，导致了全军将士的惨烈伤亡。

　　"君不见沙场征战苦，至今犹忆李将军！"最后诗人发出悲叹的强音，表现出对士兵
沙场苦战的同情，以及对将领不知体恤士兵的反讽。"李将军"是指西汉时期威镇北方
边境的飞将军李广，他身经百战、屡建奇功，体恤爱护士卒，常常与士兵同食同住，深
受爱戴。由汉至唐，边境战争无数，死伤士卒更是不计其数，可是像李广一样爱惜士兵
的主将却是凤毛麟角，李将军至今令人深深怀念！

　　全诗平仄相间，抑扬顿挫。本篇虽为七言歌行但其中运用了不少律句，尤其在第三
段诗人用征人和思妇之间的对举，突出了战争给百姓带来的深重苦难，对主将贪图功
名、享乐却视人命如草芥的行为进行了有力的痛斥。《燕歌行》不仅是高适的第一代表
作品，也是唐代边塞诗中传诵千古的佳篇。

# 封丘作

高适

我本渔樵孟诸野，一生自是悠悠者。乍可狂歌草泽中，宁堪作吏风尘下？只言小邑无所为，公门百事皆有期。拜迎长官心欲碎，鞭挞黎庶令人悲。悲来向家问妻子，举家尽笑今如此。生事应须南亩田，世情尽付东流水。梦想旧山安在哉，为衔君命日迟回。乃知梅福徒为尔，转忆陶潜归去来。

**【赏析】**

诗人高适少有游侠之风，胸怀大志以期建功立业。早年间他到长安等地游历求仕，但没有成功，直到年近五十才由宋州刺史张九皋推荐，及第登科，后来却只谋了个封丘县尉的小官。封丘在今河南省的东北部，西汉时设置封丘县。这首诗就是诗人任封丘县尉时所作。

全诗四句为一段，共可分为四段。

第一段是开头四句，这四句慷慨高昂，仿佛压抑许久的感情一并而出。"本"字说明诗人的本来面目和生活志趣，从正面表述自己的本性，说自己不想再做这个小官的原因。县尉这个官职在唐代到底有多小呢？这是个从九品的官职，县尉平日管理的都乡里乡亲，鸡鸣狗盗的小事儿，而且还要看县令的脸色，甚至受县令的指使搜刮民脂民膏。杜甫就曾拒绝受此官职，并写诗戏作"不做河西尉，凄凉为折腰"，李商隐也曾写诗表达过做县尉的苦恼。

高适不仅有诗才，在军事上也颇具雄才大略。安史之乱时期，他曾直言潼关失守的原因，并直接反对玄宗派诸子分守各地，玄宗不听，果真发生了叛乱。后来唐肃宗在平定永王李璘的叛乱中起用了高适，获得了成功，但高适却因意气直言被肃宗周围众多宦官妒恨，被免去了兵权。

可见，以高适的才干做一个区区小县尉，实在壮志难酬。第一段中，"孟诸野"的"孟诸"是古代泽薮名，在今天的河南省商丘东北。高适少时家贫，种地、打渔、砍柴出身，所以他说自己本就是一个悠闲自在的人，正适合在山野林中过闲云野鹤的自在生活，于庸俗社会中做一个卑躬屈膝的小官吏实在难以忍受，感情愤懑溢于言表。

第二段是中间四句，诗人从客观现实的角度来说不想做县尉的实情，表现为官生活的沉痛压抑。来往逢迎的长官都比县尉大，唯唯诺诺还是其次，关键是还要帮助他们去压榨百姓，心中不忍却无可奈何。

　　第三段承接第二段内容，进而提出辞官归隐的希望，直接表达了诗人要抛弃名利、归隐田间的决心。

　　最后一段诗人一转念想到了归隐与做官的矛盾难以解决。一方面，不知道自己的家园在哪里；另一方面朝廷命官也不能自主去留。"乃知梅福徒为尔，转忆陶潜归去来。"这里的"梅福"曾做过西汉南昌县尉，以诤言直谏见称。王莽专权时期，以一县尉之微官上书朝廷，险遭杀身之祸，后挂冠弃官，传说后来羽化登仙。看来仅凭小小县尉上书议论政事也毫无作用，思来想去诗人想起了陶渊明的《归去来兮辞》，意为弃官归隐。

　　全诗扣紧理想与现实的矛盾，表达不堪为吏、渴望归隐的主旨，语言质朴无华，结构一贯而下，气势自然生动，气骨兼具。

# 别韦参军

高适

　　二十解书剑，西游长安城。举头望君门，屈指取公卿。国风冲融迈三五，朝廷礼乐弥寰宇。白璧皆言赐近臣，布衣不得干明主。归来洛阳无负郭，东过梁宋非吾土。兔苑为农岁不登，雁池垂钓心长苦。世人遇我同众人，唯君于我最相亲。且喜百年见交态，未尝一日辞家贫。弹棋击筑白日晚，纵酒高歌杨柳春。欢娱未尽分散去，使我惆怅惊心神。丈夫不作儿女别，临歧涕泪沾衣巾。

**【赏析】**

　　韦参军是宋州刺史下属官员，与高适交情颇深。开元二十三年（公元 735 年），诗人由宋州刺史张九皋荐举前往长安参加科考，不得已与友人别离，这首诗就作于此时。全诗以长篇独白的形式，直抒胸臆，结合自己的身世遭遇，表达了与友人惜别之情。

　　"二十解书剑，西游长安城。举头望君门，屈指取公卿。"20 岁的时候，高适曾经入长安，意图以"书剑"求仕，本认为以自己的文韬武略，"取公卿"应该是轻而易举的事情。这两句说的就是这一段经历，简单几句将诗人天真、聪明、稍显自负的性格刻画出来。

　　"国风冲融迈三五，朝廷礼乐弥寰宇。白璧皆言赐近臣，布衣不得干明主。"这四句讲的是在长安求仕失败的经历。国家风教兴盛，似乎超越三皇五帝，朝廷礼乐遍及天下。但是诗人干谒"明主"不成，离开长安，最终失败，客游梁宋（开封商丘一带）。

　　接下来四句写诗人在梁宋的生活。因为在洛阳家乡没有什么田产，诗人来到梁宋地区农耕以为生计。"兔苑为农岁不登，雁池垂钓心长苦"，这里的"兔苑"、"雁池"指的是汉梁孝王曾在商丘一带筑兔苑、雁池，以供娱乐。诗人在这里种田捕鱼，"岁不登"实际上是在这里生活的艰难。"垂钓"是暗用姜太公钓鱼的典故，"心长苦"不仅是生活潦倒的苦，更是长久不能为朝廷所用的苦闷。

　　最后十句扣合题目，写与韦参军惜别之情，表达了两人之间真挚的友情和依依不舍的情怀。"世人遇我同众人，唯君于我最相亲。且喜百年见交态，未尝一日辞家贫"，韦参军并没有因为穷困而轻视诗人，反而在经济上时常帮助他，诗人也却之不恭，并未推辞。这四句结合自己的遭遇饱含辛酸之余，表达了对韦参军知遇之情的珍惜和感激。接下来六句写两人相处愉快、不忍分离之情，并以"丈夫不作儿女别，临歧涕泪沾衣巾"慰藉友人。

全诗多用偶句和对比，读起来抑扬顿挫，气势奔放。诗人真情流露，快语直吐，既表现了自己鲜明的个性特征又表达了对友人的真挚情谊。

# 醉后赠张九旭

高适

世上谩相识，此翁殊不然。兴来书自圣，醉后语尤颠。白发老闲事，青云在目前。床头一壶酒，能更几回眠？

## 【赏析】

张旭，盛唐时期著名的书法家，因其排行第九，故称"张九旭"。"张旭三杯草圣传，脱帽露顶王公前，挥毫落纸如云烟"，杜甫在《饮中八仙歌》中将张旭豪迈不羁、傲视群雄的性格和姿态描摹得极为生动。高适的《醉后赠张九旭》写于天宝十一载（公元752年），是一首酒后题赠诗。此诗从细处着眼，侧面落笔，表现张旭独特的风格个性，表达自己对其无限钦佩之情。

首联"世上谩相识，此翁殊不然"通过张旭与世上凡人的对比，一纵一收，欲抑先扬，彰显了张旭的独特气质。"谩"即欺谩之意，"翁"是高适对张旭的尊称。世上的很多人都随意地与人结识相交，有些并不是很亲密却互称知己，自我欺谩，而张旭则不一样。先抑后扬，更加凸显了张旭的高大形象，突出了高适对张旭的敬仰尊重。

首联从总体上叙述张旭的独特气质，接下来的几联则是从各个角度各个方位对其独特个性进行具体刻画。

"兴来书自圣，醉后语尤颠"从张旭的两大主要特色着笔，即工于草书和一生嗜酒。张旭被号称为"草圣"和"张颠"，高适抓住这两个特点，利用互文的手法，展现张旭酒兴来时挥墨豪书，以至圣境；酒后酣畅淋漓，言语也更加豪放不羁，几近癫狂，表现了张旭的真性情。

"白发老闲事，青云在目前"盛情赞誉张旭淡然处世的人生态度。"青云"，青山白云，为隐逸之意。张旭视荣华富贵、功名利禄为草芥，他"皓首穷草隶"（李颀《赠张旭》）不问世事，悠闲自得，眼里只有苍茫青山、朵朵白云。正因为他不求升官晋爵，保持着隐逸之士的气度和情怀，才时刻保持着天真豪迈的心态，在书法上才取得不凡的成就。

"床头一壶酒，能更几回眠？"尾联承接前文，以问句的形式写张旭醉眠的生活状态。您床前的那一壶酒，还能伴您几次醉眠呢？诗人不仅将张旭平日里经常醉眠的生活情景描绘得生动形象，而且通过这一略带调侃的诗句，从侧面反映张旭醉酒后亲切可爱的憨态，展现了两人之间欢愉融洽的关系，以此作结，带给读者无限遐想。

这首诗先总写对张旭的非凡个性，接下来三联分别对此进行阐述，笔调清新明朗，语言幽默风趣，表现了张旭狂傲不羁、洒脱豪放的个性特征，表达了诗人对其无限的景仰和爱慕。

# 送李侍御赴安西

高适

行子对飞蓬，金鞭指铁骢。功名万里外，心事一杯中。虏障燕支北，秦城太白东。离魂莫惆怅，看取宝刀雄！

## 【赏析】

天宝十一载（公元 752 年）秋天，高适身处长安，好友李侍御将赴西域安西，高适作此赠别诗聊表祝福、鼓励之意。李侍御，不详。侍御，官名，唐代殿中侍御史、监察侍御史通称为侍御。安西，即安西都护府，在今新疆维吾尔自治区库车县。

首联"行子对飞蓬，金鞭指铁骢"紧扣主题，写李侍御将要跨马西行。"行子"指李侍御，"飞蓬"指被风吹荡的蓬草，古人常以蓬草喻游子，"铁骢"指黑色的骏马。这里首先以"飞蓬"比喻"行子"，一方面表示李侍御孤身一人前往安西的游荡行程，另一方面也借飞蓬之飘逸来展现李侍御的身手敏捷。明许学夷在《诗源辩体》中评道："尝欲以高达夫'行子对飞蓬'为盛唐五言律第一，而'对飞蓬'三字，殊气馁不称，欲改作'去从戎'，庶为全作。"

以"金"饰"鞭"，以"铁"饰"骢"，刻画李侍御矫健地骑在铁骢上挥舞着金鞭的英武形象。首联开篇便格调高昂、意气风发、势如破竹，为全诗奠定了激情豪迈的基调。

颔联"功名万里外，心事一杯中"中"万里外"指距离万里之遥的安西，"一杯中"指高适送行李侍御的酒宴，这一联紧承上联，表达对即将离别的李侍御的留念之情。李侍御即将远赴万里之外的安西，建功立业，相别之际，所有的思念和不舍都付诸手中一杯酒吧。前一句展现了李侍御驰骋沙场豪迈英勇的风姿，意境辽阔，后一句回到眼前的离别之境，"心事一杯中"委婉地表达对李侍御的依依惜别之情，这两句诗一纵一收，情感跌宕起伏。

颈联"虏障燕支北，秦城太白东"中"虏障"指御敌的堡垒，这里泛指边塞，"燕支"又作"焉支"，山名，在今甘肃省山丹县东南，这里代指李侍御所去之地安西；"秦城"指长安，"太白"是秦岭峰名，"太白东"，指秦岭太白峰以东的长安，代指高适所留之地。这两句以地名的对举，表现此别后两人天各一方的情形，寓情于景，表达对友人李侍御的真挚思念之情。

尾联"离魂莫惆怅，看取宝刀雄"紧承中间两联，但并没有一直沉浸在离愁别绪中，而是鼓励李侍御不要心情惆怅，到了西域后要积极建功立业。明人唐汝询在《唐诗解》中评曰："此以立功期侍御也。君既为行子矣，所对者飞蓬，所恃者鞍马，万里之志形于一杯，虏障秦城特咫尺耳，岂以离别为恨哉！请视宝刀以壮行色。"尾句"看取宝刀雄"豪迈激昂，将对李侍御的劝慰勉励之情如火山喷发一样传达出来，激情澎湃，动人心魄。

这首律诗因其高昂的格调，表达了诗人积极用世的豪壮之情，体现了盛唐昂扬的精神风貌，被后人誉为"盛唐五言律第一"。

# 登陇

高适

陇头远行客，陇上分流水。流水无尽期，行人未云已。浅才通一命，孤剑适千里。岂不思故乡？从来感知己。

**【赏析】**

天宝十二载（公元 753 年），高适离开长安前去哥舒翰河西节度使治所凉州，途中，高适登陇山瞩望，心中感慨万千而作此诗，抒发内心既感念知己推举之恩，又深切思念故乡的矛盾复杂情绪。

"陇头远行客，陇上分流水"以"远行客"自称，通过陇上东西分流之水，表现在陇头上独自远行的自己内心的孤独寂寞。

"流水无尽期，行人未云已"采用顶真法紧承上两句，以"流水"开头承接"陇上分流水"之"流水"，用陇上流水的蜿蜒延伸、流而无尽来比喻自身征途迢迢无尽期，漫漫旅程，行路未已。明人唐汝询《唐诗解》评论头四句说："首叙陇头之事而即以流水与行人之不休，盖赋而兴也。"这是非常贴切的。

"浅才通一命，孤剑适千里"中的"浅才"指才薄识浅，为诗人自谦之语；"通"，进，达；"一命"为官秩之最微者，是最底层的官职；"孤剑"指仗剑孤行，以剑之孤借指人之孤。这两句说：我才疏学浅，只能任命为最低级的官位，现在只能独自佩戴着孤剑远赴千里任职。

其实高适此番远行即将就任的是左饶卫兵曹、充翰府掌书记，这一官职非常重要，是幕府中重要的文职军官，地位仅次于判官，这里不仅体现了高适的谦虚，而且也透露出了其建功立业的雄心壮志。

"岂不思故乡？从来感知己"点明了诗人远离家乡只身远游，"知己"是指河西节度使哥舒翰，他举荐高适为河陇幕府掌书记，高适对他怀有知遇之恩，此番离家远行并不是对故乡无所牵挂，而是为了报答哥舒翰举荐之恩。其实"感知己"只是表面上的，高适一生积极用世，满怀壮志，此次放下家国之思，远赴异乡，是为了展露身手，实现胸中的伟大抱负。在"思故乡"和"感知己"的矛盾中，高适毅然选择了后者。

这首诗前半部分比兴开篇，寓情于景，委婉曲折地抒发了一位游子的思乡之情；后半部分格调慷慨豪迈，抒发立志报国的豪情壮志。全诗语言简练，内容丰富，情感曲折多变，跌宕起伏。

# 逢雪宿芙蓉山<sup>①</sup>主人

刘长卿

日暮苍山远，天寒白屋<sup>②</sup>贫。
柴门闻犬吠，风雪夜归人。

**【注释】**

①芙蓉山：地名，在今江苏常州。②白屋：贫家的住所，房顶用白茅覆盖。

**【赏析】**

在"五言长城"刘长卿流传于世的作品中，这首《逢雪宿芙蓉山主人》最为著名，几乎家喻户晓，最能代表刘长卿在五言诗方面的艺术特色和成就。

全诗每一句都可以视为一帧完整的画面。首句"日暮苍山远"，只五字便把暮色苍茫、山高路远的情状描画得极为形象，其中一个"远"字既点明旅途之艰辛，又反映出诗人急于投宿、迫切无依的焦虑感。画面渐渐拉近，天寒地冻时，漫天风雪里，一户山里人家出现在诗人的视野里，虽然他只以"天寒白屋贫"做了简单白描，但当时诗人心里那种柳暗花明的惊喜不难想象。次句描写的是诗人眼前的景象：一间被皑皑白雪覆盖的房屋，这座房屋可能本身就十分简陋，风雪的袭击无疑会使人从心理上感觉到更深一层的贫寒。

从远山到近屋，诗的前两句层次鲜明，生动形象，有很强的画面感，为下文镜头的进一步推进作了充分的铺垫。

"柴门闻犬吠"，此时，诗人已经来到了茅屋跟前，紧闭的柴门之后传来一声声狗叫。"柴门"、"犬吠"都能显示出山里人家的特点。一个"闻"字背后的内容，不仅仅是犬吠，我们还能想象到当时大概还有风雪的簌簌声，诗人的叩门声、呼唤声，主人的应答声、脚步声，主客的互相问询声，还有柴门轻启的嘎吱声……只以五言或十字自然难以详细描摹如此丰富的声音，但生动的场景却宛在眼前。从冰天雪地的室外进入暖意融融的屋内，诗人没有再详细刻画后续情景，只用"风雪夜归人"作为全诗收尾，这样刻意留白，不仅不显突兀，还让人有意犹未尽之感。

后人品评这首词时，对诗人的身份是旅人还是白屋主人素有争议。

有人认为，如果诗人只是夜"宿"芙蓉山，那么以"逢雪宿芙蓉山"六字就足以点明主题，为何还要加上"主人"二字？他们认为诗人就是"白屋"主人，而这首诗写的是他风尘仆仆、冒雪还家的场景。

不过，更多人倾向于诗人只是夜来借宿的路人，诗题中的"宿"字是最好的证明，尾句中的"归"字表达的是诗人"宾至如归"的感受。当一个跋山涉水的旅人在饥寒交迫中寻到躲避风雪的人家，并得到热情招待时，确实容易产生回到久别的家中的温暖感觉。这种联想合情合理，又能够帮助读者联想到诗人进入柴门后发生的事情，一个"归"字真是点睛之笔！

　　整首诗描绘了诗人在旅途中遭遇风雪，不得不夜宿山中人家的情景。从前两句的狂风疾雪、苍山白屋，到后两句的柴门启闭、犬吠骤起，恰如电影镜头徐徐推移，由远拉近、从静转动、由冷转暖，勾勒出了一幅"风雪夜归人"的图卷。诗人用词炼句自然质朴，毫无人工雕琢的痕迹，以简单的诗句描绘出简单的生活场景，却饱含值得玩味的情感，真是不负"五言长城"的盛名。

# 送灵澈上人

刘长卿

　　苍苍竹林寺，杳杳①钟声晚。
　　荷②笠带夕阳，青山独归远。

**【注释】**

　　①杳：深远的样子。②荷（hè）：背着。

**【赏析】**

　　本诗为刘长卿山水诗的代表作，更是唐朝山水诗中的名篇。诗人借景抒情，以优美的景色表达依依不舍的离情和旷远豁达的心境，景与情完美融合，既让读者从视觉上感受到自然山水之美，又从心灵上感受到清新淡泊的禅意。

　　灵澈上人是一位著名的高僧，擅长诗歌，与中唐多位诗人素有往来，刘长卿便是其中之一。当时，灵澈上人正四处游方，暂停留于润州（今江苏省镇江市）竹林寺，诗人常与他一起探讨佛理，共品诗话。这首诗写的是暮色渐浓时分，这位僧友要返回竹林寺，诗人与其作别的场景。

　　"苍苍竹林寺，杳杳钟声晚。"杳杳的钟声从远处的寺庙传来，钟声厚重而平和，回荡在山林里，撞破了愈来愈浓的暮色，似乎在催促灵澈赶紧上路。这一幕十分传神，但却并非实写，而是诗人所想。此时，他们与竹林寺相距甚远，既不可能看到被幽深的竹海掩映的寺庙，也不可能听到寺庙里的暮鼓晨钟。"苍苍"、"杳杳"两组叠字营造出幽远、缥缈的感觉，既符合竹林寺这座佛门圣地的氛围，又引人遐思。

　　"荷笠带夕阳，青山独归远。"这两句由想象转为写实，头戴斗笠的僧人迎着落日的余晖，渐渐隐入深沉的暮色里，消失不见。但是，诗人还伫立在两人挥手作别的地方，望着朋友所去的方向，依依不舍之情跃然纸上。尾句的"独"字运用甚妙，灵澈在暮色里独自归寺，诗人在夕阳下独自伫立，两人在形貌上都是孤独的，但偏偏内心都能感受到来自对方的朋友般的慰藉，景与情之间的落差虽不突兀，却映衬鲜明，让人回味。

　　一般来说，送别诗往往着意于表现离人的不舍之情和黯然之意，但这首诗虽有眷恋却无神伤，意境淡泊闲适，极富禅意。刘长卿和灵澈上人相交时，正逢诗人遭遇贬谪，仕途失意；灵澈虽是一名世外僧人，但对诗名未显的状态也偶有怀才不遇之感。但是，两个失意的人相遇相知，不仅没有互倾苦水，反而都显现出了淡泊的境界和旷达的胸襟。他们皆无失意伤感的情愫，虽怀才不遇却能保持闲适心境，虽人生失意却能淡泊明志，这种境界并非人人都能企及。

灵澈上人独归青山的清寂形象，诗人独立夕阳的悠长背影，反而夺走了这精美如画的山水风光，成为这首山水诗引人入胜的关键。

# 穆陵关北逢人归渔阳

刘长卿

逢君穆陵路，匹马向桑乾。楚国苍山古，幽州白日寒。城池百战后，耆旧①几家残。处处蓬蒿遍，归人掩泪看。

**【注释】**

①耆（qì）旧：年高望重的故交。

**【赏析】**

唐代宗大历五、六年间（公元 770～771 年），安史之乱虽已平息，但战争对整个国家造成的伤害还未恢复，民生凋敝、百废待举。这期间刘长卿先后担任转运使判官、淮西鄂岳转运留后等职务，虽然他的活动范围主要在两湖地区，但他也从多方得知安史叛军盘踞多年的北方地区更是荒凉残破，所以，当他在穆陵关（今湖北省麻城城北）遇到一位催马北上、急于归家的路人时，忍不住与他交谈，将满腹忧虑告知对方，生动地反映了战争给人民带来的深重灾难。

"逢君穆陵路，匹马向桑乾。"首联扣题，交代了诗人与路人巧遇的地点是穆陵路，同时点明路人之所以行色匆匆，是要赶回千里之外的家乡。"桑乾"是今天永定河的古称，流经河北，在此处是用来指代行人要去的渔阳（今天津市蓟县）。渔阳是安禄山、史思明的起兵之地，自安史之乱起，就陷入了战争的泥淖。如今，这位急于北归的行人正是要赶赴渔阳，"匹马"既道出旅人之孤苦，亦道出世道之艰难。

"楚国苍山古，幽州白日寒。"颔联委婉地写出了当时全国各地的状况。"楚国"指代南方，"幽州"指代北方，这一联采用互文的修辞方法，写出了南北方山水苍莽、寒日无光的衰败景象。

"城池百战后，耆旧几家残"是诗人为这位行客勾勒出的沿途的画面，虽然并非诗人亲眼所见，却是令人唏嘘的事实。从穆陵关到渔阳，一路上几乎看不到完整的城池了，它们已经在数次战争中被毁坏，昔日鼎盛的耆老大户，现在恐怕也没剩几家了。

"处处蓬蒿遍，归人掩泪看。"尾联是诗人想象行客归家后看到的情景：回到家乡，触目所及之处，只有茂盛的野草蓬蒿，人烟稀少，田园荒芜，恐怕你只能悲伤地掩面而泣了。前一句描写民不聊生的惨象，后一句抒发沉郁悲凉的感情，流露出诗人对人民深切的同情。

颔联中"白日寒"对理解全诗的主旨帮助很大，不仅指自然气候，更比喻人民悲惨的命运，同时还影射朝廷中不见日光的局势。

刘长卿写这首诗时，安史之乱已经平息了将近十年，但是统治者无所作为，在恢复民生方面并没有什么得力的举措，新兴军阀又迅速盘踞在这些地区，鱼肉百姓，横征暴敛，中央政府却无力管束。

安史之乱造成的创伤还没平复，新军阀的作为又雪上加霜，百姓们生活在日月无光的黑暗境地里，让忧国忧民的诗人不能不为时局而忧虑、叹息。这种郁积的情绪迸发出来，化作诗人对北归路人的深切慰语，体现出刘长卿诗歌委婉的艺术特色。

# 听弹琴

刘长卿

泠泠<sup>①</sup>七弦上，静听松风<sup>②</sup>寒。

古调虽自爱，今人多不弹。

**【注释】**

①泠（líng）泠：清凉、凄清的样子。此处指清越动听的琴声。②松风：琴曲中有《风入松》的调名。这里又以风入松林暗示琴声凄凉。

**【赏析】**

成语"古调不弹"现在常被用来形容过时的东西不再受人欢迎，渐渐被人忽略。这个成语就出自刘长卿这一首《听弹琴》。不过，诗人的本意是要借古人高雅的音乐不再受今人喜爱之事实，表达他对世事流转、人心善变的不满，大有知音难寻、怀才不遇的无奈和落寞之感。

在《唐刘随州诗集》中，这首诗的诗题是"听弹琴"，此外其他辑录中有"弹琴"之说。从诗中"静听"二字可知，此诗侧重于听者对音乐的聆听欣赏，而非弹奏技巧，故而后人多认为诗题遵"听弹琴"一说更为妥当。

前两句通过描写勾勒音乐的意境。"泠泠七弦上"，琴声时而清越，如流水一样从七弦琴上汩汩流下，这是形容乐声之婉转；"静听松风寒"，琴声时而凄清，如疾劲的寒风闯入茂密的松林，这是形容乐声之肃穆。琴是传统乐器的一种，有七条琴弦，因此又被称为"七弦"，根根琴弦相互配合，在乐师的抚弄下，如流水激石，又似疾风入松，给人以美的享受。

后两句以议论表达诗人的情感。"古调虽自爱，今人多不弹。"所谓"古调"，指的是始于汉魏的以琴、瑟等乐器为主的南方清乐，到隋唐时期，这种传统音乐逐渐被人冷落，从西域传来的琵琶等乐器成为人们的新宠，一时之间，华丽而欢乐的"燕乐"盛行，人们沉溺于世俗的欢愉，很少再去体会肃穆庄重但富有美感的古乐。

诗人借古调被冷落的现实，表达了自己清高自持的志趣，又包含无人应和、孤芳自赏的尴尬。这种身世落寞、灵魂孤独的寂寞感在刘长卿的诗歌中并不少见。比如《幽琴》中"向君投此曲，所贵知音难"，便与《听弹琴》有相和之妙。

古代诗人之所以常常发出怀才不遇的感慨，大都与他们的身世相关，刘长卿也是如此。他满腹才华，又有一腔报国志向，但仕途两次受创，既受诬陷又遭贬谪，心里自然少不了愤懑和怨尤。在言论不得自由的封建社会，他也只能借诗抒情，以诗言志，来疏导心中郁郁的情结。

# 余干旅舍

刘长卿

摇落①暮天迥②，青枫霜叶稀。孤城向水闭，独鸟背人飞。渡口月初上，邻家渔未归。乡心正欲绝，何处捣寒衣？

**【注释】**

①摇落：零落。②迥（jiǒng）：远。

**【赏析】**

唐肃宗至德三年（公元 758 年），刘长卿坠入仕途中的第一个低谷。据唐人高仲武在《中兴间气集》中的记载，刘长卿"刚而犯上，而遭迁谪"。当时刘长卿暂摄海盐（今浙江省海盐市）令，遭人陷害而身陷囹圄，被贬为南巴（今广东省茂名市南）县尉，直到三年后才得以北归。

上元二年（公元 761 年），刘长卿从贬所北上，夜宿江西余干县的一家旅舍时，触景生情，有感而发，写下了这首诗。

"摇落暮天迥，青枫霜叶稀。"这一句首先交代了时间："青枫霜叶"说明季节是深秋，"暮天"说明时间是傍晚。夕阳隐入西山，暮色苍茫，天空寥阔，在寒霜冷风的侵袭下，枫树上的叶子都变得格外稀疏了。此时此刻，途经余干的诗人伫立在旅舍的门外，看着萧条的景象，心中不免起了惆怅的乡情。

为离思乡情困扰的诗人，眼前所有的景象似乎都在提醒他阔别乡土的现实。"孤城向水闭，独鸟背人飞。"太阳落山，坐落在苍茫大地上的这座孤城终于也关闭了城门，护城河里的流水呜呜咽咽着，不知是为何而哀伤；随后镜头从地上抬升至空中，只见一只孤独的鸟儿正朝着与诗人相背的方向，越飞越远。诗人自己不也像是那无可寄托的孤城独鸟，承受着难挨的孤单吗？

第三联仍然写景，不过已经从城内转向了城外。"渡口月初上，邻家渔未归。"一轮圆月已经爬上了渡头的天空，但邻近的渔家的捕鱼人一早出门，到现在还未归来。在看不到的地方，那只顶着圆圆明月的弯弯渔船，是否迫不及待地想驶回渡口呢？

"乡心正欲绝，何处捣寒衣？"不知未归家的渔人做何感想，反正诗人只想立刻回到有亲朋故旧的家乡，无奈远在异地，只恨未生双翅。无可奈何的诗人不愿意完全沉沦在悲伤的乡情里，只想把自己从乡情的陷阱里拉出来，谁料到，一阵阵捣洗衣服的砧杵声从远处的人家传来，声声入耳，声声震心。一定是谁家的妇人正在为丈夫捣洗寒衣，在遥远的故里，自己的亲人是否也正在为自己准备冬衣呢？这样一想，诗人的思乡之心就更沉重了。

前三联有静物，有动景，却都是沉寂无声的，尾联中捣衣声恰如一部电影的画外音，似乎一直在诗人的耳畔呼唤：快快还家！一声挨着一声，把诗人的心都喊碎了。这句诗看似简单，后人若想把其中的感情表达透彻，需要增加很多语言才能填满这一场景，足见诗人结句之凝练。

仔细品读这首词，似乎能清晰地看到时间流逝、空间移动的痕迹：从暮色降临到明月初上，再到夜深人静；从旅社门口到城畔渡头，再到回归城中。诗人的情感也沿着这条脉络，一步步加深，直到被羁旅之情和思乡之情彻底淹没。这种步步推移的时空感，以及层层递进的情感线，浑然天成，唯有用心体会才能见其一二。

# 登余干古县城

刘长卿

孤城上与白云齐，万古荒凉楚水西。官舍已空秋草没，女墙犹在夜乌啼。平沙渺渺迷人远，落日亭亭向客低。飞鸟不知陵谷变，朝来暮去弋阳溪。

## 【赏析】

《登余干古县城》与《余干旅舍》的写作背景相同。上元二年（公元 761 年），刘长卿从岭南潘州南巴贬所北上，途经饶州余干（今江西省余干县）时，他登上古县城，满眼都是荒落颓败的景象。早在唐朝初年，因为县治迁移，余干县城已被废弃。当因"刚直犯上"而被奸佞诬陷并遭贬谪的诗人登上一座荒落的被弃古城时，人事和物事的相仿遭遇互相碰撞，合拍而成，化作这首吊古伤怀的名作。

与此同时，安史之乱以及军阀混战给人民造成了深重的灾难。漫长的北归之路上，刘长卿亲眼看见了普通百姓在水深火热中苦苦挣扎的惨象，不免为国家的前途和命运忧心忡忡，赋予了这首诗更加丰富的内涵。

"孤城上与白云齐，万古荒凉楚水西。"首联扣题，开篇即点明诗人登上余干古县城后看到的景象：余干古县城地势较高，周围又没有其他城乡相连，因被废弃又无人居住，俨然成了一座孤城，在城下抬头望去，它好像和白云连在一起，多年以来，这座古城一直矗立在楚水西畔，荒凉而孤独。

首句中诗人站在城下，第二句的视角已转为凭楼远眺，诗人不动声色地写出了自己位置的转移。不论是"与白云齐"还是"万古荒凉"，都带有夸张的意味，意在表现余干县城被抛弃后的沉寂和冷落，这既是客观意象的反映，同时也含有诗人自己的感情。

"官舍已空秋草没，女墙犹在夜乌啼。"首联写的是古城全景，颔联中视角转入城内。诗人先写"官舍"，即原来的县衙，这昔日繁华的地方如今杂草丛生，被越来越高的蓬蒿掩埋了起来；随后再写"女墙"，即城墙上筑起的墙垛，城墙还在，可是巡防的将士已经不见踪影，到了夜里，城楼上看不到守夜人点亮的火光，只能听见一声声乌鸦的啼叫从旷野中春来。"已空"对应"犹在"，物是人非之感顿生。"秋草"与"夜乌"两个带有冷色调的意象，承接首联中的"荒凉"一词，把古县城的残破和冷清刻画得淋漓尽致。

"平沙渺渺迷人远，落日亭亭向客低。"视角再次转移，诗人在颈联中着意描写城外的景象。站在城头向远处眺望，只能看见茫茫的沙地，大风骤起，卷起遮天蔽日的黄沙，向着天边无尽处卷席而去；此时正是黄昏时分，落日西垂，渐渐地快与城上的游客在同一高度上了。县城周围，理应是村舍农田，本诗中却尽是茫茫"平沙"；再者，县城治所虽然迁移，不该导致所有百姓随之搬迁，可这里的人却纷纷选择了离开，原因何在？

　　联系当时背景，安史之乱已经持续了七年之久，战区自然是烽火遍地，其他州县自然也会受到战争的影响，趁乱而起的诸侯、盗寇，无不成了鱼肉百姓的黑暗力量。是以，举国上下，为了保命，为了生存，人民莫不纷纷迁徙，背井离乡。颈联中的"落日"，既是自然景观，又暗含诗人对国家命运的忧虑。

　　"飞鸟不知陵谷变，朝来暮去弋阳溪。"只有无知的鸟儿不懂历史变迁和国势盛衰，不分朝暮地在弋阳溪水上飞来飞去。尾联化用了《诗经·小雅·十月之交》中的诗句："高岸为谷，深谷为陵。哀今之人，胡憯莫惩。"《十月之交》旨在通过写周幽王时期发生的日食以及后来一系列"百川沸腾，山冢崒崩"的自然灾难，以对当时西周统治者宠信小人、政治腐败的现状提出警告。刘长卿把《十月之交》中的名句化用在这首诗里，看似闲笔，实际上是委婉地对当时的唐朝统治者提出批判，又有劝诫之意，比之正面警示更加含蓄，也更深刻。

　　诗人的思维时而围绕现实展开，时而又游离于历史之中。通篇写景却含有深意，表现出安史之乱给整个国家、整个时代造成的创痛，蕴含着忧国忧民的博大情怀。从艺术手法而言，整首诗蕴含着一种对称之美，颔、颈两联以工整的对仗，由近及远地写出了余干县城之古、之孤，同时兼具色彩与声音之美，具有很强的审美价值。

# 饯别王十一南游

刘长卿

　　望君烟水阔，挥手泪沾巾。飞鸟没何处，青山空向人。长江一帆远，落日五湖春。谁见汀洲上，相思愁白蘋。

## 【赏析】

　　刘长卿与友人王十一离别时的不舍之情，以及离别后的相思之意，在这首赠别诗里表达出来，离愁别绪诚挚感人。

　　"望君烟水阔，挥手泪沾巾。"诗人一开始就从送别写起，开门见山地写出两人在江边话别的氛围：我们站在江边话别，泪水把手中的巾帕都打湿了，望着辽阔无边的江面，想到你马上就要乘船离开，不由地更加伤心了。从后文可知，首联中两人正在告别，诗人故意颠倒语序，一方面做押韵之用，另一方面可突出离情。

　　"飞鸟没何处，青山空向人。""飞鸟"指代友人，是说朋友像鸟儿一样展翅高飞，不知将要去向何处，只剩下自己孤零零地站在原地，面对着沉寂的青山。一个"没"字，一个"空"字，道出诗人因友人离开而无所寄托的心情，孤独、寂寥的意味十分浓郁。

"长江一帆远，落日五湖春。"颈联承接颔联，继续写两人分手后的情景：你乘坐的一叶孤舟，已经随着滚滚的江水渐行渐远，等你抵达太湖，一定能看到夕阳西照下无限美丽的春色吧！这一句与第三句对应，是对"没何处"的补充，交代了友人南游的目的地正是五湖，即太湖一带。

"谁见汀洲上，相思愁白蘋。"尾联中，诗人又从写对方转为写自己，"谁见"其实是询问对方是否看见，你是否能看到我独自一人站在开满白蘋的汀洲上，因思念你而陷入深深的愁闷之中。本联加上颈联中的"落日"一句，均出自梁朝柳恽的《江南曲》："汀洲采白蘋，落日江南春。洞庭有归客，潇湘逢故人。故人何不返，春花复应晚。不道新知乐，只言行路远。"惜别之意极为浓厚。

诗人从首联离别场景出发，继而把友人离去后一路看到的风景和自己伫立江边思念友人的场景紧密结合，把一片离情融入到了景色之中，情景交融，细致地刻画出了人物的惜别心理。

# 重送裴郎中贬吉州

刘长卿

猿啼客散暮江头，人自伤心水自流。
同作逐臣君更远，青山万里一孤舟。

**【赏析】**

裴郎中的姓名、身份无从详考，只知他与刘长卿既是同僚，又有患难之谊。唐代宗年间，裴郎中和刘长卿一起从贬所被召回长安，好景不长，喜悦还未消退，两人又同时被贬离京，简直像被兜头浇了一盆冷水。

题目中之所以有"重送"二字，是因为在此之前，刘长卿已经写过一首同题五律为他送行："乱军交白刃，一骑出黄尘。汉节同归阙，江帆共逐臣。猿愁歧路晚，梅作异方春。知己鄡侯在，应怜脱粟人。"

为同一个人赋诗两首，足见两人的交情不浅。

"重送"之作流露出深挚的不舍之情，还有无奈的同病相怜之叹。首句"猿啼客散暮江头"只用七字，形象地写出裴、刘二人分别的场景：在暮色深沉的江边，裴郎中即将踏上归程，两人互相倾诉着心里的不舍，远处传来阵阵悲切的猿啼，听上去就像凄厉的哭声，似乎连猿猴都在替岸上之人表达情感。

在古典诗词，尤其是唐诗里，向来有"猿声一叫断，客泪数重痕"之说。由于猿声"其音甚厉，激昂而悲"，常常通宵不歇，所以人们常把哀鸣的猿啼视为悲伤的象征。离情是悲伤情愫中最常见，且最易触及心灵的一种。猿啼，客散，实在让人黯然神伤。

"人自伤心水自流"，不管是即将远行的裴郎中，还是为他送行的诗人，心中的情感都如呜咽奔涌的江水，连绵不绝。此句亦可作他解：不管离人多么伤心，无情的流水都会径自把载着人的船舶带走，不停留，不回头。一个"自"字，拟人化地赋予流水生命，无奈这"生命"却非常无情。

"同作逐臣君更远，青山万里一孤舟。"作为被君王贬谪，亦相当于被仕途抛弃的不幸者，裴郎中要去的地方非常遥远，夕阳渐渐隐去，载着裴郎中的船只渐行渐远，诗人只能看到青山之间的一点白帆，而这朦胧的影子最终也会消失在群山的怀抱里。诗人依然孤独地站在岸边，望向茫茫的江面，设想着渺不可知的未来。

可能比自己要去的地方更加偏僻，诗人着力于表现裴郎中命运的不幸，这使两人同病相怜的命运显得更加可悲，让人同情。在以后漫长的放逐生活里，诗人与裴郎中一样，恐怕都只能与绵延万里的青山，还有那一叶孤舟做伴，其情之悲切，令人不禁想替他们咒怨命运的不公。

诗人没有使用什么特别的艺术技巧，通篇直陈其事，将送别的情景与离别后的哀伤娓娓道来，词句清新自然，但感情真挚而深沉。

# 酬李穆见寄

刘长卿

孤舟相访至天涯，万转云山路更赊<sup>①</sup>。<br>欲扫柴门迎远客，青苔黄叶满贫家。

**【注释】**

①赊：远。

**【赏析】**

刘长卿在新安郡（今安徽省歙县）时，收到了女婿李穆寄给他的《寄妻父刘长卿》："处处云山无尽时，桐庐南望转参差。舟人莫道新安近，欲上潺湲行自迟。"于是作此诗应和，欢迎将至新安的李穆。

"孤舟相访至天涯"，首句指李穆此次新安之行。"孤舟"意味着李穆的旅途之孤寂，"天涯"则说明从桐江到新安的路途之遥远，故而能够突出李穆千里迢迢来访的不易。诗人并没有从自己的立场出发去看待李穆的行程，而是换位思考，站在对方角度写旅程的艰辛劳顿和孤独寂寞，更能体现出翁婿之间的浓厚亲情。

"万转云山路更赊"，第二句是对"天涯"的补充说明，更具体地说明了行程中的艰难险阻。李穆从桐江出发，沿途水路极险，既有重重险滩，又有湍急水流，本以为转过前方云雾缭绕的山峰就快抵达新安，自然兴奋不已，结果却被船家告知"路更赊"，将至的喜悦和未达的失落互相交织，感情因复杂才显得更加丰富。此句同样从李穆的角度出发，诗人既写出李穆急欲抵达新安的心情，也表达了自己希望早日见到女婿的急切。

"欲扫柴门迎远客，青苔黄叶满贫家。"后两句则从写李穆转为写自己，从联想转为写实，从写路途转为写家中。诗人没有明写盼望客至的迫切心情，而是笔调舒缓地写自己为迎接远客，一早起来打扫柴门前的落叶，这一家常化的情景十分亲切，符合诗人与来客之间的翁婿关系，又表现出他们的感情之亲密。

学者周啸天在解读这首诗时，特意将后两句与杜甫七律《客至》中的名句"花径不曾缘客扫，蓬门今始为君开"进行了对比，认为两者虽然同是表达客人将至的喜悦心情，但刘诗的末句更见精彩。一方面，"贫家"一词蕴含着杜诗中"樽酒家贫只旧醅"中的自谦之意，以及唯恐招待不周的歉意，表现出主人的热情和真诚；另一方面，"青苔黄叶"落满庭院，说明家中已经很久没有客人来访，突出主人的寂寞，由此，主人为"迎远客"而流露出的喜悦和兴奋就更容易理解了。

按照正常的逻辑，因为"青苔黄叶满贫家"，主人才需要"欲扫柴门"，既然诗人刻意调整了语序，必然有其用意，以景作结，不显突兀，且更有意味深远之韵味。

# 长沙过贾谊宅

刘长卿

三年谪宦此栖迟，万古惟留楚客悲。秋草独寻人去后，寒林空见日斜时。汉文有道恩犹薄，湘水无情吊岂知？寂寂江山摇落处，怜君何事到天涯！

## 【赏析】

贾谊是古代怀才不遇者中的代表。他生活在西汉文帝时期，用"满腹经纶"、"才高八斗"等词语形容他毫不夸张。这位大才子还颇有政治才华，偏偏受到佞臣排挤，得不到皇帝重用。在被贬为长沙王太傅的三年之后，贾谊郁郁而亡，年仅 33 岁。后世文人每每要托古人之口，表达今人的不遇之失意时，总是想到贾谊，与其说是对贾太傅的相惜，不如说是对自己的同情。

七律《长沙过贾谊宅》写于唐代宗大历八年（公元 773 年），刘长卿第二次遭遇贬谪，再次赴任南巴县尉，途经长沙贾谊故居，遂作此诗。

首联营造出沉重压抑的氛围。"三年"谪居身死，这是贾谊的不幸；"万古"，青史留名，这似乎是历史对他的弥补。这一句中含诗人自喻，悲伤的"楚客"既指谪居长沙的贾谊，也指流落湘地的诗人自己。他们都是仕宦路上的失意人、落魄客，像栖息的鸟儿一样敛起翅膀，不得高飞。一个"悲"字，既悲贾谊，更悲自己，奠定全诗基调。

颔联侧重描写贾谊旧宅中的萧条景象。诗人这次遭到贬谪正逢秋天，当他来到长沙时，寂寥的秋意只怕比他离京时更浓了几分。"秋草独寻人去后，寒林空见日斜时。"在一个斜阳夕照的傍晚，刘长卿独自来到贾谊故居，只见满院荒草寒木，触目所及都是荒凉的景象。诗人本来就心情郁郁，这种冷色调的情景无疑加重了他内心的郁闷。另外，作者化用了贾谊名篇《鵩鸟赋》中的句子，从"野鸟入室兮，主人将去"化出"人去后"，从"庚子日斜兮，鵩集余舍"化出"日斜时"，景是人非的意味更浓，更使人神伤。

颈联可谓全诗情歌的高潮。"汉文有道恩犹薄，湘水无情吊岂知？"连素来为人称道的汉文帝都不能成为贾谊的伯乐，帝王的恩情果然如此寡薄吗？诗人先赞扬汉文帝"有道"，不留喘息时间，马上又斥责他"恩薄"，这种鲜明而激烈的情感对比扣人心弦。谪居长沙时，贾谊曾站在湘水之畔，哀悼与自己身世相近的屈原，可这无情的湘江是否又能传达贾谊的凭吊呢？

诗中字字句句看上去都是刘长卿对贾谊说的，言外之意却句句针对自己——连"有道"的汉文帝都没有重用贾谊，当今昏聩的帝王又岂会重用自己？站在贾谊宅里吊念古人，又有谁会同情自己的遭遇呢？诗人用反问的语气，写出了自己明知却不愿意承认的事实，心情之矛盾，情感之黯然，都在这啼血带泪的控诉中，真切而感人。

尾联一出，诗人在废宅里踯躅独行，落落寡欢的形象更加生动。荒村日暮，一个身形单薄的书生不住徘徊，脚下的荒草、身畔的枯树，都随秋风而动，这一幕荒凉的景象，不正是寂寂摇落的江山的缩影吗？国家衰颓时，忠君爱国的臣子却被贬至天涯，这既是臣子的不幸，也是君王的不幸，更是国家的不幸！

诗的表面写对贾谊的同情，实际上抒发了自己的愤懑。全诗用词委婉，对仗精工，以古人事写今人情，表达方式极为含蓄，情感却非常激烈，既有对不合理的社会现实的控诉，又有对国家时局的忧虑，非常感人。

# 望岳①

杜甫

岱宗②夫③如何？齐鲁青未了。造化④钟神秀，阴阳割昏晓。荡胸生层云，决眦⑤入归鸟。会当凌绝顶，一览众山小。

**【注释】**

①岳：指东岳泰山。泰山为五岳之首，其余四岳分别为西岳华山、南岳衡山、北岳恒山和中岳嵩山。②岱宗：岱，泰山别称；宗，长也。岱宗指泰山是群岳之长。③夫（fú）语气助词，无实际意义。④造化：指大自然。⑤决眦（zì）：决，裂开；眦：眼眶。这里指极力张大眼睛的样子。

**【赏析】**

《望岳》是杜甫流传下来的诗歌中最早的一首，大约作于唐玄宗开元二十四年（公元736年）。是年杜甫到长安参加贡举，结果名落孙山。他没有滞留京师或立刻还乡，而是在齐、赵（今河南、河北、山东）一带游历。途经山东泰安时，他独自游览泰山，写下这首《望岳》，既热情讴歌了泰山的雄伟，又表达了自己的壮志豪情。这首诗是青年杜甫积极进取的人生态度、光芒四射的人生理想的最佳写照。

"岱宗夫如何？"开篇先用问句，声名远播的东岳泰山到底怎么样呢？这一句看似怀疑的问句其实流露出杜甫对泰山神往已久、慕名而来的情愫，以及终于站在泰山脚下的兴奋。

那么，泰山到底是不是真如传闻中一样雄伟呢？"齐鲁青未了"，诗人自问自答：泰山青翠苍郁，从齐绵延至鲁，甚至在齐鲁之外依然能看到它挺拔伟岸的英姿。齐、鲁是春秋时期两个诸侯国的简称，后用来指代山东等地。在如此辽阔的土地上，青翠的山色绵延至天际，泰山之雄伟不难想象。

首联没有直接赞美泰山之高，而是以横向的距离之远衬托纵向的山之雄伟，令人初读愕然，再读会心，有耳目一新的感觉。清代沈德潜评价这一句"已尽泰山"，恐怕再没人能出其右。

颔联由远及近，从远望其全貌到近观其神秀。"造化钟神秀，阴阳割昏晓。"造物好像对泰山格外眷顾，把神奇险峻和端庄秀美的特征同时赐给了它。泰山伫立在大地上，把天空分成两半，一半阴一半阳，就像一半被晨光照耀，一半被夕阳垂青。此联中"割"字用得甚妙，把泰山比喻成一把割裂了天空的锋利的尖刀，生动形象，有很强的画面感。

"荡胸生层云"，峰峦越高，缭绕在峰顶山腰的云雾就越浓密，云气层出不穷，环绕不去，令人心潮也随之起伏激荡。山云虽然不散，鸟儿却要归巢了。"决眦入归鸟"一句是说诗人睁大双眼，极目远望，似乎想追随着归鸟渐渐远去的身影，连眼角都要裂开了！"决眦"二字以夸张的写法表达了诗人对能够自由翱翔于天际的飞鸟的羡慕。

首联到颔联通过由远及近的镜头推移自然过渡，颔、颈二联的过渡则是通过从晨到昏的时间变化完成的。清晨，山中的云雾最浓；黄昏，飞鸟才会归巢休憩。所以，诗人此次游览泰山，时间跨度至少从晨到昏，以一整天的时间流连于同一个地方，符合诗人在首句里表现出的对泰山的向往之情。

"会当凌绝顶，一览众山小。"全诗除诗题以外没有一个"望"字，但通篇都在写"望岳"时看到的美景奇色，连尾句都是在写通过望岳而产生的攀登泰山的愿望：一定要登上泰山峰顶，站在最高处俯瞰其他山峦的渺小！写这首诗时，杜甫只有二十几岁，正是人生中最朝气蓬勃的年华，虽然遭遇了应举落第的挫折，但整体而言，他还没有经历过太多苦难。年轻的杜甫对未来有很多积极的设想，满心都是报国安民的期许和志气，面对高大雄伟的泰山时，这股豪情喷薄而出，留下了这篇千古佳作。

通过对泰山景色的描写，诗人表达了对祖国山水的热爱，以及昂扬向上、积极进取、兼济天下的志向。春秋时，《孟子·尽心上》曰："孔子登东山而小鲁，登泰山而小天下。"意思是说孔子登上东山，觉得鲁国变小了，登上泰山，又觉得天下变小了。杜甫的《望岳》并未写登山之事，但他登上山顶后的心境，大概也与孔子相似，整个天下尽在眼中，只盼自己能以才华济世报国。

# 春日忆李白

杜甫

白也诗无敌，飘然思不群。清新庾开府，俊逸鲍参军。渭北春天树，江东日暮云。何时一樽酒，重与细论文①？

**【注释】**

①论文：即论诗。

**【赏析】**

李白与杜甫，一为"诗仙"，一为"诗圣"，一个是浪漫主义的执笔者，一个是现实主义的领路人，一个诗风清新飘逸，一个诗风沉郁顿挫。无论是两个人的艺术追求还是个人性情，都截然不同。明代胡应麟曾经说过："才超一代者李也，体兼一代者杜也。李如星悬日揭，照耀太虚。杜若地负海涵，包罗万汇。"这两位伟大的诗人能够结下深厚的友谊，实在是诗坛的一段佳话。

《春日忆李白》写于天宝六载（公元 747 年）的春天，此时距离李杜二人的初次相遇已过去三年。天宝三载（公元 744 年），李白从长安来到洛阳，自十年前应举落第后一直在外游历的杜甫此时也恰好在洛阳附近，历史的机缘巧合促成了两人的第一次见面。两位诗人相见甚欢，把酒赋诗，共论天下，并携手同游梁、宋等地。次年，李、杜二人在兖州分手，李白南行，杜甫西去。

又是冬去春来，杜甫在长安已经居住了一年之久。长安城里风拂柳绿，日暖花红，杜甫看到这秀美的景色，想起了远在江东的朋友李白。

开头四句都是杜甫对李白热烈的赞美。诗人用了一半的篇幅来赞美李白以及李白的诗歌，可见他对李白的敬佩之诚恳，也可见二人友情之真挚。正因"思不群"才有"诗无敌"，也就是说因为李白的思想卓尔不群，才能写出无人企及的诗歌。当时，李白被公认为是桂冠诗人，刚刚三十余岁的杜甫虽然小有诗名，但和诸多大家相比只能算个无名小辈，他对李白的敬佩和仰慕之情发自肺腑，他熟读李白的诗歌，故而能对李白的创作风格做出客观而准确的评价。

"清新庾开府，俊逸鲍参军。"这一句是赞美李白的诗作像庾信一样清新，像鲍照一样俊逸。庾信和鲍照都是南北朝时期的著名诗人，在杜甫看来，李白的诗歌兼具这两位诗人的优点，也就是说李白的艺术成就在他们每个人之上，赞美之情溢于言表。

虽然诗题关键在于"忆"字，但杜甫并没有着力于写往事，而是从眼前的情景出发，想象李白所在地的景色。"渭北春天树，江东日暮云。"我在渭北欣赏着枝繁叶茂、鸟语花香的春景，你在江东欣赏着五彩缤纷的黄昏云霞。"渭北"指杜甫所在的长安一带，"江东"指李白所在的江浙一带。这一句的潜台词可能是这样的：我在长安赏春时想到了你，你在江浙看云时，是不是也会想到远在西北方的我？

"渭北"一句语言质朴平淡，但情感却非常丰富。清代沈德潜在《唐诗别裁》中评价这一句"写景而离情自见"，实乃确评。没有一个表达思念的字眼，却能让人感受到浓郁的离情和相思。

尾句中，诗人不再平铺直叙，而是以一问句表达出热切的期盼。"何时一樽酒，重与细论文？"何时我们能够再次相聚，把酒言欢，共赋诗话？这一句虽然表达的是对未来的期盼，但却无意中透露了他们过去相聚时的场面："一樽酒"，"细论文"。昔日的情境历历在目，何时才能再次聚首呢？一个"重"字正好呼应了诗题中的"忆"字，回忆的感觉扑面而来，思念也就显得更加强烈。

诗人之间的情意自然要通过诗歌表达，从《春日忆李白》中，可见杜甫对李白由衷的敬佩以及两位诗人之间真挚的感情。他寓情于景，把情感表达得丝丝入扣，令人心向往之。

# 前出塞九首（其六）

杜甫

挽弓当挽强，用箭当用长。射人先射马，擒贼先擒王。杀人亦有限，列国自有疆。苟能制侵陵，岂在多杀伤。

## 【赏析】

"出塞"本是古乐府旧题，以戍边将士的战斗生活为主要内容。到了唐朝，诗人们描写边疆战事和将士生活时，也常以"塞"字为题。杜甫也创作了很多边塞诗，为了区分不同时期，先完成的九首被称为《前出塞》，后完成的六首被称为《后出塞》。

《前出塞》组诗的创作背景是天宝十四载（公元 755 年），大将哥舒翰奉玄宗之命，率兵与吐蕃展开了一场战争，杜甫随军而行，亲眼看见了战争的惨烈和残酷，遂作《前出塞》九首。"挽弓当挽强"是其中最出名的一首，诗人表达了自己对战争的观点，并对唐玄宗的穷兵黩武进行了讽刺。

全诗通篇议论，前四句以排比的句式总结战斗经验，认为克敌制胜必须依靠强兵利器和智慧勇气；后四句得出战争目的是以强兵定边防，为非以暴力拓边境的结论，这种拥强兵而反黩武的观念符合国家利益和人民愿望。

"挽弓当挽强，用箭当用长。射人先射马，擒贼先擒王。"这四句诗紧锣密鼓地道出了战争取胜的关键：兵马强壮，士气旺盛，注重谋略。虽然语言朴实无华，但因其紧促的节奏和明快的韵律，营造出了积极昂扬的气势。清初黄生在《杜诗说》中评价，这种语体"似谣似谚"，最能体现"乐府妙境"。

"杀人亦有限，列国自有疆。苟能制侵陵，岂在多杀伤。"这四句的意思是说：一个国家若想保持边境的安定，那么就要做到杀人有限、立国有疆，也就是说不能以屠杀异国人民、侵占他国边疆为手段；一个国家能以武力阻止他国对自己的侵略就足够了，打仗并不是以杀伤为最终目的。

所以，虽然诗人在前四句中一直在阐述如何在战争中克敌制胜，但诗人主张"以战争制止战争，以强兵制止侵略"，这也符合杜甫的儒家思想。

　　明代张缙认为，这首诗的前四句"章意只在'擒王'一句，上三句皆引兴语，下四句申明不必滥杀之故"。前四句是全诗的辅体，后四句才是主体，诗人采用先扬后抑的手法，表达自己对战争的看法：首先，诗人并不反对战争，并且把战争视为保家卫国、安邦定土的必要手段；另一方面，诗人对"武皇开边意未已，边庭流血成海水"的侵略战争持批判态度，因为正义的战争并不是为了挑起乱局，而是为来寻求安定。

　　身处战乱频发、民不聊生的动荡年代，作为一名现实主义诗人，杜甫敏锐地捕捉到广大人民和将士的心声，并勇敢地代他们立言，在"诗主性情，不主议论"之说广为流传的时代，以议论发声并以议论取胜。

# 丽人行

杜甫

　　三月三日天气新，长安水边多丽人。态浓意远淑且真，肌理细腻骨肉匀。绣罗衣裳照暮春，蹙金孔雀银麒麟①。头上何所有？翠为匐叶②垂鬓唇。背后何所见？珠压腰衱③稳称身。就中云幕椒房④亲，赐名大国虢与秦。紫驼之峰⑤出翠釜，水精⑥之盘行素鳞。犀箸⑦厌饫⑧久未下，鸾刀缕切空纷纶。黄门⑨飞鞚⑩不动尘，御厨络绎送八珍⑪。箫鼓哀吟感鬼神，宾从杂遝⑫实要津⑬。后来鞍马何逡巡，当轩下马入锦茵。杨花雪落覆白苹⑭，青鸟飞去衔红巾。炙手可热势绝伦，慎莫近前丞相嗔！

**【注释】**

　　①"蹙金"句：衣服上用金银线绣出孔雀、麒麟等物。②匐（è）叶：指妇人的发饰。③衱（jié）指妇人的裙带。④椒房：指皇后的居所。⑤紫驼之峰：指橐驼其背有高出之峰，味甚美。⑥水精：即水晶，本句形容用水精的盘盛白色的鱼。⑦犀箸：用犀牛角饰制的筷子。⑧饫（yù）吃饱之意。⑨黄门：指宦官。⑩鞚（kòng）：带嚼子的马笼头。八珍：八种珍贵的筵席美食。《礼记》记载为淳熬、淳母、炮豚、炮牂、捣珍、渍、熬和肝这八种食品。遝（tà）通"沓"，有相及之意。杂遝指多而杂乱。要津：要路，这里指重要的官职。"杨花"句：按清代蘅塘退士旧注，指的是杨国忠与虢国夫人的暧昧关系。又可指北魏胡太后和杨白花私通之事，杜甫用事以讥杨氏。"炙手"句：《唐语林》记载："会昌中，语曰：'杨郑段薛，炙手可热。'"这里指杨氏一族的嚣张气焰。

**【赏析】**

　　"无一刺讥语，描摹处语语刺讥；无一慨叹声，点逗处声声慨叹。"这是清代浦起龙在《读杜心解》中对《丽人行》的评价。本诗作于唐玄宗天宝十二载（公元753年）暮春，诗人以严肃认真的态度正面吟咏虢国夫人等"丽人"的华贵妆容、奢侈生活，描写了杨国忠出行时扈从甚多、气势煊赫的场面，讽刺以杨氏国戚为代表的上层贵族奢侈淫乱，批判统治者的昏庸，揭露朝廷的腐败。

　　全诗可分为三大段，从首句到"珠压腰衱稳称身"为第一段，泛写上巳日曲江边游春的众多佳丽。此诗主旨是讽刺杨氏姊妹，起首反从一般丽人说起，体现了诗家含蓄的写法。

起首两句交代时间、天气、地点以及情境，勾勒出长安城外曲江水畔佳丽云集、美色争艳的整体景象。诗人随后采用了浓墨重彩式的铺排，极力描写丽人的"丽"之所在。

"态浓意远淑且真"，三句写姿态之娴雅；"肌理细腻骨肉匀"，四句写体貌之柔媚；"绣罗衣裳照暮春，蹙金孔雀银麒麟"，五、六句写服色之华贵；"头上何所有？翠为匌叶垂鬓唇"，七、八句写头饰发型之雍容；"背后何所见？珠压腰衱稳称身"，九、十句写衣饰之珍贵。

这段文字把长安水边如云的佳丽刻画得活灵活现，她们姿容优美，体态端庄，衣着华丽，举手投足间尽显贵族仪态。

第二段从"就中云幕椒房亲"到"宾从杂遝实要津"，诗人"就中"一转，从写众佳丽转入本题，开始集中笔力写虢国夫人、秦国夫人等杨氏姐妹的奢侈生活。上文已盛言丽人的体貌服色，杨氏姐妹与之相比必然有过之而无不及，于是诗人不再赘言，而是写她们饮食、出行的排场，并插入玄宗皇帝对她们的过分恩宠，淋漓尽致地刻画出杨氏"丽人"的奢侈生活。

"紫驼"二句是说她们的餐桌上常常摆着用翡翠玉锅盛放的驼峰肉，还有用水晶盘盛放的白色的鱼肉，诗人选择这两样来指代饮食，极言味穷水陆。"犀箸"二句是说任御厨把这些珍贵肴馔切得再细密工整，烹制得再精心不过，她们还是早就吃得厌腻了，以至于不想下筷，写她们暴殄天物。"黄门"二句写宫内宦官飞马而来，声势浩大，竟然只是为了给她们送来宫里的美味佳肴，表现出玄宗宠赐的优厚。"箫鼓"二句写她们出行时声乐震天，随侍者左右环绕的浩大声势。

以"虢与秦"为代表的杨氏族人之所以嚣张到这种地步，皆因她们是"椒房亲"。"椒房"是西汉未央宫皇后所居殿名，《汉书》颜师古注："椒房殿名，皇后所居也，以椒和泥涂壁，取其温而芳也。"杨贵妃虽然没有皇后之名，但因玄宗对她宠爱有加，实则确有皇后之尊。诗人在这里含蓄地指出了杨氏一族背后的靠山看似是贵妃，实则是玄宗本人，暗含对统治者的批判。

从"后来鞍马何逡巡"到尾句是第三段，紧接对秦、虢夫人的描写，铺陈出杨国忠权大气盛、不可一世的样子。

"后来"句杨国忠出行时扈从甚多的浩大排场，"当轩"句写他当众下马后径入锦茵直趋丽人的骄恣意气。古代人十分重视"男女授受不亲"的交际礼法，杨国忠与杨氏姐妹虽为表亲，但也应该恪守礼俗，可杨国忠却堂而皇之地与众女眷往来，在当时可谓惊世骇俗。按照《旧唐书·杨贵妃传》的记载，杨国忠与虢国夫人关系暧昧，每每私会，"每入朝或联镳方驾，不施帷幔"。这里为"杨花"二句做好了铺垫。

"杨花雪落覆白苹，青鸟飞去衔红巾。"这两句看似在写暮春时节杨花纷飞、青鸟往来的景象，实则寓意深远。北魏宣武帝元恪的皇妃胡太后年轻寡居，爱慕北魏名将杨白花，迫其与自己私通，杨白花意识到这种关系背后隐藏着巨大的危险，于是他率部下投奔南梁，改名杨华。思念情人的胡太后写下了一首《杨白花歌》，其中有四句："舍情出户脚无力，拾得杨花泪沾臆。春去秋来双燕子，愿衔杨花入巢里。"胡太后的诗本深情直白，凄婉缠绵，但杜甫之意却是引此事以讥讽暗合杨氏兄妹的不伦丑行。不过，近人喻守真还从另一个角度解释了这两句的含义："只有花鸟可以相亲，游人不敢仰视，见得丞相气焰的可怕。"亦可自圆其说。

"炙手可热势绝伦，慎莫近前丞相嗔!"丞相正得皇帝恩宠，权势大且气焰盛，千万不要近前惹他恼怒啊! 结尾以反跌法总括出杨国忠的骄恣，以旁观者小心翼翼、诚惶诚恐的心态道出了杨国忠的趾高气扬、骄纵蛮横。

词语虽然极力铺排，极其富丽，但因诗人暗含讥讽之意，于是富丽之中特有清刚之气，是首别具一格的乐府诗。杜甫采用描状、点染、陪衬等多种手法，生动形象地写出了杨氏族人的嚣张气焰，不论揭露腐朽还是鞭笞罪恶，都十分有力。

# 贫交行

杜甫

翻手为云覆手雨，纷纷轻薄何须数。<br>君不见管鲍贫时交，此道今人弃如土。

## 【赏析】

困守长安时期，为了实现"致君尧舜上，再使风俗淳"的理想，原本心高气傲的杜甫也不得不四处拜谒，为谋求仕途而求人相助。过程之中，他免不了要遭受些冷遇和白眼。对世间一切保持着敏感观察力的诗人，生活潦倒，尝尽艰辛，品味着人情冷暖、世态炎凉的不同滋味，看穿富贵交游的虚伪，得出了"贫贱之交方见真情"的结论。

"翻手为云覆手雨，纷纷轻薄何须数。"有些人交朋友，翻手覆手之间，一会儿像云团聚散，一会儿像雨势急缓，变化莫测令人难以捉摸，这些友情大抵是酒肉之交或贿赂之交。朋友之间若只为利益而聚，势必也会为了利益而散，这样的友情令人忍不住轻蔑视之。

"君不见管鲍贫时交，此道今人弃如土。"你看，就连古人管仲和鲍叔牙之间贫富不移的君子之交，现在也被人弃之如粪土了。人心不古若此，实在让人悲伤。

管仲和鲍叔牙都是春秋时期的著名政治家，他们是一对好友。最初两人曾一起做买卖，当时管仲比较贫穷，鲍叔牙相对富有，管仲虽出资少但分到的财利却很多，鲍叔牙并不计较；管仲做错事情导致尴尬局面时，鲍叔牙不仅不斥责管仲的愚笨，反而以"时机不利"为其开脱；两人从政之后，管仲三战三退，鲍叔牙没有像其他人一样笑其怯懦，因为他知道管仲家中有老母需要照料；公子纠争王位而不得，作为公子纠的谋臣，管仲被下狱，鲍叔牙却向当上君王的公子小白推荐管仲为相，自己甘愿做管仲的下属。管仲感叹道："生我者父母，知我者鲍子也。"所以后人常常以"管鲍之交"形容朋友之间亲密无间，不为利益驱使的友谊。

杜甫生活的时代，世风日下，越来越多的人沉溺于追名逐利之中，就连朋友间的情意也因利益而变得反复无常，而最真挚无私的以管鲍之交为代表的"贫时交"反而为人所不齿，这种不正常的社会现象引起了诗人强烈的愤慨。

诗人用"翻手为云覆手雨"这一夸张但形象的比喻，写出了世人趋利忘义的丑恶嘴脸，并用"何须数"这一有力的口吻，表达了自己对这种现象的轻蔑和憎恶。"君不见"三字作振聋发聩语，既表达诗人对古道的推崇，又批判今人对利益趋之若鹜的丑态。

明代王嗣奭评价《贫交行》一诗"语短而恨长"。诗人从现实落笔，转而思古，以短短四句形象地写出了"今人"的重势轻义，赞扬了古人以友情为重的美德，通过正反对比和夸张、比喻等手法，在倾吐心中不满的同时，把世间贫贱之交最为可贵的观点表达得直白充分。

# 醉时歌

杜甫

诸公衮衮登台省，广文先生官独冷。甲第纷纷厌粱肉，广文先生饭不足。先生有道出羲皇，先生有才过屈宋。德尊一代常坎轲，名垂万古知何用！杜陵野客人更嗤，被褐短窄鬓如丝。日籴太仓五升米，时赴郑老同襟期。得钱即相觅，沽酒不复疑。忘形到尔汝，痛饮真吾师。清夜沉沉动春酌，灯前细雨檐花落。但觉高歌有鬼神，焉知饿死填沟壑。相如逸才亲涤器，子云识字终投阁。先生早赋《归去来》，石田茅屋荒苍苔。儒术于我何有哉？孔丘盗跖俱尘埃！不须闻此意惨怆，生前相遇且衔杯。

## 【赏析】

此诗原注"赠广文馆博士郑虔"，可见诗是杜甫写给好友郑虔的。天宝初年（公元742 年），他被人密告"私修国史"，被贬至边远地区达十年，再回长安被任命为广文馆博士，故诗中多处称呼郑虔为"广安先生"。

郑虔是当时极负盛名的学者，嗜酒豪饮，豪放不羁。虽然杜甫与郑虔年龄相差甚远，但杜甫十分钦佩敬仰他，再加上两者同样悲惨的人生遭遇，更是相见恨晚，互为知己，相交甚密。此诗约作于天宝十四载（公元 755 年）春天，诗中将二人同病相怜、肝胆相照的深厚情谊淋漓尽致地表现出来，同时又传达出一种怀才不遇、壮志难酬的苦闷和抑郁。

全诗根据内容可以分为四个部分，前两部分都为八句，后两部分都为六句。四个部分相承而下，文脉清晰。

第一部分为："诸公衮衮登台省……名垂万古知何用！"前四句将朝中"诸公"的荣耀显达和奢侈靡费与郑虔的"官独冷"、"饭不足"进行鲜明的对比，"衮衮"为众多之意，"台省"中的"台"是御史台，"省"是中书省、尚书省和门下省，皆为中央枢要机构，"广文先生"指郑虔，"冷"即清冷、冷落之意。这里通过飞黄腾达的"诸公"与郑虔的凄惨境遇对比，一方面表达对郑虔的惋惜之情以及不平之叹，另一方面也从侧面表达对自身命运的感慨：广文先生如此，自己又何尝不是一样命运沦落呢？

后四句刻画郑虔的非凡才能，进一步为其遭遇感到哀婉。"先生有道出羲皇，先生有才过屈宋"中"羲皇"指伏羲氏，古代理想中的圣君，"屈宋"指屈原和宋玉，两者都是才华横溢冠绝古今之人。论德，郑虔高出伏羲皇帝；论才，郑虔超过屈原和宋玉。然而"德尊一代常坎轲"，有才德之士命运总是如此坎坷，身后流芳百世又有何用，怎能弥补生前的凄惨！

第二部分为："杜陵野客人更嗤……痛饮真吾师。"这一部分写两人的相濡以沫之情，两人刻骨铭心的忘年之交体现在你来我往的饮酒之中。前两句紧承上一部分描写郑虔的境遇，写自己的状况比之郑虔更加悲凉可笑。接下来六句写命运相似的两人互相慰藉，你来我往共酌酒。仇兆鳌注曰：前句"时赴郑老同襟期"是杜往，后句"得钱即相觅"是郑来，两人惺惺相惜、开怀畅饮，已至"忘形"聊以慰藉。前两部分深切地体现了两人的浓厚友谊和同病相怜之感。

第三部分为："清夜沉沉动春酌……子云识字终投阁。"此部分为全诗的高潮部分，前四句"清夜沉沉动春酌，灯前细雨檐花落。但觉高歌有鬼神，焉知饿死填沟壑"写深夜饮酒，放声高歌，想到世道混乱人们几近饿死路旁，填埋沟壑，不觉悲从中来。

后两句"相如逸才亲涤器，子云识字终投阁"借典抒情，"子云"是扬雄的字，这两句的意思是司马相如才气横溢，却要亲身买酒涤器；扬雄才能非凡，却最终因株连而被迫跳楼自杀。这里通过书写两位先贤的惨痛历史，表面上看像是聊以自慰，实际上却通过典故表达古来圣贤皆道路坎坷之意，表达了诗人的激愤之情。

最后一部分为："先生早赋《归去来》……生前相遇且衔杯。"诗人借酒咏怀，表达心中的抑郁、无奈与哀婉：仕途坎坷，壮志难酬，何不回归田野呢？儒术于我有何用？孔夫子最终不也和盗跖一样化为尘土？

《杜臆》评曰："此篇总是不平之鸣，无可奈何之词。"这首诗通过叙说郑虔与杜甫两人同样的悲惨境遇，抒发了怀才不遇的忧愤之情，情感真挚浓烈，悲壮淋漓，跌宕起伏，颇能体现杜诗"沉郁顿挫"的风格特色。

# 后出塞五首（其二）

杜甫

朝进东门营①，暮上河阳②桥。落日照大旗，马鸣风萧萧。平沙列万幕，部伍各见招。中天悬明月，令严夜寂寥。悲笳数声动，壮士惨不骄。借问大将谁，恐是霍嫖姚③。

**【注释】**

①东门营：指洛阳城东的上东门外的新兵营。②河阳：河阳县，在今河南省孟州市。古称孟津。③霍嫖姚：西汉著名将军霍去病，在平定西北和漠北匈奴的战斗中建立奇功，曾任嫖姚校尉。

**【赏析】**

杜甫的《后出塞》组诗共有五首，写于天宝十四载（公元755年）安史之乱爆发伊始。杜甫以组诗的形式，讲述了一个完整的故事：一个有"男儿生世间，及壮当封侯"（《后出塞其一》）理想的热血青年毅然投军，行军过程中，他的功名理想渐渐破灭，国家民族观念也因主将的骄横恣肆逐渐瓦解，最后他"中夜间道归"（《后出塞其五》），偷偷逃回了故里。从主动应募到只身逃离，这名青年的命运具有典型化意义，代表着诗人盛唐边塞梦想的幻灭。

此诗是组诗中的第二首，讲述了刚刚入伍的青年，跟随部队出征的过程，以及到达边塞后的所见所闻。青年尚言将美，可见其对封侯理想充满期待。

"朝进东门营，暮上河阳桥。"清晨，新兵到东门营报道；傍晚，他就随着开拔的队伍到达了河阳桥。东门营在洛阳城附近，河阳桥是由洛阳赴河北的必经要塞，在孟县附近。"朝"、"暮"二字以及两个地名相互对照，行军节奏的紧迫感跃然纸上。

"落日照大旗，马鸣风萧萧。"落日的余光照耀着迎风招展的军旗，萧萧马嘶与猎猎风声相呼应和。诗人描写了新兵在行军途中看到的景象，给人以雄壮、肃杀之感。其中"风"字历来广受好评，有学者评价这一字之加，让人"觉全局都动，飒然有关塞之气"。

"平沙列万幕，部伍各见招。"无数行军的帐幕整齐排列在一望无际的沙原上，行伍首领正在各自召集手下的士兵。前文中"暮"、"落日"等字词点明了时间，既然暮色已浓，自然该宿营了。这两句写的就是军队在野外宿营的情况，从中既能看出队伍的壮大，也能看出将士的训练有素。这可能是新兵经历的初次宿营，千军万马的气势让他对未来的戎马生活又多了几分充满激情的想象。

"中天悬明月，令严夜寂寥。"时间从傍晚过渡到深夜，天空中高高悬挂着朗朗的明月，整个营地寂然无声，充分显示出军令的森严。这一联既是对宿营地深夜景色的描写，亦是对军队整体素质的补充刻画。

"悲笳数声动，壮士惨不骄。"悲咽的笳声划破长空，还没入睡的士兵想到即将要面对的生死难测的厮杀，失去了平日的娇纵之情，心中涌上凄恻之感。"悲笳"二字使全诗的氛围由雄壮转为苍凉。

"借问大将谁，恐是霍嫖姚。"借问统领军队的大将是谁？大概是像西汉嫖姚校尉霍去病一样的将军吧。整支队伍的训练有素、军令严明让新兵对统帅充满好奇，但他又不敢向他人询问，只能自己在心中揣测。"恐是霍嫖姚"一句与其说是新兵的揣测，不如说是他的期待——如果能有像霍去病一样治军有方、运筹帷幄的统领，一定能大胜而归，那么自己渴望功名的理想也就能够实现了吧。

这首诗对边塞景象的描写给人以深刻的印象。诗人采用速写的手法，勾勒出了日头刚落、暮色渐浓、月上中天三个不同时段的景色，虽然是粗线条处理，却凸显出边塞的雄壮肃杀以及军队的威严庄重。

全诗流露出的整体情绪与组诗第一首相同，表现出从军者对军营的热爱、对边塞的向往，渲染出他迫切期待立功封侯的心情，但是，诗中不乏淡淡的悲切和寂寥，为组诗后几首中情感与情节的急转直下做了铺垫。

# 自京赴奉先县咏怀五百字

杜甫

杜陵有布衣，老大意转拙。许身一何愚，窃比稷①与契②。居然成濩落③，白首甘契阔。盖棺事则已，此志常觊豁④。穷年忧黎元，叹息肠内热。取笑同学翁，浩歌弥激烈。非无江海志，潇洒送日月。生逢尧舜君，不忍便永诀。当今廊庙具，构厦岂云缺？葵藿倾太阳，物性固难夺。顾惟蝼蚁辈，但自求其穴。胡为慕大鲸，辄拟偃溟渤⑤？以兹误生理，独耻事干谒。兀兀遂至今，忍为尘埃没。终愧巢与由⑥，未能易其节。沈饮聊自遣，放歌破愁绝。岁暮百草零，疾风高冈裂。天衢⑦阴峥嵘⑧，客子中夜发。霜严衣带断，指直不得结。凌晨过骊山，御榻在嵽嵲⑨。蚩尤⑩塞寒空，蹴⑪踏崖谷滑。瑶池气郁律，羽林相摩戛。君臣留欢娱，乐动殷胶葛⑫。赐浴皆长缨⑬，与宴非短褐。彤庭所分帛，本自寒女出。鞭挞其夫家，聚敛贡城阙。圣人筐篚恩，实欲邦国活。臣如忽至理，君岂弃此物？多士盈朝廷，仁者宜战栗。况闻内金盘，尽在卫霍室。中堂有神仙，烟雾蒙玉质。煖客貂鼠裘，悲管逐清瑟。劝客驼蹄羹，霜橙压香橘。朱门酒肉臭，路有冻死骨。荣枯咫尺异，惆怅难再述。北辕就泾渭，官渡又改辙。群冰从西下，极目高崒兀。疑是崆峒⑭来，恐触天柱折。河梁幸未坼，枝撑声窸窣。行李相攀援，川广不可越。老妻寄异县，十口隔风雪。谁能久不顾，庶往共饥渴。入门闻号咷⑮，幼子饿已卒。吾宁舍一哀，里巷亦呜咽。所愧为人父，无食致夭折。岂知秋禾登，贫窭⑯有仓卒。生常免租税，名不隶征伐。抚迹犹酸辛，平人固骚屑⑰。默思失业徒，因念远戍卒。忧端齐终南，澒洞不可掇。

## 【注释】

①稷：舜时期主管农事的官员。②契：帝喾之子，唐尧的异母弟，生母为简狄，尧时任司徒。③濩（huò）落：原谓廓落，引申为沦落失意。④觊豁：希望能达到。⑤偃溟渤：在大海里遨游。⑥巢与由：古代的两个隐士巢父和许由。⑦天衢：天空。⑧峥嵘：本意指山峰突兀耸立。此处形容云层迭起的样子。⑨嵽嵲（diéniè）：形容山岭高峻。⑩蚩尤：古代神话传说中的人物。蚩尤和黄帝交战时，曾施展法术起大雾弥散三日，这里代指雾。⑪蹴：踩。⑫胶葛：交错纷乱貌。⑬长缨：古时系帽的长丝带，也用来指代华衣美服者或达官显贵。⑭崆峒：山名，在今甘肃岷县。⑮号咷（táo）：通"号啕"。⑯窭（jù）贫穷，贫寒。骚屑：凄清愁苦。⑰骚屑：形容风声。

## 【赏析】

《自京赴奉先县咏怀五百字》一诗集中体现了诗人现实主义思想的深化。诗人通过客观的视角、敏锐的观察力，捕捉到自己所处社会的时代特征，并将之客观再现，以强烈现实感给人以震撼，以深刻思想性发人深省，诗人爱憎分明的个人感情也蕴含其中，引人共鸣。这是杜甫现实主义精神及创作手法的集中体现，是杜诗中不能不读的名篇。

天宝十四载（公元 755 年），44 岁的杜甫谋得"左帅府胄曹参军"的从八品的小官职。上任后不久，他自京城前往奉先县探视家小。途经骊山时，杜甫得知唐玄宗与杨贵妃等皇室贵族正在华清宫中纵情享乐。然而在这繁华地、温柔乡之外，蠢蠢欲动的安史叛军已经搅扰得举国不安，百姓正在水深火热里苦苦挣扎。到达家中后，幼子已因饥饿而夭折，诗人伤心不已。伤心与激愤之余，他写下这首长诗，把个人的不幸融入万千百姓的悲惨命运里，把家难融入国难之中。

杜甫的描述已明显表露出当时社会的混乱程度。此诗写成后不久，安史之乱终于爆发，显示了诗人对政治时局的敏锐观察和判断，也更加有力地讽刺了统治者的骄奢昏聩。

从首句到"放歌破愁绝"，诗人通过对十年长安求仕生活的回顾与总结，抒发自己的志向和怀抱。

起首二句中，"杜陵布衣"为杜甫的自称，"拙"字乃反语，表达了诗人对自己十余年来怀才不遇，在仕途上一事无成的遭遇的愤慨。诗人有"稷"、"契"之志，本来想向这两位辅佐虞舜的名臣看齐，却"居然成濩落"，到处碰壁且无所作为。尽管现实如此严峻，求仕之路这么艰辛，诗人还是发出了"此志常觊豁"的呼喊，大有屈原"虽九死其犹未悔"的精神。

诗人对仕途的热衷不为个人功名，而是出于对国家、人民的热爱。"穷年忧黎元，叹息肠内热。"这一句塑造了诗人忧国忧民的形象。即使被人嘲笑依然无悔，这又表现出了杜甫的执著。

杜甫为国为民思想的形成也经历了曲折的过程，他也曾萌生过退隐山林的想法，但是他又期待能生逢尧舜，有所作为。可现实如何呢？在交代这首诗的创作背景时已经提到过，安史叛军四处生事，危害社稷时，玄宗正带着宠妃在骊山享乐。开元盛世已经成了过眼云烟，诗人的报国志向也没了着落，更何况朝廷里人才济济，那么诗人又为何不干脆归隐呢？

"葵藿倾太阳，物性固难夺。"我对君王的忠诚之心，犹如葵花始终朝向太阳一样不可转移。诗人用形象具体的比喻剖白内心，其言之诚恳、情之深刻令人动容，但联系他在仕途上屡屡碰壁的事实，两相对照，令人感慨万千。

接下来的十二句诗中，诗人的无奈之情更浓厚。一方面，他借"蝼蚁"与"大鲸"的对比，表达自己不与世俗同流合污、坚持个人操守的心志，另一方面，他又表达了自己对飘然世外的许由、巢父等著名隐士的神往，虽向往却不肯追随，同样是因为前文所表的忠心。这种复杂而微妙的情感令诗人十分愁闷，只好"沈饮聊自遣，放歌破愁绝"。

从"岁暮百草零"到"川广不可越"，这是全诗的第二部分，紧扣诗题，详细描写了诗人从京城到奉先县途中的所见、所闻、所感。这一部分以叙述为主，兼用议论，夹叙夹议地讽刺了统治者荒淫腐朽的行径，表达了诗人对国家命运的深深忧虑。

诗人先写了从长安出发时看到的景象。岁暮霜冷，疾风刚烈，天上愁云惨淡峥嵘，地上行人寸步难行。诗人表面写路途的艰辛，实际上展现出了萧索荒凉的社会景象，长安附近尚且如此，远离京师的地方岂不是更加混乱？

但是，诗人并没有按照以上逻辑写社会之动荡，而是大篇幅地描写了他经过骊山时亲眼看到的喧闹和繁华。"瑶池气郁律，羽林相摩戛"、"赐浴皆长缨，与宴非短褐"、

"劝客驼蹄羹，霜橙压香橘"等诗句极言统治者的骄奢淫逸和肆意挥霍。

皇室贵戚的生活富贵到无以复加的程度，普通百姓又过着怎样的日子呢？

"彤庭所分帛，本自寒女出。鞭挞其夫家，聚敛贡城阙。"达官显贵们分到的绸帛，都是贫寒人家的妇女辛苦劳动的成果，并且，这些成果是由她们的丈夫被鞭打绳捆着，一匹匹、一车车地运进皇城宫阙中的。

"朱门酒肉臭，路有冻死骨。"富贵人家，吃不完、享不尽的酒肉已经变得腐臭难闻，朱门之外的道路两旁，尽是穷人冻饿而死后留下的累累白骨。这幅惨象，触目惊心。

俞平伯先生在评价此联及其下一联时说道："老杜真是一句不肯放松，一笔不肯落平的。这是传诵千古的名句。似乎一往高歌，暗地却结上启下，令人不觉，《镜铨》夹评'拍到路上无痕'，讲得很对。骊山宫装点得像仙界一般，而宫门之外即有路倒尸。咫尺之间，荣枯差别如此，那还有什么可说的？"贫富悬殊的现实，阶级矛盾的尖锐被表现得形象而具体，这种情况下，更大的祸乱已蠢蠢欲动。

接下来又回到了对途中景象的描写，诗人离开骊山之后，"北辕就径渭，官渡又改辙"，交代了路途的转变。这一段路途之中，山岭险峻，水高湍急。"疑是崆峒来，恐触天柱折"两句，用了共工氏怒触不周山的典故，暗示时局的动荡，大有崩天塌地之势，显示出诗人的政治敏感。

第三部分从"老妻寄异县"至尾句，写诗人回到家后看到的情景。

诗人千里迢迢，历尽艰辛回到家中，只为"庶往共饥渴"，大有与亲人同甘共苦之意。但是，等待他的只有悲剧。

"入门闻号咷，幼子饿已卒。吾宁舍一哀，里巷亦呜咽。所愧为人父，无食致夭折。岂知秋禾登，贫窭有仓卒。"孰料丰收之年百姓仍然衣食无着，幼子被活活饿死，家人都在苦苦哀号，哭声惹得四邻也跟着呜咽起来。

杜甫通过个人家庭的不幸遭遇推己及人。作为食朝廷俸禄的官员，家中尚且会发生这样的惨剧，普通百姓的生活之苦简直让人不敢想象。

诗人的视野进一步拓宽："默思失业徒，因念远戍卒。忧端齐终南，澒洞不可掇。"他联想到天下所有不幸的百姓和戍守边关的士兵，并为他们感到深切的担忧，忧思就如高山大水一般，似乎马上就要大祸临头。

果然，在诗人写成这首诗几日之后，惊天动地的渔阳鼙鼓击碎了玄宗的盛世美梦，安史之乱爆发，诗人的深重忧虑句句应验，给本诗蒙上了一层更加雄浑而悲怆的色彩。

在艺术特色上，诗人采用了写景、叙事、抒情、议论等多种表达方式相结合的手法，使全诗的表达灵活而深刻；此五言诗兼具纪行与咏怀的特点，纪行是其线索，咏怀是其主旨，让整首诗逻辑更加清晰，但线索又时断时连，显得跳脱灵动；诗人还十分注意使用对比、虚实结合、点面结合等写作手法，使这一宏大的诗篇中也具有了引人流连、惹人驻足的细节之处，其中"朱门酒肉臭，路有冻死骨"一句更是成为千古名句。

《自京赴奉先县咏怀五百字》是杜甫"诗史"的著名代表作，具有社会现实价值和历史借鉴意义，比杜甫之前的作品更深刻地揭露了统治阶级对劳动人民的剥削，暴露出统治者和人民之间的尖锐对立，展现了安史之乱爆发前夕"山雨欲来风满楼"的社会画面。

# 月夜

杜甫

今夜鄜州①月，闺中只独看。遥怜②小儿女，未解忆长安。香雾云鬟湿，清辉玉臂寒。何时倚虚幌③，双照泪痕干？

**【注释】**

①鄜（fū）州：今陕西省富县。当时杜甫正在长安，其家眷在鄜州羌村。②怜：爱。③虚幌：透明的窗帷。

**【赏析】**

因为安史叛军的步步紧逼，玄宗之子，即太子李亨仓皇北上。公元756年的农历六月，长安沦陷，一个月后李亨在灵武登基，改年号为"至德"，史称肃宗。得知这个消息的杜甫把家人安顿在鄜州的羌村，决定独自赶赴灵武投奔肃宗。谁料途中他被叛军虏至长安，虽未遭囚禁，却不得不中断计划，滞留在沦陷的国都。诗人独在异地，恰逢月圆，对月思家，遥望亲人，写下《月夜》一首，表达对家人的深切思念。

杜甫一生四处辗转，漂泊良久，创作了很多表达思念之情的佳作。其中《月夜》却极特别：一方面，他没有正面写自己对家人的思念，而是运用想象，通过写妻子对自己的相思表达主旨；另一方面，委婉曲折地表达了诗人对妻子的脉脉温情，这在杜诗中也是不常见的。

诗题为"月夜"，主旨是表达相思，但诗人并没有写自己眼中的长安月，而是采用从对方设想的构思落笔。通篇都是诗人的想象，清代浦起龙的《读杜心解》有云："心已驰神到彼，诗从对面飞来，悲婉微至，精丽绝伦，又妙在无一字不从月色照出也。"

"今夜鄜州月，闺中只独看。"这是一幅令人伤感的闺中望月图。今日长安月圆，鄜州的月亮自然也是圆的，按理说妻子身边有儿女的陪伴，为何诗人还会用"独看"二字呢？要想理解首联中这一关键之处，必须联系颔联。

"遥怜小儿女，未解忆长安。"儿女虽在身边，但他们年纪幼小，尚不知"思念"为何物，他们或许会对着空中的明月眺望欢呼，却不是因为思念远方的父亲所致。故而，在小儿女的"未解"映衬下，望月思人的妻子就显得更加孤单了。一个"独"字，描摹出妻子孤独凄清的身影，也刻画出她寂寥凄苦的心事。《瀛奎律髓汇评》引用清代纪昀的评论："言儿女不解忆，正言闺人相忆耳。"又引晚清许印芳言："对面着笔，不言我思家人，却言家人思我。又不直言思我，反言小儿女不解思我，而思我者之苦衷已在言外。"

"香雾云鬟湿，清辉玉臂寒。"颈联中，诗人对妻子的形象进行了更细致的描写。夜深雾重，妻子的头发是不是已经被雾水打湿了？夜凉如水，妻子托腮望月，手臂大概也会感觉到寒冷吧。既能体现妻子相思成痴的深情，也表露出诗人对妻子的关怀。诗人把自己对妻子的深情表达得委婉含蓄，却真挚细腻，感人至深。

"何时倚虚幌，双照泪痕干？"相思之情深厚若此，令人不禁感叹：到底何时才能团圆，共倚窗前同赏明月呢？这既是妻子的呼唤，亦是诗人的心声，"双照"与"独看"前后呼应，对未来相聚的盼望越深，现在分隔两地的愁苦就越浓。

诗人根据所要表达的情感选择意象，又有意地改变了叙述的角度，既出人意料，又合情合理，表现出了身处异地的两人在情感上的双向流动之美，有出奇制胜的效果。另外，语言工丽情感却悲，尤其最末两联，"语丽情悲"之对比十分明显，更显顿挫曲折之妙。

# 春望

杜甫

国①破山河在，城春草木深。感时花溅泪，恨别鸟惊心。烽火连三月，家书抵万金。白头搔更短，浑欲不胜②簪。

**【注释】**

①国：国都，即京城长安。②不胜：不能承受。

**【赏析】**

滞留长安期间，杜甫亲眼版了叛军烧杀抢掠的种种恶行，忧心如焚却又无可奈何。至德二载（公元 757 年）三月，春天如期而至，诗人一方面思念远在他乡的亲人，另一方面又希望自己的国家也能迎来春天的局面，于是他挥笔成诗，创作了这首五律。

虽然题为"春望"，但不同于一般的赏春观景诗，诗中春景饱含哀思与离情，倒不如理解为"望春"更为妥帖——诗人借春至长安的自然景观，召唤着时局的春天也早日到来。前四句借景抒情，寓情于景，写诗人在沦陷的长安度过的第一个春天的所见所感，后四句抒发思家怀旧的情感和忧国忧民的情怀。

"国破山河在，城春草木深。"首句直接切题，写春望之所见。国都城破，诗人不写残垣断壁的颓象，却强调山河依旧在，自然的山河岿然不动，象征帝王权势的宫殿、庙宇是不是也完好无损呢？春至都城，诗人没写明媚春光而是极言草木幽深，"深"字在此并非欣欣向荣之意，而是以草木之幽衬托人烟之荒芜，恰如宋代司马光在《温公续诗话》中的评析："'山河在'，明无余物矣；'草木深'，明无人矣。"

"感时花溅泪，恨别鸟惊心。"诗人触景生情，因为景悲心苦，所以即使面对着平日里能娱人性情的花鸟，也提不起兴致，反而因花落泪，对鸟惊心。这种情绪有悖常理，是反常的，但却恰到好处地表达了诗人的"感"之深与"恨"之切。

"烽火连三月，家书抵万金。"去年春天，诗人和家人一起度过，如今又见春景，他不由得思念起远在羌村的亲人来。从国事写到家事，视野虽然缩小，却以更细致、更具体的视角写出了战争对人民的戕害。战争持续了数月，烽火不息干戈不止，百姓们过着朝不保夕、战战兢兢的生活。在这种情况下，诗人没有和亲人在一起，担忧焦虑之情愈重。一封家书抵过万金，虽然是夸张之辞，却又合情合理，是人们在战乱中的真实心理。

"白头搔更短，浑欲不胜簪。"愁白了的头发越搔越稀少，简直都难以梳成发髻，更别说插住簪子了。尾联仍然采用夸张的手法，塑造出了诗人满头稀疏白发、面容枯槁憔悴的形象。事实上当时杜甫只有 40 多岁，但诗句呈现出的俨然是一个老翁。由此，作者内心的凄楚之深重，愁闷之难纾不言而喻。

对祖国的热爱和对家人的眷恋在本诗中得以抒发，既念国事又恋家事，两种感情紧密交织在一起，深挚热烈且扣人心弦，"感时"和"恨别"两词是理解本诗情感主旨的关键所在。除了丰富的感情，人物形象鲜明也是本诗一大特点，诗人"穷年忧黎元，叹息肠内热"（《自京赴奉先县咏怀五百字》）的大义与风范得以彰显。

全诗形式严整，对仗精工，有白描，有夸张，有直陈，有蕴藉，诗人的视野时而开阔，时而具体，情感有跌宕之势，在情景交融的手法中，物我同感、人景共悲的含蓄、深切之美更加感人。

# 后游

杜甫

寺忆曾游处，桥怜再渡时。江山如有待，花柳自无私。野润烟光薄，沙暄日色迟。客愁全为减，舍此复何之？

**【赏析】**

承接杜甫的《游修觉寺》，这是杜甫第二次游览新津一带，故而以"后游"为题，有比对之意。

首联"寺忆曾游处，桥怜再渡时"采用倒装语序，语序的倒置加强了语气和情感，突出体现故地重游的深厚情感，又用"忆"和"怜"二字点出对于再次游览之地的欢喜之情。

颔联"江山如有待，花柳自无私"运用拟人的手法，赋予没有生命的物体以情感，其实有情的非物，而是人。这两句是说：并不是秀美江山等待我再次来临，绽放的花朵和岸边的垂柳都无私地奉献出美景。诗人通过拟人，抒发出世态炎凉、人间无情的真意。如清人薛雪在《一瓢诗话》中所说，"自"字一下子写出了诗人身处离乱之中的感伤。

颈联"野润烟光薄，沙暄日色迟"两句话各描绘两个时间段的景色，一幅是清晨薄雾蒙蒙，原野的绿意似乎浸润了酥油；另一幅是薄暮时分，夕阳西落，晒了一天的沙石暖洋洋的，在余晖下闪闪发光。时间上的变动，体现出由于景色优美，诗人流连此地不忍离去，在此地耗费了一日光景。

尾联道出全诗的主旨，为故地重游的心境情感做一总结。"客愁全为减，舍此复何之?"在异地做客，孤独愁绪由于眼前的美景而消减。杜甫使用反语，道出满腔愁愤，纵美景于眼前也无法纾解，徘徊于景色之中，强作欣喜之情，用喜写悲，更现凄凉。

前四句写旧地重游，后四句写观景消愁，景象鲜明，看似豁达明朗实则心情沉重，其中包含的愁思更加感人。

# 绝句漫兴九首（其一）

杜甫

眼见客愁愁不醒，无赖春色到江亭。
即遣花开深造次，便教莺语太丁宁。

**【赏析】**

杜甫在草堂居住的第二年，写了一组绝句，共九首。"漫兴"即随心而为，一有诗兴即提笔书写，有信手拈来之意。

这期间生活相对安逸，然而作者仍然无法排遣家国之忧，时刻未忘记国难和家乡，即使面对草堂之春依然心有戚戚。"眼见客愁愁不醒，无赖春色到江亭。"眼前繁花似锦，春意盎然，然而诗人正在客居他乡的愁绪中无法自拔，感到迷惘。"无赖"两个字写出了春色的莽撞和不近人情。

"即遣花开深造次，便教莺语太丁宁。"心绪烦乱的诗人谴责眼前胜放的花朵实在是太过造次，春日实在是不领人情，竟然还命鸟儿频频啼叫，真是轻率而讨厌。

诗人用灿烂美好的春景表达心中的憎恶，眼前之景越美，越觉得烦乱，就连莺啼嫩柳也嫌弃。这样的反衬手法加强了诗歌的艺术效果，把诗人想要表达的愁绪加倍。如同仇兆鳌在《杜诗详注》所说："人当适意时，春光亦若有情；人当失意时，春色亦成无赖。"如今心生失意的诗人，看见繁盛的春景，自然觉得春色"无赖"，这样真实的内心写照最能打动读者，引起共鸣。

# 绝句漫兴九首（其三）

杜甫

熟知茅斋绝低小，江上燕子故来频。
衔泥点污琴书内，更接飞虫打着人。

**【赏析】**

燕子时常往来于草堂，引生了杜甫的烦忧之事。

"熟知茅斋绝低小"，想来此处的燕子一定了解这里的屋檐十分低矮，容易筑巢。首句为下句做铺垫，"江上燕子故来频"，所以燕子才会时常往来，从江边飞到这里。

"衔泥点污琴书内"，燕子叼来筑窝的污泥，弄脏了茅屋中的琴和书，这是可以理解的，而下句"更接飞虫打着人"直接道出了作者的怨意：更过分的是，它们竟然为了捕捉虫子与人相撞。

口语化的表达营造出亲临其境的真实感。透过诗人的叙述，日常生活的烦心事一下子显露出来，更生出了禽鸟欺人的感慨。整首诗中包含着杜甫客居异乡心绪不宁的神情，诗句中没一个字眼提及这种愁绪，然而却在景物中显露无遗。整首诗富有余味，耐人咀嚼。如同王夫之所说："情景名为二，而实不可离。神于诗者，妙合无垠。巧者则有情中景，景中情。"

# 江亭

杜甫

坦腹江亭暖，长吟野望时。水流心不竞，云在意俱迟。寂寂春将晚，欣欣物自私。江东犹苦战，回首一颦眉。

**【赏析】**

唐肃宗上元二年（761 年），杜甫的生活刚刚安定下来，表面看来心境十分闲适，可与山林隐士相比，实际上内心汹涌澎湃，诸多情绪难以表达。此诗中，诗人借歌咏江亭抒发自己内心深处的情怀。

"坦腹江亭暖，长吟野望时。"行走在江亭，遥望远处的山野，诗人不由得吟起诗来。"水流心不竞"，滔滔江水仿佛有什么心事，争相流淌，水势湍急。"云在意俱迟"，诗人的心却像天空中的浮云，舒缓闲适。诗人的本心如湍急的流水，然而又因为自觉这样的想法不过是自讨苦吃，于是作自我宽慰语，让自己学天空中的白云那样闲散飘逸。以流水的"不竞"衬托诗人的"竞"，更见深意。

"寂寂春将晚，欣欣物自私。"颈联两句更能体现出诗人的本色，眼前一派欣欣向荣的景象，植物竞相生长，但看上去却孤寂难耐，无聊至极。可见这些争奇斗艳的百花是多么自私，诗人心中的寂寞一下子就被点了出来。正好与前文的"云中"一句相矛盾，表达出了真正的情感，"众人皆乐我独悲"的意境一下子就烘托出来。

"江东犹苦战，回首一颦眉。"尾联两句写出了诗人即便避乱四川，仍不忘国家安危。他一想到江东战乱纷争，心中就溢满了愁绪和苦闷。

诗人试图营造山林隐士的心境，最后却败给了"回首一颦眉"，闲适之意一扫而空，满满都是忧国忧民的愁思。

# 琴台

杜甫

茂陵多病后，尚爱卓文君。酒肆人间世，琴台日暮云。野花留宝靥，蔓草见罗裙。归凤求凰意，寥寥不复闻。

**【赏析】**

杜甫晚年曾在成都琴台悼念司马相如，因两人的相知之情有感，作此诗以纪念前人。

"茂陵多病后，尚爱卓文君"，诗歌一开篇就描写两人矢志不渝的真挚情感。诗人从司马相如和卓文君的晚年生活写起，用司马相如隐居之地茂陵指代司马相如。晚年的司马相如年老多病，但是对卓文君的爱意一丝不减，犹如初年。短短十个字，恰恰表达出司马相如和卓文君挚爱深情，暗暗点出当年以琴结心的美好。

"酒肆人间世，琴台日暮云"，紧接着诗人的笔触回溯到两人年轻相恋的场面。卓文君不顾亲人阻隔，为司马相如的琴音感动，与之私奔，在乡间开一个小小酒肆，以沽酒为生。虽然家徒四壁，生活困顿，但心中有无限爱意。诗人独自徘徊在琴台之上，看着天边的暮霭碧云，心中无比钦羡，大有如今"酒肆不在，琴台仍见，而佳人何处"的感伤。这两句表达了诗人对两人蔑视世俗礼法、敢于追求心中所爱行为的极高赞赏。

"野花留宝靥，蔓草见罗裙。"这两句从琴台远眺中回首，诗人瞥见琴台旁盛开的一簇簇野花，想起了昔日的卓文君。一丛丛碧蔓似卓文君身上所着的碧罗裙，盛开的花朵宛如文君脸上的笑靥，仿佛卓文君穿越时空立于琴台之上，形象栩栩如生。这一联是作者心中的幻想，体现出丰富的想象力，既真实可感，又极富浪漫主义诗情，虚实相映，更添妙趣。

结句"归凤求凰意，寥寥不复闻"，强有力地点出主题，歌颂司马相如和卓文君对抗世俗礼法、敢于追求心中所爱的果敢，感叹这样的美谈自此之后再无人能比，无人可继。

# 水槛遣心二首（其一）

杜甫

去郭轩楹敞，无村眺望赊。澄江平少岸，幽树晚多花。细雨鱼儿出，微风燕子斜。城中十万户，此地两三家。

**【赏析】**

《水槛遣心》二首作于 761 年，是杜甫在草堂安居之后的作品。这个时期，杜甫已有安身处所，告别了长期以来颠沛流离的生活，心中诸多忧思愁绪搁置一旁，情不自禁地写下了多首歌咏自然景物的诗作。这是两首中的第一首，写出了诗人远离喧嚣战乱后的闲适生活。

"去郭轩楹敞，无村眺望赊。"首联两句话交代了诗人现居地点的位置：远离城郭，四处眺望远处没有旁的村落，庭院开阔。其中"轩"是长廊，"楹"是柱子，"赊"是远的意思。三、四句承接前一句中的"眺望"，写的是诗人举目远望的景色。"澄江平少岸，幽树晚多花。"远远地望去，澄澈见底的江水浩浩汤汤，看不见岸边。四周的树木郁郁苍苍，一到了黄昏，草丛中盛开着各种各样的花朵。

颈联两句是整首诗中的名句，描写之细致、刻画之独到备受推崇。"细雨鱼儿出，微风燕子斜。"春日细雨润如酥，鱼儿也从水面浮起，吐着泡泡。微风拂面，燕子斜掠过水雾朦胧的天空。宋代词人叶梦得说这两句"自有天然之妙"，"无一字虚设"。诗人遣词造字的功力均在这一句中得到体现，以"出"字道出了鱼儿欢畅的心情，用"斜"字写出了燕子飞翔的姿态，更道出了风的轻柔、雨的细润。画面灵动十足，表达出诗人在春日的喜悦心情。

尾联两句"城中十万户，此地两三家"通过十万户的拥挤，对比两三家的闲适，更显所居之地的幽静舒适，再度交代草堂的位置，与首联两句呼应。

整首诗字字表情，处处写景，勾勒出一幅幅生动鲜活的画面，字里行间透露出诗人悠闲自得的心境和对春日的喜爱。

# 野老

杜甫

野老篱边江岸回，柴门不正逐江开。渔人网集澄潭下，贾客船随返照来。长路关心悲剑阁，片云何意傍琴台？王师未报收东郡，城阙秋生画角哀。

**【赏析】**

唐肃宗上元元年（760 年），常年流离失所，杜甫终于在友人的帮助下于成都西郊外院花溪畔搭建一所草堂，一家人得以安定下来，这一时期杜甫的心境相对轻松闲适，但他仍忧国忧民，思念故乡和亲友，这首《野老》正反映了草堂时期杜甫复杂微妙的心态。

这首诗前两联描写草堂风貌，其中首联写诗人在草堂前江边漫步时目之所及的门前近景，颔联描写诗人举目远眺所见的远景。"野老"是杜甫的自称，他悠闲踱步，竹篱茅舍、江岸迂回正映衬着他闲适的心境，歪歪的柴门随意地开着，就像是在迎接回曲江水，一切好不自在！抬头远望，清澄的百花潭此时正集聚着下网捕鱼的渔人，气氛喧闹而欢快，夕阳下，浩浩荡荡的商船映着红霞从远处驶来，气势如虹。

前两联由近及远，从描写草堂篱笆前的幽静之境，到刻画远方潭下江中热闹的景象，或悠闲恬静，或热闹非凡，犹如诗人此时的心境，时而享受着草堂生活的恬静，时而又为家国时事所担忧。

后两联从写景到抒情。望眼看到浩浩荡荡的商船从远处驶来，怎能不让人牵挂远方的亲人呢？对故乡、亲人的思念每日剧增，可通往故乡的"长路"因剑门失守而中断，归家无望，不免悲伤。这里的"长路"因见商船所感，承接流畅自然，可见此时的杜甫虽然生活暂时安定，然而历经颠簸的内心依然敏感。"片云何意傍琴台"一句，诗人以浮云自喻，以琴台借代成都，自问缘何背井离乡、滞留蜀中？

尾联两句给出了答案："王师未报收东郡，城阙秋生画角哀。"东郡即东都洛阳，洛阳失陷后尚未收复，萧瑟寒风中成都城内也响起了画角声。这两句说明当时战事艰难，天下干戈不止，很好地回答了"片云何意傍琴台"这一问题。全诗以"哀"字结尾深刻地反映了草堂时期杜甫的心境，凄凄切切，哀婉悲凉，意味深远。

《野老》的前两联就像平静的湖面，而后两联犹如湖底的暗涌，由近景的静谧到远景的热闹，从写景到抒情，从内心自问到自答，整首诗流畅自然，抒发了诗人寓居蜀中、偏安一隅之时，对乱世纷争的愤恨以及报国无门的无奈。

草堂时期的杜甫写了不少闲适恬淡的田园生活题材的诗歌，如"肯与邻翁相对饮，隔篱呼取尽馀杯"（《客至》），"老妻画纸为棋局，稚子敲针作钓钩"（《江村》）等，然而诗人忧国忧民，无意隐居，这一时期杜甫的心境是矛盾而复杂的。

# 白帝

杜甫

白帝城中云出门，白帝城下雨翻盆。高江急峡雷霆斗，古木苍藤日月昏。戎马不如归马逸，千家今有百家存。哀哀寡妇诛求尽，恸哭秋原何处村？

## 【赏析】

唐代宗大历元年（766 年），杜甫寓居夔州，当时安史之乱虽然已被平定，但由于蜀地军阀混战，统治者肆意强征厚敛，社会动乱，民不聊生。杜甫自然对这样的社会现状极为不满，此诗正是杜甫在这样的社会环境下，登古白帝城即景抒情而作。"白帝"即夔州东五里白帝山上的古白帝城。

全诗前四句着力刻画"山雨欲来风满楼"的景色，通过描写乌云密布、大雨滂沱、高江急流、雷霆震震、天地昏暗的景象，暗喻当时兵戈不止、战乱不已、朝野昏暗的社会现状，寓情于景，情景交融，情感发自肺腑，真挚而深沉。其中首联"白帝城中云出门，白帝城下雨翻盆"中两个"白帝城"重叠，打破了传统的格律，运用民歌的复沓手法来表现地势极高的白帝城中云雨翻腾的奇特景象，笔锋奇峭。

颔联"高江急峡雷霆斗，古木苍藤日月昏"紧承上一联"雨翻盆"而来，极力表现白帝的凶猛雨势，"高江"对"急峡"，"古木"对"苍藤"，"雷霆"对"日夜"，对仗工整，六个意象堆叠在一联中，大气磅礴，形象生动地表现了雨势的惊心动魄和天地乾坤的黑暗。

全诗后四句从写白帝的奇险景象和凶猛大雨到写农村凋敝、村野一片恸哭的惨淡景象，直接抒情，抨击动乱时期社会戎马不止和统治者肆意诛求。"戎马不如归马逸，千家今有百家存"运用对比的手法，"戎马"与"归马"，"千家"与"百家"，形成了鲜明的对比，传达"战马没有从事农业耕作的归马那样安逸，村里原有千户人家，如今只剩下百户"的意思，战马奔波是因为军阀混战兵戈相交，从事农业耕作的马闲逸是因为战乱的社会民生凋敝，安定地从事农业耕作的生活可遇而不可求，如今村里的人家也越来越少了，人们踏上了颠沛流离的流亡生涯。

尾联"哀哀寡妇诛求尽，恸哭秋原何处村"中"诛求"指统治者肆意搜刮。战乱年代，统治者无故聚敛，连孤苦无依的寡妇也不放过，秋日荒凉的原野里，四处的恸哭声都分不清是从哪个村庄传来的。这联诗以典型的悲剧形象、萧瑟的秋日荒原之景，营造一种浓郁悲凉的气氛，极力控诉黑暗的社会现实。

这是一首拗体律诗，它打破律诗固有的格律，以古调和民歌艺术手法融入律诗，形成一种奇峭的风格，也透露出一种劲健的气骨。这主要表现在首联两句中，首联掺入民歌风格，以两个"白帝城"开头，不合律诗平仄，且音节拗口；而紧接着的颔联"高江急峡雷霆斗，古木苍藤日月昏"则对仗工整，平仄规范，与首联形成一拗一工的鲜明对比，极富跌宕起伏之势。

宋人范温的《潜溪诗眼》评曰："老杜诗，凡一篇皆工拙相半，古人文章类如此。皆拙固无取，使其皆工，则峭急无古气。"可见对此极为赞赏。

# 别房太尉墓

杜甫

他乡复行役，驻马别孤坟。近泪无干土，低空有断云。对棋陪谢傅，把剑觅徐君。唯见林花落，莺啼送客闻。

## 【赏析】

这是一首悼念故友的诗，房太尉即房琯，为人正直，唐玄宗时拜相，至德二载（757 年），遭唐肃宗贬乏，杜甫曾为其上疏力谏，结果得罪肃宗，祸及自身。房琯罢相后，于宝应二年（763 年）拜特进、刑部尚书，但病倒路途，卒于阆州，卒后封太尉，两年后杜甫经过阆州，特意拜访老友的坟墓，见到房琯孤坟落寞，有感而发遂作此诗。本诗情感真挚，深切地表达了杜甫对亡友的哀思。

首联"他乡复行役，驻马别孤坟"交代杜甫路过阆州拜别老友孤坟，点明题目，写他在他乡复职行役时，驻马来到孤坟前，悼念亡友，只一"孤"字便淋漓尽致地表现了房琯死后凄凉之境，客死他乡，荒凉孤坟，不免令人心生悲凉。

颔联"近泪无干土，低空有断云"紧承上联，描写杜甫看到亡友孤坟后伤心断肠，不住地流泪使得坟前的土地都湿润了，天空中的阴云也被自己的哀哭声弄得断续相接，极力地表现了诗人的悲悯哀痛之情。

颈联"对棋陪谢傅，把剑觅徐君"运用两个典故来表达自己对房琯的深厚感情，即使如今两人阴阳相隔，仍不减其对房琯的推崇之心。第一个典故来自《晋书·谢安传》："谢玄等破苻坚，有檄书至，安方对客围棋，了无喜色。"谢傅即谢安，这里杜甫用谢安的风流倜傥来形容房琯，足见杜甫对房琯的尊崇之心。第二个典故来自《说苑》："吴季札聘晋过徐国，心知徐君爱其宝剑，等到他回来的时候，徐君已经去世，于是解剑挂在徐君坟的树上而去。"此处杜甫自比延陵季子，友人已故，仍不忘二人之间的深厚情谊。这也呼应了前两联诗人痛惜亡友的原因，结构紧致，布局严谨。

尾联"唯见林花落，莺啼送客闻"寓情于景，收尾余韵悠扬，只见林花纷纷飘落，莺儿啼叫就像是送客的哀乐，描绘了一个肃穆压抑的氛围，以哀景衬哀情，深切地表达了杜甫内心的悲痛和哀思之情。

综观全诗，首联交代情景，颔联哀痛悲悯，颈联评价怀念，尾联借景惜别，结构紧凑，情感深沉而含蓄，结尾更是将满腹的悲思寄寓于林花飘落、晚莺啼鸣的悲景之中，极富艺术特色，是情景交融的典范之作。

# 画鹰

杜甫

素练风霜起，苍鹰画作殊。㧐身思狡兔，侧目似愁胡。绦镟光堪摘，轩楹势可呼。何当击凡鸟，毛血洒平芜。

## 【赏析】

这首借物咏志的题画诗可谓"句句是鹰，句句是画"（《杜诗解》）。杜甫早年时期风华正茂、积极进取、一腔热血立志报效国家，这首《画鹰》通过对苍鹰淋漓尽致的刻画，表现了诗人年轻时期的凌云壮志，正是杜甫早年意气风发，充满着青春理想的真实写照。

首联二句点题，"素练风霜起，苍鹰画作殊"，说明全诗的中心是"素练上的苍鹰"，素练即作画用的白绢。这两句讲的是白绢上的苍鹰凶悍犹如挟秋冬风霜之气而起，气质特异，非同凡响。起句从惊诧于素练上携带的萧寒肃杀引到画中之苍鹰，气势如虹。

颔联具体描写苍鹰的神态气势。"㧐身思狡兔，侧目似愁胡"从"㧐身"和"侧目"两个角度生动形象地表现了苍鹰威严凶猛的神态。"㧐身"即"耸身挺立"，是指苍鹰纵身向上准备进攻搏击之姿，就像是想要攫取狡兔一般。"侧目"即斜视，"愁胡"即眼睛锐利的猢狲，这句写苍鹰怒目斜视的眼神就像猢狲一样锋锐，咄咄逼人。

颈联有力地刻画了苍鹰的威势。"绦镟光堪摘，轩楹势可呼"中"绦镟"是指系鹰的绳和环，"轩楹"是指堂前廊柱，即画鹰悬挂的地方。整联的意思是说画布上系鹰的绳和环光艳夺目异常逼真甚至可以摘除，画鹰在堂前廊柱之间气势恢宏呼之欲出。此联足见诗人深厚的功力，他以神来之笔渲染苍鹰的神态和气势，潇洒地将画布上的鹰描绘得栩栩如生，犹如一只精神抖擞、威震四方的巨鹰立于眼前一般。

颔联和颈联对仗工整、用字精工，"㧐身"和"侧目"、"思"和"似"、"狡兔"和"愁胡"、"绦镟"和"轩楹"、"光"和"势"，"堪"和"可"、"摘"和"呼"形成对仗精准的几组词，而"思"与"似"动静分明，"摘"与"呼"神情对应，炼字颇见匠心，将素练中的苍鹰描绘得亦动亦静、神情并茂。

尾联借鹰言志。"何当击凡鸟，毛血洒平芜"意思是何时可以让画布中如此英勇强悍的巨鹰展翅翱翔，大展手脚搏击那些凡鸟，让它们的毛血洒落在平野上，表现了年少的杜甫血气方刚、矢志报国，渴望一展宏图平定四方的愿望。

诗人挥洒自如在这首诗中塑造一只神采奕奕、气势逼人的雄鹰形象，表达自己不甘平庸，立志成就一番大事业的豪情壮志。

浦起龙《读杜心解》这样评论这首诗："起作惊疑问答之势。……'身'、'侧目'此以真鹰拟画，又是贴身写。'堪摘'、'可呼'，此从画鹰见真，又是饰色写。结则竟以真鹰气概期之。乘风思奋之心，疾恶如仇之志，一齐揭出。"可见这首诗入笔突兀，收局精悍；对仗工整，炼字精工；形象生动，寓意深远，是一首不可多得的题画诗杰作。

# 倦夜

杜甫

竹凉侵卧内，野月满庭隅。重露成涓滴，稀星乍有无。暗飞萤自照，水宿鸟相呼。万事干戈里，空悲清夜徂！

## 【赏析】

此诗具体的写作时间各家说法不一，有人说是作于广德元年（763 年），有人则认为作于广德二年（764 年），但可以确定的是这首诗是杜甫离开成都草堂流亡阆州时期的作品。当时安史之乱虽然已经平息，官军收复了河南河北，但是回纥军仍在洛阳和长安闹事，吐蕃骚扰边境，国内又有徐知道在蜀中起兵谋反，内忧外患，杜甫也深受其害，混乱中离开成都草堂，避难梓州、阆州等地，心情异常沉重。

这首《倦夜》就是在这样的心境下写成的，诗人通过描写一个困倦失眠之夜的凄清秋景，透露了自己忧国忧民的沉痛心情。吴齐贤《论杜》曰："唐人作诗，于题目不轻下一字，而杜诗尤严。"此诗题为"倦夜"，夜里是人们本该休息安眠的时候，诗人却困倦不堪。

首联描绘了一个清冷的月竹林里的凉风阵阵侵袭卧室，庭院的角落里都洒满了皎洁的月光。"竹"和"野"暗示杜甫在阆州的居处附近有竹林和原野，而这竹林摇曳带来凉风，原野空旷带来凄冷的月光，勾画出乡村特有的清冷秋夜。

"重露成涓滴，稀星乍有无。"颔联紧承上联，上句承竹，下句承露，暗示夜深了诗人依然不成眠。夜越来越深，越来越冷，浓重的露水凝结成滴滴小水珠，不时地从竹叶上滴落下来；明月当空，周围的星星显得稀稀落落，时隐时现，似有似无。

"暗飞萤自照，水宿鸟相呼"描写的是秋夜破晓前的动态景象。黎明之时月亮开始西沉，天色慢慢暗下来，萤火虫在庭院里飞来飞去，一闪一闪发出微弱的亮光；小溪旁栖息的小鸟也醒来了，互相呼唤结伴起飞。这两句诗对仗工整，通过描写黎明时萤火虫和水鸟的活动传达这样一个信息：天已至破晓，诗人经历了一夜未眠。

全诗前六句以时间为轴，生动形象地展现了前夜、深夜到黎明的秋景。表面上看写的是乡村秋夜的自然景象，紧扣诗题中的"夜"字，在这漫长的时间流逝中也暗含了

"倦"意。从前夜到深夜再到破晓，从月升到月落，杜甫目睹了"秋叶图"中的种种景象，他彻夜未眠，自然疲倦难耐。

诗人为何会彻夜不得安眠呢？尾联给出了答案："万事干戈里，空悲清夜徂！"诗人通宵达旦，所思考的每一件事情都与战乱有关。唐朝政治腐败，像杜甫这样的有志之士空怀一腔热血却报国无门，只能在悲叹中消磨良宵。"空悲"二字抒发了诗人心中无限的感慨和忧愤，表现了诗人对国家、人民命运的深切关注和担忧，情感真挚，感人至深。

在凄冷阴郁的秋夜中，诗人含蓄地表达了对统治者昏庸无能、社会上战乱不息的痛恨，抒发了对国家和天下百姓的担忧之情。正像明代谢榛在其《四溟诗话》所评，这首诗很好地体现了"情融乎内而深且长，景耀乎外而远且大"的特点。

# 白雪歌送武判官①归京

岑参

北风卷地白草②折，胡天③八月即飞雪。忽如一夜春风来，千树万树梨花开。散入珠帘湿罗幕，狐裘不暖锦衾④薄。将军角弓⑤不得控，都护⑥铁衣冷难着。瀚海阑干百丈冰，愁云惨淡万里凝。中军⑦置酒饮归客，胡琴琵琶与羌笛。纷纷暮雪下辕门，风掣⑧红旗冻不翻。轮台⑨东门送君去，去时雪满天山路。山回路转不见君，雪上空留马行处。

**【注释】**

①判官：唐代节度使手下协助处理公务的幕僚。②白草：西北地区的一种野草，秋天干枯时会变成白色。③胡天：泛指西北地区的天空。④锦衾：锦缎的被子。⑤角弓：用兽角装饰的硬弓。⑥都护：镇守边疆的长官。唐时设六都护府，各设大都护一员。⑦中军：主帅亲自统领的军队，此处借指主帅居住的营帐。⑧掣：牵，这里指风吹。⑨轮台：在今乌鲁木齐市米泉区境内，唐朝时属庭州，隶北庭都护府。

**【赏析】**

岑参边塞诗的代表作，必以此诗为首推，亦是咏雪诗中的极品。岑参以内率府兵朝参军的身份两次深入边关，第一次赴安西（今新疆维吾尔族自治区库车县）做安西节度使高仙芝的僚属，第二次赴安西北庭任节度使封常清的判官。武判官是岑参在安西北庭军中职务的前任，这首诗是岑参为他回京复命写的送行诗。

全诗的内容包括两个方面：一是咏白雪写严寒，二是抒发与好友的别情。

第一部分内容集中于前十句，极写雪与寒。

"北风卷地白草折，胡天八月即飞雪。"诗的起笔即写出了寒冷的北风铺天盖地而来，将原野上成片的白草吹刮弯伏，肃杀之气毕现。这还不足以表现气候的严酷，诗人紧起一笔：凛冽的寒风夹带着飘飞的浓雪，纷纷乱乱、洋洋洒洒，仿佛寒冬以至，但事实上西北地区才到八月。

　　前两句写的是前一天晚上风雪骤现的情景，"忽如一夜春风来，千树万树梨花开"，第二日晨起，只见白雪铺陈大地，还挂满枝头，仿如春神一夜之间悄悄地命令梨花在千树万树枝头绽放。"忽如"两句把景观的出现显得神奇而突兀，又一语活现出美丽的雪景，描摹出一幅万树梨花一夕竞放的烂漫盛景图。

　　诗人接着畅吟："散入珠帘湿罗幕，狐裘不暖锦衾薄。将军角弓不得控，都护铁衣冷难着。瀚海阑干百丈冰，愁云惨淡万里凝。"雪被风裹着无孔不入，卷进了珠帘，润湿了罗幕，钻进了衣服，乃至于裘皮衣裳都已经不能保暖，丝锦做的被子当然更显得单薄难以御寒。将军的手被冻僵到连角弓都拿捏不住，都护的衣甲此时变得又沉又硬又凉，可是仍要穿戴上它借以暖身。浩瀚的边塞之地白雪连天，冰峦叠嶂，阴云遮蔽，景象惨淡，万里长天苍凉凝滞，压人欲摧。

　　边塞大雪袭来后天地冰寒的凛冽景象到此被描绘得淋漓尽致。当然诗人不是简单地触景生情枉做呻吟，这样极致的渲染是为了以边塞恶劣环境衬托驻守唐军的坚毅豪迈。

　　后八句极写将士们的友情。"中军置酒饮归客，胡琴琵琶与羌笛。"在这大雪铺地天气奇寒的时候，中军帐内却摆上了热烈的酒宴，将士们频频举杯，以此表达对即将离开边塞战友的送别之情。本是苦寒难耐，但将士们却不加理会，大杯高举，杂乐齐奏，对回京的战友表示由衷的祝贺。在西北轮台的驻军帐内，大帅居中，将士环列，觥筹交错，山呼畅饮，百乐齐鸣，真是一派喧嚣热烈的场面。

　　"纷纷暮雪下辕门，风掣红旗冻不翻。"此时已至晚间，暮雪卷进辕门，红旗在疾风中被刮得猎猎作响，仍傲然挺立。这里用军旗在寒风中傲然而立暗喻战士们的坚忍不拔，写出了边塞军人的壮志豪情。

　　"轮台东门送君去，去时雪满天山路。山回路转不见君，雪上空留马行处。"诗的最后抒发了对战友归去的惜别之情。在此地（轮台）军营东门送别战友，他们回归的路上是无边无际的皑皑白雪。待到路转山弯人行无影时，雪地上只留下马匹的痕迹蜿蜒远去。

　　诗人以叙事手法写出送别前任判官的整个过程：本来才八月，可边塞已经非常冷，漠北的寒流坐拥疾风在夜间卷来一场大雪。夜间已经觉得寒冷侵至，第二天早上睁眼一瞧，却见大地银装素裹，白雪挂满枝头，天山别有一番美景。原定今日送武判官回京的送行宴没有因这大雪奇寒受到影响，军帐内大摆酒席，多种乐器在宴中伴奏，气氛热烈浓重，友情意味盎然。第三天武判官启程，人们在东门送行，望着归人渐行渐远直至被山遮住身影，不知相互何时能再相见，不免久久站立，感触良多。"雪上空留马行处"中"空留"二字，饱含着无限深意，即成送别的绝唱。

　　大肆夸张是本诗的最大特点。"千树万树梨花开"、"愁云惨淡万里凝"，极尽铺陈夸张之能事，将事物表现得大气磅礴，炫人眼目。本诗另一个突出特点是格调高亢。表层寒冷惨淡，内里却充满激扬的热情。"胡琴琵琶与羌笛"、"风掣红旗冻不翻"，即便边塞苦寒，将士们仍能苦中作乐，展现出军人不屈的意志和豪迈的意气。全诗读来，不仅不会因边军寒苦产生悲悯情怀，反而会因他们感到振奋和欢欣。

# 山房春事二首（其二）

岑参

梁园日暮乱飞鸦，极目萧条三两家。

庭树不知人去尽，春来还发旧时花。

**【赏析】**

“山房”指建于山野的房舍，“春事”即春色或春光。春日光景本应充满活力，但在诗人眼中却惨淡无比。

“梁园日暮乱飞鸦，极目萧条三两家。”日已西沉，晚霞暗淡，一群乌鸦被来客惊扰，四散漫天乱飞，一片聒噪。极目远处，映入眼帘的只有三两户茅屋，几缕炊烟在暮色里无奈地升起。春天的光景就是这样让人心碎，而这里正是前代著名的“梁园”。

梁园也称“兔园”，是西汉梁孝王刘武在辖地（今河南省商丘市境）建造的一所居乐场。昔日的梁园里，奇山、怪岩、灵岫、佳果、异树应有尽有，珍禽、异兽、稀畜出没其中，亭台、飞阁、宫楼错落连绵，鹤洲、凫渚、雁池连岛萦回。整个园区覆盖周遭三百余里，极尽奢华。每逢春季这里更是士女云集的景观园，只见绿树掩映，繁花满枝，百鸟栖飞，渚清池碧，水流潺潺，奇观丽景人间他处再难见到。汉代枚乘曾作《梁王兔园赋》对它加以誉美，唐代王勃也有“鹤汀凫渚，穷岛屿之萦回”的美文回顾。但是当岑参到达这里之后，却大为失落，各色稀禽珍鸟不见，代之的是聒噪昏鸦，宫楼台阁也已荡然无存，映入眼帘的只有几所茅屋。以往的奢华一去不复返，即便春日也是一派萧条的景象。

触景伤情，诗人游春的情绪彻底败坏，苦苦地吟出伤春的诗句，慨叹今古事变、兴亡更替、盛衰无常。

诗人初来的目的是春日观光，虽然因名园凋敝而生出吊古之意，但总还是要调整心绪寻觅春的气息。于是诗人在萧条中发掘春意，“庭树不知人去尽，春来还发旧时花”的句子溢出笔端。他见到了废园中的树木仍然生花，耐得住少人的寂寞，春色不减当年。但是诗人并没有被这开花的树感染而调整好自己的心情，美丽的梁园已经凋敝如斯，只有依旧开放的树花又能带给梁园什么呢？无非是徒增物是人非的怀古伤情而已。因而，后两句中又有怨尤，似是埋怨庭树不因园衰而枯萎，兀自按时令开出繁花。

唐杜牧有诗云：“商女不知亡国恨，隔江犹唱《后庭花》。”慨叹人的无心。岑参这里却不是真的埋怨树的无情，而是以“庭树春来发花”反衬“人去尽”，进一步加深哀情。如果说杜诗要表达的是对陈后主丢了江山的叹惋，岑参此诗是在安史之乱以后所出，当是在暗殇大唐繁盛不再。

# 火山云歌送别

岑参

　　火山突兀赤亭口，火山五月火云厚。火云满山凝未开，飞鸟千里不敢来。平明乍逐胡风断，薄暮浑随塞雨回。缭绕斜吞铁关树，氛氲半掩交河戍。迢迢征路火山东，山上孤云随马去。

## 【赏析】

　　"火山"即指横亘在今新疆鄯善境内的火焰山。诗人此时在安西北庭都护府任职，这是一首送友分别之作，却成了吟咏奇山异景的边塞名篇。

　　"火山突兀赤亭口"句先交代火山。火山东西长约一百六十公里，整个由红色砂岩形成，在日晒下放着红光犹如阵阵烈焰升腾，因而又叫火焰山。

　　首句诗人用"突兀"两字凸显了火山高挺横亘的气势。赤亭是唐代设置在火山支脉上的戍边设施，在今鄯善境内，赤亭当时的名称叫"赤亭守捉"，是一处镇守边疆的戍所。诗人把火山与赤亭连在一起，暗示了火山的军事地位。诗人立意要好好吟诵一番火山的云，因而第二句转入"火山五月火云厚"，用一个"厚"字极言夏季五月火山红云的浓重。

　　据载，当地的气温很高，地上的蒸气和天上的云被红色的山体烤灼映衬，山的上空红色的云雾蒸腾，无比绚丽。诗人被这大自然的奇景所震撼，急于告诉人们：这座奇山上奇怪地顶着一层厚厚的红云，这是一种人世罕有的景观！

　　诗的三、四句进一步描绘火云的浓烈和灼热。"火云满山凝未开，飞鸟千里不敢来。"火山上的红云十分浓重，密集到凝结在一起包裹住山头不肯散去的程度；火山上的云非常炙热，连飞鸟都吓得躲到千里之外不敢飞来。

　　诗人把火云的气势似乎已经写到了极致，但下面一转，再去描绘火云的变化。"平明乍逐胡风断，薄暮浑随塞雨回。"清晨的时候西北的劲风把火云吹断散走，然而到了傍晚它又随着塞北的雨一同涌回重新布散绵延。火山的红云朝散暮聚，追着风去，随着雨来，覆雾翻云，千姿百态，蔚为奇观，令人神往。

　　可是诗人意犹未尽，接着又由天上写到了地下。"缭绕斜吞铁关树，氛氲半掩交河戍。"红云缭绕自天而下，把铁关的树尽吞没无踪；云与雾和在一起，朦胧氛氲将交河的戍所都掩盖不见，十分神奇。

　　从天上浓重压人的火云到地下被红云淹没的树木，从天上怕热的飞鸟到地下被掩盖的戍所，诗人把火山的红云景象描写得磅礴艳丽奇诡，充满神秘感，引领读者对西域的火山产生了无限遐想和憧憬。

　　诗的结尾回扣主题写送别：友人已经向着迢迢万里的东去之路渐行渐远，诗人伫立目送友人的同时，也注目于向东飘去的一朵孤零零的火山云，那朵红云就是代表自己去送客的使者，希望它陪伴着友人回到那久别的家乡。

# 长安遇冯著

韦应物

客从东方来，衣上灞陵①雨。问客何为来？采山因买斧。冥冥花正开，飏飏②燕新乳。昨别今已春，鬓丝生几缕？

**【注释】**

①灞陵：即霸陵，在今西安市东郊的山区。②飏飏（**yángyáng**）：飘扬飞舞的样子。

**【赏析】**

冯著与韦应物是同一时期的人，为人清高有气节，曾在乡间隐居，后在长安谋职没有成就。当时冯著很有才名，与韦应物交往甚密，之间常以诗相互酬答，韦应物写给冯著的诗现存的就有四首。约在大历四年（公元 769 年），冯著应征去广州属为录事，当时韦应物有诗为之送行。后来十年过去，冯著仕途失意，回到长安。这篇作品大约作于冯著回到长安后。

开头两句"客从东方来，衣上灞陵雨"，其中"客"即指冯著。这两句表意是说冯著从东方来到长安，衣上沾满灞陵的雨。从全诗内容看，这首诗是韦应物宽慰冯著南回失意之作。这里的"灞陵"不应是实指，而是用他事来劝此人，有意制造一种诙谐轻松的氛围。汉代的灞陵是著名的隐士居地，名士梁鸿曾隐居于此。这两句就像是说：你冯著从长安东面过来，风度不凡沾带上了灞陵名士的气概。言外之意是说，冯著你还是以前那位品清格高的隐士。

"问客何为来？采山因买斧。"诗人问冯著："你为什么来此处啊？"对方回答："是为了采山却又买斧。""采山"引自左思《吴都赋》"煮海为盐，采山铸钱"句，意为入山采铜以铸钱；"买斧"化自《易经》"旅于处，得其斧资，我心不快"句，意为旅此作客，没有坦地，却需用斧砍去荆棘，心中不快。诗文自问自答，实际是诗人在对冯著开玩笑，犹如说：这一段时间你去采山挖铜铸钱发财，结果无功而返还得花钱买斧开路。这两句是以玩笑的语言劝喻冯著求仕未得需从头再来。冯著南去十年仕途失意，诗人以此种语言给友人台阶下，对方比较容易接受。

"冥冥花正开，飏飏燕新乳。""冥冥"形容默默无语的情态，"飏飏"指鸟飞翔的样子。这两句的意思是天地不言而花却依旧盛开，燕子欢快地飞翔是因孵出了小燕哺育了后代。诗人是冯著的至交好友，深知其才华和为人，对冯著的际遇寄予了同情和不平，苦心孤诣地要劝导老友顺应自然之理，以待后来之机。此两句是对老朋友的劝勉，鼓励他不要沮丧恢颓、心灰意冷，应当如春花和乳燕一样使自己充满生机和活力。

最后二句，诗人满怀热情地道："昨别今已春，鬓丝生几缕？"别了十年就像刚刚过去一样，如今又逢春意盎然，你的双鬓上并没添多少白发，青春还在！意为将来前景仍旧远大，凡事不要灰心。

诗人在此间融铸了深厚的情感，细致入微地揣摩友人的心理，用诙谐的语言劝勉改变对方心境，对失意的友人给予了真切的关怀，表现了韦应物热情、真诚、感情细腻的特点。

# 初发扬子①寄元大校书②

韦应物

凄凄去亲爱③，泛泛入烟雾。归棹洛阳人，残钟广陵④树。今朝此为别，何处还相遇？世事波上舟，沿洄⑤安得住！

【赏析】

①扬子：指扬子津，在长江北岸，近瓜洲。②校书：官名，唐代的校书郎，掌管书籍的校对勘定。③亲爱：指好友。④广陵：今江苏省扬州市。⑤沿洄：指处境的顺逆。

【赏析】

韦应物曾经客游广陵（今扬州市），元大（大指排行，具体名字不可考）是他在广陵的朋友。代宗广德元年（公元 763 年），韦应物因被任命洛阳丞不得不离开广陵，他在长江北岸的扬子津坐船离去时，写诗赠给元大。

"凄凄去亲爱，泛泛入烟雾。"意为凄然地离开亲爱的朋友，船只飘摇着驶入烟雾迷蒙中。以"亲爱"称谓元大，可见两人并非一般朋友。诗人客游广陵，与之交往多为文人雅士，与掌管校书籍的元大交往尤为密切，堪称挚友，一旦分别，不舍之情郁结心中。但是应官而去终须别，行船离开江岸，在元大的目送下渐渐掩没在迷茫的烟雾之中。友人的身影不见使诗人怅然若失，心中涌动惜别的诗句。

三、四句"归棹洛阳人，残钟广陵树"写得更加凄然。归去的船在桨的推进下慢慢向洛阳驶去，广陵江边隐隐雾锁的树丛中传来那阵阵晓钟残音。远处寺庙里的钟声从朦胧的烟树中传来，声声敲痛行人的心魂，诗人更觉离情惨淡。

在惨然的心境中诗人发出了深长的感慨："今朝此为别，何处还相遇？"他是回望着一江烟树，滚滚东流才发出心声的，眼见远去的江水，禁不住感叹：今日这一别，怕就如这一去不复返的江水后会无期了。

之后作者再发叹息："世上波上舟，沿洄安得住！"人世间事就像江波上的小船，被流水带走还是被漩涡留住怎能由自己作主？末两句既是叹息与友相聚难以自主，又蕴含对自身漂泊不定生活的无可奈何。

"归棹洛阳人，残钟广陵树"两句为本诗添了名声，其魅力彰显在以下三方面。

其一，诗句本身对仗工整，"归棹"对"残钟"，"洛阳人"对"广陵树"，语义鲜明，读来上口，易于记忆。

其二，从字面上，"广陵树"与"广陵散"相近，易于让人联想起广陵散曲来。"广陵散"即《聂政刺韩王曲》，是一首著名古曲，晋朝名士嵇康善弹此曲。嵇康因为开罪司马昭被处死，在刑台上，他面对无数送行的人弹了这首广陵曲，感人涕零，弹毕从容就戮。诗人是否联想到这悲壮的故事用了"广陵树"而不是"江边树"已无从考究，但客观上起到了让人产生凄美联想的效应。

其三，诗首联由"凄凄去亲爱"而"泛泛入烟雾"，已经将人带入凄凉之境；"归棹"一联再将"残钟"与"江锁烟树"相揉相映，更增离别的凄情；此两句的感情色彩是受到前两句的铺陈点染而来，从而产生异常强烈的艺术感染力。

# 淮上即事寄广陵亲故

韦应物

前舟已眇眇<sup>①</sup>，欲渡谁相待？秋山起暮钟，楚雨连沧海。风波离思满，宿昔容鬓改。独鸟下东南，广陵何处在？

### 【注释】

①眇眇（miǎo miǎo）：即"渺渺"。

### 【赏析】

韦应物十五岁即为唐玄宗的近侍，少年轻狂，无以立志。经安史之乱，始刻苦读书，后来在朝野多年为官。成熟以后一改青少年的秉性，变得多愁善感，在他的许多诗篇里都能够见到这种痕迹。他在淮阴时，因思念广陵（今扬州市）的亲友，作此五言，对广陵的亲人故旧寄予了真挚深邃的感情。

"前舟已眇眇，欲渡谁相待"意为，前一航次的船已经行远到只能见到一点点影子，想要乘船却已经搭不上那一艘了。秋天里，诗人在淮阴准备乘船西行，可来到渡口，船已经走远，只能等待下一艘航船。遭逢此境不禁使他怅然若失，独自在淮河边徘徊，心绪变得孤寂黯淡。

"秋山起暮钟，楚雨连沧海"，很快到了傍晚，远山原有的翠碧因秋日的到来变得苍黄一片，那山寺的晚钟声又忽然响起，遥远而悠长，撞击着旅人的心扉。阴雨也跟着凑热闹，这楚州地界的淮阴东临大海，秋雨连着阴云西接天际，怕要连那大海的水都要一起洒回大地不知何时止歇。楚天挂上了无边雨幕，山寺又传来悠远的暮钟，天上的雨和晚间的钟声给这个欲济不能的旅客增添了无限的愁情，他的心境变得惨淡无边。

作者由此怀念广陵的亲人故友："风波离思满，宿昔容鬓改。"这里的秋山、晚钟、暮雨、河波让人心情惨黯，对亲友的思念塞满了胸间，愁情坏了心境，消得人憔悴，多想放弃漂泊生活，按着理想决定自己的命运。

"独鸟下东南，广陵何处在？"雨中一只小鸟向东南飞去，诗人愁情再展，想象着那小鸟怕是飞去了广陵与家人团聚。那么广陵又在哪里呢？什么时候能够再回广陵与亲友团聚呢？

这首诗的突出特点是用景物烘托感情，诗中描写的景物色彩暗淡，形与声尽显凄凉，把情感融于惨淡的景物之中，使思念之情表达得更为深沉致远。

用暮雨里悠远的钟声来烘托苍凉幽寂的况味，获得了一种特殊的效果：秋山晚景中听到一声声辽远的钟声传来，心境难免会蒙上一层哀愁。因此，这首诗让读者感到始终有幽怨钟声正在回荡，让人产生愁情。

思家的感情在诗里表现得颇为含蓄，"风波离思满，宿昔容鬓改"，对思念不尽直言，只是怕伤着人心似的轻轻点染，烘托出一种迷离的思念，予人一种淡淡的哀伤，比痛哭一场更加感人。诗人借用一只飞鸟来言情，尤为意味深远，小鸟在雨中孤身翱飞何尝不是诗人自身飘零羁旅的写照；鸟飞东南象征着广陵的方向，那里是家人的所在地，以鸟飞寓人怀，增添了无尽的伤情；鸟能够自由飞翔又是诗人内心的向往，是追求自由的情愫。

# 自巩洛舟行入黄河即事寄府县僚友

韦应物

夹水苍山路向东，东南山豁大河通。寒树依微远天外，夕阳明灭乱流中。孤村几岁临伊岸，一雁初晴下朔风。为报洛桥游宦侣，扁舟不系与心同。

## 【赏析】

诗题道明了本诗为韦应物从巩义市、洛水驶入黄河去就职途中写给府县僚友之作。唐德宗建中四年（公元 783 年），韦应物由尚书比部员外郎左迁出任滁州刺史，在途中他被两岸的景物感染心境不佳，写下这首诗送原职僚友们以表达自己的胸臆。

"夹水苍山路向东，东南山豁大河通。"首联两句是说，苍山连绵两岸，就如有意夹管驯服洛水一样，将船行的水路向东推进。东南方向的高山深谷渐行渐多，行船不知不觉中进入了黄河的水流。

随后，诗人开始环视黄河四周的景观："寒树依微远天外，夕阳明灭乱流中。"原来这时已是秋天的傍晚，只见黄河的水漫流东去，与昏暗的晚天相接，苍黄一片，岸边远处枯落稀疏的深秋寒树依稀能够看得见。夕阳倒映在波澜起伏的河水中忽明忽暗地上下颠簸，好像要沉没进昏黄的水底。深秋、晚天、枯树，伴着浩浩汤汤的一河浑水，可知诗人此时的心境。

"孤村几岁临伊岸，一雁初晴下朔风。"五、六句写在船行之中见到一处村落，忽然想起在几年前途经此时见过那村落，现在那荒村还是在那里孤零零地呆驻着；而此时的天上，一只离群的大雁在云过刚晴的晚天里悲鸣着飞去。这两句把黄河途中的景象写得更加凄凉。

诗人 15 岁即以三卫郎做玄宗近侍，安史之乱后流落失职，后来立志读书，终有所成。代宗年间又在朝中任职。唐德宗即位后，朝纲不振，军阀割据，国家内外交困，民不聊生。诗人这次出任滁州刺史是升职，本该高兴才是，可他对朝野的困境洞察得十分透彻，已经预感到前途布满荆棘，因而这黄河秋晚的凄凉景致更增添了他心中的落寞，萧索之情弥漫于诗的字里行间。

结尾"为报洛桥游宦侣，扁舟不系与心同"两句是说，作者寄情给洛桥边上各位当官的僚友们，告诉他们，自己此时的心情就像这带走他的行船一样随波逐流，任其去哪里都好。此处的"扁舟不系与心同"是隐用了老庄思想来抒发情感的。《庄子·列御寇》有曰："巧者劳而知者忧，无能者无所求。饱食而遨游，泛若不系之舟，虚而遨游者也。"韦应物要表达的是，自己既不愿做巧者，也不愿做智者，宁愿做个无能者，吃饱了饭，坐上没有牵系的船，顺着流水随便流到哪里去都无所谓。

洛水至黄河途中，诗人在赏景，可是进入眼帘的是满目秋肃的苍凉和无奈的东流水；韦应物左迁升职应是"春风得意马蹄疾"才对，却在诗行里表现得十分低落，想要仿效老庄。其赏景的心与吟景的情是矛盾的，升职的喜和就职的忧也是矛盾的。这种矛盾自然来自于诗人对时局和仕途的别样看法。

# 登楼寄王卿

韦应物

踏阁攀林恨不同，楚云沧海思无穷。
数家砧杵①秋山下，一郡荆榛寒雨中。

**【注释】**

①砧杵（zhēn chǔ）：指捣衣石和棒槌，亦指捣衣，也常作"碪杵"。

**【赏析】**

诗人与王卿是好友，从前相聚时常在一起游玩。此时两人已经分开，王卿去了楚地，自己仍留在海边的州郡。一天韦应物只身游山，拾阶登楼，极目望远，竟是一片萧条之景，不觉想起以往与王卿一起游玩登上此楼的情境，不胜感慨，于是挥笔写下这首七绝。

"踏阁攀林恨不同"，诗的开句紧扣"登楼寄情"的主题。"踏阁"是登上楼阁，"攀林"是进到山里游玩，"恨不同"则是感叹不能一同重游。当年王卿和诗人在一起纵情耽游，啸傲山林的情态呼之欲出。共同的爱好使两人相交密切，此次自己却是独自来此，他十分怀念那时一同畅游的情景。

"楚云沧海思无穷"，这一句是在感慨王卿去了楚地，自己仍居临海，致使两人天各一方，不但不能一同"踏阁攀林"，而且见面都难实现，因而十分思念王卿。"楚云"、"沧海"也可以理解为思念之情可以与楚云之高、沧海之阔相比，夸张地表达自己的思念之情。

前两句诗人重笔浓墨地铺叙了两人的友好和想念，下文大笔一转，内容和手法上顿变。

"数家砧杵秋山下，一郡荆榛寒雨中。"第三句是写在这秋色萧疏的山底下，荒村里传来几家捣衣的声音；第四句是说向远处望去，秋日的烟雨中高高矮矮的荆棘榛莽铺满整川整郡。草木摇落的秋山之下，风吹瑟瑟，断断续续飘来几声棒槌敲击砧板的声音，一川寒雨洒落万顷榛莽，凄凉之声与凄凉之景交织在一起，构成了一幅伤秋的浓彩图。南唐后主李煜《捣练子》中有"断续寒砧断续风"的诗句，以寒砧写凄凉最为伤情。韦应物此诗中寒风、寒雨加寒砧，断续寒风加寒雨，断续砧声断肠情。

　　作者没有更多地写思念和友爱，而是转挥重笔叙凄景，产生了超乎寻常的效果。伤秋才更怀思，如此凄景更易让人怀念远人。诗人寄语王卿，从前一同游乐的场所，如今已是无限萧条，何时能再与王卿一起伤秋？

　　本诗抒发了韦应物对远方好友的深切想念，表现了他至情至性的心怀人品。三、四句中的"砧杵"、"秋山"、"荆榛"、"寒雨"虽然是因怀念友人所苦吟，但依然可以看出诗人之意不仅在于此。当时诗人为官江南，时值兵乱之后，国创难复。独自登上高楼，所闻的是"数家砧杵秋山下"，所见的是"一郡荆榛寒雨中"，山野几家饥民，州郡空无人烟，一川荆棘丛生。

　　虽然本诗表面是寄友，也是在向友人倾诉兵乱后这里景象凄凉、田园荒芜、民生凋敝。作为一名地方官员，韦应物深谙大唐的衰落和百姓的疾苦，其山水诗中同情黎民百姓的词句不时可见。

# 寄李儋元锡

韦应物

　　去年花里逢君别，今日花开已一年。世事茫茫难自料，春愁黯黯独成眠。身多疾病思田里，邑有流亡愧俸钱。闻道欲来相问讯，西楼望月几回圆。

## 【赏析】

　　唐德宗建中四年（公元 783 年），韦应物由比部员外郎外任滁州刺史。第二年春天写这首七律给在朝中任侍御史的好友李儋（字元锡）。诗中叙述了对好友的思念，描述了国事民生的凋敝及自己无能为力的焦急情感。

　　韦应物经历了安史之乱，国弊民苦对他的思想产生了剧烈冲击。他此次在滁州任职亲自接手治理一方，对朝政的紊乱、国势的衰败、黎民的疾苦了解得更为深刻。就在他滁州任职这一年的冬天，唐朝又发生了叛乱。朱泚以乱军占据了长安，以"秦"为国号称帝，德宗仓皇出逃，朝野一片散溃。这首诗即写于翌年的春天。

　　"去年花里逢君别，今日花开已一年。"首联起笔阐述了离别的情形和时间。去年春天在长安离别，今年春天花儿又已开放，时间已经一年了。在春天里给友人写诗，按常理应是对冬去春来万物重返生机给予赞美，与友人共享春日的快乐。但"花开已一年"，明显不是在夸赞春与花的美好，而是隐隐怨怼春去春又来，花开花又落，时光易逝，人生短暂。

　　三、四句中情绪急转直下，"世事茫茫难自料，春愁黯黯独成眠"，显然，"茫茫"是指国家前景的茫茫，世事难以逆转。当时朱泚盘踞长安，勤王兵马能否将其击败收复长安尚未可知，国家前景堪忧。经历过安史之乱的诗人极度忧虑天下是否又将大乱，感觉到无法预料自己的将来，更无法预料国家的前景。因而"春愁黯黯独成眠"，诗人此时已极度消沉。男人本不易产发春愁，但国家正值祸乱，诗人作为一州长官却无力为挽救国危民害尽力，反而连消息都不通，怎能不焦虑，一筹莫展无所作为中留下的只能是无尽的苦闷。春花再美，春宵再好也无心去享用，只能是"春愁黯黯"，"独眠"苦思了。

"身多疾病思田里，邑有流亡愧俸钱。"第五、六句进一步叙说自己的身处境遇和思想状态。韦应物此时已近晚年，经历了唐朝由盛转衰的整个过程，已感心力交瘁，又担当起一州长官的重任，确实感到力不从心。因此"身多疾病思田里"，从心里不想做这官了，这是诗人的真情写照。但诗人又惦记着颠沛流离生活困苦的百姓，感到自己没有治理好滁州，没能把百姓安定下来，愧对百姓的寄望、愧对朝廷给的俸禄。诗人这里既表达了自己辞官归隐的念想，又表示不能一走了之扔下百姓不管，思想十分矛盾。

末尾两句"闻道欲来相问讯，西楼望月几回圆"意为：听说你将来这里问候我，我每日登上西楼瞻望，经历了数回月的圆缺。他是在殷切盼望那位做侍御史的老友李儋到来，好向他讨教朝廷平乱的情况及解决自己心中的矛盾。

本诗句句写实，一改诗人空灵含蓄的风格，从中可以看出当下时局的混乱，他已无心雕句，径直抒发胸臆，表达切急的情感。因而其艺术表现和语言技巧并无特长，但又不失为唐代诗苑的名篇。究其原因是诗中诚恳地披露了一名廉洁正直的官员面对国乱民苦的忧虑和苦闷，尤其是"邑有流亡愧俸钱"的良心发掘，十分难得。

# 寄全椒<sup>①</sup>山中道士

韦应物

今朝郡斋<sup>②</sup>冷，忽念山中客。涧底束荆薪<sup>③</sup>，归来煮白石<sup>④</sup>。欲持一瓢酒，远慰风雨夕。落叶满空山，何处寻行迹？

**【注释】**

①全椒：今安徽省全椒县，唐属滁州。②郡斋：滁州刺史衙署的斋舍。③荆薪：柴草。④煮白石：传说神仙、方士烧煮白石为粮，后因借为道家修炼的典实。

**【赏析】**

唐朝时，全椒地属滁州，诗人做滁州刺史，正是其治下。山中道士为谁已无从知晓，但从诗中可知道士是诗人的知交好友。韦应物长期身在宦场却能写出隐逸者才擅长的田园诗，他一边关心着时政和民生，一边热心于山水田园，一边管理一郡黎庶，一边留心还山退隐，足见他内心渴望隐逸。

"今晨郡里的清斋真的清凉，忽然把山中的道友念想。你该是在山间涧底割柴束薪，背回后煮烧那白石品尝。多想捧着一瓢酒去把你看望，风雨夜里与你在山中一起分享。可秋叶飘落满山空荡，上哪儿去才能找到你的行藏？"古诗今译，颇为意味清新而深长。

诗的首联道："今朝郡斋冷，忽念山中客。"从诗尾联的"落叶"看，此时为秋季。秋肃来临，州衙的房舍已感清冷难耐，忽然联想起山中之房该更寒冷，山中修道的老友该有多艰苦。诗人由官衙的冷想到僧房的冷，可见他很重友情，愿意体谅别人。

"涧底束荆薪，归来煮白石。"道家老友此时是在山里念经还是在做什么，要进行一番猜想才能得知。诗人揣测，他大概正在涧底砍伐荆棘榛莽做柴火，好背回去后烧煮那白石聊以充饥。晋代葛洪《神仙传》云："白石先生者，中黄丈人弟子也，尝煮白石为粮，因就白石山居，时人故号曰白石先生。"诗人是说这位道友就如《神仙传》里的白石老先生一样煮白石为粮。表面上是描绘山中道士隔绝人世的幽苦生活，实则是称誉这位友人道心之坚，道为之切，已达到了道家的很高境界，个中或多或少流露出羡慕的意味。

"欲持一瓢酒，远慰风雨夕。"五、六句直写对友人的关心。诗人在风雨秋夜惦念山中道士，想要"持一瓢酒"去拜访他，可见两人交往之深情谊之厚。而七、八句"落叶满空山，何处寻行迹"，欲备酒去访，共求一醉，却不知道能否再相遇。

诗未着意写景，但景致境况却饱含凄清的美，"涧底"是清幽之美；"煮白石"是修仙之美；"风雨夕"是阴郁之美；"落叶满空山"是空落之美。只有这些景致在诗中的跳荡兔脱，才使诗歌凄寒、空灵、清澈、悠远，仿如离尘飞升，晋入道境。

# 秋夜寄邱二十二员外

韦应物

怀君属秋夜，散步咏凉天。
山空松子落，幽人应未眠。

## 【赏析】

诗人与邱丹（二十二员外）在苏州时交往甚密，后邱丹去临平山修道。这首诗表面是一首寄邱丹的怀人之作，实则是吟咏自己对隐逸生活的向往之作。

"怀君属秋夜"，时序季节，乃自然之理，夏去秋来，晚天萧索。自古悲秋多寂寥，秋日是易于伤感的时节，在外羁旅之人此时更易思念家人。而秋凉之夜，诗人独独由此想起了在深山里的道兄朋友，此时并非惦念道友是否饥寒，而是由寂寥想起了山中的隐逸。

第二句把诗人的情绪表达得更加明显。"散步咏凉天"，秋而夜，本应愁上加愁，可诗人却举步于冷夜之中，一边散漫流连，一边咏唱诗歌，欣赏着冷月秋霜。这种境界非超然物外之人可以企及。

第三句"山空松子落"，绝佳之意随成绝佳之句，意境已经脱凡入仙，诗句令人品味无限。秋在山峦，弯月在天，凉意若水，万籁俱寂，生物没了气息，空气都已沉凝，一切都已静止。突然一声轻响传来，一只小小的松子落下，声音虽小却能传遍丛山，之后，一切又归于沉寂。诗人畅游凉夜，吟咏秋殇，内心却涌出这样的诗句，表达了对空山隐逸生活的无比向往。

末一句"幽人应未眠"，"幽人"即是幽居之人，此处指邱道士。幽居之人就是隐逸之人，居于青山上幽谷里曾是古贤人绝佳的选择，也是僧道出家人的好场所。诗人向往邱道士在临平山的幽谷晚山里享用自然的恩赐，神魂已飞向远方。

韦应物是在秋凉夜吟下向往到临平山的，他感应到了那里的秋夜更清幽、更美，因而更艳羡，猜想着临平的道士不会浪费这清幽，也该是不眠不休，趁夜游览幽山谛听松子的落地之声。

从诗境来说，这首感怀诗清韵古淡，妙蕴空灵，禅味十足，若非内在修为淡冶，不会有此从容。

从诗情来说，心思幽远，笔随意出，不受时空限制。诗的前两句是诗人所临之景，后两句是临平山之境。一首诗中拟画出两个空间，两相对映，两番景象一般情，意境幽远，耐人寻味。

从诗艺来说，写实和虚构相结合。诗的前两句是实写秋夜难眠空冥幽想月下沉吟的佳景；后两句是虚写山中道士清幽古观旁听风看月捕捉松子落地声的妙境。实虚交融，语浅意深，令人玩味。

# 幽　居

韦应物

贵贱虽异等，出门皆有营。独无外物牵，遂此幽居情。微雨夜来过，不知春草生。青山忽已曙，鸟雀绕舍鸣。时与道人偶，或随樵者行。自当安蹇劣，谁谓薄世荣。

## 【赏析】

韦应物 15 岁入宫为三卫郎，扈从玄宗，出入宫闱，甚至留有瑕名。安史之乱后，玄宗奔蜀，他流落失职，始立志读书，少食寡欲，常"焚香扫地而坐"。唐代宗年间再仕，官场几十年，经历了战乱国衰，见多了仕途艰危，无力于百姓苦难，早生退隐之心。这是他在晚年辞官闲居时所作，描述了自己隐居独处的状况，表达了对辞官退隐后生活的惬意满足，味道极清雅，又极浓郁醇香。

"贵贱虽异等，出门皆有营。"意思是，世人无论贵贱高低，都免不了要出外奔走为生活营谋，概莫能免。诗人要咏诵"幽居"的好处，只是要铺垫下文的闲情，但还是绽露了他对人生庸碌坎坷的感慨。而这两句诗又有外延含义，"贵贱如一，皆为生谋"，这里面有众生平等，怨世不平之意；有"千载贤愚凭谁问，满眼蓬蒿共一丘"，无论怎样到头来贵贱都归一的感悟，还有谕人激流勇退的寓意，甚是耐人寻味。

诗人主旨是要以"皆有营"衬托自己幽居的安闲，下文便引出"独无外物牵，遂此幽居情"，这两句意为：独有我不再被外面世务牵拽，终于了了于此幽居的心愿。诗人本性谦冲，早已厌倦了官场生涯，为官成了无奈之举，如今脱下束缚，如重负掷地，苦航到岸，轻松痛快已极。

接下来，诗人畅意表达了自己恬静生活的美好。五到八句，他改变空灵神行的运笔爱好，径直加以铺陈描绘，尤其显得活色生香。

"微雨夜来过，不知春草生。""濛濛细雨在夜里悄悄降落，瞒过了我滋润那春草"，诗人似在埋怨那细雨嫩草，实则他是对春的悄来轻怜呵护充满柔情蜜意。微雨夜下，春草萌发，这样美好的事情他竟然浑然不觉，什么事已都能放得下。诗句也是对自己万事不在心，一觉天明的生活的由衷赞叹。

"青山忽已曙，鸟雀绕舍鸣。"第七、八句意为："夜光幽暗的青山忽然迎来了曙光，鸟雀们早早起来绕着茅舍，叽叽喳喳地鸣叫。"青山晨照，骄阳送暖，草生树萌，鸟雀和鸣，春睡饱足，这就是诗人向往的隐居生活，如今真的实现了。诗人在用诗句对这种幽居咏唱深情的爱意。

接着"时与道人偶，或随樵者行"两句，可以理解为偶然或与道士碰面，或与樵夫擦肩，平时少与人来往，赞美远离凡尘的清幽；也可以理解为在此辟地而居，结交的大都是山野之人，乐道村俗生活。总之，幽居的生活十分美好。

诗尾两句"自当安蹇劣，谁谓薄世荣"，意味深长。"蹇劣"是笨拙愚蠢的意思，"薄世荣"是鄙薄世人对荣华富贵的追求之意。全意是说，"做这种幽居的选择，非因鄙视世人的虚荣，不要说我是品性清高，本人天生就愚笨，当官反而是负担，愚人就应该得到下层的待遇。"韦应物早已厌倦了官场，曾多次流露向往自由的生活，"扁舟不系与心同"（韦应物《自巩洛舟行入黄河即事，寄府县僚友》），就是他早年官场内心向往的真实写照。他在本诗中诚笃表示对幽居独处、独善其身的满足，不是在效仿鄙弃世俗追求的名士做派，其内心的高洁由此可见一斑。

# 塞下曲六首（其二）

卢纶

林暗草惊风，将军夜引弓。
平明寻白羽①，没在石棱中。

【注释】

①白羽：尾部或杆部饰有白色羽毛的箭。

【赏析】

卢纶的人生和仕途都极为不顺，早年间他多次应举不第，后经元载、王缙等举荐才谋得官职。时日不久，元载等人获罪，卢纶受到牵连，甚至一度因此入狱。朱泚之乱过后，咸宁王浑瑊出镇河中，充京西面副元帅，提拔卢纶为元帅府判官。这是卢纶边塞生活的开始。在军营中，他看到的都是雄浑肃穆的边塞景象，接触到的都是粗犷豪放的将士，故而创作了一批优秀的边塞诗，达到了诗歌创作的一个高峰。

《塞下曲》（又称《和张仆射塞下曲》）六首就写于这个时期。这六首皆是五言绝句，分别写发号施令、射猎破敌、奏凯庆功、整队发令、战中狩猎等，雄浑壮阔又英气焕发，体现出盛唐气象。此乃组诗中的第二首，借西汉李广典故，赞美边关将帅的勇健。

"林暗草惊风，将军夜引弓。"将军正在夜巡，忽然旁边幽暗的林莽里传来风的呼啸声，继而蒿草晃动，他大吃一惊，以为幽林中有猛虎，于是敏捷地搭箭引弓。首句林暗风惊，交代了时间、地点，不言虎而如有虎在，渲染出紧张的气氛；次句只写将军引弓未写将军射箭，让人对箭的去处以及是否射中充满好奇。前两句塑造出了将军警惕果敢、临危不乱的形象。

"平明寻白羽，没在石棱中。"翌日清晨，将军派人到林中查看情况，只见他射出去的那支箭，竟然已经深深地刺进了坚硬嶙峋的磐石里！通过这一让人惊叹的典型情节，赞美了将军的勇武。将军虽然没有射中猛虎，但射石没羽，更能说明其武艺高超、力大无穷。

《史记》记载："广出猎，见草中石，以为虎而射之。中石没镞，视之石也。因复更射之，终不能复入石矣。"西汉名将李广外出狩猎时，见到草中巨石，误以为是猛虎，搭箭射去，箭入石内。

卢纶袭用这一典故，并加以创新，别具新意。首先，李广见"虎"即射，勇猛有余而沉稳不足，但卢纶诗中的将军经历了从"引"到"射"的过程，可见其临危不惧、处变不惊；其次，李广射后即"视之"，卢诗中却等到翌日，又可见其沉稳镇定；再者，李广射出的箭"中石没镞"，"镞"是箭头的意思，但卢诗中"白羽"都"没在石棱中"，言箭入石之深。由此可见，卢纶笔下的主人公比飞将军李广还要沉稳镇定，是一位射技超群、有勇有谋的将军。

# 塞下曲六首（其三）

卢纶

月黑雁飞高，单于①夜遁逃。
欲将轻骑逐，大雪满弓刀。

**【注释】**

①单于：是古时匈奴最高统治者，这里代指入侵者的最高统帅。

**【赏析】**

这是《塞下曲》组诗中的第三首，写战争进入尾声，将士们雪夜逐穷寇的场面。诗人并没有描写正面交锋的战争场面，却以敌人深夜遁逃而我军乘胜追击的鲜明对比，表现出将士们的英勇善战。

"月黑雁飞高，单于夜遁逃。"首句写景，交代时间，次句叙事，交代情由。"月黑"，即月亮被乌云遮盖，说明无光，"雁飞高"，大雁在黑沉沉的高空中掠过，渲染出环境的空寂，这句写出了夜色之深、之静，在这样的情况下，正宜逃遁。所以，敌方首领带领着他的部队，趁着夜色悄悄逃跑了。"单于"即匈奴王，在这里指代敌方统帅，连首领都带头逃窜，说明敌人深知败局已定。诗人没有描写此前的战争场面，但给读者留足空间，让其去想象白天战况的激烈程度以及我方破敌告捷的热烈场面。

前两句写敌人逃遁，后两句则言我方追击。

"欲将轻骑逐，大雪满弓刀。"我方统帅得到消息之后，迅速率领一支轻骑，准备追击并全歼逃走的敌人，尚未出发，纷纷扬扬的大雪飘落而下，洒在将士们手中的弓刀上，锋利的刀锋反射出耀眼的光亮。一个"满"字，写出了雪花落下的势头之疾之大，使这一幕深夜逐寇的场面显得更加奇壮、磅礴，另一方面也道出了军情的紧急和边塞生活的艰苦。

学贵有疑，今人在解读这首诗时，曾指出其存在常识错误，认为北方落雪之时，大雁早已南归，不会出现雪、雁并存的景象。但是，不仅是卢纶这首诗，在其他诗人笔下，多次出现过有雪有雁的诗句，如高适《别董大》中的"千里黄云白日曛，北风吹雁雪纷纷"，再如李颀《古从军行》中的"野营万里无城郭，雨雪纷纷连大漠。胡雁哀鸣夜夜飞，胡儿眼泪双双落"，都说明在边塞地区，尤其是西北高原，不论是北雁南飞的秋季，还是南雁北归的春天，都可能有雪降落，这也再次说明了边塞气候的无常和恶劣。

卢纶抓取了战争中追击逐寇的场面，并以降雪这一富有艺术效果的情节，营造出更加严肃、紧张的气氛。诗到这里戛然而止，并没有交代将士们到底有没有追上敌军，追上之后的战斗到底是胜是败……在这迫近高潮的地方收尾，正似箭在弦上，最是扣人心弦。

# 夜上受降城闻笛

李益

回乐烽前沙似雪，受降城外月如霜。
不知何处吹芦管，一夜征人尽望乡。

## 【赏析】

唐代受降城有东西中三城，是朔方军总管张仁愿为抵御突厥所筑。此诗所指应为中受降城，在今内蒙古自治区五原西北。李益是中唐时期有名的边塞诗人，其边塞诗广为传唱。这是其中的名篇，表达了戍边征人的怀乡之情。

"回乐烽前沙似雪，受降城外月如霜。"回乐烽前漫漫白沙犹如白雪一般，受降城外，月光洒下来如流霜在天空中飞散一般。"回乐烽"，即回乐县的烽火台，故址在今宁夏回族自治区灵武县西南。首联对仗精工，"回乐烽前"对"受降城外"，将地点点出，并将所有边地与征戍之人一语总括之。"沙似雪"对"月如霜"，比喻生动形象，把白沙漫漫，月光寒凉之感带给读者，诗人以视觉的颜色之比，来绘触觉的寒冷之感，从而刻画出边地的寒凉苍茫，真乃妙笔。

"不知何处吹芦管，一夜征人尽望乡。"不知什么地方有人吹起了芦笛，笛声幽咽，勾起征人无限的思乡之情，使之辗转难眠，回首望向家乡的方向。李益不直接刻画征人内心的愁苦，而是通过这些边地的角声、笛声、芦管来烘托征人幽怨的思乡之情，让读者在幽咽的芦管声中慢慢体会征人的思乡之痛。"不知何处"，衬托出芦笛声的幽咽迷离，也烘托了征人茫然的心情。"尽"字，用夸张的手法表达了人人起愁情的情形，也衬托出笛声的感染力。

此诗艺术手法独特，将诗画音乐融于一体，来描绘典型环境，表达征人之思。诗歌一联写景，一联写声。写景时，诗人以"沙似雪"、"月如霜"两个形象生动的比喻，烘托出一个旷远凄寒的氛围，为下句绘声做好铺垫。而在写声之时，诗人只以"不知何处吹芦管"一句，平直绘出，但对芦管的幽怨之声，却未加任何点染刻画转而又以"一夜征人尽望乡"的简单诗句结束，征人满怀愁思又无任何描绘。然而两句相并，笛声之幽怨，征人之愁思，涣然而出，如滔滔水流，不能抑制，但又含蓄蕴藉，百转低回，让人感到诗近而意远，涟漪层层，不愧为中唐广为传唱的名篇。

# 喜见外弟①又言别

李益

十年离乱后，长大一相逢。问姓惊初见，称名忆旧容。别来沧海事②，语罢暮天钟。明日巴陵道，秋山又几重。

**【注释】**

①外弟：表弟，即姑舅家的兄弟。②沧海事：指世事变迁。

**【赏析】**

本诗是李益著名的诗作，通过描绘一次与至亲久别重逢的场面，将动乱之感与骨肉亲情表达得生动感人。

"十年离乱后，长大一相逢。"表兄弟二人于动荡纷乱中断绝音信，分别十年，如今突然相逢，二人已非孩童，都早已长大成人。"十年离乱"，大约指的是发生于唐玄宗天宝十四载（公元755年）至唐代宗宝应元年（公元762年）之间长达八年之久的"安史之乱"，以及后来的藩镇割据、外族入侵等战乱。"一"字凸现了二人十年离乱后第一次相逢的偶然性、戏剧性。开篇直入主题，简单明了。

"问姓惊初见，称名忆旧容。"十年未见，二人的音容变化很大，在互道姓名之后，才知道遇见了至亲，二人一边惊喜地寒暄着，一边在脑海里回忆着对方旧时的容貌。"惊"字表达了二人"初见"时既惊讶又惊喜的心情。"惊初见"，点出二人是不期而遇，紧扣首联的"一"字。"忆旧容"，既是指二人于脑海中回忆彼此旧时的容颜，也是指二人在相认后，热烈地互道着二人小时候的种种情形。

十年离乱，音信全无，一朝相见，二人有说不完的话，从小时的情形一直聊到分别后各自经历的一切。"别来沧海事"紧承"忆旧容"，并以"沧海事"将人世沧桑描绘殆尽。十年间，唐朝的盛世太平于动荡战乱中转瞬而逝，而动乱中个人的生死离别更是沧海桑田，物非人亦非，这其间种种，二人说不完道不尽。"语罢暮天钟"，直到钟声四起，二人的思绪才被悠长的钟声惊断，他们停下交谈环视四周，早已暮色笼罩，黄昏已近了。

"语罢"话别不禁想起"明日巴陵道，秋山又几重"。二人匆匆而遇又匆匆而别，此一别又是远隔千山，不知再次相见又要多久。"巴陵"，郡治在今湖南省岳阳。诗人不直接写再次分别后相见困难重重，而是以"秋山又几重"代指表弟远行，二人又将远隔，相见甚难。"又"字，既点出了二人相距遥远，山水重重阻隔，又表达了诗人与表弟难于分舍的惆怅情怀。

　　此诗将社会动荡中亲人聚散匆匆的画面刻画得细腻生动，引人注目，艺术手法简朴大方，语言精练传神。诗人从细节出发，层次清晰地把兄弟二人久别重逢的神情、心态刻画得声色并茂，逼真传神，抒情笔墨不施，而至亲重逢的种种情谊自然流露，使读者心领神会。

# 江南曲

李益

嫁得瞿塘贾，朝朝误妾期。<br>早知潮有信<sup>①</sup>，嫁与弄潮儿。

**【注释】**

①潮有信：潮水按照规律涨落，故称"有信"。

**【赏析】**

　　《江南曲》为乐府清商曲之一。李益的《江南曲》实为一首闺怨诗，但因以乐府诗题写出，又具有民歌风味。唐代闺怨诗中，有很大一部分以商人妇的闺怨为题材，这有颇深的社会原因与历史背景。唐代商业发达，商品流通各地，从事商品运输贩卖的商人日渐增多，而商人之妻独守空闺的现象也就日渐平常，这样的社会问题被集中反映在文学作品中，成为引人注目的闺怨诗。唐代文人诗有很多涉及商人妇的诗歌，如白居易《琵琶行》就有"老大嫁作商人妇"、"商人重利轻离别"等句，而直接抒写商人妇闺怨的诗歌亦不乏其类。

　　李益这首《江南曲》语调明快，以白描手法将诗中女主人公的心迹口吻形象地刻画了出来。"嫁得瞿塘贾，朝朝误妾期"，嫁给一个瞿塘江上往来的商人，朝朝失信，不守期约。"朝朝"表达了商妇对商人重利轻别的埋怨。"误"字刻画了商人不守信用，也表达了女主人公的失望之情。此句一出，一个年轻口快的商人新妇形象便如立眼前，其抱怨之声仿在耳边。

　　"早知潮有信，嫁与弄潮儿。"写完少妇的抱怨之后，诗人笔锋一转，以"潮有信"和人"误妾期"相比，将商人经常失信的情状反衬出，更将少妇的怨望之情曲折传神地表达了出来，使诗歌再添妙趣。"早知潮有信"，真可谓奇思妙想，使得前面平实的两句，也显得妙趣倍增。"嫁与弄潮人"是少妇恨恨之语，却是诗人异想天开之笔，少妇的天真、痴情、苦闷、无奈全都在此句中表达了出来。"早知"二字，将少妇恨恨之情，伤心之态，表达得淋漓尽致，一个被丈夫的失约弄得恼恨交加、赌气伤情的少妇形象宛在眼前。

　　整首诗都以商人妇的视角写出，前两句以少妇之口说出，语句平实，后两句以少妇之心想出，想象奇特。在这一平一奇中，少妇的心声、心情波动期间，语似荒唐却至情至性、率真可爱、惹人爱怜，大有民歌意趣。

# 隋宫燕

李益

燕语如伤旧国①春，宫花旋落已成尘。
自从一闭风光②后，几度飞来不见人。

**【注释】**

①旧国：旧都，指扬州。②一闭风光：指隋亡后宫殿荒废。

**【赏析】**

隋宫梁上筑巢搭窠的燕子是诗人选取的描写对象，但通过对燕子眼中的景色描写表达历史盛衰的感慨，才是诗人的最终旨意。

隋炀帝在位 13 年，三下江都，耗民伤财，终至国亡身丧。而江都隋炀帝的行宫随着隋亡，变成了风客骚人怀古凭吊的处所。很多诗人都以隋宫为题材写过怀古诗，而李益这首诗，却以隋梁之上的燕子为主要描写对象，新颖别致。

"燕语如伤旧国春，宫花旋落已成尘。"冬去春又回，隋宫梁上的春燕，燕语呢喃，仿佛在低声诉说着这里曾盛极一时的春色，感伤着曾经的隋宫盛世。然而曾经繁茂娇艳的宫花早已零落成尘，犹如隋宫里的人一去不复返。诗人先由燕语呢喃开篇，遂而写曾开在隋宫里的宫花，两物都曾是隋宫常见之景，而如今一个仍可闻，另一个却已成尘，两相对照，感慨之情油然而生。

第二句仿似由燕子口中说出，低语的燕子一起回忆着隋宫曾经的兴盛，想起隋宫中曾经繁花遍地的春色，而如今这些宫花早已荒芜，变成尘土无迹可寻了，不由得慨叹。诗人用这种虚拟的手法写出真实的形象，虚实相生中表达出真挚感人的怀古之情。隋宫燕虽不会人语，没有人思，但这些燕子亲见了隋朝的兴亡盛衰，对隋朝的一景一物的诉说极为可信，所以诗人借由燕语将自己的情感表达出来，使诗歌别致新颖。

感伤着隋宫中宫花零落的燕子，不禁又慨叹起现在，"自从一闭风光后，几度飞来不见人。"自从隋朝灭亡，风光不再之后，有多少春天，燕子飞回旧窠时，都看不到人迹。"自从"与"几度"将"此去经年"之感表达得动人心旌，把隋朝一去，逝水流年的感慨诉诸笔端。"一闭"二字，将隋朝快速灭亡的情形点画出来，仿似春光一下子就被关闭，转瞬间就无踪影了一样。且"一闭风光后"与二句"宫花旋落已成尘"相互映衬，将现在的隋宫野草连连，荒凉寂寞的情形呈现出来。

此诗诗思别裁，诗人所写都是隋宫燕子眼中之景，然而却如自己口述。蔓草萋萋，燕语呢喃，人去楼空，春色年年，这些都是实景；隋宫曾经繁华一时，如今早已胜景难寻，这是实情。实景实情毫无奇特之处，然而诗人是以燕子的视角观察这一切：春日年年，隋宫的燕子筑巢时必定曾衔泥宫花之下，所以燕子最知曾经的宫花朵朵与如今的蔓草萋萋；而冬去春归，曾经侧耳殿中欢声笑语的燕子，如今再次回窠，人语惊心的情形早已不再，也必会感觉出今日的幽静荒僻，人去楼空。如此虚实相生，使这首本来十分一般的怀古诗，变得笔致含蓄空灵，余味悠悠，李益的诗思诗才也随之大放异彩。

# 立秋前一日览镜

李益

万事销身外，生涯在镜中。

惟将两鬓雪，明日对秋风。

**【赏析】**

李益一生仕途起伏不定，进士及第后，很长一段时间仕途无进展，曾一度弃官漫游于燕赵一带，后因唐宪宗闻其诗名，才得以入朝为官。在历经人生的浮浮沉沉之后，诗人静心回首，置身事外地审视着自己，在深沉的平静中，将积淀下来的万千情愫抛掷身外。此诗仿佛作于诗人感悟的一瞬间，感慨深沉，充满哲思。

首句用"万事"将所有之事包括殆尽，不仅有仕途的沉浮，还有诗人内心因外物而起的得失之感。诗人用"销"字，刻画出万事万物随自身荣枯而消散，并不是为刻意追求平静而故意远离的。万事万物自然消长，不以个人情感转移，而诗人顺应自然，不再因得失而起伏不平，这种平静是在真正懂得了人生起伏波折后而得到的，所以更显深沉。

不管辗转思虑，还是置身事外，这些事物在诗人的心中与面容上都刻下了不可磨灭的痕迹。"生涯在镜中"，当诗人揽镜自照，看着自己憔悴的面容苍白的两鬓时，自己曾经的一切悲欢，所有的蹉跎岁月，一一浮现在眼前。

而李益面对这"万事销身外"的情境时，却道出"惟将两鬓雪，明日对秋风"之语。以两鬓斑白来面对自然中的秋风，体现出顺其自然、超然物外的心态。"秋风"本就属"销身外"的"万事"，而两鬓上的斑白，就是"万事"刻下的，诗人以"万事"雕刻的容颜来面对"万事"，只将"两鬓雪"来"对秋风"，表达了诗人淡漠平静的内心。"惟"字，于淡漠中还隐含一丝倔强，有不屈不弃之意，扣紧首句中的"销"字。

此诗虽短，但哲思深深。诗人通过诗歌描绘的不仅是自己的人生状态，也表达出对人生的思考，饱含深意，耐人寻味。

# 鹧鸪词

李益

湘江斑竹枝，锦翅鹧鸪飞。

处处湘云合，郎从何处归？

**【赏析】**

《鹧鸪词》是唐教坊曲名，又名《山鹧鸪》，大多描写相思或愁苦之情。《乐府诗集

·近代曲辞二》录《鹧鸪词》李益一首，李涉二首。李益的《鹧鸪词》写的是女子对远方情郎的相思之情，具有浓厚的民歌风味。

"湘江斑竹枝，锦翅鹧鸪飞。""湘江"，点出诗中女主人公生活在湘江之滨。"斑竹"，亦称"湘妃竹"，《博物志》载："舜二妃曰湘夫人，舜崩，二妃以涕挥竹，竹尽斑。"诗人以"湘妃竹"之典起兴，表达了女主人公思念情郎，而情郎不归，女主人公惆怅难解泪湿衣衫的情形。鹧鸪喜欢对鸣，鸣声凄婉，似曰"行不得也哥哥"，使思妇游子听闻之后更添思愁，倍感凄怆。因此《鹧鸪词》中都会用"鹧鸪"破题，描写思念的愁苦之情，亦起托物起兴的作用。

诗人开篇选取湘江、斑竹、鹧鸪等形象来托物起兴，将女主人公置放在了一个让人易起思愁的环境里。湘江之水缓缓而去，日夜奔流，江边曾被娥皇、女英之泪斑染的竹枝，于风中摇摇曳曳。翅上翎羽锦绣多彩的鹧鸪，边飞边鸣，声声入耳，凄清忧伤，惹人愁怀。诗歌经过如此烘托渲染，把思妇怀远的相思之情含蓄韵致地表达了出来。

被且飞且鸣的鹧鸪勾起浓浓相思之后，诗中女主人公不禁望向远方，翘首期盼情郎归家，但"处处湘云合，郎从何处归"？女主人公四处环望，只见处处湘云缭绕，找不到情郎曾去时的踪迹，不禁问道："你会从哪里归来呢？"诗句中"湘云合"，不仅仅写出了情郎形迹难寻的形状，亦刻画出女主人公思念浓郁愁闷难消的情怀，女主人公心中浓烈的思念就像那团团而起的湘江之云，缭绕心间难以拂去，使女主人公心思烦闷恍惚，不停寻找情郎归来的踪影，但情郎却望而不至，凄苦之情愈加缭绕不解。

用"湘江"、"湘云"、"斑竹"、"鹧鸪"等景物构造出一幅怀人的生动画面后，诗人用"郎从何处归"一宕，顿使诗中女主人公思念切切、翘首期盼的身影徘徊于这幅图画中。整幅思妇怀远图因此更完整生动，全诗更楚楚生情。

这首乐府诗情感强烈而集中，诗人以托物起兴加用典的手法，将思妇怀远的郁闷情怀表达得淋漓尽致。诗句过渡自然流畅，抒情含蓄清新，比喻巧妙生动，例如"处处湘云合"既是写实景，又是在以云比喻女子心中缭绕不去的愁闷之情。诗篇吸取了民歌的艺术精华，朴实而华美。

# 洛桥

李益

金谷园中柳，春来似舞腰。<br>
那堪好风景，独上洛阳桥。

**【赏析】**

诗题一作《上洛桥》，是一首即景抒怀的小诗。诗人将历史盛衰的感慨，用寥寥二十个字抒发出来。作者虽知盛衰规律，却难以放弃想要扭转衰微局面的情感也隐约显现，因此诗中没有过分沉重之感。洛桥，即天津桥，在唐代河南府河南县（今河南省洛阳市）。

首联写的是诗人于洛桥之上远望看到的金谷园中的景色。"金谷园中柳，春来似舞腰。"在洛桥之上，远远望去，金谷园中随春风舞动的杨柳，就像昔时园中身姿曼妙、翩翩起舞的歌妓。"金谷园"，西晋大官僚地主石崇为与贵族地主王恺比富争胜，修建了金谷别墅，亦称"金谷园"，于"洛桥"之上北望，约略可见。诗人将园中姿态婆娑、春叶繁茂的杨柳比喻成曾经歌舞于繁华中的舞姬，昔日繁华虽一笔未提，却将盛极而衰，繁华落尽，寂寞寥落之感尽抒笔端。

远望繁华落尽的金谷园后，诗人转而回视现今的洛桥。"那堪好风景，独上洛阳桥。"如此美好的春景，只有自己一人独立于洛桥之上欣赏，如此冷清真是不堪忍受。"洛桥"本是唐朝仕女达贵于阳春时节，云集游览的繁华之地，经安史之乱，昔日繁华景象早已烟消云散，回首过往胜景，作者在冷清中唏嘘感叹，也在情理之中。

古代诗歌中常有抒发历史盛衰感慨的诗作，此诗于此类中，主题思想显得平平。不过，李益的艺术构思却很巧妙独特，将"金谷园"与"洛桥"相对又相连。煦暖春日，诗人独上洛桥，远远望去，金谷园中，春色烂漫宜人。昔日园中体态轻盈，舞姿曼妙的歌伎们，曾与春色争芳斗艳，个个于沉香屑中一展舞姿，互较高下，那纤纤细腰比杨柳还要曼妙，那飘舞的裙裾比春花还要烂漫。如今春色年年，金谷园中，杨柳依旧翻舞于春风之中，而曾经争艳之人，早已烟云消散，金碧辉煌不过是附着于历史上的一点痕迹而已，如今连点点色彩都难以寻觅到了。金谷园如此，洛桥又何尝不是？春阳流转，昔时的盛世繁华转瞬间只剩下今日的冷冷清清，桥上如织接踵的王贵们，与园中那些纤腰女子一样，也早已殒殁难寻了，今之盛衰正在效仿着古之盛衰，上演着相似的一幕而已。

然而李益没有消沉地等待衰亡。他用"金谷园"比照着"洛桥"发人深省，以期人们会有所警觉。"洛桥"有幸，生活在金谷园中的那些人早已不在，而于洛桥之上游览的人至少还有诗人。作为唐朝人的一员，诗人希望通过诗歌告诫时人，要看清眼前渐渐衰落的情形，努力改变，制止"金谷园"的历史在"洛桥"上演。诗人缱绻神情，号准时代的脉搏，并展现给他人看，体现了他一心系国的情思。

# 汴河①曲

李益

汴水东流无限春，隋家宫阙已成尘。

行人莫上长堤望，风起杨花愁杀人。

**【注释】**

①汴河：此指隋炀帝开凿运河的通济渠东段。

**【赏析】**

李益的怀古诗艺术成就虽不及其边塞诗，但因其忧国忧民、心怀远志的原因，他的怀古诗别具一番风味。这首《汴河曲》就是代表，诗人通过描写汴河春景，感怀古人，表达了盛衰之感。

　　开篇从总体着眼描绘汴河的灿烂春光。"汴水东流无限春"，寥寥七字，却绘出汴河无边旖旎春光。和煦春日，阳光洒在汴河之上，汴水波暖，粼光荡漾，缓缓东流而去。两岸杨柳扶风而舞，嫩叶吐翠的枝条临水飘摇。枝上莺鸟脆啼，陌上草熏风暖，一派靡丽，充满生机。诗人首句写春景，丢开工笔细描，以"无限"二字至于"春"字之上，重墨之下，渲染出一派旖旎，给诗句留下了无限延伸的想象空间，让读者的想象力任意驰骋。而"汴水东流"四字将有些虚渺的"无限春"实体化了，使诗句写景有了实际落脚点，避开了写景太虚、难以把捉的弊端。

　　首句里的"春"字代表的不仅是春景春色，更包含时间永恒和时令不停更替之意。而至于"春"之上的"无限"二字，更将永恒无边之感渲染得超绝。在这无边永恒的春色中，诗人笔转，"隋家宫阙已成尘"，将汴水边上，隋炀帝行宫的断壁残垣绘入画面。隋炀帝刮尽民膏，用尽国库，延汴河建造的那些玉宇琼楼，如今只剩下残砖断瓦，荒草丛丛。这位穷奢极欲挥霍无度的帝王，面对"无限春"时，已化尘埃，荡然无存。春色年年，他的文治武功、文采风流与豪奢无度，也只是历史的一点尘埃，犹如隋宫的断壁残垣，早已不在。

　　前两句中"无限春"与"已成尘"相对而出，盛衰感慨之情油然而生。后两句顺势而下，诗人直抒胸臆，将这份感慨尽现笔端。"行人莫上长堤望"，"长堤"与"汴河"一样，不仅是隋朝曾经兴盛一时的见证，也是隋朝灭亡的见证，兴衰之隔只在这一堤一河，"行人"可视为芸芸众生的代表，俱被这一堤一河衬托得脆弱渺小。行人走上长堤，面对春景，看到的却是盛衰，感受到的是"愁杀人"的愁情，只能慨叹一声"莫上长堤望"。

　　"风起杨花愁杀人"，迟日风起，杨花漫天，诗人劝行人"莫上长堤望"，正因为诗人自己立于长堤已愁情满怀。"风起杨花"虽是写景，但与"愁杀人"相连，生动形象地刻画了诗人的满怀愁情。而这愁情不仅来自亡隋，更来自于诗人对自己国家的忧虑。正因为诗人正亲身经历着唐朝的衰微，一场如亡隋一样的盛衰之变正发生在眼前，无可奈何的诗人怎能不"愁杀"。

　　吊古伤今之情、历史沧桑之感从诗人眼前的汴河引发出来，承转自然，以对比烘托的手法，将情感自然地表达出来。虽是篇幅有限的七绝，却于短短数字中表达出复杂的情感，诗法巧妙，令人赞叹。

# 听晓角①

李益

边霜昨夜堕关榆，吹角当城汉月孤。

无限塞鸿飞不度，秋风卷入《小单于》。

**【注释】**

①晓角：报晓的号角声。

**【赏析】**

《听晓角》可谓绘边声的极品之作，诗作中角声回荡，征人无形可见，可征人的感思却随着凄清的角声起伏跌宕。诗篇构思独特，与李益其他写边声的诗作很不相同。整首诗都写角声，通过环境烘托，通过鸿雁陪衬，把角声刻画得沉稳悲凉，李益的角声亦可谓征人的心声。

"边霜昨夜堕关榆，吹角当城汉月孤。"一夜飞霜，边关的榆树不堪霜寒，覆满霜白的叶子，纷纷堕下。清晓的寒辉中，孤月淡淡一弯，吹角声起，回响在整座关城中。首句中，"边霜"点出季节和地点，可知是深秋的边关。"昨夜"点出时间，可知此时为夜晚刚过，太阳还未升起，斜月渐渐淡去的破晓时分。"堕"字形象地描绘了霜打榆叶，榆叶经霜后不堪霜重，重重坠落的形态。下句中，诗人用一"当"字，着于"城"字之上，描绘出了角声回荡城中的情形，烘托出边城清寒、人声寥落的荒凉岑寂的情形。

前两句中，诗人用沉寂荒寒的环境烘托着破晓的角声，又用回荡盘旋的凄清角声反衬着边关的寂寥孤独。在浓霜铺地、榆叶凋零的季节，晨星寥落、残月萧索的破晓时分，从一夜寒梦中醒来的戍人，听着悲凉的角声，心中的凄凉沧桑之感不言而喻。长期身处边关的诗人深知边声牵动征人愁思的效果，经常于诗歌中描绘边塞的笛声角声，从对听觉的描写中呈现出人物的情感世界，犹如奏一曲征戍之音贯入读者的耳中，以声动人。

"无限塞鸿飞不度，秋风卷入《小单于》。"边塞的霜寒，苍茫荒凉，一眼望去无边无际，秋风吹卷，将画角声中的《小单于》之曲，吹向天际，仿佛连南飞的鸿雁都感受到了悲凉，低回盘旋，久久不度边塞。此句中诗人仍将视角留在残月斜挂的天边。注视着盘旋的鸿雁，诗人驰骋想象：那迁徙的鸿雁，是不是也被这凄凉的角声勾起了愁怀，徘徊天际，难以南飞。诗人通过写大雁来刻画征人，反衬角声，手笔高妙。

此诗如绘影于镜中，不见人形，却人、情并重，构思独特，深沉悲凉。诗人亲历边关，虽不是征人，却以征人的视角和征人的心态描绘着景色，所以诗句中不见征人，而其影子于字里行间处处流露。例如诗人在"霜"之上加一"边"字，"月"之上着一"孤"字，正是征人看到霜、月之后，心中升起了边关之感，孤寂寥落之情。而尾联诗人以雁代人，以奇特的想象将角声烘托得更加凄凉。诗中一片角声在回荡，把诗题《听晓角》三字发挥得淋漓尽致，李益这首描写边声的诗作以超绝的艺术手法而独步于边塞诗林。

# 宫怨

李益

露湿晴花春殿香，月明歌吹①在昭阳②。
似将海水添宫漏③，共滴长门一夜长。

**【注释】**

①歌吹：歌声与乐声。②昭阳：汉代宫殿名。③宫漏：宫中用来计时的滴漏。

**【赏析】**

唐代诗人中，很多都写过宫怨诗，像李白、王维、白居易等都有宫怨诗存世。唐代的宫怨诗大多以宫女幽怨为主题，从不同角度描写了侍女妃嫔们的悲惨忧愁的生活。李益的这首《宫怨》亦泛此类，但手法巧妙，更显含蓄蕴藉。

"露湿晴花春殿香"，春日晴天，宫花朵朵绽放，含羞带露，娇媚鲜妍。花上露珠，晶莹剔透，浸润的花朵更加暗香袭人，湿润的花香丝丝缕缕飘入宫殿之中，使得宫殿中的春意更加浓郁可人。此句开篇将宫中春景一番描画，浓香馥郁，色彩艳丽，显示出雍容娇媚之态。"月明歌吹在昭阳"，春殿中，明月生辉，暗香袭人，笙歌盈盈，彻夜不息。"昭阳"即昭阳殿，汉成帝皇后赵飞燕的居处，此处代指承宠之人的居所。

前两句描绘了一幅春夜花月承宠图，写出了春宵欢歌、良夜苦短的气象。首句中的"晴花"得到阳光雨露的沐浴，花香袭人，娇媚百态，正衬托了昭阳殿里可人儿，正得宠幸的娇态，此时在她看来，就连普天下共有的月亮，都是昭阳殿中的最为明亮。诗人写的是宫怨诗，开篇先绘承恩图，将得宠之人快乐愉悦的心情渲染篇外，而下联一转，失宠之人的凄凉就愈显郁悒了。

"似将海水添宫漏，共滴长门一夜长。""长门"即长门宫，是汉武帝陈皇后失宠后的居所，此处代指失宠之人的居处。前文写实之后，后两句转而以夸张手法绘景。滴漏是古代的记时用具，"宫漏"即宫中专用的滴漏，漏尽则更阑。诗人将失宠之人的怨直接写出：长门的夜晚是如此之长，就像用无际的海水添入宫漏之中滴了一夜一样。此句巧妙在，既像诗人的夸张刻画，也像诗中人的内心独白，两者交融难分彼此。诗句的夸张基于诗中人现实的心境，使得诗句虚实相生，情至而真。

与昭阳殿的鲜艳娇媚、靡丽欢愉相比，长门宫内冷冷清清，仿似春风不到，没有花香夜袭，没有笙箫歌吹，甚至连人声都没有，只听得见月夜漏滴，点点清音。在这空寂的宫殿里，只有失宠之人夜夜独守，寂寞凄清，听着滴漏之声独挨漫漫长夜。一个是良宵苦短，一个是孤夜漏长，诗人对比描写，更反衬出长门之人空虚寂寞、悲苦凄凉的情怀，使其失宠之情更加触目。

此诗最大的特点是欲写长门之怨，却不直陈其意，而是先写昭阳之幸。在诗人写尽幸者之后，怨者才出场，幸者与怨者的形象对比强烈，突出反衬作用，深化了"宫怨"主题。诗歌的前后都在烘托情境，而首联偏于写实，尾联偏于夸张，都将人物丰富的感受融入环境描写，使得诗歌境中见人，情出境外，避免了浅近直白。

# 春夜闻笛

李益

寒山吹笛唤春归，迁客①相看泪满衣。
洞庭一夜无穷雁，不待天明尽北飞。

**【注释】**

①迁客：被贬谪之人。

**【赏析】**

由"迁客"之语，可知此诗是抒发贬谪思归的诗作。李益曾过扬州，渡淮河，一度南游至盱眙（今安徽省凤阳市东），此诗大约作于诗人迁谪南方之时。

"寒山吹笛唤春归，迁客相看泪满衣。"寒山之上有人吹笛，以笛声呼唤春天的归来，同是背井离乡的诗人听闻这笛声之后，与其他迁客，相顾无言，泪湿衣襟。"寒山"，在今江苏省徐州市东南，东晋以来屡为战场，是淮泗流域的战略要地。

诗人将"吹笛"二字与"唤春归"连写，仿似吹笛之人，迫不及待，想要用笛声急急呼唤春天的到来。诗人通过这种艺术手法，将寒山初春的寒冷气候烘托了出来，春天迟迟不归之状流露言外；与下句的"迁客"相连，还表达了吹笛之人急急呼唤的不仅仅是节令的春季，也在呼唤自己人生境遇的春天。"相看"二字，点出并非只有诗人一人背井离乡，至少吹笛之人与诗人同为天涯沦落人。同为迁客，因笛声而为知音，两相对看，无语凝噎，其怀归之情跃然纸上。

"洞庭一夜无穷雁，不待天明尽北飞。"洞庭湖上，月夜之下，北归的大雁络绎而过，不待天明，迫不及待地飞回北方。作者先写闻笛勾起思归之情，又转而写北归之雁，貌似无关，却情致无穷。诗人以大雁代自身，通过描绘北归之雁迫不及待、连夜北飞的情形来衬托自己内心急切的思归之情。"洞庭一夜无穷雁"句，实为诗人想象之语，只是虚境而已，但诗句形象生动，诗意摇摇。李益以"一夜"连缀"无穷"，将行行雁阵，急不可耐，不等春暖，夜过洞庭的景象呈现出来。手法夸张，却情真意切。

"不待天明尽北飞"，与上句相连，使其意境落于实处，使诗意由虚生实。"不待天明"，紧扣上句中的"一夜"，表达了北归的急切。"尽"字传神有致，既扣紧了上句的"无穷"二字，也将诗中情感补充得更完整。

淮北初春，春寒料峭，寒山之上，笛声幽咽，迁客不胜其悲。大雁不等春归，一夜尽北，诗人何尝不想如归雁一样，马上奔回故乡。而雁行是自由的，诗人是不自由的，大雁北归需要的只是一阵春风而已，而送他北归的"春风"不知何时才能到来。人与雁比而不及，令人不胜唏嘘。

名为写"闻笛"，实为抒发迁谪怨望之情，起兴别致。后两句以雁代人，运用想象与夸张，使诗歌虚实相生，委婉蕴藉，诗味回转无穷，别致细腻。全诗构思巧妙，寄寓复杂，诗中形象跳跃回还，颇有新意。

# 上汝州郡楼

李益

黄昏鼓角似边州，三十年前上此楼。

今日山川对垂泪，伤心不独为悲秋。

**【赏析】**

李益出生在塞北，致仕后，又在边塞漫游过很长一段时间，塞北的荒茫深深印刻在他的心中。对于善于写边声的李益来说，关塞苍凉凄清的鼓角是最能引发他情感的声音，即使是在繁华的汝州郡楼上，也仍会缭绕在他的耳际，让他久久不能平静。

这首《上汝州郡楼》就以诗人熟悉的鼓角之声开篇。"黄昏鼓角似边州"，黄昏，诗人站在汝州城楼之上，悲凉的鼓角之声，让诗人感觉自己身在边塞而不是居民众多的城市里。"黄昏"点出时间，也烘托了诗歌的清凉氛围。"似边州"淡淡三字，既将鼓角的悲凉烘托出来，又点出了诗人沉浸回忆中思绪遥远之感，还表达了诗人的唏嘘感慨之情，而此三字更是贯穿全篇，奠定诗调。

"三十年前上此楼"，此句更添感慨深意，鼓角声声已经惹得诗人唏嘘不已，继而再想起三十年前曾伫立此楼的情景，诗人又添一番沧桑别味。"三十年"看起来是一段漫长的时间，诗人在重登旧楼这一刻，面对着"黄昏鼓角"，诗人在三十年中经历的人生浮沉，历历浮现，令他心生感慨。

据近人考证，此诗大约写于唐德宗贞元二十年（公元 804 年），李益五十七岁时。李益第一次登此楼，大约是在登进士及第后做华州郑县尉期间，而此后三十年中，经历了长期不遇，弃官漫游，随军大漠，迁谪南游，而后入朝致仕等浮沉不定、际遇难期的情形，并亲历目睹了唐王朝三十年间渐渐衰微的景况。如今诗人故地重游，心怀个人悲欢与王朝盛衰，难免会生出悲伤慨叹之情。他淡淡道出"三十年前"之句，而"前"字之下，时光荏苒，年华蹉跎，转瞬芳华不再的感慨悲伤亦流泻而出，惊人心目。

"今日山川对垂泪，伤心不独为悲秋。"山川依旧，山川上曾经盛极一时的唐王朝已经衰微，山川上行走的诗人也已青春远逝，垂垂暮年。面对山川的锦绣秋色，诗人垂泪，伤心不单是因为悲秋。江河依旧，他内心百感缠杂，下笔难抒，转而只以简单一句"伤心不独为悲秋"结束，反而使诗歌百味遍陈，蕴藉深沉。

此诗着语简平，而诗韵深沉悠长。诗中抚今思昔，忧时伤世之情，只以"三十年前上此楼"一语道出，平直深稳，惹人沉思。而诗人于万虑潮生，百感丛集之时，却只以"伤心不独为悲秋"一语作结，引人深味。诗人通过简单的描写与刻画，就将分量极其沉重的思想情感表达出来，具有强烈的艺术感染力。

# 写 情

李益

水纹珍簟思悠悠，千里佳期一夕休。<br>从此无心爱良夜，任他明月下西楼。

**【赏析】**

"水纹珍簟思悠悠，千里佳期一夕休。"躺在华美的水纹竹簟之上，不禁神思悠悠，辗转难寐，本来相互约定好的佳期，如今一夕之间便烟消云散，思虑至此，怎不使人伤心难过？"千里佳期"，说明此约定的难得与重要。"一夕休"，可见约定改变得是多么突然，且十分决绝，让人出乎意料，又无挽回余地。

"从此无心爱良夜，任他明月下西楼。"盼望已久，最终不得，诗人痛苦难眠，面对明月斜挂的美好夜晚，反更添对佳人的相思与怨恨，连这月夜也无心爱怜赏析了。"从此"二字烘托了诗人心中怨恨之情的深切。"任他"二字，将主人公心灰意懒而又任性赌气的伤心之态绘出，动情传神。

"千里佳期一夕休"，是其他三句的原因，也是整首诗的诗眼。诗人将此句置于诗歌第二句的位置，既使诗歌不太平常，又起自然转合的作用，可谓一举数得，新颖独特。

此诗思想感情都很单弱，却有一番别致情调，多因其艺术手法的独特，妙在诗人以良宵美景衬托哀伤失望之情，诗中"良夜"、"明月"只是更增心伤的事物，已经不再是赏心乐事的景色。这种反衬手法，使诗中人伤心怅惘之情的形象更加突出。三、四句，以诗中主人公的任性之语写出，以将来的假设之思，绘此时的悲痛之情，而悲情愈显。

# 游子吟

孟郊

迎母溧上作。

慈母手中线，游子身上衣。临行密密缝，意恐迟迟归。谁言寸草心，报得三春晖。

## 【赏析】

"从来选诗的人，对于他的诗，没有一致的选录标准，因此就没有公认的代表作。许多选本里都选了他的《游子吟》。"这句话出自施蛰存先生的《唐诗百话》。从宋至清的影响较大的唐诗选本中，但凡收录了孟郊的作品，《游子吟》都不会被落下，可见其影响之深。

《游子吟》取胜于"诗从肺腑出，出辄愁肺腑"（宋代苏轼《读孟郊诗》）的深挚感情，而非复杂多变的诗歌技巧。诗人截取日常生活中母亲为即将远行的儿子缝补衣服的瞬间，赋予普通生活场景以典型化意义，讴歌了无私而伟大的母爱，抒发了游子思乡念亲的情感。

诗题为"游子吟"，正文以游子的自述口吻娓娓道来，回忆了离家之前母亲为自己缝制衣服的场景。"慈母手中线"与"游子身上衣"都不是完整的句子，而是两个看似并不相干的词组，但是，通过母亲手中的一根"线"，这两个各自孤立的静态画面并连在一起，使之富有了动态的意蕴——慈母用手中丝线赶制冬衣，游子将穿着这件衣服游走天涯，母子二人的心，也通过亲情这根线被紧密相连。

"临行密密缝，意恐迟迟归。"首两句集中笔墨描写母亲密密缝衣的动作和心理。"密密"既指母亲缝制衣服之快之急，又指针脚的密密匝匝，表现母亲怕衣服赶制不成而误了儿子行程的忐忑心情，又表现了母亲担心衣服不够结实、暖和，唯恐儿子会迟迟不归，以致挨冷受冻。儿子还未出发，母亲已期盼归期，这种牵肠挂肚、深挚感人的母爱，正是此诗脍炙人口、光耀千古的原因。

最后两句是全诗的中心，诗人以反问句式，表达出游子对母亲的感激。"谁言寸草心，报得三春晖"，诗人把游子比喻成柔嫩的小草，把母爱比喻成春天温暖的日光，意思是说：母爱像春天的阳光一样广博而深厚，子女以寸草之心又怎么回报得了其中一二呢？诗人越是表达母亲的恩情之难报，就越能突出母爱之深沉浩瀚。

在文学史上，孟郊与贾岛齐名，被视为苦吟诗人的代表，锤炼险字是他们在诗歌创作中的共同特点。但是，这首《游子吟》中没有任何晦涩难懂的字词，从遣词造句到情感发展，皆水到渠成，非常自然，这便是情之所至使然。

《全唐诗》中，此诗诗题下有孟郊的自注："迎母溧上作。"由此可知这首诗写于孟郊在溧阳县尉任上时。孟郊一生极为坎坷，近五十岁时才得中进士，当了个小小的县尉。此前他长年在外，过着颠沛流离的生活，倍感世态炎凉和人情冷暖，母亲到溧阳与他为伴，这对年近半百的孟郊来说，是情感上的莫大安慰，他把自己内心对母亲的情感写到诗里，冲口而出，传达出充沛而流畅的感情。

# 巫山曲

孟郊

巴江上峡重复重，阳台碧峭十二峰。荆王猎时逢暮雨，夜卧高丘梦神女。轻红流烟湿艳姿，行云飞去明星稀。目极魂断望不见，猿啼三声泪滴衣。

## 【赏析】

人言"郊寒岛瘦"，就是说孟郊、贾岛的诗风简啬孤峭。而此诗有别于这种风格，诗文由舟行过巫峡开始，后以奇艳华丽的行文引入巫山神女的传奇故事，再以梦境幻灭作结，构思奇巧，颇有李贺诗的味道。当然，对幻境的描写并非诗人立意的重点，他在结尾将古谚化用成诗，是为了表思归的伤感。

"巴江上峡"即是巫峡，它峡长谷深，云腾雾绕，江流曲折，百转千回，峡江两岸更是奇峰突兀，层峦叠嶂，船行峡中，时而大山当前，石塞疑无路，忽又峰回路转，云开别有天。诗人正是舟行峡中，"重复重"两个"重"字前后重叠，又有一个"复"字更写出江流婉转，青山如障，随着溯江而上的行程，一幅幅画卷层层剥开。于是，诗人看到了"碧丛丛，高插天"（李贺《巫山高》）的巫山十二峰，"碧峭"二字一写色彩、一写形态，恰当地描绘出诸峰翠色欲滴、直出江水的神韵。当然，在诸峰中最吸引诗人的便是最为奇峭的神女峰，"阳台"在神女峰南，此处提及，也是为后文描写阳台暮雨、神女出现做铺垫。

"荆王猎时逢暮雨，夜卧高丘梦神女"一句是写楚襄王会神女的故事，这个故事出自战国宋玉的《高唐赋》和《神女赋》。"荆"即荆楚之地，"荆王"就是指楚襄王，"高丘"是神女的居所，宋玉《高唐赋》中神女曾自言："妾在巫山之阳，高丘之阻，旦为朝云，暮为行雨。朝朝暮暮，阳台之下。"由此可知，诗人舟行至巫山十二峰，见雨雾缭绕、云霞迷离，不禁想起宋玉赋中的神女便居于此处，想起了楚襄王畋猎之余与神女梦中相会的浪漫故事。

"轻红流烟湿艳姿，行云飞去明星稀"与"旦为朝云，暮为行雨"所描述的神女相对应，言辞缥缈，意境梦幻。这两句可以说是诗人对于眼中阳台暮雨一景的深情赞叹，也是对神女这一传奇形象的唯美描绘：她盘桓在云雾之中，艳丽妖娆，在"流烟"和落霞的映衬下搔首弄姿，极尽缠绵暧昧之态，而到天将明的时候，只化作流云散开去。诗文至此，已分不清这到底是楚襄王的梦境，还是诗人自己的梦境，却分明可见诗人陶醉于这似仙似幻的美景之中的身影。

"目极魂断望不见，猿啼三声泪滴衣。"神女以"朝云"的形式"飞去"后，诗人仍然如痴如醉地守望着。"目极魂断"四字完美地绘出诗人失魂落魄的神态。而就在此时，诗人心中涌起的是对羁旅的感怀，他化用"巴东三峡巫峡长，猿鸣三声泪沾裳"这句古谚入诗，悲戚的乡愁与梦境幻灭的失落杂糅在一起，别是一番况味。

汉有乐府《巫山高》，无名氏作："巫山高，高以大；淮水深，难以逝。我欲东归，害梁不为？我集无高曳，水何汤汤回回。临水远望，泣下沾衣。远道之人心思归，谓之何！"《乐府解题》评论说："古辞言江淮水深，无梁可度，临水远望思归而已。"同样，《乐府解题》在评论南北朝王融"想象巫山高"，范云"巫山高不极"这两句诗时，也说"杂以阳台神女之事，无复远望思归之意也"。而孟郊的《巫山曲》与上述作品的思归情绪如出一辙。

# 观祈雨

李约

桑条无叶土生烟，箫管迎龙水庙前。
朱门几处看歌舞，犹恐春阴咽管弦。

## 【赏析】

以民生为题材的诗并不少见，《观祈雨》通过描写农田的干旱情状以及王公贵族贪享祈雨之乐两幅场景，形成强烈对比，表达了诗人对百姓疾苦的关心，也讽刺了剥削阶级的骄奢淫逸。

"桑条无叶土生烟"一句是对旱情的描述，因为干旱，桑条竟连叶子都没有生出。同样，赤地千里，土地被烘烤得干燥异常，行走于上烟尘顿起，弥漫于空气中。诗人通过描写"桑条"和"土"两处细节，于细微之处见大义，尽显旱情之重，从而映射出农民对春雨的急切盼望，"土生烟"也映衬了农民焦急的情绪。

"箫管迎龙水庙前"描摹了隆重的祈雨仪式。祈雨本是一种迷信活动，但在农业社会时，这种对龙王等神灵的崇拜和供奉，根深蒂固地植于每一个农民的灵魂之中。由于农业生产有极重要的社会意义，祈雨一事甚至衍生出祈雨节等文化形式，被世代传承。诗中所描述的就是一场盛大的祈雨仪式。龙王庙前，管乐齐鸣，人流涌动，从后文亦得知还有歌舞表演，场面盛大，上至"朱门"豪绅、下至平民百姓都参与其中。当然，对龙王这般恭敬，其实也反映了农业生产乃民生所系的特殊地位。

而后诗人笔锋一转，从描绘祈雨场面又转回描写细节。"朱门几处看歌舞，犹恐春阴咽管弦"，"朱门"即富豪权贵之家，"犹恐"表担心，"春阴咽管弦"是说天气阴沉时，湿气重，会对以丝、竹为质的管弦乐器的声色产生影响，使其变得哑咽，此处是对剥削阶级参与祈雨活动的心理描写。如此隆重的富有神巫色彩的活动，富豪权贵也参与其中，但是他们的心中惦记着的却不是甘霖降至，润泽万物，而是小心翼翼地盘算着千万别阴天，湿气重的话管弦之乐就不那么悦耳了！

一方面是"桑条无叶"，一方面是"犹恐春阴"。农民为了维持生计，祈雨是与他们性命攸关的希望，这种希望就像仪式一样庄严厚重，而"朱门"里那些富豪权贵只知享乐，在祈雨过程中看重的仅仅是靡靡之音，他们的希望恰与"祈雨"相反。诗人通过这样的对比，一则是对劳苦农民深重不幸的同情，更重要的是对剥削阶级的控诉，还有对他们鼠目寸光、贪图享乐的讽刺。

# 城东早春

杨巨源

诗家清景在新春，绿柳才黄半未匀。

若待上林花似锦，出门俱是看花人。

**【赏析】**

借景咏怀，咏怀的成分又多于写景，蕴涵着人生的哲理，这正是本诗的最大特点。诗人笔法新颖，文风清丽，不仅将早春的神韵恰到好处地表现出来，且将自己的人生感悟巧妙流露，楚楚动人且意味深长。

结合诗题与第三句提到的"上林花似锦"，可以得知此诗是诗人早春游于长安城东吟咏所得。从行文手法上看，它符合古代诗歌"起承转合"的特点。

"诗家清景在新春"，首句直抒诗人对早春的喜爱。"诗家"并不指诗人自己，而是诗人的统称，"清景"一词也并不只说清新、清丽之景，与"诗家"结合当理解为足以波动诗人诗情、富有新意的美景，当然，也不易为人所发觉。在此诗作者看来，这样的景色唯"新春"所独有。

为了更进一步突出早春景色之美，诗人又作次句"绿柳才黄半未匀"。"绿柳才黄"的早春时候，枝条刚刚舒展，柳叶新发，呈嫩黄之色，称为"柳眼"，意为犹如人睡眼初展，"半未匀"三字正与此别称所指契合，形象地描绘出早春时节寄托在柳树上的神韵。正值春寒料峭，柳叶新发的嫩黄色才刚刚吐出，星星点点地装饰着依旧苍哑的枝干，柳树整体的颜色尚不均匀。恰是如此，其中蕴涵着希望，盈溢着生机，诗人独具慧眼，于细微处见大意境，令人浮想联翩，心旷神怡。

"若待上林花似锦"一句笔锋一转，给出一句假设。"上林"即"上林苑"，汉武帝时建成的皇家宫苑，不仅有宫廷建筑，且有各种园林及自然景物，这里用上林代指长安城。此句就是说，要是等到长安城内繁花似锦的时候，当然已不是早春，而是仲春水暖时节，那时会有怎样的风景呢？

"出门俱是看花人"，诗人用此句作结，补充上一句留下的空白，说到春色浓艳时，游人如织，言外之意，这种花团锦簇的春色并不新鲜，人人都能欣赏体会。

诗人将早春的"清景"与仲春的"花似锦"作对比，是为了说明对于美的把握，有些美潜藏着，有心人才能发现，并且读懂，这种美蕴涵着无限生机；而另一些美怒放着，所有人都可以看到，被人云亦云着，终沦为俗事。诗意中这"清景"一直是诗人所追求的，白居易评价杨巨源的诗说："清句三朝谁是敌，白须四海半为兄。"可见诗人此中造诣。

# 题都城南庄

崔护

去年今日此门中，人面桃花相映红。<br>人面不知何处去，桃花依旧笑春风。

## 【赏析】

在星光璀璨的唐代诗坛，崔护只是其中寂寂无名的一颗，然而，《题都城南庄》一诗却足以在唐代诗歌中熠熠生辉，并为后来数位诗人演绎，其情真境美堪称绝唱。

此诗背后有一个故事：贞元十二年（公元796年），崔护进士不第，寄居长安。次年清明，他一人往城南踏青，那天他喝了些酒，因口渴走到一户人家门前，看到园中花木丛生，桃花盛放。崔护叩门讨水，过了一会儿，一女子从门缝应声，询问后开门将他引入门中，让他在床沿坐下，并端过水杯，然后女子自己却出门去，独倚着桃树，风姿绰约，画面极美。崔护对女子萌生爱意，上前搭话，女子害羞不答，只是含情脉脉地看着他，良久之后，崔护告辞，女子送他到院门，一个依依不舍地离去，一个心怀着眷恋跑回屋中。自此别无他话，直至第二年清明，崔护情不可抑，又来到女子门前，只见女子家门锁着，遂题诗于左扉，就是这篇《题都城南庄》。

有了这个故事作为背景，诗意就不难理解。诗人将"去年"与"今日"的"人面"和"桃花"分别对比，慨叹物是人非的境遇。

"人面桃花相映红"写"去年"的情境，"相映红"既用"桃花"写了"人面"，似乎可以看到女子两颊的绯红，同时也用"人面"写了春风得意的"桃花"，似女子的面庞让人怜爱。"人面不知何处去，桃花依旧笑春风"两句语出平常，却饱含深情，是作者不知所以的疑问，也是不堪回首的惋惜哀怨。

诗人将同时同地同境的两个场景交融在一起，婉转缠绵，凄清悱恻。清明依旧、桃花依旧、春风依旧，还有诗人，只是不见了魂牵梦萦的女子，"依旧"一词流露出崔护对美好回忆的留恋，还有对好景不长的怅惘。

据唐孟棨《本事诗》记载，诗中故事还有后续。题诗几日后，崔护再次来到女子家门前，听到屋内有哭声，叩门询问时，一老翁推门而出，问是否是崔护，崔护点头回应。老翁痛斥是崔护杀了他的女儿。崔护不知所措，老翁说，他女儿已成年，且知书达理，尚未嫁人，自去年之后常常神情恍惚，若有所失。日前陪她散心回来，见门扉上的题诗，她便病卧绝食，几日后呜呼丧命。老翁自陈自己已经年迈，只此一女，女儿之所以未嫁，是想找一位翩翩君子托付终身，没料到女儿却因相思夭亡。说完之后，老翁抓住崔护的手继续痛哭。此时崔护方明就里，悲痛万分，求老翁让他进门哭丧，女子安然如睡，崔护上前抱住女子直呼："某在斯，某在斯。"痛哭不止。过了一会儿，女子忽然睁开双眼，半日便完全苏醒过来，老翁大喜，将女儿许配给崔护。死而复生并喜结良缘的结局，未必真实，却寄托着古人的良好心愿，也给本诗增添了更多浪漫色彩。

# 题破山寺后禅院

常建

清晨入古寺，初日照高林。竹径通幽处，禅房花木深。山光悦鸟性，潭影空人心。万籁此俱寂，但余钟磬音。

## 【赏析】

"破山"即今江苏省常熟市西山的虞山，"破山寺"即此山北麓的兴福寺，为南齐郴州刺史倪德光施舍宅园所改建，至唐代已属古寺。现"破山寺后禅院"有一块石碑，镌刻的碑文正是常建这篇千古名诗，为宋代书法大家米芾手迹。

"清晨入古寺，初日照高林。"首句"清晨"二字点明诗人到达破山寺的时间，佛门本是清净之地，于"清晨"至清净之地，奠定了全诗幽静之基调，也反映了诗人拜谒古寺的诚挚之心。"初日"即刚刚升起的太阳，这时的阳光也是清澈的，不是烈日的燥热浮夸。"高林"说明寺中古木成林，殿宇掩映于高大松柏之间，更显清幽之境。清冷的早晨，静谧的晨光，置身于古刹的苍松翠柏间，这便是诗人进入寺院的所见，画面平静而意蕴深厚。

"竹径通幽处"，"竹径"亦作"曲径"，然无论"竹"与"曲"皆是"幽"径，通往更"幽"的深处。当然，就炼字而言，"曲"比"竹"更显意境。在如此幽静的小径上向深处走去，原来是"禅房花木深"，禅房为僧侣居所，安然坐落于花木丛中，此即是"幽处"，"深"给人一种埋藏于草木之中的感觉，突出了"幽处"的意境。不过，此联并不符合律诗的对仗，全然是出于造意的考虑。

"山光悦鸟性，潭影空人心"两句言诗人的感受。"山光"是指"破山"此时的景色，诗人说"悦鸟性"，而鸟是无法表达"性"的，只是此刻的鸟鸣回荡于山林之中，"悦"了诗人的心性，写鸟其实是在写自己。以鸟寄情，别有情致。"潭影"与"山光"相呼应，让诗人于清澈的池水旁忘却了世俗繁华。此联两句实是共写一种意境，"山光"与"潭影"所代指的是这幽静古寺的自然之境，而愉悦和心无旁骛则是诗人陶醉其中的最佳证明。

末联是从听觉的角度来表现山寺之"幽"。"万籁"即指自然界的一切声音。这里就是说周遭的一切都是安静的，没有一点声音。"但"是只、仅的意思，"钟磬"均为打击乐器，尤其后者为佛家所用，寺院诵经、斋供时以钟磬声为号，发动用钟，止歌用磬。诗中唯一的声音，就是钟磬之声，是礼佛之声。曾有人认为这两句内容上是矛盾的，"俱寂"与"钟磬音"形成冲突，而这恰是本诗的妙笔所在，诗人借寂静中掠过耳畔的一声钟磬反衬山寺的幽静，与"鸟鸣山更幽"有异曲同工之巧。

集画面美、音乐美于一身，此五律历来为人称道，其笔法古朴，遣词清幽，意境深邃空灵，不愧为有唐以来山水诗的佳作。常建如此不遗余力地将山寺之"幽"表现出来，显而易见其中喜欢，故这首诗同时抒发了作者的隐逸情趣。这种情趣在王维与孟浩然诗中极明显，但较常建的风雅，王诗更见佛理，孟诗多质朴自然。本诗以"幽"贯穿全篇，意境全出乎此，回味悠长，缥缈渐远的钟磬之声犹然在耳。

# 三日寻李九①庄

常建

雨歇杨林东渡头，永和三日②荡轻舟。
故人家在桃花岸，直到门前溪水流。

**【注释】**

①九：指这位李姓友人在家族兄弟中的排行。②永和三日：永和是东晋穆帝年号，三日指农历三月三日的上巳节。东晋王羲之《兰亭集序》记永和九年（公元 353 年）三月上巳日，会集名士于会稽山阴兰亭。

**【赏析】**

三月三日这天，诗人乘船去寻访一位在家排行第九的李姓友人，并将途中经历赋成此诗。"寻"字可谓诗眼，三、四句并非诗人亲眼所见的实景，皆是他在根据友人的描述而产生的遐想，说明未身临其所却神往已久。

"雨歇杨林东渡头，永和三日荡轻舟。"前两句交代了时间、地点、天气，并用"荡"字表达了诗人乘舟泛溪的愉悦心情。一场春雨刚刚停歇，东边渡口的杨柳树林经过这一场雨水的洗涤，显得更加青翠欲滴、茂密葱茏；雨后水涨，诗人荡舟于溪上，小船轻快地朝前而去。"歇"字以拟人手法写出春雨刚停，给人轻松惬意的感觉。

"永和三日"系用典。"永和九年，岁在癸丑，暮春之初，会于会稽山阴之兰亭，修禊事也。群贤毕至，少长咸集。"东晋永和九年（公元 353 年）三月上巳，王羲之与、谢安、孙绰等名士齐聚兰亭，赏游山水，吟诗著文。常建使用这个典故，会使人想到王羲之在《兰亭集序》里对周围山水风景的描写："崇山峻岭，茂林修竹"、"清流激湍，映带左右"，诗人用这优美的人文环境衬托愉悦的心情，并引起读者对"李九庄"的风景的好奇。

"故人家在桃花岸，直到门前溪水流。"李九的家就在这条溪流的岸边，夹岸是茂密的桃林，正是花期，举目望去，真是繁花似锦、落英缤纷。这是对"李九庄"的环境的描写，仿佛是诗人亲临其境后目睹所见，但是通过诗题中的"寻"字可知，这是诗人根据之前李久的介绍而生出的诗意的想象。此时此刻，作者还荡舟溪上，脑海里却已全是对友人家所在地的构想，并把这一构想写得美妙自然，情趣盎然。

后两句也暗含典故，即"桃花岸"。李九庄在"桃花岸"，且"门前溪水流"，这让诗人联想到了晋人陶渊明的桃花源，"缘溪行，忘路之远近，忽逢桃花林，夹岸数百步，中无杂树，芳草鲜美，落英缤纷"（《桃花源记》），既写出故人家环境的清幽雅致，也暗示了诗人对桃源生活的向往。

诗人以遐想入诗，亦虚亦实，使诗意更加曲折委婉，且巧用典，赋予这首访友诗以更加丰富、更耐人寻味的内涵，做到了象外有象，韵外有致。

# 野老歌①

张籍

老农家贫在山住，耕种山田三四亩。苗疏税多不得食，输入官仓化为土。岁暮锄犁傍空室，呼儿登山收橡实。西江②贾客珠百斛③，船中养犬长食肉。

**【注释】**

①野老歌：也作《山农词》。②西江：今江西省九江市一带，是商业繁盛的地方。唐时属江南西道，故称西江。③斛：量器；是容量单位。古代以十斗为一斛，南宋末年改为五斗。

**【赏析】**

在白居易、元稹发动的"新乐府运动"中，张籍无疑是最积极的参与者之一，其乐府诗很好地体现了"新乐府"的特点：即事名篇，深刻反映社会矛盾，追求现实意义。《野老歌》就是这样一首哀农诗，诗人用明白如话、通俗易懂的语言，深刻揭露了封建剥削制度的残酷性，表达了对终年劳碌但不得食的劳动人民的同情。

按照韵律，全诗可以分为三层：前四句为一层，直截了当陈述事实，交代老农的生活情况，揭露农民劳而无食的悲惨遭遇；五、六句为第二层，写老农为了活命，不得不带着孩子上山采橡实充饥，将主旨进一步深化；最后两句为第三层，采用对比手法描述当时社会贫富悬殊、人不如狗的不合理现象。

前两句中，诗人首先截取了一户家在深山、靠数亩薄田度日的农户，主人公虽然是诗人刻意选择的，但具有普遍意义，他的经历能代表当时大多数山农的共同遭遇。山田贫瘠，但老农仍择此地安家，一方面是因为肥沃的土地往往为地主大户占据，普通百姓或可作为佃户，但会受到残酷的盘剥；另一方，选择深山为农，有逃租之意。但从后文可知，他并未如愿避开沉重的租税。

三、四句有两重对比。"苗疏"与"税多"是第一重对比，庄稼稀少意味着收成不多，在这种情况下，赋税却名目繁多，一"疏"一"多"，难怪会造成农民"不得食"的现象。农民"不得食"，但官仓内的粮食却"化为土"，这种强烈反差构成第二重对比。白居易的《重赋》也曾有过类似的描述："进入琼林库，岁久化为尘。"这种不合理的现象真是触目惊心，令人既沉痛又愤怒。

"岁暮锄犁傍空室，呼儿登山收橡实。"年终时，家中仅存的粮食已经吃完，年迈力衰的老农不得不招呼孩子一起到山上去捡拾橡树的果实来充饥。这两句中，"锄犁傍空室"的画面具有很强的冲击力，一方面，连农具都能在岁暮傍墙休息，可老农还要山上采野果；另一方面，"空室"二字说出了农民辛勤劳作一年后室无余粮、食不果腹的辛酸。

　　结尾两句，诗人突然将叙述背景从山中拉到江上，叙述对象也从山农变成了商贾，虽然在意象选择上具有很强的跳跃性，略显突兀，但这不是诗人随心所欲的结果，而是符合逻辑推理的。老农携子"登山收橡实"与商贾"养犬长食肉"是全文的第三重对比，以贫困和富贵的鲜明对照引发读者的深入思考。此外，之所以引商贾入诗作对比，符合中唐诗歌中经常表现的"贾雄而农伤"主题。张籍的另一首《贾客乐》曾集中阐述过这一主旨，不过《贾客乐》更侧重写"贾雄"，而这首《野老歌》则以大量笔墨渲染"农伤"。

　　清初学者唐汝询在《唐诗解》中说："文昌乐府，就事直赋，意尽而止。"这首《野老歌》完成对事实的叙述之后戛然而止，产生了余韵未绝的效果。虽然没有直接发表观点，但诗人的思想倾向极为明显，他无情地揭露了中唐社会血淋淋的现实，统治者坐享其成、穷奢极欲，商贾财力雄厚、极尽奢靡，唯有辛苦劳作的农民却衣食无着、贫困交加。诗人内心强烈的爱憎，通过对比手法表现得淋漓尽致，发人深省。

# 节妇吟

张籍

　　寄东平李司空师道。

　　君知妾有夫，赠妾双明珠；感君缠绵意，系在红罗襦。妾家高楼连苑起，良人执戟明光里。知君用心如日月，事夫誓拟同生死。还君明珠双泪垂，恨不相逢未嫁时。

**【赏析】**

　　《节妇吟》塑造了一位多情重义、温柔可亲又令人敬佩的年轻妇女的形象。她是一位有夫之妇，言辞委婉但意志坚决地拒绝了他人的求爱。表面看来，这是一首抒发男女情爱的诗，但联系此诗的背景可知，实是一首政治诗。

　　诗题下有注："寄东平李司空师道。"李师道是当时权势极盛的藩镇，任平卢淄青节度使，并冠以检校司空、同中书门下平章事等头衔，专横跋扈，肆意妄为。为了增加自己的声望和实力，李师道用尽各种手段笼络当时的名士、文人乃至朝臣，妄图与朝廷分庭抗礼，张籍正是他相邀的对象之一。

　　诗人既不想与这图谋不轨、居心叵测的藩镇为伍，又慑于其淫威，不敢贸然得罪。面对征召一事，既然不能直言反抗，唯有借用曲笔，张籍用比喻的手法赋成此诗，委婉地回绝了对方的"好意"，言辞恳切，但细细读来，也不难体会到其中暗含的讽意。

　　"君知妾有夫，赠妾双明珠；感君缠绵意，系在红罗襦。"前四句的意思是：你既然知道我已经嫁为人妇，为什么还要赠明珠给我表示爱意？感念于你的真挚情谊，我已把你赠送的明珠系在了罗襦上。"君"喻指李师道，"妾"是诗人自比，"夫"喻指朝廷，"明珠"即李师道向张籍传达的相邀之意。此"君"明知对方有夫仍然示好，这种不合礼法的行为绝非君子行径，首句中暗含微妙的讽意，只是被感情之情掩盖，显得极为隐蔽。

　　"妾家高楼连苑起，良人执戟明光里。"这两句是妇人自述身世：我夫家可不是小户人家，高楼雄伟华丽，宫苑金碧辉煌，我的丈夫在明光殿执戟，身份不凡。张籍用"高楼连苑"和"执戟明光"比喻朝廷对自己的优待，也是在强调自己是朝廷士大夫这一身份，暗含自己对现状感到满足的意思，再深一层，即是委婉地拒绝：朝廷对我如此厚待，我怎么能作非分之想？

　　"知君用心如日月，事夫誓拟同生死。"虽然知道你的真心明如日月，但我还是要与丈夫同生共死。这两句诗前后感情冲突极为强烈，在感谢对方的同时又盟誓愿，斩钉截铁地表达了与丈夫"同生死"的志向。前句把对方之心喻为"日月"，自然能博得对方欢喜，后句又表达了绝不背叛朝廷的意思，既辞谢了李师道的拉拢，又不会得罪他，足见张籍用心之巧。

　　"还君明珠双泪垂，恨不相逢未嫁时。"结尾两句极为深情，诗人以垂泪"还珠"这一比喻传达辞谢的决定，又以"恨"字表达不舍之情，意志坚定得不可动摇，但偏偏表述得无可奈何，让被拒绝的人也不忍责怪。

　　张籍成功运用比喻的修辞手法，使用得体的语言，应和对方的心理，步步铺陈，为最终的谢绝营造出友好的氛围，既达到了目的，又不会得罪对方而招来祸事，虽波澜起伏，一波三折，但终于化险为夷。


# 十五夜望月

王建

中庭地白树栖鸦，冷露无声湿桂花。<br>今夜月明人尽望，不知秋思落谁家？

**【赏析】**

　　诗人以"望月"二字贯通全篇，前两句写中秋月色，后两句写望月怀人，表达对友人的思念之情。

　　"中庭地白树栖鸦，冷露无声湿桂花。"前两句写地白疑霜，桂枝湿露，赫然一幅月色图却又不言月，此乃诗人"经意之笔"。诗人"望月"不见月，眼前只有一幕动人的自然景象：庭院正中的地上一片银白，鸦鹊早已择树而栖正入酣梦，冰冷的露水无声地打落下来，浸湿了芳香馥郁的桂花。"地白"二字写出了月光的明亮，正因为月明，才能见树上栖鸦，才能见滴露湿桂。月夜是美丽而宁静的，渲染出了幽静深邃但又引人向往的气氛。

　　在这样的环境里，诗人举头望月，不禁起了思念之情。"今夜月明人尽望，不知秋思落谁家？"今天晚上月光如此皎洁，月色这般动人，普天之下人人都在仰头望月，却不知那浓浓的秋思究竟会落在谁家呢？从写景起，又由景物引出观景之人，从人联想到人之情愫，衔接不可谓不紧密，显示出诗人的缜密匠心。

将"人尽望"与诗题中的"十五"联系起来，可知这是中秋之夜，望月寄情本是中秋节的习俗，诗人的怀友之情显得更加自然熨帖，毫无突兀之感。诗人先从宏观的角度出发，写"月明人尽望"，又把相思之情具体到自己，写自己起了秋思，思念友人。可是在从一般过渡到具体的过程中，诗人又显机杼，用疑问的语气作"不知秋思落谁家"，一方面把怀友感情表达得深沉蕴藉，另一方面又暗指每户人家都可能是秋思飘落之处，每个人都可能是心生秋思之人，写出了中秋之夜怀人的普遍心理。

从写景起，以抒情结，景物以形象化的文字笔笔绘出，情思以朴素真挚的语言自然流露，景美情浓，委婉动人，回味无穷。

# 羽林行

王建

长安恶少出名字，楼下劫商楼上醉。天明下直明光宫，散入五陵松柏中。百回杀人身合死，赦书尚有收城功。九衢一日消息定，乡吏籍中重改姓。出来依旧属羽林，立在殿前射飞禽。

## 【赏析】

《羽林行》一名《羽林郎》，为乐府旧题。羽林军，即皇帝的禁卫军。这首诗通过描写羽林军将士腐败的生活习性、作风，批判了黑暗的政治统治集团。

首二句"长安恶少出名字，楼下劫商楼上醉"，"恶少"，指品行很坏、行凶作恶的少年；"出名字"，出风头，此处指出羽林军的来源是"长安恶少"，他们都是些为了名头的势利小人。他们在楼下行凶抢劫，上楼便大吃大喝、烂醉如泥、肆无忌惮、有恃无恐，从一个侧面显示出统治者对他们这类人的庇护。

接下来，"天明下直明光宫，散入五陵松柏中。""下直"，即值完班。"明光宫"，指唐皇宫。"散入"，分开藏入。"五陵"，五个皇帝的陵墓，也是豪门贵族居住的地方。也就是说：值完班，他们从皇宫里一出来，就分头藏入五陵一带的松柏中，继续从事不为人知的勾当。此处将恶少们的作恶动作与皇家宫廷联系起来，说明他们的行动路线，作恶时间恰巧是离班之后，这是对统治者管理官吏无方的极大嘲讽。

以上四句从总体着眼，写恶少们作恶多端，并且他们有强劲的后台支撑，初现时世混乱的局面。

三、四句则从更加直接的层面，进一步加深了人们对当时混乱政局的了解。"百回杀人身合死，赦书尚有收城功。""合死"即"该死"，这二句在说，终于有一天这群乌合之众因触犯法律落网，原本罪该万死，可是他们非但没有获罪，反而受到了统治者们的功勋奖赏。"百回杀人"极言杀人之多，作恶多端，但结果还是安然无恙。"尚"字，指出了朝廷对这群恶少的公然袒护、纵容，更加凸显了时政的阴暗面。

"九衢一日消息定，乡吏籍中重改姓。""九衢"，城中四通八达要道，此处指京城。"乡吏籍"，指封建社会农村乡吏掌管的花名册。"重改姓"，恢复原来的姓名。这两句诗的意思是当他们被赦的消息在长安城中得到证实，他们便立即在乡吏簿籍中重新恢复自己原来的姓名。

"出来依旧属羽林，立在殿前射飞禽。"说的是这些人被释放出来后，还保留着他们原来羽林军的身份，还像从前那样为非作歹，行凶作恶。原本犯下的沉重罪名因得到朝廷的庇护而洗脱，还在政府的庇佑下重新招摇过市，这是对时政的莫大讽刺。

这首诗通过对朝廷禁卫军作恶多端行径的描写，揭露了当朝统治者腐败不堪的形象，反映了唐王朝社会秩序的极端混乱，百姓困苦不堪的生活状态，表达了诗人对黑暗政治统治的鞭挞以及对贫苦受难百姓的深切同情。

# 青青水中蒲三首①

韩愈

青青水中蒲，下有一双鱼。君今上陇②去，我在与谁居？
青青水中蒲，长在水中居。寄语浮萍草，相随我不如。
青青水中蒲，叶短不出水。妇人不下堂，行子③在万里。

【注释】

①陈沉《诗比兴笺》以此诗为韩愈寄妻卢氏而代其为怀己之作，当作于贞元十年（公元 794 年）游凤翔（今属陕西省）之时。②陇：即陇山，又称陇坂，在今陕西省陇县附近。③行子：出门远行的人，亦即游子。

【赏析】

"青青水中蒲"即水中的青青蒲草。蒲草这个意象在我国的古典诗歌中多代表男女之间的绵绵爱意和悠悠相思。比如《诗经·王风·扬之水》中有道："扬之水，不流束蒲。彼其之子，不与我戍许。怀哉怀哉，曷月予还归哉！"借水中柔柔蒲草，表达戍边男子对家中妻子的思念。再如《孔雀东南飞》中深情女子刘兰芝低吟浅唱："君当作磐石，妾当作蒲苇，蒲苇韧如丝，磐石无转移。"以此向知心爱人表露自己的真心。

韩愈的这三首五言绝句，延续这种意象传统，皆由水绿色的蒲草起兴，用率真、朴素的民歌语言，表达自己的浓浓相思。按照陈沉在《诗比兴笺》中的解释，这组诗是韩愈以自己妻子的口吻，讲述妻子对自己怀念的作品。所以从主题上来说，这组诗可以归入思妇诗中，从艺术手法上来说，则属于托物寄兴诗。

第一首诗中的比兴句，以水中的蒲草缠绵、双鱼嬉戏，营造了一种浪漫温馨的气氛。但是和这种气氛截然相反的是抒情主体正沉浸在依依惜别的痛苦之中。"君今上陇去"道明了二人惜别的原因，她的情郎就要去苍凉的西北边境了。其中的"陇"即现在陕西的陇县附近，代指西北地区。最后一句不无哀情的反问，是问离人，也是女主人公的自问之语，其中的伶仃、落寞之情无比凄婉。

第二首诗中故事进展有所推进，主要表现女子送别情郎后漫长的等待和思念。在这里，诗人巧妙地将蒲草和浮萍对比，说蒲草植根水中，不能随水流漂移；而浮萍依恋清波，能自如地随水漂流。如此巧妙的联想，把思妇比作植物，把情郎比作萦绕植物的流水，意境优美。而尾句的"相随我不如"，好像女子自责自己不能相伴情郎左右，感情真挚而感人。

明代谢榛叹《四溟诗话》评价第三首诗"托兴高远，有风人之旨"，意思是，韩愈在这首绝句中营造的意境高远，很有古代民歌的意味（风人是指古代采集民歌、民俗的官员）。绿色的蒲草浸没在水中，好像被流水用心守护着，喻指思妇锁足家中、不能相随夫君的独居情况。

诗中高远的意境源于诗人精心设置的空间感。"妇人不下堂，行子在万里"把相隔遥远的两个人作对比，无形中拉宽、拉长了诗境中的空间，视野顿然开阔，用夸张的笔法突出两个相隔遥远的事实。但诗境愈高远，愈显思妇的孤独、情郎归日的遥遥无期。相比于第二首来说，整个故事的感情气氛达到高潮，也留下了无尽的回味。

三首绝句，以蒲草比兴贯穿，一唱三叹，层层递进。全诗的语言落尽铅华，归于平淡，素朴的吟唱颇有《诗经》的韵味，读来口有回甘。

# 答张十一①

韩愈

山净江空②水见沙，哀猿啼处两三家③。篔筜竞长纤纤④笋，踯躅闲⑤开艳艳花。未报恩波⑥知死所，莫令炎瘴⑦送生涯。吟君诗⑧罢看双鬓，斗觉霜毛一半加⑨。

**【注释】**

①张十一：张署，河间（今河北省河间市）人，历任监察御史、临武令、江陵功曹参军、虔州刺史、澄州刺史等职。十一，排行。唐人习惯以兄弟间的排行称人。②山净：山峦明净秀丽。江空：江水清澈见底。③两三家：暗指人烟稀少，环境荒凉。④篔筜：一种特大的毛竹。竞长：指竹笋纷纷冒尖茁长。纤纤：细长的样子。⑤踯躅：一种植物，春季开黄花，颜色艳丽。闲：寂寞的样子。⑥恩波：形容皇帝的恩惠很大。⑦炎瘴：南方的瘴气。古人以为南方山林中的湿热空气导致了恶性疟疾病。⑧君诗：指张署赠韩愈的诗。⑨斗觉：忽然觉得，忽然意识到。霜毛：白头发。一半加：一大半。因为张署诗中有"恋阙思乡日抵年"之句，故而韩愈说双鬓"霜毛一半加"，以资照应。

**【赏析】**

韩愈以写景起笔，第一句写得静谧，第二句写得凄凉。联系诗人的创作背景，静谧的另一面其实是孤寂。贞元十九年（公元 803 年），同在监察御史任上的韩愈和张署，因为上书言事，受到佞臣、馋臣诬陷，二人一同被贬。此后，张署作诗表达自己心中的郁闷，赠予韩愈。韩愈读诗后心有戚戚然，写了这首诗以作应和。

山明净，水清冽，虽然景致秀美，却不免空落，后面的"猿啼"意象，更为空落的景象平添了几分静寂的哀伤。诗人说这里只有"两三家"遗落在山水间，这虚指的数字明确地传达出一种人烟稀少的荒凉感。而这些客观的景物之所以染上哀伤的基调，全是因为诗人的眼中、心中的悲伤。

写景的笔墨继续宕开，绵延至第二联的幽林竹箘、纤纤笋、艳艳花，浅淡水墨中增添了点点鲜艳、明快的色调。"竞"字赋予毛竹灵动的情态，其向上生长的态势愈发显得生机勃勃。一个"闲"字修饰花开，练字之妙在于，美丽的花在诗中成了一位亭亭玉立的女子，意态闲静、自然传神。

这样，两联写景诗句，一远一近，一素朴一明丽，构图层次分明，用色浓淡相宜。再加上稀落人家、幽幽猿鸣，可谓是画意悠然、诗情浓郁。但是诗人被无辜地贬至此地，定是无心赏玩景致。远离了京城的喧嚣，这里的娴静与诗人的仕途冷遇相互作用，反而成了一种折磨：荒凉、静寂的环境中，只有诗人独自留恋，思怀往事，愁上心头。

诗人在第三联中说出了折磨的来源："未报恩波知死所。"心中本有雄雄志向想要报效龙恩，但是还没有来得及就被贬谪到了这个瘴气弥漫的地方。诗人不无担忧地说"莫令炎瘴送生涯"，深情中的那种无奈让人动容。尽管如此"莫令"语，似乎是诗人低声地请求和祈祷，表明在他的内心深处，还潜藏着对未来的憧憬，希望自己终有一日能建功立业，回报浩渺皇恩。

在这一联充满矛盾的情感基础上，尾联将诗人的感情推向了高潮，又让全诗回应首联的凄凉氛围，在沉沉叹息中默默收尾。诗人用白描的手法还原自己读张署诗的动作：看两鬓。读罢诗后，诗人可能会起身、会叹息、会眺望，但是他却独独选这个细节动作，为的是凸显诗人的愁怨和迷茫。虽然诗人没有一句明写这种感受，但是"斗觉"二字透露的那种时光不等人的感叹，让这种愁怨尽在不言中。

此诗一半写景寓情，一半叙事寓情，但是两者又不截然分开，荒凉、静寂的环境契合诗人遭受贬谪的境遇，意境婉转，韵味浓厚。


# 题木居士①二首（其一）

韩愈

火透波穿②不计春③，根如头面干如身。
偶然题作木居士，便有无穷④求福人。

**【注释】**

①木居士：是指湖南省耒阳县北鳌口寺中一棵根如人头、干如人身的树木，被人题为木居士，尊以为神。居士，信奉佛教而不出家做和尚的人，此处借指朽木。②火透波穿：火烧水泡。③不计春：不知多少年。④无穷：无数，极言求福人之多。

**【赏析】**

作为一首咏物诗，韩愈的这首诗颇有几分寓言的色彩。开头两句，诗人写这块枯木的形态及此形态的成因：枯木经过雷电的袭击、大水的侵蚀，多年之后，有了"如身"的树干和"如头面"的树根。接下来两句，诗人写到这块枯木因为自然形成的外形而被人供上神龛，供奉香火。

枯木的地位转变荒唐至极，而那些善男信女对着一块枯木跪拜祈求，更是荒谬愚昧，他们无所不用其极，竟然去向一块历尽磨难的木头祈福。

作者写此诗的主旨并不仅是展现这块枯木如今如何尊崇，而是要讽喻当时的社会现象。全诗正面描写"木居士"，包括它的外形和现今的地位，实则是从侧面来反讽那些"求福人"。正面描写和侧面描写相结合，虽未直指"求福人"，但是句句都在揭露他们趋之若鹜的盲目。

这些"求福人"实际喻指当时社会上那些急功近利、蝇营狗苟的人，诗人以辛辣刻薄的笔调嘲讽"木居士"，也就是在鞭挞那些愚昧的"求佛人"，两种描写角度相互配合，使得全诗更具讽刺效果。

在这首咏物寓言诗中，作者准确地表现了"木居士"和"求福人"两种形象的特点，敏锐地发掘了他们和社会现象之间的共同点。"木居士"经历灾祸而不能自保，仅仅因为外形就享受供奉的身世，与那些无能的祈福人相联系；以"求福人"只为利益满足，朝拜一块木头的荒谬举动，与那些投机之辈相联系：如此以物喻人，文笔辛辣老练，构思巧妙，行文中流露出喜剧效果，而所暗含的主旨又深刻沉重，引人深思。

# 湘中①

韩愈

猿愁②鱼踊水翻波，自古流传是汨罗③。
蘋藻④满盘无处奠，空闻渔父⑤扣舷歌。

**【注释】**

①湘中：指湘水一带，即今湖南省。湘，湘江。②猿愁：猿的鸣声哀愁。③汨罗：汨罗江，湘江支流，在湖南省东北部。战国时期楚国诗人屈原忧愤国事，投此江而死。④蘋藻：两种水生植物。古人用"蘋"、"藻"祭祀鬼神。⑤渔父：捕鱼人。也有人认为它指《楚辞》中《渔父》篇，相传为屈原所作。

**【赏析】**

贞元元年（公元785年），韩愈遭人陷害，官场失意，愁闷之下来到汨罗江边，他听到猿猴的阵阵悲鸣，看到鱼儿在翻涌的水波中腾跃，此情此景，更增添了他愁苦悲凉的情绪。他在江边徘徊，看到很多绿蘋和水藻，这些祭祀用品还在，但是屈原自沉的遗迹已经无处寻觅，想及此，诗人感怀起自己和屈原相似的遭遇。恰在此时，江边传来渔父空灵的歌声，诗人不禁想到屈原投江时渔父的劝告，但数年之后，留存于世的只有江边的渔父，不禁再次心生感慨。

作者写景起句，借助江边的景色抒发心中的愁绪，在三、四句中巧妙地运用屈原的典故，进一步展现了自己因官场黑暗、政治抱负无法实现的痛心。综观此诗，首先以猿猴、游鱼和水波的意向烘托出环境气氛，进而运用典故升华诗歌的主旨，使意象和所要表达的情感完美结合。

诗人借景抒情，在选取意象方面极具特色，经由景色描写传达出心中感慨，虽未直言但已经能使读者感同身受。展现主旨方面层层递进，首句呈现出奇异苍凉的气氛之后，使用"蘋藻"、"渔父"两个意象，凸显昨是今非的惆怅情绪，更抒发了对政治腐败的不满和无端被贬的苦闷。

韩愈是唐宋八大家之首，他在文学方面有很高的造诣。他的文风追求奇诡，这首诗中，首句就营造出了神秘莫测的意境，尾句渔父缥缈的歌声也让人感觉诡异莫测。这首诗很好地体现了韩诗的个人特色，展示了他的文学功力，他不仅是一位文学家，也是一位心怀抱负的政治家，诗中传达了对当时政治的不满和忧心之情。

本诗作者构思巧妙，精心布局，诗歌层次分明，情绪表达含蓄却能使读者产生共鸣，灵活运用典故，不死板俗套，颇具匠心。

# 春雪

韩愈

新年都未有芳华<sup>①</sup>，二月初惊见草芽。
白雪却嫌春色晚，故穿<sup>②</sup>庭树作飞花。

**【注释】**

①华：花。②穿：飘飞。

**【赏析】**

韩愈这首描写春雪的诗构思奇巧，别具匠心。

首句点明新年之后一直都没能期盼到春花绽放，"都"字传神地展现了人们历经寒冬，久盼新春未至的急切。第二句写诗人终于在二月看到了嫩绿色的草芽，"初惊"两个字最值得玩味，"惊"表达的是见到春草嫩芽之时的惊喜、欢欣之情，虽然一直盼望的春花还是不见踪影，但是能看到"草芽"也预示着春天已经临近了，令人鼓舞。但是在二月过后才看到"草芽"又让人惋惜，因为花团锦簇的春天还未到来。

三、四句中，诗人赋予笔下的白雪以灵性，假想片片白雪怨恨春天来得太晚，再也按捺不住，飘飘扬扬洒落人间，仿佛开在树上的白色花朵。这两句将春雪拟人化，同时又将春雪比喻成片片飞花，新奇巧妙。

综观全诗，诗人首先表达了盼春的急切之情，之后以"惊见草芽"的欣喜侧面传达不见春花的惋惜，三、四句则兴致高昂地描写了白雪作飞花的景致，诗人依然没有盼来真正的春色，但并没有消沉，而是以浪漫手法将春雪喻作春花，情趣盎然，惹人遐思。

从诗歌布局上看，首句直言不见春的遗憾、焦急，紧接着以"惊见"传达惊喜之情，先抑后扬的写法使诗歌层次分明，情绪跌宕。三四句中，诗人将情绪再推上一个高峰，以极大的热情描写了这场春雪。他笔下的春雪不仅会"嫌春色晚"，还能穿树"作飞花"，调皮可爱得仿佛一个孩童。

白雪作春花的丰富联想，展现出诗人的浪漫情怀。这场春雪本应是晚春的原因，但是诗人偏偏以巧思将春雪转变为晚春的结果，翻因为果，令读者读起来趣味盎然。对盼春人来说，这场春雪无疑是令人沮丧的，但是诗人却以奇思妙想将白雪翻出新意，老练地运用侧面描写、拟人和比喻等多种写作手法，将春雪描绘得浪漫迷人，精灵可爱。

# 晚春

韩愈

草树知春不久归①，百般红紫斗芳菲。
杨花榆荚②无才思，惟解漫天作雪飞。

**【注释】**

①不久归：即将结束。②杨花：指柳絮。榆荚：亦称榆钱。

**【赏析】**

诗人外出郊游，见到晚春景色，心有所感，故成此诗。春天即将过去，"草树"不忍春去，使出浑身解数，竞相开放，姹紫嫣红开遍，群芳争艳，美不胜收。可笑的是，那些没有姿色的"杨花榆荚"也不甘人后，只能随风飞舞，如白雪满天飞。

诗人笔下的"草树"、"杨花榆荚"都被拟人化，它们有思想，懂感情，"草树"竟然"知春"将要离去，有意展示姿态想要留住春天，"杨花榆荚"苦于"无才思"，无奈之下只能化雪纷飞。诗人在描绘这幅晚春图时，构思巧妙，新意辈出，没有常见的惜春的愁苦，反而极具情趣地将万物争辉、挽留春天的景致展现出来，可以说匠心独运，别具一格。

韩愈是唐宋八大家之首，有"文起八代之衰"的美称，他追求奇诡的文风，巧思频出，独树一帜，令人折服。这样一位有胆有识的文学家，对于敢于和百花斗艳的"杨花榆荚"并没有一味嘲讽，相反，三、四句当中，"杨花榆荚"明知自己"无才思"，但是为了能在这场热热闹闹的展示中不落人后，它们敢于和缤纷繁华的"草树"一争高下。作者在三、四句中以略带揶揄的语气描写了这一场景，除此之外，他对"杨花榆荚"这种勇于挑战、敢于创新的精神也不无鼓励。

这首描写晚春景致的小诗，构思奇巧，作者运用了拟人、比喻等多重艺术手法，赋予"草树"、"杨花榆荚"以灵性，对"杨花榆荚"的所作所为以一种幽默的手法予以鼓励，以此鼓励那些敢于尝试、勇于创新的人，这种幽默令人读起来情趣盎然，这也是这首诗的魅力所在。

# 左迁①至蓝关②示侄孙湘③

韩愈

一封④朝奏九重天⑤，夕贬潮州⑥路八千。欲为圣明⑦除弊事⑧，肯将衰朽⑨惜残年！云横秦岭⑩家何在？雪拥⑪蓝关马不前。知汝⑫远来应有意，好收吾骨瘴江边⑬。

## 【注释】

①左迁：贬官。古人以右迁为升，左迁为降。②蓝关：蓝田关，在今陕西省蓝田县。③侄孙湘：韩湘，韩愈的侄子十二郎韩老成之子。④一封：指《论佛骨表》。⑤九重天：借指皇帝。⑥潮州：作"潮阳"，现在的广东省潮安县。⑦圣明：指当朝。也写作"圣朝"。⑧弊事：指迷信佛教之事。⑨衰朽：自谦之词。⑩秦岭：秦岭山脉，东起河南省陕县，西至今甘肃省天水市。秦岭在蓝关之南。⑪拥：堆积。⑫汝：你，指韩湘。韩湘得知韩愈出贬的消息，特到蓝关来相会，相从赴岭南。⑬瘴江边：古人以为岭南一带多瘴气，人遇瘴气易病。

## 【赏析】

唐朝的佛教盛行，唐宪宗在位时派专人把凤翔法门寺中的一块佛骨迎到长安，加以供奉。皇帝的这一举动引起了长安城中的一阵骚动，从王公贵族到市井小民，无一不疯狂追随，更有甚者弃下生业。韩愈见状作《论佛骨表》说这股风潮"伤风败俗，传笑四方，非细事也"，并劝谏说："佛如有灵，能作祸祟，凡有殃咎，宜加臣身，上天鉴临，巨不怨悔。"

没想到逆耳忠言，致使龙颜大怒，韩愈险些丧命。最后死罪虽免，活罪难逃，韩愈遭贬，匆忙上路，前往八千里之外的潮州。去时路上作《左迁至蓝关示侄孙湘》。

这首诗被"帖学四大家"之一的清代文人何焯称赞为"沉郁顿挫"，清人吴瞻泰说："沉郁者，意也，顿挫者，法也。"也就是说沉郁特指诗歌的内容沉雄、情感的深厚；顿挫是指诗歌的形式，笔势纵横，出语谋篇极富变化。整体来看，全诗融合叙事、抒情、写景等多重手法，诗味浓郁，颇有杜甫的风格。

首联从叙事的角度，讲述自己受罪遭贬谪的经过。从"朝奏"到"夕贬"，时间间隔之短，极言事发突然，颇有让人不知所措之势。"路八千"虽然有虚指夸大的成分，但是从地理位置上来看，京师、潮州，一南一北，这个虚指其实并不为过。

颔联是明初衷、表忠心之语，说得言辞恳切，暗含好意不被采纳的愤慨。虽然他自己已经因言获罪，但是一句"肯将衰朽惜残年"颇具"老骥伏枥志在千里"的气概，韩愈刚直不阿的形象立刻凸显出来。

颈联写景，问句写景之云遮雾绕、峻岭屏蔽，截断归路，诗人思家情浓，却归家无望。后句陈述，大雪寒天，前路艰危，虽直写"马不前"，实则暗写自己对未来的无法预料。一句写回望，次句写前瞻，英雄失路之悲通过凝涩之景表现得力透纸背。

尾联化用《左传》中蹇叔哭师的名句"必死是间，余收尔骨焉"，人未死时，后事已经交代，其中沉痛自是不言而喻。

　　此诗第一联叙事，言简意赅；第二句抒情，高义英词；第三句写景，景中含情；第四句明白如话，平常中却有不平常的盎然诗意。通篇下来，起承转合顺畅自然，在艺术层面上，很能体现韩愈以文人诗的文学主张。

# 同水部张员外①籍曲江②春游寄白二十二舍人③

韩愈

漠漠④轻阴晚自开⑤，青天白日映楼台。
曲江水满花千树，有底⑥忙时不肯来？

**【注释】**

　　①水部张员外：张籍，唐代著名的诗人，韩愈的好友，时任水部员外郎。②曲江：曲江池，在长安城东南，游览胜地。③白二十二舍人：指白居易。韩愈作此诗时，白居易任中书舍人（正五品上）。二十二，排行。④漠漠：天阴的样子。⑤自开：云散，天晴。⑥底：什么。

**【赏析】**

　　韩愈向来以其诗风奇崛生硬、豪雄险怪而独树一帜于唐代诗坛。不过，其诗中亦不乏清新可诵的小诗，此诗就是这样一首景致舒雅清丽、情感委婉含蓄、读罢令人口齿生香的隽永七绝。全诗写了邀约共游的小事：韩愈在雨后初霁的傍晚邀请诗人张籍和白居易同游曲江，而白居易却因故未至。事后，韩愈认为白居易辜负了良辰美景，便写就此诗，既含有怪其失约之实，也不乏为其抱憾之意。然而，韩愈的这份微妙的感触却不是直接言说，而是曲折幽深地表达出来。

　　曲江为唐代皇家园林所在。杜甫当年游曲江则有"穿花蛱蝶深深见，点水蜻蜓款款飞。传语风光共流转，暂时相赏莫相违"之句，但雨后曲江在韩愈笔下又是另一番景致。

　　雨后初晴的傍晚，阴云散去，空气中自然还充溢着迷迷茫茫的雾气，雾气升腾飘散开来弥漫覆盖了整个曲江。"漠漠"有广布扩散开来的意思，读起来给人一种迷茫而广袤的感觉，后面跟上"轻阴"似乎又增添了几分缠绵而梦幻的情调。"漠漠轻阴"湿漉漉的感觉自然又能使读者联想到，朱自清在《荷塘月色》中的柔美景致："薄薄的青雾浮起在荷塘里。叶子和花仿佛在牛乳中洗过一样；又像笼着轻纱的梦。"朦胧的阴云扩散开来，透彻的迷雾升腾起来，却最终淡开消逝。"自"字给人一种飘荡无依的感觉，此句的"自"使人联想到薄雾轻盈荡开，缕缕散去的景象，空灵梦幻。

　　第二句再次点明时间是傍晚。"白日"不是烈日，而是西沉的落日。薄薄的阴云在傍晚时分消散开了，蔚蓝的天空映现，落日映照着楼台。刚才还是轻阴薄雾般的迷幻，此刻天空却立马变得晴朗开阔和澄澈。"映"字既可以理解为映照、映衬，还可以理解为楼台倒映在曲江的水面上，结合第三句理解，后一种解释更好些，也更能显出楼台和花木的水中倒影随风摇曳生姿的情景。春雨将天空阴霾尘埃一扫而净，满溢的水面倒映着的花影更显加澄澈。诗人用虚景来写实景，写出傍晚如水中月镜中花般空灵的美景。

前三句作者集中笔力描写春雨过后的曲江美景，待渲染蓄势足够后，最后笔锋一转，轻轻地问一句：究竟你在忙什么呢，竟愿意错过这样的景致？这最后一句大有惋惜嗔怪之意，来得并不突兀不急切，遗憾之意表现得自然顺畅而委婉。

白居易在回复韩愈此诗中写道："小园新种红樱树，闲绕花行便当游。何必更随鞍马队，冲泥蹋雨曲江头。"从白诗中，可以知晓白居易是怕雨后泥泞和游人拥挤，但也侧面感受出韩愈赏游的当天曲江池边必定人头攒动、车马络绎的盛况。

# 早春呈①水部张十八员外②二首（其一）

韩愈

天街③小雨润如酥④，草色遥看近却无。<br>
最是⑤一年春好处，绝胜⑥烟柳满皇都⑦。

**【注释】**

①呈：恭敬地送给。②水部张十八员外：指张籍（公元 766—830 年），唐代诗人。在同族兄弟中排行第十八，曾任水部员外郎。水部此处代指工部。③天街：东都洛阳城"定鼎门大街"，隋唐洛阳城中轴线"七天"之一。④酥（sū）：一种类似黄油的乳制品。这里形容春雨的滋润。⑤最是：正是。⑥绝胜：远远超过。⑦皇都：洛阳城（唐朝东都）。

**【赏析】**

对绘画者来说，写生上色，浓墨重彩不难，若有若无则不易。因为若有若无的构图在颜色上更要求层次感和含而不露的朦胧美。韩愈的这首小诗正如诗人精心点染的一幅早春小图，虽然没有簇锦繁花、杨柳堆烟，但是浅浅、淡淡的小雨朦胧、草色虚渺，反而有一种传神的空灵效果。

小诗取景于洛阳城内的"定鼎门大街"。这条街的路面宽阔，两边有杨柳扶疏、桃李掩映。如果春意正浓时，此处自是一番艳丽、大气的景象，但是现在刚刚"早春"，杨柳桃李都处于半睡半醒的状态，虽然无缘盛景，但春雨笼罩的"天街"反而有一种静谧之美。

春雨必然是淅淅沥沥、细如牛毛的，想象奇特的诗人把它比作柔滑细腻的酥油，造句清新，比喻奇特，不仅突出了雨丝的细、雨势的小，连同诗人见到春雨的怜爱之情也表达得委婉含蓄。

次句紧承首句，写雨中的小草。本来早春时节，春草尚未丰茂丛生，加上雨雾蒙蒙，稀疏的草色更加若隐若现。高明的诗人用一句"草色遥看近却无"，制造了一种似幻似真的视觉效果，兼摄远近，淡淡清痕隐隐泛出，早春的娇羞之态尽收眼底。

三、四句，诗人将春色满城的景色和浅淡早春的景色加倍对比，称赞后者是一年中最好的时光，别出新意，令人叹绝。"物以稀为贵"，在寒冬尚未走远之时，轻淡的绿色成为初醒大地唯一的装饰，和浓郁的蓊郁绿丛相比，这样的绿色反而更加让人欣喜。

诗人将这首诗赠予水部员外郎张籍（张籍在家族中排行十八，所以叫张十八），就像赠给他一幅淡雅朴素的画作，绘画者的体察景物之精细、刻画景物之超绝，将人们常见的自然美描绘得美不胜收。

# 春闺思

张仲素

袅袅城边柳，青青陌上桑。
提笼忘采叶，昨夜梦渔阳。

**【赏析】**

张仲素以写闺情见长，这首诗刻画了一位苦苦思念丈夫的采桑少女形象，表达了采桑少妇对远征丈夫的思念之情。在一个明媚艳丽的春日里，采桑少妇手提竹笼，却精神恍惚，无心采桑，倚树遥想，回味着昨夜的梦。这是一首极具南朝乐府韵味的闺情诗。

"袅袅城边柳，青青陌上桑。"前两句描绘了一幅美丽的春景图。"袅袅"形容柳树枝叶修长优美之貌，"青青"形容桑叶繁茂青葱之状，"陌上"指田间小路路边。这里用"袅袅"修饰"城边柳"，用"青青"修饰"陌上桑"，勾勒出了一副春光明媚的村郊图景，为下文抒写采桑少妇对征人的无尽念想提供一个典型的闺情场景：城边杨柳依依，不是与当初送别夫婿从军时所见的景色相当吗？青葱的桑叶，怎不让人想起"昼夜常怀丝（思）"的蚕丝？

后两句"提笼忘采叶，昨夜梦渔阳"，从描绘春景到刻画春景中的人物神情。"笼"即采桑时用以装桑叶的竹笼，"渔阳"，在今河北省蓟县，以位于渔水之阳而得名，这里代指北部边防前线。

已到采桑养蚕的农忙时节，少妇来到村郊乡间小路旁采桑，可是她立在桑树下却无心采桑叶，只是提着空的竹笼，心不在焉地倚靠着桑树。尾句"昨夜梦渔阳"对采桑少妇的这种情态做出了解释，原来是因为她昨天梦到了丈夫所在的边防前线，此时她已魂飞"渔阳"心系边城夫婿。这里采用了倒叙的方式写昨夜梦情，委婉曲折地写出了少妇的悠长情思。

# 秋夜曲

张仲素

丁丁漏①水夜何长，漫漫②轻云露月光。
秋逼暗虫通夕响，征衣未寄莫飞霜。

【注释】

①漏：即漏壶，是古代以滴水计时的计时器。②漫漫：形容深夜天边云彩漫无天际的样子。

【赏析】

张仲素以善写闺情而闻名，此诗便是其闺情诗中的典型之作。全诗叙写女主人公彻夜未眠的所见所闻，通过刻画深秋之夜的景象表现了女主人公对远征丈夫的牵挂和思念。

"丁丁漏水夜何长，漫漫轻云露月光。"描写妇人通宵未眠所见所闻，深刻传神地描摹出彻夜无眠的思妇孤寂凄凉的情状：漫漫长夜，她侧耳听着计时的漏壶叮叮当当的滴水声，感叹长夜难耐，举目远望，云朵在天际慢慢飘游，时而遮住明月，时而又让秋月放出清冷的月光。

诗人突破了绝句少用或不用叠音词的惯例，开篇即以"丁丁"形容漏水计时之声，以"漫漫"状轻云飘游之貌，极大地增强了时间的漫长感与深夜的凄凉感，将妇人胸中的一腔情思淋漓尽致地表现了出来。

"秋逼暗虫通夕响，征衣未寄莫飞霜。"紧承上两句，思妇长夜无眠，听到因秋夜寒冷、躲在暗处的秋虫通宵达旦地鸣叫，使她念及远方丈夫的冷暖，想到气候慢慢变冷，而征衣还未寄达，便在心中默默地祈祷边关不要下雪飞霜。

这两句中"逼"字用得极为巧妙传神，既"逼"出秋虫的鸣叫，衬托女主人公深夜未眠的孤寂，又"逼"得女主人想到丈夫的冷暖，想到尚未给丈夫寄送征衣，自然地过渡"征衣未寄莫飞霜"一句，表达了妇人对远征丈夫的情深与关切。

全诗前三句着力描写秋夜之景，融情于景，情景交融，最后一句采用画龙点睛之法，突出少妇的绵绵幽思，深切地表达了她对戍边丈夫的思念之情。

# 秋闺思二首

张仲素

碧窗斜月蔼深晖，愁听寒螀泪湿衣。梦里分明见关塞，不知何路向金微。
秋天一夜静无云，断续鸿声到晓闻。欲寄征衣问消息，居延城外又移军。

【赏析】

这是两首描写闺中思妇的七言绝句，表达了闺中人对远征夫婿的无限思念和深切关怀之情。

第一首诗采用倒叙的手法，先描写梦醒时分的凄凉环境和悲凉愁苦的心情，再回溯深夜梦境，追溯梦中迷失、寻夫不得的悲伤心情。第二首写闺中思妇秋夜难眠，鸿鸣逼人，欲寄征衣却因移军不知寄往何处，展现了其惆怅的心情。

第一首诗前两句"碧窗斜月蔼深晖，愁听寒螀泪湿衣"写思妇梦醒的情景。"碧窗"，即碧纱窗，"蔼"指月光微暗，"寒螀"是一种蝉，又名寒蝉。这两句诗的意思是闺中人一觉醒来，看到微暗的月光透过碧纱窗照进来，心中无限忧愁，又听到那寒蝉悲鸣，不禁伤心流泪，泪水涟涟沾湿了衣裳。

后两句"梦里分明见关塞，不知何路向金微"，追叙闺中人秋夜梦境。"金微"是山名，在今阿尔泰山，这里代指其丈夫所在的边关驻地。刚才梦境中分明见到了她日日夜夜魂牵梦绕的关塞，可却在去往丈夫驻地金微山的路上迷失了方向，不知哪条道路才能通达。迟乃义《唐人绝句的诗情画意》评此诗曰："前两句写思妇醒来的情景，后两句补叙梦境，用倒叙的笔法写出她的痴情，更引人入胜。如果顺着事情发生的先后来写，就显得平铺直叙，了无余味了。"

第二首前两句"秋天一夜静无云，断续鸿声到晓闻"，描写闺中思妇彻夜不眠思念远方夫婿。秋天的夜晚天空寂静无云，鸿雁断断续续的鸣叫声一直持续到天明。"一夜"和"到晓"说明妇人通宵达旦彻夜未眠。古代人以鸿雁传书，故鸿鸣能让闺中思妇想起为远方丈夫寄征衣，很自然地引出了接下来的两句诗。

后两句"欲寄征衣问消息，居延城外又移军"紧承上联，以"寄征衣"为中心，表达对丈夫的无尽怀思以及寄征衣而不得的忧思，描摹出闺中思妇细腻敏感的心理。"居延城"是当时边塞的关城。这两句的意思是：我不断地打探消息，想给远征的丈夫寄送衣裳，本想寄到他所在军队驻地居延城，哪知道他所在的军队又转移了。如今又转移到了哪里呢？不知人在何处，不知征衣寄往何地，真是让人心生万般愁绪。

唐人许多诗作都从乐府诗中汲取了养料，或用其题材，或用其韵律，极富民歌风采和乐府风味，这两首诗便深得其妙。

# 秋思赠远二首

王涯

当年只自守空帷，梦里关山觉别离。不见乡书传雁足，唯看新月吐蛾眉。
厌攀杨柳临清阁，闲采芙蕖傍碧潭。走马台边人不见，拂云堆畔战初酣。

**【赏析】**

中唐以后，文坛出现了一些倾向于抒情的诗歌，主要有征夫、思妇、边旅将士等题材。由于部分诗歌开始追求婉约哀思的境界，因此为当时的诗坛注入了一缕淡淡的情思。王涯的《秋思赠远二首》便是此类诗歌，它表达了诗人对妻子真挚专一的情感，文笔精练，意境优美。

前两句"当年只自守空帷，梦里关山觉别离"，前句提及"当年"，说明二人分别已久。"只自"是独自的意思。两句的意思是诗人与爱妻离别之后，独自一人守空帷，离别的日子中，诗人常常梦见飞越万里关山与妻子团聚。但是一觉醒来，却发现二人仍在离别之中，不禁万分伤感。上句表明自己的处境，下句以梦传达思念之情，表现出诗人对妻子的一片深情。相传诗人王涯与妻子情深，虽做高官而"不蓄妓妾"（《唐才子传》），从这两句诗中亦可看出。

后两句"不见乡书传雁足，唯看新月吐蛾眉"，"唯"字，可谓点睛之笔，表达出诗人无可奈何的惆怅之情。他希望能有飞鸿传书，收到妻子寄来的挂在雁足上的信，可是苦苦等待，却不见家书。诗人对月怀人，抬头望见天上的明月，那弯弯的新月好似妻子的蛾眉。上句说"不见乡书"，下句道"唯看新月"，从这两句的语气中，可以表露出诗人对家书的热切盼望。

第一首诗描写了诗人的主观感受，生动细腻地表达了诗人对妻子的真挚爱情。第二首诗写于唐穆宗时，诗人任职于边陲期间，由于诗人对爱妻一往情深，因此经常作诗表达对她的相思，此诗便属此类。

诗一开头"厌攀杨柳临清阁，闲采芙蕖傍碧潭"，"厌"字贯穿全句。古人送别，常以折柳相赠，因此杨柳常被当成伤别的象征。此处诗人"厌攀杨柳"，旨在表达诗人害怕触景生情之心绪。官署中的"清阁"也似送别时的长亭，因此临清阁也令人徒生伤感。

诗人避开杨柳清阁，来到碧潭前观赏芙蕖，一潭碧水，清澈见底。水面上漂浮的芙蕖，个个惹人喜爱，仿佛看见自己蟠首蛾眉、美目流盼的爱妻，便随手采摘芙蕖。"闲"字刻画出了诗人情不自禁的动作，表明诗人深深的思念之情。

尾句"走马台边人不见，拂云堆畔战初酣"，"走马台"指汉时张敞"走马章台街"之事，"拂云堆"代指征战之地。既然与爱妻相隔千里，那么就无法仿效张敞画眉，如今边关战事繁多，作为运筹帷幄的边关统帅，自当以国事为重，儿女私情还是放在一边。此句可见诗人极力要将心思转移到政务上来，恰好进一步反衬出诗人对妻子的深深思念，精妙地点明了"秋思赠远"的题意。

此诗前两句感情真挚细腻，情深意长，后两句明朗刚健，气势豪迈，缠绵与刚劲相结合，表达出诗人对妻子真挚绵长的感情。

# 刘郎浦口号

吕温

吴蜀成婚此水浔，明珠步障幄黄金。
谁将一女轻天下，欲换刘郎鼎峙心？

**【赏析】**

刘郎浦是"绣林十景"之一，位于湖北省石首市城北的长江北岸，是一个渡口，原名"浦口"，因汉末刘备曾于此处迎娶东吴郡主而得名。本诗是作者途经刘郎浦时，得知当年孙权"赔了夫人又折兵"的故事发生于此，有感而作，颇有品评意味，因为是即兴之作，遂名"口号"。

"吴蜀成婚此水浔，明珠步障幄黄金。"此两句是诗人对历史故事的还原，"此水"即刘郎浦，所谓"吴蜀成婚"即指刘备与东吴郡主结亲一事。"（刘琦）病死，群下推先主为荆州牧，治公安。（孙）权稍畏之，进妹固好。"（《三国志·蜀书·先主传》）此处诗人将"成婚"的双方直接用"吴"、"蜀"指代，一则符合东汉末年的政治环境，再则表现出诗人从政治角度品评此事的端倪。后句中，"步障"是指用来遮避风尘的幕布，用于迎亲途中，"幄"是指床边帐幔，施于新妇下榻之所。既写"明珠"，又道"黄金"，极尽婚礼之铺张，同时也能反映出吴国对于这场婚事的重视程度。但是，《三国志·吴书·周瑜传》记载，周瑜当时曾上疏："愚谓大计宜徙备置吴，盛为筑宫室，多其美女玩好，以娱其耳目。"显见其别有用心。

不过，事情并没有朝着孙权、周瑜的设计发展，倒是演变成了"周郎妙计安天下，赔了夫人又折兵"的另一个故事，在诗人看来，此为必然。

"谁将一女轻天下，欲换刘郎鼎峙心？"诗人在这两句中发表议论，而所论之人直指孙权。此言若以陈述语气道来，就是正说刘备不是目光短浅之辈，不会因为一个女子便看轻天下，如此便是从正面褒奖刘备在政治上的远见。但诗人采用了疑问的口吻：谁竟会将一女子看得比天下还重，而且还妄想以此来换取刘备鼎立称雄的野心呢？虽是设问未答，答案却显而易见，诗人对孙权、周瑜的嘲讽之意不言自明。

# 石头城①

刘禹锡

山围故国②周遭在，潮打空城寂寞回。
淮水东边旧时月，夜深还过女墙③来。

**【注释】**

①石头城：在今南京市西清凉山上，东汉末年东吴曾在此戍守，就石壁而筑城，故称"石头城"。②故国：旧都。③女墙：指石头城上的矮墙。

**【赏析】**

《石头城》是刘禹锡联章歌咏五处古迹诗中的一首。此诗流传甚广，诗人不仅总结了历史教训，还流露出物是人非的苍凉之感。

"山围故国周遭在，潮打空城寂寞回。"昔日围绕石头城的青山依旧固守原地，潮水击打着这座空城，并没有得到丝毫的回应，只能寂寞地返回。这两句为整首诗奠定了苍凉沉重的基调。环绕"故国"的青山此时也和潮水一样是寂寞的，这种寂寞本身就是一种吊唁，诉说着六朝往日的繁华。它们像被遗弃的旧情人一般，孤独地守候着一座再也没有灵魂的空城，此时，它们也化作诗人的代言人，将这种悲凉展现得淋漓尽致。

石头城周围的青山和潮水是对"故国"的吊唁，而"淮水东边旧时月"则是对石头城繁华的见证。秦淮河畔，曾经繁华至极，但是，昔日六朝王公贵族的纸醉金迷之地现在已是破败不堪，只是当年"淮水东边"的明月，如今仍一如往昔地"还过女墙来"，照见这残破的古城，"今月曾经照古人"（李白《把酒问月》）该是此意境的最佳注解。月亮不动声色地见证了一座古城的兴衰，这固然是诗人的别具匠心，但是夜晚"月"经常是抒发感情的载体，此月被诗人赋予了人的感情，深深的惋惜隐含其间。至此，诗人的吊古情怀被推向了高潮。

被群山环绕，被潮水轻拍，被月夜俯照，石头城只是静静地屹立在那里无言语亦无声色，其没落之景、荒凉之境似有不尽之意。自然景物的映衬中让人事之景尽现，苍凉之景的描摹下让悲凉之情深蕴，这就是诗人于此诗的最大功绩。短短的四句诗赋予静态的石头城以动态的美感，诗中句句是景，却无处不衬托出诗人对故国萧条和凄凉人生的深沉感伤。

白居易曾赞誉此诗："我知后之诗人无复措词矣。"北宋周邦彦的《西河·金陵怀古》词中也有"山围故国"、"怒涛寂寞打孤城"、"夜深月过女墙来，伤心东望淮水"等句，化用了《石头城》中的诸多意境，使"石头城"成了一个慨叹岁月的标记，成了一段欲说还休的传说。

# 乌衣巷

刘禹锡

朱雀桥边野草花，乌衣巷口夕阳斜。
旧时①王谢堂前燕，飞入寻常②百姓家。

**【注释】**

①旧时：指晋代。②寻常：平常。

**【赏析】**

"朱雀桥边野草花，乌衣巷口夕阳斜"两句中，点出了两个地点：朱雀桥和乌衣巷。乌衣巷，是晋朝王导、谢安两大家族的居住地，因其弟子都穿乌衣，故此得名。而"朱雀桥"则是指秦淮河上的那条车马喧闹之地，它是乌衣巷去往南京市区的必经之地。此两地都是繁华之地、热闹之区，乌衣巷里群聚高士，朱雀桥上往来行旅。诗人在此没有正面描写两地的繁荣景象，而是轻描淡写地写出了"朱雀桥边"的"野草花"和"乌衣巷口"西斜的夕阳。昔日喧闹的朱雀桥边已遍生野草，荒凉的气息缓缓流淌出来，大有桥前冷落，车马稀少之感。

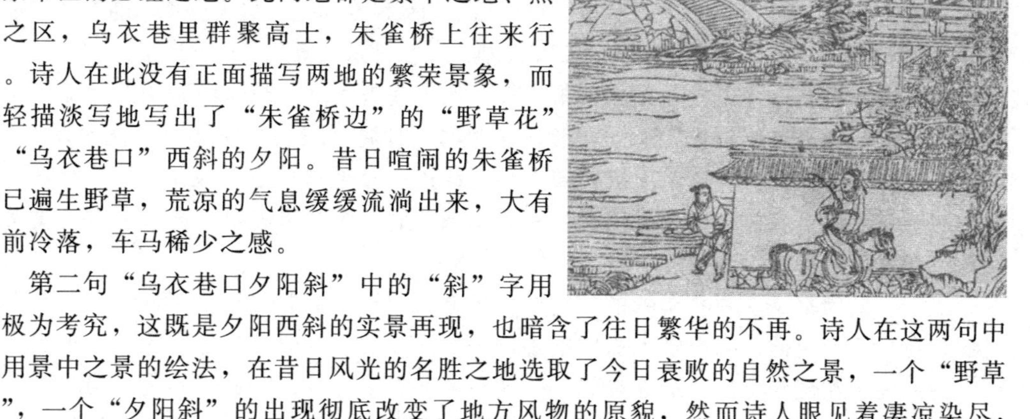

第二句"乌衣巷口夕阳斜"中的"斜"字用得极为考究，这既是夕阳西斜的实景再现，也暗含了往日繁华的不再。诗人在这两句中采用景中之景的绘法，在昔日风光的名胜之地选取了今日衰败的自然之景，一个"野草花"，一个"夕阳斜"的出现彻底改变了地方风物的原貌，然而诗人眼见着凄凉染尽，还是无可奈何。

"旧时王谢堂前燕，飞入寻常百姓家"两句家喻户晓，乃千古绝唱。"旧"在这里不仅起到强调的作用，还具有双重含义，不仅指曾经的王谢所居之地即乌衣巷，也指乌衣巷中的"堂前燕"。望见燕子，即是对乌衣巷往昔的追随，一个"旧"字表达了悠悠惆怅之意。但是"旧时王谢堂前燕"早已是寻常百姓之家的堂前客，这里也有今与昔的对比，往日的乌衣巷早已繁华落尽，此时居住的正是寻常的百姓之家。"燕子"在这里不仅仅是一个简单的意象，更由它栖息地的转换暗示了此时的乌衣巷早已今非昔比，同时诗人对于繁华不再的感慨也于此意象中得到了强化。

一只燕子从繁华地而来，至寻常百姓家而终，历经诸多变化，眼见世事流转，今昔之间徒增一丝况味，浸染着一抹婉转之美，简洁洗练的语词一语道破人生之味、生命之叹，平凡的辞藻在这四句诗中锻造出含蓄而隽永的况味。白居易称"掉头苦吟，叹赏良久"，是对此诗读后感想的最佳诠释。

# 秋风引

刘禹锡

何处秋风至？萧萧送雁群。
朝来入庭树，孤客最先闻。

## 【赏析】

"秋风起兮白云飞，草木黄落兮雁南归。"汉武帝刘彻以白云、草木和大雁之境况来再现秋风起时之景；"无边落木萧萧下，不尽长江滚滚来"杜甫以落木和长江之萧瑟发出身世飘零之叹。古往今来，无数有关秋风、秋景的诗篇写尽了诗人的情感和思想，但正所谓"诗无定法"，同样的题材不同的诗人有不同的书写方式，刘禹锡这首《秋风引》虽取材平凡，但胜在构思巧妙，余韵丰富。

诗题直指"秋风"，点明了写作时间和写作环境，摇曳生姿的秋风引发了诗人的感慨，留下了这首咏秋之作。开篇以问题做引"何处秋风至"，秋风到哪里了呢？秋风本就是无形无声、无色无味、飘忽不定的自然景象，诗人以疑问秋风至何处，引人沉思，随后"萧萧送雁群"自问自答，萧萧的风声和成群南归的大雁让诗人知道秋天到了，秋风至此。

这里诗人没有直接说秋风发出萧萧之声，秋天使得大雁南归这样通俗的意境，反以一个"送"字宕开笔墨，化无形于有形，化静物为动物，瞬间使整幅秋风图灵动起来，宛若真有秋风拂面之感。紧承而来，诗人的视线由远及近，由空中及地面，"朝来入庭树"雁感秋风后，庭树再受秋风拂过。一觉醒来，庭院中的树木发出悉索之声，使无形的秋风变得可闻可感。

二、三两句都是在回答首句的"何处秋风至"。诗人通过一些具体的事物来证明秋风的存在，但是至此都未出现人影的痕迹，一幅萧瑟的秋景图中自然不能少了人物的存在，诗人终于在尾句点出"孤客最先闻"。"孤客"二字将诗人的身份界定，同时孤单寂寥的情愫已隐隐渗透其间，这个孤客是以上景色的见证者和观察者，他"闻"到了秋天的味道，"闻"到了秋风的驾临。

秋风或携雷霆之势，或席卷扑面而来，但无论是哪种情势，人人都可感知，可是诗人在这最后一句中却说"孤客最先闻"，孤客是"最先"感受到的。一个"最先"是诗人的刻意安排，也使整首诗的意境得到了升华，此外这一"最先"也将孤客敏感寂寞的内心刻画得入木三分。只有孤独聊赖的人才会对时序有如此敏锐的感受，孤客客居异地，时刻忍受寂寞，所以总会最先感受到物候的变化，何况秋风使人凉，"最先闻"顺理成章。这里诗人用简单的"最先"两字就将孤客的羁旅思乡之情表现得淋漓尽致、惟妙惟肖。而历史上无数评论家都曾对此大加赞赏，如李锳在《诗法易简录》中所说，"为孤客传神"的正在这两个字，使"无限情怀，溢于言表"。

秋风拂过万物，更拂过孤客的心，由秋风引发而来的是孤客羁旅的寂寞之感，更是诗人思归的急切心情。

# 台城

刘禹锡

台城六代竞豪华，结绮临春事最奢。<br>万户千门成野草，只缘一曲《后庭花》。

**【赏析】**

《台城》是一首怀古之作，以台城这一六朝帝王起居临政的地方为切入点，将昔日六朝的奢华清晰地呈现出来，随后通过今与昔的对比表达悼古伤今的深刻感慨。刘禹锡以对比和探寻因果的手法来组织全诗，使其整体上形成一种封闭的结构，但意思却显得意味悠长。

"台城六代竞豪华，结绮临春事最奢。"这两句直接点明了"奢"之形态："竞豪华"、"事最奢"。台城作为六朝奢华的代表，一个"竞"字就将整个六朝纳入到历史气候之中，"竞奢华"不仅呈现出了一种历史情境，更增添了想象的余味。六朝三百多年的历史中，先后登基的近四十位帝王在这样的环境中做着奢侈靡废的皇帝梦。陈后主更是在豪华的台城中，建造了结绮、临春、望仙这三座高达数十丈的楼阁，整日依红偎翠，沉浸在笙歌艳曲中，将朝政抛之脑后，对时局置若罔闻。

"结绮临春事最奢"进一步点明了陈后主的奢侈荒淫乃居六朝之最，一个"最"字就于陈述事实之外，嵌入诗人个人的情感，看似毫不起眼，实则为随后诗意的对比埋下了伏笔。如此之奢华实非长久之事，这为六朝亡于陈后主之手提供了客观依据。

"万户千门成野草，只缘一曲《后庭花》。"这两句承接上文，运用了今昔对比和因果相循的手法，进一步强化了六朝奢华的下场及其原因。昔日的"万户千门"早已是野草遍生，满目疮痍。今日的没落与昔日的奢华形成了鲜明的对比，凄凉之味不言自明，当年醉生梦死之地，此处却灰堆瓦砾，处处破败，处处惊心。这样的境遇让人联想到《玉树后庭花》的嘤嘤之声和亲自谱曲的陈后主，当年轻歌曼舞的奢华场面不仅是对今日下场的原因的追补，更以沉痛的笔调表达了诗人无言的悲哀。

作者从视觉和听觉两方面入手，娓娓道来，不含一丝议论，不抒半点感情。诗人深沉而炽烈的情感在极度的节制之下暴露得不动声色，貌似诗人无情，实则情感早已寄寓在字里行间，化为具体可感的形象，让读者在感受的同时自己去剖析作者要表达的感情。

# 和乐天《春词》

刘禹锡

新妆宜面下朱楼，深锁春光一院愁。
行到中庭数花朵，蜻蜓飞上玉搔头。

**【赏析】**

诗题即直言此诗是为应和白居易《春词》而作，虽同写少女之怨，可写法各有不同，景相近而情各异。

首句"新妆宜面下朱楼"，营造出清新活泼的氛围。新妆而成的女子，娇好的面容与脂粉涂抹得极为相宜，她迈着欢快而又焦急的步伐匆匆下楼，这步履中满含了隐隐的希望和期待。下楼之后，她望着满园的春光，本该一派生机勃勃的景象，却于瞬间涂抹上了愁色，故言"深锁春光一院愁"。

满园的春光无人欣赏，愁溢满了院落，而这"愁"中绝非仅仅是春光被深锁流露出来的愁，更有少女本身被禁锢在此深院之中没有自由的愁，两种愁思混合，刹那间将少女下楼时的急切盼望定格在了这满园的愁光之中，春不解意，人更愁。前两句中，少女行动由动到静，其心情也从激动逐渐转为失落，对比鲜明。

随后三、四句"行到中庭数花朵，蜻蜓飞上玉搔头"，诗境在这里得到了扩大和提升，此处依旧写愁，可是这愁不仅是承前，将愁思化为更具体的动作，也诗意地强化了愁，给人一种抹也抹不掉、推也推不走之感。少女饱受情感心理的冲击，无处发泄心中的烦闷，便行步迟迟，来到中庭，数着盛开的花朵，不料这花也是愁的，一朵便是一段愁。春花新鲜妩媚，在这园中却无人问津，无人赏识。只有这少女同情它，当少女还未来得及以花自喻之时，蜻蜓却已将她当作花朵而翩翩飞至"玉搔头"。此景之中，人如花，花似人，自古花为凋零苦，这少女的心也已乘着愁思而去，更见伤情。

诗至"蜻蜓飞上玉搔头"以掷地有声的才情作结，以妙笔作尾，强化了"愁"的同时也深化了诗意，乃神来之笔，刹那间将院愁、人愁、花亦愁等各种愁蕴于诗中，也植入读者心里。

既是唱酬白居易的《春词》而来，那么结合《春词》两相对照理解，更为恰切。

"低花树映小妆楼，春入眉心两点愁。斜倚栏杆背鹦鹉，思量何事不回头？"白居易诗中没有少女的活动，诗人展现出一幅静态的画面，一幅始终处在低气压中的画面。低低的花和绿树掩映下的小楼，将愁带入了少女的眉心，点点的愁一下就进入了主题的表达层面。但后二句，也是少女在此情此景对愁思的回应，最妙是"思量何事不回头"这句，给全诗带来了重重叠叠的神秘感。

显然，白刘二人的诗都是含愁，但一静一动有明显的区别，虽将愁同样写得出神入化，但刘诗笔下无论是少女的愁还是满地的愁都是在转折中完成的叙述，不仅使情感更加跌宕，也带给读者更加深刻的情感体验。

# 望洞庭

刘禹锡

湖光秋月两相和，潭面无风镜未磨。
遥望洞庭山水色，白银盘里一青螺。

【赏析】

转任和州的途中，诗人遥望洞庭，以丹青笔墨将月下秋景勾勒得线条清晰而情致朦胧，干净且透澈。

"湖光秋月两相和，潭面无风镜未磨"，首两句直接写出了月光照耀下洞庭湖的风光：微凉的月光射入湖面，与湖水浑然一体，辽阔的视线之中，是水月相映的和谐之景，一种缥缈、宁静的氛围自这情境而生。其中一个"和"字用得极妙，不仅将眼下的景色成功简练地组织入文，还将诗人切身的感受以可观之笔表达出不可言传之意。第二句"潭面无风镜未磨"更是以巧妙的比喻，活化了眼前之景。由于无风，湖面平静犹如未曾打磨的铜镜，平而不滑，明而不亮，朦朦胧胧之境恰将秋月映衬下的静态湖面展现得出神入化。

诗人沉浸在眼前缥缈的景色之余，仍没有忘记将洞庭山水尽收眼底，不禁发出"遥望洞庭山水色，白银盘里一青螺"的感叹。近观与远看的视角不同，感受到的震撼也有所差异：远而望之，不仅眼界开阔，心胸也随之开阔，这种心境之下，诗人眼中洞庭湖里苍翠的君山就像白银盘里盛放的一枚青螺。将君山比作"青螺"，生动而不失准确，既再现出了君山开阔之气势，更为整首诗的意境增添了几抹神秘之感。

前两句以广阔的视角来展现月影下的洞庭湖面，而后二句则将视角停留在君山一侧，整个画面的过渡自然而不留痕迹，清新灵动。最为人称道的是诗中新鲜的比喻，诗人将平静的湖面比作未磨的镜子，将君山比作月下的一枚青螺，不仅构成画面的清晰质感，还延伸出广阔的想象空间。不过，诗人细致入微的描写不仅是风景的诗意转化，同时也将其胸怀融入其中：将浩瀚无边的洞庭湖看作一面铜镜、白色银盘，把君山看作是一枚小小的青螺，广博的胸襟由此显露无遗，视野大开，诗意顿生。全诗语词朴质，比喻新奇，所造之境美轮美奂，诗歌审美和人生情趣都得到了大大的提升。

# 柳枝词

刘禹锡

清江一曲柳千条，二十年前旧板桥。
曾与美人桥上别，恨无消息到今朝。

【赏析】

《柳枝词》被明代杨慎、胡应麟誉为"神品"，开篇呈现出一系列清丽的景象：清江、碧水、软柳、旧板桥，笔力看似寻常，但因有今昔转折，把诗人浓浓的离情表达得极为动人。

故地重游，只见"清江一曲柳千条，二十年前旧板桥"，诗人内在的情思备受触动，忽忆及昔日"曾与美人桥上别"，遗憾的是至今都再无消息，绵绵的"恨"意毫无保留，道出了诗人的衷肠。

"清江一曲柳千条，二十年前旧板桥。"首两句描写的是诗人所见。面对眼前一汪碧水蜿蜒曲折，杨柳依依轻拂、诗人的心也受到了触动，在柳枝轻拂，江水漂流的同时，诗人万千感慨随之流动。杨柳意象含离别之意，面对此情此景，多情的杨柳就成了诗人感情的寄托者和抒发者。更有"二十年前"的"旧板桥"将时间与画面定格，"旧"字不仅点明了时间的流逝之久，也有依旧如故的意思。二十年过去，板桥始终在这里守候，昔日旧事也在这景中渐渐浮出。

"曾与美人桥上别"是诗人所忆。此句以神来之笔点明了情与思的原委，既赋予眼前之景以主观的情感，同时也将全诗中诗人独到的倒叙手法展现得一览无余。清江、柳枝、板桥这些旧景未变，暗含诗人的旧情未变，思及往日曾与"美人"桥上依依惜别，曾经之景见证了这场凄楚的离别，而此时，美人不在，景色也将其浓浓的思念重新与诗人的愁思交融一体，二十年前与后的情思化作一片，将诗人笼罩在这样一种情感的凄清之中。

"恨无消息到今朝"是诗人所感。一个"恨"字，惊醒无数沉睡的相思，而诗人在这样的情景环绕之中，再生发绵绵恨意，可谓愈是"恨无消息"，愈是情至难抑。

倒叙手法是诗人艺术手法上的最大亮点。全诗以由景入事再进情的方式表达了作者胸中早已溢满的情思。开篇步步逼近的景色和对"旧"事的诉说，将读者带入预设的感情域场之中，引人入胜。首尾写今，中间二句写昔，通过情景的圆熟过渡，道出了诗人婉曲回环的情绪。刘禹锡巧妙的摹篇布局，将情景完美地融合在一起，景中洞情，情中关景，又施以圆紧的章法结构作为支撑，更让此景此情真挚动人。

# 观刈<sup>①</sup>麦

白居易

时为盩厔<sup>②</sup>县尉。

田家少闲月，五月人倍忙。夜来南风起，小麦覆陇<sup>③</sup>黄。妇姑荷箪食<sup>④</sup>，童稚携壶浆。相随饷田<sup>⑤</sup>去，丁壮在南冈。足蒸暑土气，背灼炎天光。力尽不知热，但惜夏日长。复有贫妇人，抱子在其旁。右手秉<sup>⑥</sup>遗穗，左臂悬敝<sup>⑦</sup>筐。听其相顾言，闻者为悲伤。家田输税尽，拾此充饥肠。今我何功德，曾<sup>⑧</sup>不事农桑。吏禄三百石，岁晏<sup>⑨</sup>有余粮。念此私自愧，尽日不能忘。

**【注释】**

①刈（yì）：割。②盩厔：（zhōu zhì）：地名，在今陕西。③陇：田埂，此处泛指

麦地。④箪（dān）食：用竹篮盛放食物。⑤饷田：给田里劳动的人送饭。⑥秉：用手握着。⑦敝：简陋的，破旧的。⑧曾：竟然。⑨岁晏：年底。

**【赏析】**

《观刈麦》是白居易早期的讽喻诗，作于元和二年（公元 807 年），作者时任盩厔县尉。这首五言诗描写了农忙时节农民辛苦劳作的情形，揭露了赋税的繁重，通过诗中作为官员的"我"的反省，表达了对统治者减免赋税轻徭薄役的期望。诗歌叙事明白晓畅，条理自然。

"田家少闲月，五月人倍忙。"开篇交代背景是五月农忙时节。农民一年到头都是忙忙碌碌的，即使五月炎热，但因农忙，青壮年仍要在暑气中不顾炎炎烈日，汗流浃背地劳动。而且在炎热的天气里，妇女送饭，孩童也要"携壶浆"，一家人都在辛苦忙碌。"力尽不知热，但惜夏日长。""力尽"、"不知热"、"惜"等字眼的使用，使农民不辞劳苦抢农时、盼收成的情态跃然纸上，与"心忧炭贱愿天寒"有相得益彰之妙。

农民如此勤劳，理应温饱无虞，但诗人笔锋一转，插入一幕让人心酸的场景：在辛苦劳作的一家人旁边，一个贫妇人正在抱子拾取遗穗。"家田输税尽，拾此充饥肠。"因为赋税沉重，农民连剩余的粮食都没有了，只得拾取遗穗充饥。一家人辛苦劳作，却连将来的温饱都没有保证。那抱子的贫妇人，就经历了这样的命运。诗人先写一家人辛苦耕作的样子，后写一贫妇人拾穗充饥，两个场景相互映衬，互生情境，使诗歌的内容更加丰富深刻。

诗歌末尾，诗人触景生情，通过切身感受，表达了对农民遭遇的无限同情。"吏禄三百石，岁晏有余粮。""我"作为一个县尉，不事农桑，不仅温饱无虞，岁末还有余粮。通过把农民和作为朝廷官员的自己作对比，曲折地表达了诗人对统治者惜农减免赋税的殷切期望，手法委婉巧妙。

白居易的叙事诗在中晚唐诗人当中首屈一指，《观刈麦》虽为其早期作品，但简朴自然，清晰晓畅，曲尽人情物态，叙事曲折详尽。诗中，妇、孺、丁壮、贫妇人等人物络绎出场，虽着墨不多，但诗人却把割麦者与拾麦者的情与态描写得淋漓尽致，却又意蕴丰富，字里行间充满了他对劳动人民的同情和怜悯。白居易把抒情叙事融为一体，真实叙事的同时，又写出了劳动人民之心以及作者之心，叙事与心理刻画融为一体，感人肺腑。

# 卖炭翁

*白居易*

卖炭翁，伐薪烧炭南山①中。满面尘灰烟火色，两鬓苍苍②十指黑。卖炭得钱何所营？身上衣裳口中食。可怜身上衣正单，心忧炭贱愿天寒！夜来城外一尺雪，晓驾炭车辗③冰辙。牛困人饥日已高，市南门外泥中歇。翩翩两骑④来是谁？黄衣使者白衫儿。手把文书口称敕⑤，回车叱牛牵向北。一车炭，千余斤，宫使驱将惜不得。半匹红纱一丈绫，系向牛头充炭直⑥。

**【注释】**

①南山：即终南山，在今陕西西安以南。②苍苍：形容鬓发花白的样子。③辗：同"碾"，轧。④骑（jì）：指骑马之人。⑤敕（chì）：皇帝的命令。⑥直：同"值"，价格。

**【赏析】**

唐德宗贞元末年起，皇宫中日用所需不再由官府承办，直接由太监从民间采购，一时间宦官专权，横行无忌。他们常常以低价向百姓强行购买，甚至不给分文，简直是强盗行径。韩愈《顺宗实录》说其"名为宫市，其实夺之"。《卖炭翁》所描绘的就是这种宫中官吏向百姓强购煤炭的行为。白居易开篇自注云："苦宫市也。"诗人通过写卖炭翁一人的悲剧，展现出劳动人民的普遍悲哀，寄寓了诗人对统治者的控诉，对人民的同情。

"卖炭翁，伐薪烧炭南山中。"开篇直接描写卖炭翁烧炭的工序和劳动环境。"满面尘灰烟火色，两鬓苍苍十指黑。"仅仅十四个字，通过对"面"、"两鬓"、"十指"的具体描写，以点汇聚成面，形象地勾勒出卖炭翁的苍老之态，衬托出烧炭的艰辛，展现了生活的困苦。

"卖炭得钱何所营？身上衣裳口中食。"诗人以一问一答的设问方式，揭露了卖炭翁贫窘困苦的生活状况。"身上衣裳口中食"，这句是说卖炭翁千辛万苦所烧之炭是他全家的衣食来源，这为下文黄衣使者以"半匹红纱一丈绫"换走所有炭火埋下伏笔，更衬托出老翁的遭遇之悲惨。

"可怜身上衣正单，心忧炭贱愿天寒。"衣衫单薄的老翁，本来应该"愿天暖"，但为了让自己烧的炭卖个好价钱，他强忍饥寒，甚至希望天气更加寒冷。一"忧"一"愿"，写出了老翁反常的心理，读来尽是"苦"味，使诗人"可怜"的深挚怜悯有了着落。

"夜来城外一尺雪，晓驾炭车辗冰辙。"这两句使诗篇叙事从烧炭过渡到卖炭，章法自然，不落痕迹。"一尺雪"意味着卖炭翁"愿天寒"的愿望终于成真，这似乎是一个理想的转变。在清晨凛冽的寒风中，衣衫单薄的老翁踏着被冰雪覆盖而光滑难行的路，将炭车拖向集市，只为卖炭活命。"晓"字深刻揭露了饥寒交迫的卖炭翁，满怀希望不顾严寒想要"卖炭得钱"的迫不及待之情。

"牛困人饥日已高，市南门外泥中歇。"经过半天的跋涉，人困牛乏，终于来到集市。从"伐薪烧炭"到"泥中歇"，铺垫饱满，卖炭翁通过劳动换取生活之需的艰辛满纸满篇，老翁对高价"炭直"的期待也充斥在字里行间。

"翩翩两骑来是谁？黄衣使者白衫儿。"这两句中出现的人物的形象与"满面尘灰烟火色，两鬓苍苍十指黑"的卖炭翁形成强烈对比。"翩翩"既描绘出了使者养尊处优形成的悠然之态，又刻画出了其对百姓疾苦毫不理会的漠然之心。而前篇中，老翁所希望的一切，在"手把文书口称敕"的"黄衣使者白衫儿"面前，瞬间化为泡影。几日艰辛的劳动，只换得"半匹红纱一丈绫"而已，这些"炭直"，既不能御寒，也不能果腹，于老翁而言，实则毫无价值。

通过刻画特定情境下卖炭翁的特殊心理，诗人深刻揭示了主题，虽然通篇除"可怜"二字，再无一字涉及直接的情感描写，然而在对比与反衬中，将诗中人物的情感，诗外诗人的情感，与叙事交融，与心理刻画完美统一，刻画入微，含蓄有力，无斧凿之痕，却精警夺人。

# 杜陵叟

白居易

杜陵叟，杜陵居，岁种薄田一顷余。三月无雨旱风起，麦苗不秀多黄死。九月降霜秋早寒，禾穗未熟皆青干。长吏明知不申破，急敛暴征求考课①。典桑卖地纳官租，明年衣食将何如？剥我身上帛，夺我口中粟。虐人害物即豺狼，何必钩爪锯牙食人肉？不知何人奏皇帝，帝心恻隐②知人弊。白麻纸③上书德音，京畿④尽放今年税。昨日里胥⑤方到门，手持尺牒牓乡村。十家租税九家毕，虚受吾君蠲⑥免恩。

**【注释】**

①考课：古代指考查政绩。②恻隐：见人遭遇不幸而心有所不忍，有同情之意。③白麻纸：唐代，由翰林学士起草的凡赦书、德音、立后、建储、大诛讨及拜免将相等诏书都用白麻纸，一般诏书用黄麻纸。④京畿（jī）：国都及其附近的地区。⑤里胥：管理乡里事物的公差。⑥蠲（juān）：除去，免除。

**【赏析】**

中国古代的大部分时期都是文人政治，学而优则仕，于是为官文人的文学作品流传甚广，关心民生疾苦是现实主义题材最重要的主题之一。这首《杜陵叟》作于白居易初任左拾遗之时，唐宪宗元和三年（公元 808 年）冬至次年春，鱼米之乡江南与国都长安遭遇大旱，诗人上疏请求减免租赋，无奈直到租赋基本收完之时，唐宪宗才予以批准，并下罪己诏笼络人心。

首句先交代了主人公：一位"岁种薄田一顷余"的老农。在当时大旱的背景下，他是所有劳苦大众的悲剧性缩影。在这一年里，播种的季节没有雨水，麦苗多旱死，而到秋收时节，又偏偏霜冻早至，"禾穗未熟皆青干"。

即便在这样的情况下，"长吏"依旧"急敛暴征"。问题的关键不在于"长吏"，也不在于"急敛暴征"，而在于"求考课"。所谓"考课"，也就是朝廷年终时考核官员政绩。但是，皇帝远在京师，又岂能尽知普天之下所有百姓的疾苦，即便有明君在位，也难免有贪官污吏横行乡里，鱼肉百姓，被诗人斥为"豺狼"。

前半部分都是以旁观者的立场陈述，均为七言，当中却插入两个短句——"剥我身上帛，夺我口中粟"，中心语也换作第一人称，表述平白直接，语气上也较前文短促，凸显出作者的急切与愤怒。这一句是诗人情感的高潮，是对横征暴敛者的有力控诉。

全诗的重点在于后八句。上文描述了农民遭遇天灾的惨况，继而又被贪官污吏压榨，本来就是贫薄的年头，在"典桑卖地纳官租"之后，农民茫茫四顾，不知日后的生活何以为继。诗人在后八句中含蓄地分析了造成这种悲剧的根源。

　　唐宪宗李纯是史学界评价较高的三位唐朝皇帝之一，另外二人分别是太宗和玄宗，较之于后两位开创的盛世局面，唐宪宗显然没有可与之相提并论的成就，但是他削藩成功，大大振兴了中央王朝的威望，足见其不同寻常。然而削藩之后，宪宗却执迷于敛财，乡野小吏就是遍布全国的敛财爪牙。作为朝廷官员，即便在思想开放的王朝，诗人也不敢直接申斥皇帝，于是白居易用反讽的手法表达了对当权者的批评。

　　"不知何人奏皇帝"，奏者其实就是诗人自己，暗含对皇帝不察民情的讽刺；然后又说"帝心恻隐"，在古代人民之于统治者被称为"子民"，体恤子民本就是帝王分内之事，此处用"恻隐"则讽意加深。白麻纸上的"德音"是在什么时候才下达到乡里的呢？——"昨日里胥方到门"，而此时"十家租税九家毕"，已经倾家荡产的农民却还要对着一纸空文跪拜谢恩，诗人内心的愤懑和不满不言自明。

　　白居易对农民有着深切的同情，对贪官污吏和贪婪君主则报以激愤的憎恶，全诗表达了诗人爱民如子的为官情怀和对国家时局的忧虑。

# 暮江吟

白居易

一道残阳铺水中，半江瑟瑟半江红。<br>可怜九月初三夜，露似真珠月似弓。

**【赏析】**

　　明代杨慎《升庵诗话》评："诗有丰韵。言残阳铺水，半江之碧，如瑟瑟之色；半江红，日所映也。可谓工微入画。"清代王士祯也说："丽绝韵绝，令人神往。"唐长庆二年（公元 822 年），苦于朝政昏暗，朋党倾轧，已是天命之年的中书舍人白居易请求外放，这首《暮江吟》便作于他赴任杭州刺史的途中。作为一首杂律诗，此诗看上去并不工整，但朴实而生动的语言却极具画面感。

　　"一道残阳铺水中"，首句用一个"铺"字描绘夕阳的余晖洒在江面的景象，这个动词用得恰如其分，写出了阳光倾泻而下、由近及远的动感。"半江瑟瑟半江红"，这一句中不仅有半江碧水、半江斜阳，还有半江清冷和半江明媚，更有半江忧伤与半江惊喜！残阳总给人落魄之感，可当这阳光铺满江面，却像铺开了通往未来的光明而宽敞的坦途，诗人内心的欣慰和放松由此得以展露。这句诗除了给人颇具层次感的视觉享受，其音阶分布也能带给读者以音乐美感。前半句的"瑟瑟"是前口腔发音，声音短促逼仄，节奏急促；而后半句的"红"是后口腔发音，声音高亢洪亮，给人一种豁然开朗之感，与前半句截然不同。前后对比，顿觉天长水阔，胸中再多的愤懑和不平也都一扫而空。

　　第三句"可怜九月初三夜"中的"可怜"并无惋惜之意，而是言可爱之态，可爱的不仅是"九月初三"的秋夜，还包括当天的傍晚。傍晚的美景已经得以展现，入夜后的景色也美不胜收。从"露似真珠月似弓"的描述可知，在这个晴朗的夜晚，天空中挂着一弯新月，空气清冷澄澈，诗人趁着傍晚的余兴一直游玩到草叶挂上露珠的清晨。沉浸在广阔天地给出的无限美好之中，诗人眼里的一切都是美丽的、活泼的，一切景物都有了情感。

后两句诗集中体现了诗人自然随性的性格，他引"九月初三"入诗，把露水比作珍珠，把月牙说成弯弓，都是再合适不过的比喻，擅改一字都会破坏原本的意境。整首诗语言清新晓畅，格调明丽，绘声绘色地写出了暮江之美、秋夜之美，表达了诗人对自然景物的喜爱之情，以及旷达疏放的心境。

# 上阳①白发人

白居易

上阳人，红颜暗老白发新。绿衣监使②守宫门，一闭上阳多少春。玄宗末岁③初选入，入时十六今六十。同时采择百余人，零落年深残此身。忆昔吞悲别亲族，扶入车中不教哭；皆云入内便承恩，脸似芙蓉胸似玉。未容君王得见面，已被杨妃遥侧目。妒令潜配上阳宫，一生遂向空房宿。宿空房④，秋夜长，夜长无寐天不明。耿耿残灯背壁⑤影，萧萧暗雨打窗声。春日迟，日迟独坐天难暮；宫莺百啭愁厌闻，梁燕双栖老休妒。莺归燕去长悄然，春往秋来不记年。惟向深宫望明月，东西四五百回圆。今日宫中年最老，大家遥赐尚书⑥号。小头鞋履窄衣裳，青黛点眉眉细长；外人不见见应笑，天宝末年时世妆。上阳人，苦最多。少亦苦，老亦苦，少苦老苦两如何？君不见昔时吕向《美人赋》⑦；又不见今日上阳白发歌！

**【注释】**

①上阳：宫名。在东都洛阳，高宗上元间兴建。②绿衣监使：唐京、都苑四面监置各一人，从六品下；副监一人，从七品下（见《旧唐书·职官志三》）。唐服制，六品、七品着绿（见《旧唐书·舆服志》）。③玄宗末岁：指天宝末年。④房：全诗校"一作床"。⑤背壁：全诗校"一作照背"。⑥尚书：宫中女官。六朝有女尚书之号，唐又称"内尚书"，见王建《宫词》。⑦《美人赋》：《新唐书·吕向传》中有云："玄宗开元十年，召入翰林……时帝岁遣使采择天下妹好，内之后宫，号'花鸟使'。向因奏《美人赋》以讽，帝善之，擢左拾遗。"

**【赏析】**

作为一首政治讽喻诗，这首诗触及唐朝的妇女问题。诗歌原有的小序中道出了诗的主题，其中有言："天宝五载以后，杨贵妃专宠，后宫人无复进幸矣。六宫有美色者，辄置别所，上阳是其一也。贞元中尚存焉。"大致意思是说，唐玄宗专宠杨贵妃，其他的后宫佳丽受到冷落，被安置在上阳宫等居所，难以受到皇帝临幸。由此来看，上阳虽为皇帝行宫之一，多数情况下都少有人到访，实质上类似于冷宫。

诗的开头说"上阳人，红颜暗老白发新。绿衣监使守宫门，一闭上阳多少春"，为全诗奠定了悲凉、冷清的基调。所谓上阳人，即是被遗忘、被禁锢在这里的女子。诗中"红颜"对"白发"，"老"对"新"，鲜明的对比中暗示了上阳宫中冷清、沉寂以及宫中人的度日如年。后两句中交代了上阳宫的环境：监使、官兵把守。一个"闭"字突出了上阳宫闭塞，而这种闭塞，在某种程度上暗示着封建统治者对女性生命力的摧残。

对于上阳宫的女子，白居易心中充满怜惜和同情，但表达这种心情时，白居易没有直抒胸臆地表示哀婉，更没有慷慨陈词地表露批判，而是别具匠心地选择一个步入垂暮之年的宫女作为抒情主体，采用倒叙的方式、白描的手法，借助宫女之口回放宫女被禁锢的青春，表现今非昔比的暮年悲凉。

这个宫女"玄宗末岁初选入"，这一"入"竟是四十四个春秋。四十四年前花容姣好，四十四年之中零落无依，四十四年之后红颜已老，此身已残。"深"字、"残"字，表现了宫中岁月的漫长、无情。"同时采择百余人"，"百"为虚数，极言有这种遭遇的女子不在少数。

从"忆昔吞悲别亲族"到"一生遂向空房宿"，宫女的思绪转向回忆，一个"吞"字，把女子当年的悲痛心情具象化，"悲"本是抽象的心境，作实词"吞"的宾语，形象地说明女子就像勉强吞下不喜欢、不可口的食物一般，强迫自己把百般无奈和悲痛深埋心底。而亲人的举动"扶入车中不教哭"，亲人的规劝"皆云入内便承恩，脸似芙蓉胸似玉"，无不说明百姓对宫闱生活的美好想象，既盲目又愚昧。

"未容君王得见面，已被杨妃遥侧目。妒令潜配上阳宫，一生遂向空房宿。"连续的四句交代了女子进宫之后的实际境遇，还没来得及见龙颜，已经遭到了杨贵妃的妒忌，"未容"和"已被"四字的运用，迅疾而干脆地打破了人们之前的想象。一个"潜"字暗示了后宫的尔虞我诈和暗箱操作，一个"遂"字，又好像在告诉人们这样的遭遇本是理所当然。

"宿空房，秋夜长，夜长无寐天不明。耿耿残灯背壁影，萧萧暗雨打窗声"中的"空房"、"秋夜"、"残灯"、"壁影"、"暗雨"、"窗声"等意象，无不折射出上阳宫沉寂、幽深的环境，以及宫中人凄楚、孤独的内心。"春日迟，日迟独坐天难暮"中的"迟"、"独"、"难"则是对她度日如年的生活写照。

深帏之中，"宫莺百啭"、"梁燕双栖"，这本是让人欣喜的灵动景象，此时却反衬出女主人公被遗忘、被监禁的寂寥。"厌闻"、"休妒"，则委婉含蓄地表现了宫女步入老年、尝尽孤苦之后的绝望。这两句和后面的"莺归燕去长悄然，春往秋来不记年"相互呼应，用宫女对时间的不敏感，表现她对生活、对爱情的心灰意懒，甚至麻木的心态。

当失望变成无望、无望又变成麻木时，"惟向深宫望明月，东西四五百回圆。"一个"惟"字，道出了深帏女子的百无聊赖。"东西"指月亮东升西落的月相变化，诗人由此暗示女主人公从月出看到月落，夜不能寐的惯常生活模式。

"今日宫中年最老，大家遥赐尚书号"，写老宫女时来运转，被皇帝赐予了尚书的名号。诗中的"大家"是内宫人对皇帝的尊称。对突如其来的封赏，老宫女也有几分欣喜，走马上任前用心打扮："小头鞋履窄衣裳，青黛点眉眉细长。"但结果却是"外人不见见应笑"，因为这已经是"天宝末年时世妆"，现在已经不流行了。这样戏剧性的结局，恰好反衬出了上阳宫的闭塞和宫女的悲。

诗的最后，诗人发表议论进行总结：上阳人，苦最多。少亦苦，老亦苦，少苦老苦两如何？君不见昔时吕向《美人赋》；又不见今日上阳白发歌！连用五个"苦"字，层层递进，表现宫女无从选择、无法摆脱的悲苦人生。最后两句则暗含了诗人对统治者贪恋美色的不满。

天宝末年，统治者专设花鸟使专门负责物色各地美女，时任贤院校理的吕向作《美人赋》讽谏唐玄宗，玄宗虚心接受，还升了吕向的官位。白居易把自己的《上阳白发人》和《美人赋》相提并论，显示出诗人"救济人病，裨补时阙"的政治理想，希望当朝皇帝看到后，能有所开悟，改善妇女的生活。

这首诗是白居易《新乐府》五十首中的名篇，诗中夹叙夹议，有景有情，而且句式长短有致，读来朗朗上口。字面上虽如民歌般浅显易懂，内涵上却又不失艺术感染力，在表现妇女问题的古典诗歌中是极佳的作品。

# 花非花

白居易

花非花，雾非雾，夜半来，天明去。<br>来如春梦几多时？去似朝云①无觅处。

**【注释】**

①朝云：此借用楚襄王梦巫山神女之典故。

**【赏析】**

明代文学家杨慎在《词品》中说："白乐天之辞，予独爱其《花非花》一首，盖其自度之曲，因情生文者也。"意思是说，在白居易众多的诗中，这首《花非花》最招杨慎的喜欢，喜欢的原因是此诗"因情生文"。至于白居易到底想在诗中表达什么样的感情，杨慎没有给出明确的解释。不过，从诗的具体内容来看，这种感情类似某种无名的伤感，赋予全诗一种似是而非的朦胧美感。

起始两句套用民间歌谣的三三句式，文辞错落，读来琅琅上口。"花非花，雾非雾"连用两个否定句，字面意思是说：是花也不全是花，是雾也不全像雾，本质上是两个比喻，说这种东西像花又像雾。

"夜半来"对应第三句"来如春梦几多时"，比喻作者想要言说的东西像梦一样短暂。"天明去"对应第四句"去似朝云无觅处"，又把它形容得像朝霞一样美丽易逝。这样看来，整首诗如打字谜一样，通篇设喻，喻体鲜明，本体却闪烁不定，让人无法完全了悟。

像这种多个比喻连用的艺术手法，叫作博喻、连比。在白居易的诗中这种手法较为多见，比如《琵琶行》中的"间关莺语花底滑，幽咽泉流冰下难。冰泉冷涩弦凝绝，凝绝不通声暂歇"。但大多数情况下，博喻多作为诗歌的一部分出现，而且多个比喻都围绕一个鲜明的本体的展开，喻义环环相扣，增强了语言的表现力和诗歌的感染力。不过这首《花非花》全篇以博喻为诗，在白居易诗歌以及古典诗歌中，都堪称特例。

就诗的内质来说，中国当代著名学者施蛰存认为这首诗是白居易为妓女而作。他说："'花非花'二句比喻她的行踪似真似幻，似虚似实。唐宋时代旅客招妓女伴宿，都是夜半才来，黎明即去……她来的时间不多，旅客宛如做了一个春梦。她去了之后，就像清晨的云，消散得无影无踪。"也有学者根据此诗收录的位置和同集诗的感情基调、写作主题，推断这是一首追忆美好、人事消逝的悼亡之作。尽管如此，众家的说法中有一点是相同的，即诗歌的基调是感伤的，那种朦胧的感伤之美，恰好契合人心感情的微妙，这种雾里看花的效果，也正是全诗的美丽所在。

# 赋得古原草送别

白居易

离离①原上草，一岁一枯荣。野火烧不尽，春风吹又生。远芳侵古道，晴翠接荒城。又送王孙去，萋萋满别情。

**【注释】**

①离离：形容草原的莽莽之态。

**【赏析】**

按唐代的科考规矩，凡指定、限定的诗题，题目前必须加"赋得"二字，答题方法和咏物诗类似。咏物诗讲究卒章显志，即在诗的结尾处突出诗歌的主题，白居易的这首《赋得古原草送别》是这一类的典型。这首诗题目中有"送别"二字，明显是一首送别友人的诗。而诗歌前半部分几乎没有提到友人和送别，只在最后一句点出"又送王孙去，萋萋满别情"，可见言草的部分实乃为言情做铺垫，借景抒情，以草示人，用枯荣交替的野草暗示自己和友人之间的分分合合。

一、二句"离离原上草，一岁一枯荣"，起笔"赋草"，紧扣题目"古原草"三字，在一片辽阔的原野上，满眼望去，是一望无际的野草，勾勒出一幅大气而雄壮的画面。而作者此时想到的，不仅仅是这片草在空间上的宽广无际，更有在时间上的兴衰更替，由此揭示出了大自然的奥妙，也为诗歌"离别、人世无常"的主题做好铺垫。这两句诗看似平淡，不着修饰，却揭示了原野上草木繁荣与枯败的自然规律。

三、四句"野火烧不尽，春风吹又生"，不管烈火如何焚烧，只要春风一吹，又是漫天碧草，野草生生不息，尽显顽强的生命力。"烧"、"吹"、"生"三个动词连用，既朗朗上口，极富韵味，又把古原荒草的强大生命力描写得淋漓尽致。

此二句尤为顾况所赏识，据宋人尤袤《全唐诗话》记载，白居易带着这首诗前往长安，谒见当时的大名士顾况。"居易"二字根据字面意思可以解释为"住下很方便"。顾况见到年轻无名的白居易后，不以为然，半开玩笑地说："长安米贵居不易。"当读到"野火烧不尽，春风吹又生"时，顾况瞬间被震住了，脱口而出："有才如此，居亦何难！"

其实，这句诗不仅揭示了大自然生生不息的客观规律，也暗示着人类自强不息、勇于战胜自然的拼搏精神，此后人们常常借此表明自己永不服输、东山再起的志向。

"远芳侵古道，晴翠接荒城"两句描写出春草的茂盛、古原的辽阔及春日的天朗气清。"古道"、"荒城"始终不离"古原"这一意象，用人事的更换与光景的常新对比，以"侵"、"接"二字刻画春草蔓延、绿野广阔的景象，既简明又传神，可见体物描写之精华。

至"又送王孙去，萋萋满别情"句，方见"送别"这一主题。借春草繁盛抒发离别之情的传统早已有之，《楚辞·招隐士》有"王孙游兮不归，春草生兮萋萋"的句子。白居易在前面极力描绘春草之繁盛，而结句"又送王孙去，萋萋满别情"，一"繁盛"，一"萋萋"，二者之间的反差强烈，将友人之间抽象的惜别之情化为触手可及的萋草形象，意象运用极其自然。

整首诗一气呵成、不琢雕装饰，而又情真意切、以物言情，读来大气磅礴，催人深思。

# 惜牡丹花①

白居易

惆怅②阶前红牡丹，晚来唯有两枝残。
明朝风起应吹尽，夜惜衰红③把火④看。

**【注释】**

①诗人原注："一首翰林院北厅花下作。"②惆怅：伤感，愁闷，失意。③红：指牡丹花。④把火：手持火把。

**【赏析】**

李商隐曾有诗云"客散酒醒深夜后，更持红烛赏残花"（《花下醉》），苏轼亦有诗云"只恐夜深花睡去，故烧高烛照红妆"（《海棠》），其中深夜、残花和微光构建的巧妙诗意，都是由白诗中这句"夜惜衰红把火看"生发而来。但具体来说李商隐的《花下醉》是在春意阑珊之时，酒醒愁未醒之际，是对残花的惜叹；苏轼的《海棠》是花开正浓时，诗人正尽兴观览。白居易却恰好以前情应后景，在牡丹花开正浓时惜花，相比于前两者惜花之情更显真切、深挚。

这种独特而真挚的惜花情，在诗作中体现为诗意的一波三折和情感的跌宕起伏。首句"惆怅阶前红牡丹"，以"惆怅"二字起句，情感基调起于哀沉，将人引入花败春残的惯性联想。而"晚来唯有两枝残"却用"唯有两枝残"收柳暗花明之效，情感境界顿然开朗，令人不禁为牡丹花开正浓而深感庆幸。

紧接着诗人笔锋转折，"明朝风起应吹尽"，情感又转入无可奈何，一种无以名状却萦绕不去的愁绪弥漫开来，首句"惆怅"二字在此句中有了回应。面对着阶前盛开的牡丹，作者的"惆怅"正是因为有"明朝风起应吹尽"的无限担忧。末句"夜惜衰红把火看"将作者的惜花护花之情表现得淋漓尽致，同时也是对诗题的呼应及前三句的顺承。全篇环环相扣，一线贯之。

《古诗十九首》中"昼短苦夜长，何不秉烛游"的人生处理方式，在白居易这首诗里化作了对生命的诗意欣赏。如果说《古诗十九首》中的秉烛夜游缘于人生苦短，那么此诗中借着火光看花的情景则是因为害怕错过花期。如此对照看来，作者能将对人生的珍惜化为对牡丹的怜爱，其惜花之心可见一斑。正是这种纯粹而炽烈的情感，使作者在诗结尾忽出奇句，成一唱三叹之妙。同时，花开浓时尚且如此，"寂寞萎红低向雨，离披破艳散随风"时又当如何？诗中的惜花情感在最高潮时戛然而止，留下了无限想象空间。

在中国古代诗歌作品中，咏花惜花之作俯拾即是，或用各样语句描摹花开时的秾丽，或借花开花败之景抒伤春悲秋之叹，而白居易的这首《惜牡丹花》却情因景而生，景因情而丽。惜花之情因阶前红牡丹已有"两枝残"、"明朝风起应吹尽"而起，使作者惆怅不已，同时也正是在这种情感的作用下，红牡丹才在夜间的火光下更显国色天香，如此，惆怅中有爱怜，在情感内涵上也为本诗平添了几分哀而不伤的美感。

# 舟中读元九诗

### 白居易

把君诗卷灯前读，诗尽灯残天未明。
眼痛灭灯犹暗坐，逆风吹浪打船声。

**【赏析】**

唐宪宗元和十年（公元 815 年），白居易上书要求缉拿刺杀宰相武元衡的凶手，得罪权贵，被贬为江州司马。在这种情况下，诗人在贬谪途中想起了五个月前远谪通州的好友元稹，于是在一个深秋的夜晚于漫漫水途中，写下了这首《舟中读元九诗》。

诗中所选的意象，比如"灯残"、"逆风"，诗人的遣词，比如"诗尽"、"眼痛"、"暗坐"，使得整体诗境满含凄苦之感，让读者与诗人一同感受到人生低落时的悲苦与沉重。

再读"眼痛灭灯犹暗坐"一句，既然眼已痛，灯已灭，诗也读得差不多了，那么为什么还要在黑暗中独自呆坐呢？联系本诗写作的背景与诗人的心境，读者可以想象到这样一幅场景：诗人在漂泊的小舟上想到自己与友人一样命途艰辛，朝廷中小人当道，朝纲混乱，贤能之人不得重用，这种忐忑与孤寂之感与黑夜里独自泛舟于江上的冷寂别无二致。瞬时间，眼前的风浪变成了"逆风吹浪打船声"，这种极富象征意义的图景表达了诗人复杂的感情。

这首小诗还有一个非常重要的特点，表面上看似犯了诗家最忌讳的"犯复"情况，几次三番地提及"灯"字。实际上具体阅读中并没有给人带来重复与冗踏之感，而是将其衍生为贯穿全诗的线索，在节律上形成一句紧连一句的效果，使全诗音节连贯，一气呵成，加强了全诗的表达力。

# 放言五首（其一）

白居易

朝真暮伪何人辨①，古往今来底②事无。但爱臧生③能诈圣④，可知⑤宁子⑥解佯愚。草萤有耀终非火，荷露虽团岂是珠⑦。不取燔柴⑧兼照乘⑨，可怜光彩亦何殊。

**【注释】**

①辨：一作辩。②底：什么。③臧（zāng）生：指臧武仲。《论语·宪问》："子曰：臧武仲，以防求为后于鲁。虽曰不要君，吾不信也。"④诈圣：奸诈。《左传·襄公二十二年》杜氏注："武仲多知，时人谓之圣。"⑤知：同"智"。⑥宁子：即宁武子。⑦草萤二句：诗人以此来比喻人世间的某些假象，并告诫人们不要为假象所蒙蔽。⑧燔柴：本意是动词烧柴，点染柴火。这里用作名词指火光。⑨照乘：珠名。

**【赏析】**

"放言"意为是无所顾忌，畅所欲言。诗人以"放言"为题，将文辞的锋芒对准了纷乱的社会现实。这组诗作于宪宗元和十年（公元 815 年）诗人被贬赴江州途中，想到好友元稹曾经写过《放言》组诗，"韵高而体律，意古而词新"（原诗序语），而自己"出佐浔阳，未届所任，舟中多暇"，便写了这五篇，应和元诗的同时，抒发一己忧愤。

无论是在音韵上，还是在文字的结构上，平仄、对仗、起承转合，都严格遵循着七律的要求。

诗的首联以一声反问道出诗人胸中的苦闷：一天之中，早晨仿佛还俨乎其然，到晚上却成了假的；古往今来，什么样的怪事没出现过？

"底事"，何事之意，指的是朝真暮伪、是非难辨的事。这两句在开篇单刀直入，凌厉地扣准"放言"的言下之意，引出这首政治抒情诗的主题：朝廷诸事的真伪莫辨，朝令夕改。而这黑白难明的情形早就不是当今朝廷的"特色"了。第二联中，诗人犀利用典，说春秋时代臧武仲要挟君主，却被视为圣人；宁武子这样的贤人则在乱世中自掩锋芒，韬光养晦。颔联以用典的手法承接首联点出的主题，借古讽今。

颈联转讽为谏，以比喻的手法抒发胸臆：草丛间虽然有萤火虫发出的光亮，但那终究不是火；荷叶上的露水，虽然团成一簇，却不能充当珍珠。

尾联紧承颈联萤火、露珠之喻，抛出辨伪之法：倘不取焚柴大火、照乘明珠来作比较，又何从判定草萤非火，荷露非珠呢？这两句从反面着墨，虽有辨明之法，却无人为之，最终使得草萤与火焰、荷露与珍珠的光彩不得明辨。

当年六月，诗人因上疏急请追捕刺杀宰相武元衡的凶手，遭当权者忌恨，被贬为江州司马。这两联是诗人自比火焰、珍珠，说的是在无人明辨的世道里，诗人耿介的人格光芒被掩的苦闷。

短短的八句中，诗人用到"何人"、"底事"、"可知"、"岂是"、"亦何"五种反问语气，使语言激昂跌宕；其间的用典、比喻则让人深感诗人的感情强烈到纵贯古今的地步。而结构上起承转合的顺畅流转让诗人的苦闷宣泄纸上，一气读完之余，诗句中丰沛的情感久久回荡。

# 悯农二首

李绅

春种一粒粟，秋收万颗子。四海无闲田，农夫犹饿死。

锄禾日当午，汗滴禾下土。谁知盘中餐，粒粒皆辛苦。

**【赏析】**

《悯农二首》一作《古风二首》，《唐诗纪事》记载诗人李绅曾以此诗谒吕温，吕温看过这两首诗说李绅必为卿相。据此可推知诗人作此诗时年纪尚轻。诗人童年多舛，6岁丧父，由母亲含辛茹苦一手养大，15岁于惠山求学，早年的贫苦经历成为他作此两篇的思想根源，由于有切身体会，两首诗行文自然晓畅，其中感情真挚诚恳。因这两首诗流传甚广，几乎家喻户晓，李绅也被誉为"悯农诗人"。

这两首诗之所以广为传颂，并不是因其造意的新奇，也并不是因为言辞的绮丽，恰恰与上述两者都相反。诗人取材于田垄之间，将农事入诗，语出平白朴素，但构思精巧、见微知著地提炼出生活哲理，具有相当普遍与深远的教育意义，因此流传开来，成了妇孺皆知的名篇。

第一首开篇首句"春种一粒粟"说春天播种，"粟"就是谷子，在这里泛指种子；第二句"秋收万颗子"写秋天收获。两句平铺直叙，似是语出平常，波澜不惊，但通过"一粒粟"与"万颗子"的悬殊对比，为丰收提供了有据可循的前提。

三句"四海无闲田"与前两句在情绪上如出一辙，同样是在叙说众人皆知的客观情况，"四海"一词则凸显了田地之广袤，继前两句同样给出了丰收的暗示。然而，最后一句"农夫犹饿死"横空而出，将前三句所蓄之势全盘推翻，给出了一个石破天惊的结局。

诗人先写春种秋收的自然规律，也告知了读者土地广袤没有"闲田"，这其中隐含道出"农夫"是勤劳的，并没有令田地荒芜，而最后却说"农夫犹饿死"，看似是平白叙述，实则留下的疑问却发人深省。无关天时地利，问题只在"人和"，诗人只字未提，却将剥削阶级与被剥削阶级之间深重的矛盾横陈纸上，言有尽而意无穷。诗人的重点并不在诗文中的二十字，而在于此二十字引申而出的言外之意，构思精巧，但通俗易懂。

第二首则是由农民的劳作场景开篇。"锄禾日当午"，同样以农事入诗，只是将"锄禾"之时间恰巧安排在"当午"之时，一幅烈日炎炎、农夫躬身于垄间辛勤劳作的画面浮现眼前。"汗滴禾下土"则是细节描写，将农夫汗水滴下的一瞬展现出来，汗水落在"禾下土"也暗指秋天的收获皆是辛勤汗水所得。与前一首相联系，诗人通过描摹农夫田间劳作的一个小侧面，表现了农夫在农业生产过程的辛苦，也就对"春种一粒粟，秋收万颗子"给出了解释——"万颗子"乃是辛勤耕耘换来的。

"谁知盘中餐，粒粒皆辛苦"一句语重心长，尤其值得回味。"谁知"语一出，便给人疑问之感，然"盘中餐""皆辛苦"是人人皆知的道理，诗人的疑问似乎大可不必。然而，就是这个平常的浅显的道理，却往往被人忽略，尤其是被统治阶级忽略，故而才会出现杜甫诗中"朱门酒肉臭"的情形。所以，李绅诗中提出的疑问不仅必要，而且扣人心弦。与前首诗相联系，正是有些人无视此处的"辛苦"才会出现"农夫犹饿死"的惨象。"谁知"两句貌似平常，却是对骄奢淫逸的剥削阶级深恶痛绝的诘问、控诉。

对平凡生活的精准提炼是这两首小诗的过人之处，清代李锳在《诗法易简录》中说："此种诗纯以意胜，不在言语之工。"恰恰道出此中真意。同时，作者行文看似并无所指，却表达了对剥削阶级的强烈控诉。

诗人李绅是元和进士，新乐府运动的倡导者和实践者之一，与白居易、元稹等交往甚密。元稹称李绅说："予友李公垂，贶予乐府新题二十首，雅有所谓，不虚为文，文章合为时而著，歌诗合为事而作。"最后两句所指，在这两篇小诗中得以体现。

# 与浩初上人①同看山寄京华亲故

柳宗元

海畔尖山似剑芒②，秋来处处割愁肠。
若为化作身千亿，散向峰头望故乡。

**【注释】**

①浩初上人：潭州（今湖南省长沙市）人，龙安海禅师的弟子，作者的朋友。②剑芒：剑锋。

**【赏析】**

柳宗元出生于没落的名门望族，少有才名，一生胸怀韬略，志向高远。20 岁及第，进入仕途后，加入了王叔文、王伾等领导的政治革新集团，以庶族地主利益为重，颁布了很多整治措施，引起了贵族地主的强烈不满。唐永贞元年（公元 805 年），政治革新只进行了 5 个月，随着顺宗的去世，革新付诸东流。王叔文等人遭到打压，柳宗元亦获罪被贬永州，10 年后才被召回京城，回京不久，柳宗元再次遭到贬谪，迁柳州刺史，直至元和十四年（公元 819 年）卒于柳州任所。

此七绝即为柳宗元被贬柳州时所作。诗篇通过新颖独到的想象，奇特的构思，表达了作者身遭贬谪的惆怅心情与远在荒蛮对故乡故友的思念之苦。"浩初上人"是诗人好友，当时从临贺来到柳州看望柳宗元。

"海畔尖山似剑芒，秋来处处割愁肠。"此句结构奇特，诗人以"剑芒割肠"之痛来形容内心的乡愁之切，而这"割肠利刃"不是其他，而是矗立于海边犹如屏障的陡峭巉岩。将"海畔尖山"喻为"割肠"的"剑芒"，形象地写出了群山的峭拔参差，也写出诗人回乡的路途被这些险峻山峰阻断，思乡望乡之情顿显。诗人远离故乡于千山万水之外，又被这些悬崖峭壁幽闭于这荒僻的角落里，音讯难通，就连远望的心愿都难以实现，更不要说回归了，作者思乡之愁浓烈而无法表达的痛苦之情溢于言外。

"若为化作身千亿，散向峰头望故乡。"此句粗看与上句关联不大，其实是由上联转化而来。远望故乡难成，于是想克服重重困难以望故乡。诗人想象自己"化身千亿"伫立峰巅，来慰藉自己的愁苦内心。诗人想要于层层峰峦之上伫立"化身"，不是一个两个，而是"千亿"，渲染出诗人被思乡苦痛煎熬内心的情状。"若为"说明一切只是想象而已，而在现实中，诗人抑郁的愁思还是无法宣泄，让人不由心生同情。

本篇是诗人抒情诗的名篇，也是最能代表柳宗元诗歌风格的典范之作。此诗语调平淡沉着，但于平淡外蕴浓厚。在奇特的艺术手法、惊人的形象中，诗人郁悒复杂的情感洪流奔卷，难以遏制。如苏轼《书黄子思诗集后》中所评："独韦应物、柳宗元发纤浓于简古，寄至味于淡泊，非余子所及也。"

# 重别梦得

柳宗元

二十年来万事同，今朝歧路①忽西东。
皇恩若许归田去，晚岁当为邻舍翁。

**【注释】**

①歧路：岔路，指离别分手处。

**【赏析】**

此诗为柳宗元送刘禹锡的一首赠别诗，亦是离别之诗。柳宗元和刘禹锡为患难之交，二人在唐德宗贞元九年（公元 793 年）同时进士及第，并且都参与了王叔文、王伾等领导的政治革新。后因新政失败，二人又同时被贬，一为永州司马，一为朗州司马。唐宪宗元和十年（公元 815 年），柳宗元和刘禹锡在被召回不久的同时就又一同被贬为远地刺史，一在柳州，一在连州。此诗即为他们同出京都赴任，一路同行至衡阳路时的分手之作。

首联上句"二十年来万事同"，一语道出多年来二人官宦生涯中一同经历的波折坎坷。"二十年来"，二人从贞元九年同时进士及第，到元和十年再次同遭贬谪，共有 22 年。"万事"，不仅是一同及第，一同被贬等事，更包括了两人共同的革新思想，政治坎坷中相同的心理境遇。"同"字既点出了遭际的相同，更表达出作者与友人既志同道合，又同病相怜，在患难中从同道成为知音。

"今朝歧路忽西东"刻画了二人匆忙之间不忍分离的心情。"忽"字内涵丰富，不仅表达了二人进京忽又被贬的仓促，二人分别的匆忙，更表达了诗人政治理想的覆灭，20年的倏忽而逝的痛心与茫然。"西东"既是分别语，也是实情，二人一去柳州（州治在今广西壮族自治区柳州市），一去连州（州治在今广东省连州市）。

"皇恩若许归田去，晚岁当为邻舍翁。"20 年来政治生涯的一贬再贬使诗人心灰意冷，与志同道合的友人已经不再共话治国理想了，而是相与期许共同归田的约定。诗人现在对"皇恩"的期望仅仅是能"归田去"，而这也只是"若许"而已。"晚岁当为邻舍翁"，在备受打压之后，能有一个共患难的知交相与为伴，能在晚年相与归田比舍而居，这是诗人内心多么重要的一丝温暖，表达了两人之间深厚真挚的友情。

在诗人经历重重磨难后与故交分别的时刻，本应凄苦愤慨，百感交集。然而此诗手法却平静朴实，锋芒深藏，语言质朴直白，感情低回婉转，凄楚动人。诗歌意境真挚感人，蕴藉沉着，体现了柳宗元诗歌精练巧妙的风格特色。

# 望夫词

施肩吾

手爇寒灯向影频，回文机上暗生尘。
自家夫婿无消息，却恨桥头卖卜人。

## 【赏析】

施肩吾虽是道士，却极有人间情趣，不仅有《幼女词》写小女孩的天真烂漫，也有如本篇这样的闺怨诗。本诗通过对思妇独守空闺的生活片段进行描写，刻画了主人公望夫情切的心理。

"手爇寒灯向影频"，"爇"即燃，写思妇夜不成寐，燃起孤灯，却又不知所措，频频看向灯光照出的身影。"寒"字凸显了思妇心中的枯寂，灯并不冷，而是她的心中缺少温暖，漫漫长夜，唯有顾影自怜。"回文机上暗生尘"中"回文机"是用典，传前秦苻坚时秦州刺史窦滔被迁流沙，其妻苏蕙善属文，把对丈夫的思念织为回文旋图诗，共840字，读法宛转循环，词甚凄婉（《晋书·列女传》）。"回文机"就是织布机，"暗生尘"说明由于对丈夫的朝思暮想，思妇早已无心织布，凸显其心理烦乱。

诗文的妙处在于后两句，"自家夫婿无消息，却恨桥头卖卜人"。由于对丈夫的思念无法排解，"夫婿"自离乡后又杳无音信，思妇便将希望寄托于卜算之人，诗中虽未言明思妇卜到的消息是好是坏，却直言了思妇对"卖卜人"之"恨"。从中不难看出，思妇即便不是"终日求人卜，回回道好音"（杜牧《寄远人》），也受到了卜算之人的蛊惑，最终希望一次次落空。此两句既写出了思妇望夫的急切，甚至急躁，同时也尽显思妇嗔怒之态，饶有一番情趣。

思妇的思念既有望眼欲穿的思念，也有迁怒于卜算之人的无奈，其情固然是苦的，然为诗人道出，却充满趣味，再经回味，思妇愁苦的程度更深。

# 赠婢

崔郊

公子王孙逐后尘，绿珠垂泪滴罗巾。
侯门一入深如海，从此萧郎是路人。

**【赏析】**

关于此诗，有一则故事流传甚广：唐元和年间，秀才崔郊的姑姑家有一位婢女，形容姣好。崔郊与这名婢女互生爱慕之情，但后来此婢女被卖给了有权有势的于頔，崔郊念念不忘，惆怅不已。后来在一个寒食节，崔郊再次邂逅了这位偶然出行的婢女，诗人情不自胜，写下此诗。后来于頔读到这篇作品，便让崔郊将此女带走，成全了这对有情眷属，也留下了一段诗坛佳话。这个故事出于唐代范摅的《云溪友议》。

"公子王孙逐后尘"，"公子王孙"是指贵族，或者富家子弟，"逐"言追求情切，这句诗借"公子王孙"的竞相追逐来侧面烘托尚未出场的女子之美。"绿珠垂泪滴罗巾"一句用典，"绿珠"是西晋富豪石崇的爱妾，相传她"美而艳，善吹笛"，后权臣孙秀仰仗势力，欲逼娶"绿珠"，石崇不允，由此惹来杀身之祸，"绿珠"跳楼自尽。在诗里，崔郊以"绿珠"代指美貌女子，"垂泪滴罗巾"是说女子的苦楚。这两句诗就是说貌美如"绿珠"般的女子，往往为"公子王孙"所青睐，但却因此种下祸根，最终铸成悲剧。诗人所表达的是对婢女的关切，同时也带着对"公子王孙"行为的不满。

"侯门一入深如海，从此萧郎是路人。""侯门"本指王侯之家，在这里引申为权豪富贵之家，"深四海"是指"侯门一入"两人之间产生的隔阂，无法逾越。"萧郎"原出于对南朝梁武帝萧衍的称呼，后泛指被女子爱恋的情郎，此处是指诗人崔郊自己。此两句是诗人表达胸中所怨，看似是针对女子，然联系上文，导致"萧郎是路人"的仍是"侯门"。其中"一入"与"从此"更是表达了诗人深沉的绝望。

紧贴"赠婢"主题，作者表达了痛失所爱的哀怨，与此同时，也以高度概括的意象将自身发生的悲剧抽象化，使个人的悲欢离合上升到了社会层面，痛陈剥削阶级贪图享乐、骄奢淫逸，不断重复着"绿珠"式的爱情悲剧。全诗寓意深刻，含而不露，怨而不怒。

# 离思五首（其四）

元稹

曾经沧海难为水，除却巫山不是云。

取次花丛懒回顾，半缘修道半缘君。

**【赏析】**

此诗为诗人元稹悼念亡妻韦丛的组诗《离思五首》中的第四首，也是其中流传最广、最为人称道的一首，尤其"曾经沧海难为水，除却巫山不是云"两句令无数后人为之动容，潸然泪下。

"曾经沧海难为水，除却巫山不是云"这两句是说：在看到过苍茫广袤的沧海后，其他地方的水都很难再吸引我；亲历了云霞峥嵘的巫山后，其他地方的云都黯然失色，难以负载云之称号了。诗人巧妙地利用景物来表情，以"沧海"和"巫山"承载自己对亡妻的深深思念，言外之意是，除了妻子，世间任何其他女子都无法吸引他。这两句以实写虚，既形象可感，又贴切自然。其中"巫山云"是借用的宋玉《高唐赋》中"巫山云雨"的典故，以神女来指代妻子，既赞其圣洁美好，又有虚无缥缈的况味。

开篇两句以物写情，用沧海之水和巫山之云来隐喻诗人对妻子深厚的感情，表现出诗人的痴情，也从侧面表现出诗人与妻子的感情之深。

接下来由景及人，"取次花丛懒回顾，半缘修道半缘君"，这两句可直译为：我在花丛中任意穿行，但是懒于回头，而这一半是因为我潜心修道，一半则是因为你。"花"既可是对花朵的实指，但也有对女色的隐射，以花写人，诗人"取次花丛懒回顾"，是指他在花丛中不想回顾看花，暗指妻子死后，自己对其他女子没有了兴趣。而这一切都源自于"修道"和"君"，"修道"有股看破红尘的意味，诗人年纪轻轻，何至如此？归根结底还是"缘君"，还是因为失去了妻子，失去了爱人，这让他倍感孤独寂寥，才会转而"修道"，进而"取次花丛懒回顾"。

前三句描写的是诗人在妻子去世后的各种表现和感受，而最后一句画龙点睛，直击主题，揭示了产生这些表现的原因。各句之间衔接自然，布局紧凑。整首诗最显著的特色之一在于对比喻修辞的巧妙运用，以沧海水、巫山云、花丛花作喻，表达出诗人对妻子浓浓的怀念之情，曲婉深沉，张弛有度。全诗语朴情真，淡淡怆然，感情基调伤而不俗，浓而不腻，堪称悼亡诗中的巅峰之作。

# 遣悲怀三首（其一）

元稹

谢公最小偏怜女，自嫁黔娄百事乖。顾我无衣搜荩箧[①]，泥[②]他沽酒拔金钗。野蔬充膳甘长藿[③]，落叶添薪仰古槐。今日俸钱过十万，与君营奠复营斋。

**【注释】**

①荩箧：竹草编的箱子。②泥：纠缠、恳求。③藿：一种能食用的豆叶。

**【赏析】**

唐德宗贞元十八年（公元 802 年），官位卑微的元稹迎娶了太子少保韦夏卿的小女儿韦丛，当时韦丛年芳 20 岁，虽然当时两人身份地位差距较大，可是韦丛丝毫没有嫌弃势利之姿，两人相亲相爱、举案齐眉，日子虽不富裕，但甜蜜温暖。随后，元稹受重用，地位愈发显著。两人的幸福生活即将开始，可是天不遂人愿，爱妻韦丛突然病逝，年仅 27 岁。元稹伤心不已，写了一系列悼亡诗来纪念妻子。

约于唐宪宗元和六年（公元 811 年），即韦丛死后两年，元稹写下了悼念亡妻的组诗《遣悲怀》三首，此乃其中的第一首，为追忆诗人和妻子生前患难与共，夫妻恩爱的景况。

"谢公最小偏怜女，自嫁黔娄百事乖。"此处"谢公"是指东晋宰相谢安，他最偏爱小侄女谢道韫；"黔娄"是战国时期齐国著名的贫士；"乖"在这里并非乖巧、乖顺之意，而是不顺利、不如意的意思。元稹用谢道韫暗指自己的妻子韦丛，而用黔娄来指代自己，这两句是说妻子离开安逸富贵的家里，屈身下嫁于他，可是诸事不顺。

"顾我无衣搜荩箧，泥他沽酒拔金钗。"诗人选取了他们夫妻生活的两个小场景：妻子看见我没有衣服穿，就翻箱倒柜地搜寻；我因没钱而哀求她去买酒，妻子马上拔下自己头上的金钗去换酒。妻子生前对诗人的关心和爱惜由此可见。

"野蔬充膳甘长藿，落叶添薪仰古槐。"这两句诗写的是：当家里没有食物充饥时，他们就心甘情愿地吃诸如豆叶的野菜；当家里没有柴烧时，他们就用古槐树的落叶充当柴火。此联呈现出了一幅清贫但怡然自得的画面，表现出了夫妻间的浓浓爱意和生活的自然随性。

"今日俸钱过十万，与君营奠复营斋。""斋"在这里是指向僧侣施舍饭食。这两句的意思是：如今我的俸禄已经超过了 10 万石，可是却只能用酒水和向僧侣施舍饭食来祭奠你，以慰藉你九泉之下的灵魂。生时长期共苦，却没有机会共享富贵，诗人心中的悲苦不难想象。

全诗可分为两部分，前三联是第一部分，再现夫妻昔日的生活情景，语言自然清爽，不作修饰，他们的生活虽然贫苦，字句间却无丝毫抱怨，反有种快乐怡然的味道，表现出诗人对妻子安贫乐道品质的赞美，既展现了妻子的贤惠，又道出两人感情之深。末联是第二部分，诗人此时生活条件虽已改善，可是因妻子去世，只有无尽的哀伤和绵长的思念，让人唏嘘。整首诗语言平实，感情深挚，字句间尽显诗人对妻子深深的思念之情。

# 遣悲怀三首（其二）

元稹

昔日戏言身后意，今朝都到眼前来。衣裳已施行看尽，针线犹存未忍开。尚想旧情怜婢仆，也曾因梦送钱财。诚知此恨人人有，贫贱夫妻百事哀。

## 【赏析】

此诗作于宪宗元和六年（公元 811 年），是元稹悼念亡妻的组诗《遣悲怀》三首中的第二首，也是最为人熟知的一首。

首联中的"身后意"是指死后的各种设想，此处"意"有"事"的意味。这两句诗是说：曾经我和妻子开着玩笑设想死后的各种事情，怎想到了今天，一切都变成了现实。"戏言"一词值得玩味，昔日可以开着玩笑谈论生死，一旦这天真正到来，让人不知所措，突出了妻子死亡的突然和不可预测性，让毫无思想准备的诗人有晴天霹雳之感。

第二联中，诗人笔锋一转，转而写妻子死后自己的情状。"衣裳已施行看尽，针线犹存未忍开。""施"是给予的意思，"行看尽"是指眼看就要完了。这两句诗是说：诗人将妻子生前所穿的衣服都送人了，眼看马上就要送完了，可是因为怕触景生情，一直都不忍心打开妻子生前用的针线。"施衣裳"和"未忍开针线"形成一组互相矛盾的对照，诗人把妻子的衣服送人是怕自己睹物思人，可是不忍开针线却是为了给自己留下一些回忆，留下一些纪念。这样两个截然不同且矛盾的反应，微妙但深刻地表现出诗人对妻子死亡的痛惜和思念。

"尚想旧情怜婢仆，也曾因梦送钱财"这两句诗中有一种"爱屋及乌"的味道，诗人因为想念妻子，便对她生前的婢女、仆人也多加怜惜，也曾因为做梦梦见自己的妻子，而亲自给这些婢仆送去钱财。由思念爱妻到体恤婢仆，完全出于移情，由此可见诗人对妻子的爱之深、思之切。

尾联"诚知此恨人人有，贫贱夫妻百事哀"是千古名句，也是全诗的高潮所在。夫妻生离死别的憾事很多人都会经历，可是贫贱时期结为夫妇的夫妻，感受到的悲哀会更多一些。此种含意与诗人在《遣悲怀》第一首中写到的"百事乖"异曲同工。不过，元稹口中的"百事乖"、"百事哀"并非是对过去清贫生活的否定和批判，恰恰是诗人对自己未能给予妻子安逸生活而表达的追悔和遗憾。

元稹的亡妻韦丛是从地位显赫的家庭中来到当时地位低下的元稹身边的，她和元稹一起度过了极其贫穷的日子，诗人为自己没能给予妻子稳定舒适的生活深感愧疚。他回想起往日，更觉"百事哀"，"哀"字正表现出了诗人的遗憾，是对过去贫苦生活的遗憾，也是对吃尽苦头的妻子的歉疚。

于平静中显浓情，于淡然中露真爱，此乃本诗特点。诗人以通俗浅显的语言，呈现出痛苦地追忆妻子的画面，似轻吟低诉，娓娓道来。

# 六年春遣怀八首（其二）

元稹

检得旧书三四纸，高低阔狭粗成行。<br>自言并食寻常事，惟念山深驿路长。

## 【赏析】

元稹在官位低下、家境窘迫之时与当时家世显赫的韦丛结为夫妻，婚后两人日子过得虽然清贫，但两人十分恩爱，感情和睦，倒也过得怡然自得。就在两人生活渐入佳境时，元和四年（公元809年）韦丛去世。此后，元稹感念妻子曾经的相依相伴，写下了无数以悼念为主旨的诗歌，其情感人至深。《六年春遣怀》就是其中著名的悼亡组诗，共有八首，这是其中的第二首，写作于元和六年（公元 811 年），即韦丛死后两年。

"检得旧书三四纸"，诗人在妻子死后整理旧物时，无意间发现了妻子生前写给他的几页信纸。"高低阔狭粗成行"一句是说信纸上的字高高低低，有大有小，行与行的间距也是有的宽阔，有的狭窄，很不均匀，只是勉强成行而已。

前两句整体描写妻子留下的旧书信。这些信纸上字迹虽然模糊而杂乱，但当诗人看到那些熟悉的字体时，不由得怀念起妻子。

"自言并食寻常事"一句中的"并食"指把几顿饭合为一顿。因为经济拮据，当时"并食"现象普遍存在。妻子就在信上说，因为家里情况不好，不免需要"并食"，不过自己对这种情况已经习惯了，所以自言这是"寻常事"。而尾联"惟念山深驿路长"表达的是妻子对漂泊

在外的丈夫的关切之情。妻子在信上说：我只是担心你一个人羁旅在外，深山驿路上条件恶劣，请你千万珍重。

三、四句是诗人对妻子信件内容的描述，简短的十四个字呈现出一位朴实无私的妻子形象。她对于自己生活的清苦毫不在意，只是时刻挂念着远在外面的丈夫。"检得旧书"时，适值诗人被贬官外地，仕途失意，这样一封情真意切的旧书，既传达出温暖亲情，又有鼓励之意，令诗人倍感欣慰，可是一想到昔日时刻陪伴在自己身边的妻子现已过世，诗人又不禁悲从中来，思念之情愈加浓郁。

从妻子信件的格式写到内容，字里行间透露着这对"贫贱夫妻"之间深厚的感情。全诗没有丝毫的修饰和夸张，都是朴实而直白的叙述，结尾也没有加以评论或抒发感情，但正是这样最通俗的描写、最平常的小事、最浅白的记述，却深刻地传递出了妻子生前对丈夫深深的爱恋，并把妻子去世后丈夫难以自己的思念之情表达出来，感情真挚而感人。